바람속정열

민

또 뵙겠습니다.

Tarantella

타란텔라

바람속정열

장편소설

Tarantella

타란텔라

2

바람속정열
장편소설

D&C BOOKS

Tarantella

11. 입학 전통 (2)

11. 입학 전통 (2)

에카이트가 교수라는 얘기는 나만 들었던 것인지 군사학 수업에 나타난 그를 본 윌리엄은 거의 책을 불태워 버릴 기세였다.

앤드류와 조슈아는 누가 와도 이전 교수보단 나을 것이라 생각했는지 오히려 반기고 있었다. 그것은 다른 학생들도 크게 다르지 않았다.

다만 기존의 교수들에 비해 지나치게 젊은 에카이트를 못 미더워하는 학생도 많았다.

갑작스럽게 학기 중 교수가 바뀌어 소란스러워진 교실은 에카이트가 목을 가다듬기 무섭게 조용해졌다.

"흠, 흠. 반갑습니다. 칼라한 제국 외교부 소속 에카이트 베이야드입니다. 베이야드 공작가가 더 익숙한 분들도 있겠군요. 아무튼 먼저 수업을 맡아 주시던 바론 교수가 건강상의 문제로 급히 퇴임하는 바람에 제가 이어서 맡게 되었습니다."

에카이트의 말에 학생들이 웅성거리다가 이내 납득한 표정으로 고개를 끄덕였다.

하기야 바론 교수는 정말 숨은 쉬고 있는지 코 밑에 손가락을 대 보고 싶을 정도로 쇠약해 보이는 늙은 교수였기 때문이다.

느릿느릿 군사학 개론을 읽어 주던 그 교수는 놀라울 정도로 많은 인원을 삽시간에 잠에 빠지게 하는 능력이 일품이었다.

학생들의 표정을 본 에카이트가 명쾌한 미소를 지으며 말을 마친다.

"그럼 기왕 이렇게 된 거, 서로에게 유익한 시간이 될 수 있도록 합시다."

"유익 같은 소리 한다. 멍청한 게."

윌리엄의 중얼거림을 똑똑히 들은 내가 어색한 웃음을 지으며 책을 펼쳤다.

"정말이지 기대 이상입니다!"

"그 정도로 마음에 들었습니까?"

대단히 만족스러워하면서 들떠 있는 앤드류를 보고 웃으며 물었다. 내 질문에 답한 것은 따라 걷던 조슈아였다.

"사실 기대 이상이라고 말하기엔 미안할 정도로 제법 괜찮았습니다. 사실 외교관이 군사학에 대해서 잘 알아봤자 이론적인 수준을 넘어서지 못할 것이라 생각했는데, 그야말로 제 착각이더군요."

흥분한 앤드류와 조슈아가 다음 교실로 걸음을 옮기며 에카이트의 강의에 대해 칭찬을 거듭했다.

하기야 부정할 수 없이 완벽한 강의였다. 초심자까지도 이해할 수 있는, 그러면서도 이미 지식이 있는 사람들도 지루하지 않게 응용과 예시를 적절히 사용했다.

반신반의하며 수업을 듣던 나를 비롯한 대부분의 학생이 단 한 명도 졸지 않고 열성적으로 수업에 임했다.

기억하기론 이랬던 적이 단 한 번도 없었다.

심지어 그렇게 불만이 많던 윌리엄조차 잠들지 않고 수업을 들었으니까 말이다.

"의외로 에카이트 공에게 가르치는 재능이 있나 봅니다. 사실 워낙 깐깐해서 외교부랑 무슨 일만 있었다 하면 서류만 몇 번을 주고받았는지, 여기서 다시 보게 됐을 때 가슴이 체한 것처럼 갑갑했거든요."

"황실에서 일한 사람 중 한 번도 에카이트 공을 안 겪어 본 사람은 없을걸."

조슈아가 고개를 끄덕이며 그의 말에 동의했다.

에카이트, 아주 사방에 악명을 쌓고 있었군.

아직 황실에서 일을 하기에 경험이 충분하지 않아 단 한 번도 일적으로 에카이트와 직접 부딪힌 적이 없었다.

그래서 그의 업무 스타일은 말로만 들었는데, 직접 겪어 본 사람들이 성토하는 고충을 듣다 보니 그럼 그렇지 싶다.

어디 가서 성격 좋다는 소리를 들을 유형은 절대 아니었다.

"누가 봐도 깐깐하고 성격 나쁘게 생겼으니 굳이 수업 끝나고까지 그 얘기는 하지 말지?"

심기가 여전히 퉁퉁 불어 좋지 않은 윌리엄의 말에 두 사람이 조용히 입을 다물었다.

무서워서 다물었다기보다는 뒤끝이 긴 윌리엄에게 괜히 책잡히고 싶지 않아서였다.

어색한 화제 전환이 이루어지면서 다음 강의실에 도착했다. 앞선 수업이 워낙 눈을 높여 놓은 것인지 이번 수업은 유독 지루하게 느껴졌다.

"대민 지원? 이런 것도 합니까?"

"아니, 그 이전에 이 근처에 주민이 있었습니까?"

그러게? 벽에 붙은 대민 지원 공고를 본 나는 조슈아의 말에 고개를 끄덕였다. 이 근처에 민가가 있었나?

"가장 근처라고 해도 말로 삼 일은 가야 하는 거리일걸?"

"윌리엄, 제법 잘 알고 있구나."

주변에 그다지 관심이 없을 것 같던 윌리엄이 의외로 정확한 답변을 내놓자 놀라운 마음에 입을 열었다.

역시 대공자는 대공자인 걸까. 하지만 내 부푼 기대는 윌리엄의 설명에 바로 가라앉고 말았다.

"별것 없습니다. 일전에 방으로 식사를 차려 달라고 요청했을 때, 이 근방에 가장 가까운 민가가 말로 삼 일 거리라 식재료 수급이 어렵다고 들었거든요."

윌리엄의 말에 고개를 끄덕이고는 공고를 자세히 읽기 시작했다.

"토…… 지 개간?"

설마 우리가 소도 아니고 맨땅을 갈아서 농지로 만드는 그런 일을 하라는 건 아니겠지?

부디 잘못 이해한 것이길 빌면서 내 이해를 부정해 줄 사람을 찾아 주변으로 고개를 돌리다 패트릭과 눈이 마주쳤다.

순간 움찔한 그가 용케 눈을 피하지 않고 고개를 숙인다.

재학생이니 그래도 좀 아는 것이 있지 않을까 싶어 그에게 질문을 던졌다.

"저기, 여기에 토지 개간 말입니다."

"뭘 물어볼지 알 것 같은데. 생각하는 것이 맞습니다. 인근의 땅들이 워낙 척박해 마을 근처의 임야를 개간하는 데 도움을 주고 겸사겸사 사나운 짐승들도 쫓아 주고 하는 것이죠."

하도 내게 실수한 것이 많았던 탓일까, 제법 예의를 갖춰서 답을 해 주었다.

아니, 지금 그게 문제가 아니지. 세상에나. 이제 별걸 다 하게 생겼다는 생각에 절로 한숨이 나왔다.

물론 도움이 필요한 사람들을 돕는 것은 좋은 일이고 하다 보면 보람도 느끼겠지만, 한 번도 생각해 보지 못한 중노동인지라 엄두가 나질 않았다.

내 걱정스러운 표정을 본 패트릭이 피식 웃으며 고개를 끄덕였다.

"제국의 기사들은 아무래도 대민 지원이 좀 낯설 겁니다. 영토가 제국만큼 넓지 않은 대부분의 나라에서는 왕실 기사단이라고 해도 대민 지원을 나서거든요. 왕실 홍보 효과도 제법 있고요."

그의 설명에 우리 셋은 고개를 끄덕였다. 윌리엄은 이미 알고 있는 눈치였다.

"누님이라면 모를 법합니다. 얼마나 인력이 많습니까, 제국은. 굳이 황실 기사단까지 나서서 대민 지원을 나가는 것도 우습지요."

윌리엄의 말을 들으며 제국 출신이라 편리한 만큼 무지한 것도 많다는 생각이 문득 들었다.

나는 호기심을 채우고자 다시 입을 열었다.

"그럼 대민 지원 경험이 있니? 윌리엄도 해 봤어?"

"제가요? 아니죠. 나가 봤자 행렬만 거창해지고 호위만 더 붙어요. 저는 그저 올라오는 예산을 확인하고 승인해 주는 정도입니다."

윌리엄의 말도 일리가 있어 고개를 끄덕였다. 패트릭도 같이 고개를 끄덕이더니 말을 덧붙였다.

"참고로 여기는 생각보다 일이 험합니다. 각오하셔야 할 겁니다."

의미심장한 패트릭의 말에도 새로운 활동을 경험한다는 벅찬 감정에 앞으로 벌어질 막노동의 현장을 전혀 짐작하지 못했다.

대민 지원을 떠나는 날이 순식간에 다가왔다. 의미심장하게 웃는 에카이트의 배웅을 받으면서 간만에 클로버를 타고 장거리 이동에 나섰다.

대민 지원은 그야말로 막노동이라 고생도 그런 고생이 없다는데…….

그런 고생길을 나서며 들떠 있는 내가 웃겼나 보다. 나는 에카이트의 마지막 웃음을 떠올리며 투덜거렸다. 미리 알려 주면 좋잖아?

주에 한 번씩 있는 승마 수업은 사실 기마술까지 익힌 기사들에게 큰 의미가 없는 수업인지라 대충 클로버 운동이나 시켜 준다는 개념으로 승마장을 누볐었다.

클로버도 아마 그간 상당히 답답했으리라. 신이 나서 달리는 것을 보면 말이다.

에카이트에 대한 생각을 털어 버리며 점점 속도를 높여 달려 나가기 시작했다.

"아펠리아 경, 말이 참 우아합니다."

옆에서 싸늘한 공기를 가르며 함께 달리던 앤드류가 클로버를 칭찬했다. 그러자 마치 그 말을 알아들은 것처럼 클로버가 더욱 속도를 높여 달린다. 고삐를 가볍게 당겨 제지하자 불만스러운 듯 투레질을 했지만 금방 내 통제에 따라 천천히 달리기 시작한다.

다른 말들도 그간 답답했던 것인지 빠른 속도로 이동했다. 그렇게 우리는 말을 달려 삼 일가량 걸린다던 거리를 하루 반나절 만에 도착했다. 물론 이것은 말을 탄 신입생들의 이야기였다.

아카데미가 보유한 말이 충분하지 않았기 때문에 말이 없는 대다수의 재학생은 말 두 마리가 끄는 4인승 마차를 타고 이동하는 중이었다. 아마 도착까지 거의 사흘 정도 걸리지 않을까.

"이렇게 될 거, 한 이틀 정도 늦게 출발해도 됐을 뻔했습니다. 그야말로 시간 낭비에 체력 낭비로군요."

"동의한다. 차라리 뭘 하고 있으라고 얘기라도 해 주든가."

먼저 마을에 도착하기는 했지만 대민 지원이 처음인 신입생들뿐이라 뭘 해야 할지 몰랐다. 우리는 마을 인근에 멍하니 말을 세우고 서로 눈치만 보고 있었다.

앤드류의 불평에 조슈아가 고개를 끄덕였다. 그는 미리 야영지를 만들어 두는 것이 어떻겠느냐고 제안했다.

멀리서 봐도 마을의 규모가 작아서 서른 명을 넘어서는 지금의 인원을 다 감당할 수 없어 보였다. 거기에 뒤이어 도착하는 인원까지 생각하면 야영지를 꾸려 이곳에서 지내는 것이 정답으로 보였다.

"일단 땅을 고르게 하고 둥글게 야영지를 조성하는 편이 좋겠습니다."

조슈아가 목소리를 높여 다른 신입생들에게 동의를 구하자 다들 고개를 끄덕인다.

주변을 둘러보니 딱히 그보다 나이가 많아 보이는 사람도 없고, 제국 백작가의 차남이자 황실 제1 기사단의 정식 기사인 그보다 리더 역할에 적합해 보이는 사람도 없었다.

"오, 폰디체리 경이라고 했던가요? 의외로 제법 잘하시는군요."

다른 왕국의 귀족 출신이자 왕실 기사단의 기사라는 남자가 성실히 바닥의 돌을 고르며 나를 칭찬했다. 그러자 주변의 다른 사람들도 한 마디씩 말을 덧붙인다.

"그러니까 말입니다. 실례되는 말이지만, 여자라서 제대로 된 기사의 역할을 해 줄지 의심하고 있었습니다. 지금은 물론 반성하고 있고요."

나를 처음 보는 사람들은 내가 남자 기사들보다 연약하고 미숙할 것이라고 많이들 생각한다.

황태자의 호위 기사를 하고 있는 것을 보고도 그렇게 생각하다니, 딱히 기분이 좋은 것은 아니었지만 묵묵히 고개를 끄덕이며 살짝 웃었다.

아마 전생의 경험이 없었다면 야영지 땅을 고르는 일부터 우왕좌왕 난리도 아니었을 텐데 다행이다 싶다.

문제는 내가 아니라 윌리엄이었다. 기사 출신이 아니다 보니 이런 험한 일과는 상당히 거리가 있었다. 그렇다고 열심히 해 보겠다고 덤비는 유형도 아닌지라 주변 사람들의 눈총이 제법 따갑다.

저 정도로 눈치를 받으면 하는 시늉이라도 할 텐데, 정말 보통 신경이 아닌 것 같다.

"여기에 있다고 다 기사다운 것은 아닌 것 같군요, 흠."

노골적으로 불만을 드러내는 타국의 기사에게 어색한 웃음을 지으며, 나는 마나를 이용해 주변의 돌멩이들을 자석처럼 끌어모아 멀리 던졌다.

“아, 춥다.”

“왜 굳이 추운 날 이런 행사를 하는 건지 모르겠네요.”

나는 몸을 부르르 떨면서 모닥불로 조금은 밝아진 야영지를 서성였다. 내 말에 윌리엄이 기다렸다는 듯이 투덜거린다.

“지금이 가장 필요한 시기라니 어쩌겠습니까.”

윌리엄의 투덜거림에 앤드류가 담백하게 대답한다.

“그런데 마을이 근처라고 해도 인적이 정말 거의 느껴지지 않네요.”

“작은 마을이니까요. 이 정도는 좀 심한 것 같지만요.”

내 말에 조슈아가 동의를 표했다. 날이 풀렸다 싶었는데 밤이 되니 아카데미로 이동하던 겨울만큼은 아니지만 제법 추웠다. 그때 근처에서 다른 목소리가 끼어들었다.

“저나 이 친구나 추위에 약해 그런 줄 알았는데, 저희만 그런 것이 아니었군요.”

“갑자기 대화에 끼어들어 죄송합니다. 전부터 폰디체리 경과 직접 얘기를 해 보고 싶다고 난리더니 이런 실례를…….”

갑자기 자연스럽게 대화에 낀 목소리에 제법 놀랐지만 저렇게 사과까지 하니 크게 내색할 수 없었다.

“아닙니다. 이번 기회에 서로 인사나 하는 것이죠.”

그의 사과에 고개를 저으며 공손히 답했다. 두 사람 다 조슈아보다 조금 연상으로 보였다. 아마 턱수염을 조금씩 기른 탓에 그렇게 보이는 게 아닌가 싶다.

"그렇게 봐 주시면 감사하지요. 요셉이라고 합니다."

"저는 토마스입니다."

두 사람이 이름을 말하며 인사를 해 왔다. 아까 나와 이야기를 해 보고 싶다고 말해서일까, 조슈아와 앤드류는 조용히 자리를 비켜 주었다.

"그런데 혹시 어느 나라에서 오셨는지 물어도 되겠습니까."

뭔가 마나와는 다른 이상한 기운이 살짝 느껴져서 대뜸 질문을 던졌다.

과거에 잠시 만났던 교황령의 사제가 가진 기운과 비슷했다. 말을 마치고 보니 오해할 수도 있겠다 싶어서 재빨리 덧붙였다.

"아, 다른 뜻이 있어서 그런 것은 아니고 그냥 기운이 좀…… 다른 분들이랑 다르다 싶어서요."

그 말에 두 사람이 놀랍다는 듯 눈을 동그랗게 뜨고 서로를 마주보다 나를 본다.

"이것 참, 여러모로 놀라게 되는군요. 무엇 때문에 그렇게 느끼시는지 알 것 같습니다."

"저희 둘 다 교황령 옆의 작은 왕국 시온 출신입니다."

아, 시온. 작은 왕국이지만 교황령을 수호한다고 해도 과언이 아닐 정도로 신앙심이 깊은 왕국이라고 알고 있다. 칼라한 제국을 기준으로 아카데미와는 반대 방향인 남쪽에 위치한 곳이다.

그곳 출신의 기사라면 신성 기사이거나 조금이라도 신성력을 다룰 줄 아는 기사일 가능성이 높았다. 일반적인 기사들과 기운이 다르다고 느낄 만했다.

"아, 그러셨습니까. 그렇다면 혹시 두 분 다 신성 기사이십니까?"

이번에는 두 사람 다 고개를 저으며 손사래를 쳤다. 아무리 과시를 목적으로 아카데미에 보낸다지만, 신성 기사는 너무 과하긴 했다. 내가 알기로 등록된 신성 기사는 다 해서 열 명도 되지 않으니까 말이다.

"신성 기사라면 국외로 나갈 때에 교황청의 허가를 받아야 하니, 저희처럼 나오기 쉽지 않습니다."

"이 친구 말이 맞습니다. 혹시 밖에서 저희랑 비슷한 기운의 기사를 만나면 신성 기사는 아니지만 시온 출신이구나, 생각하시면 됩니다."

전생과 현생을 통틀어 시온 출신의 기사는 전혀 만나 본 적이 없었다. 나는 질문을 계속해서 던지며 궁금한 것들을 해소하기 시작했다.

"신성력은 전혀 못 다루십니까?"

"저희는 몸에 신성력을 담지 못합니다. 적합한 그릇이 아닌 셈이지요. 조금이라도 신성력을 몸에 담을 수 있다면 신성 기사로 서임을 받아 교황령으로 들어가 이렇게 나오지 못했을 겁니다."

아, 그렇구나. 설명에 고개를 끄덕이자 이해한 것으로 보였는지 두 사람이 뿌듯한 표정을 짓는다. 그러고는 계속해서 다음 설명을 이어 나갔다.

"그렇지만 다룬다는 것은 조금 다른 개념이겠지요."

"다른 개념이다?"

"네, 맞습니다. 저희 둘 다 신성력의 축복을 받은 검을 사용하고 있습니다. 검 덕분에 저희의 능력과는 별개로 신성력을 조금이나마 사용할 수 있는 것이지요."

두 사람의 설명에 그들이 허리에 찬 검으로 시선을 옮겼다. 의문이

해소되는 순간이었다. 내가 느낀 이질적인 기운은 축복받은 검과 오랜 시간 그 검을 사용해 오면서 그들에게 스며든 신성력인 것이다.

"사실 일 년에 두 번 정도는 정기적으로 축복을 받고 있습니다. 슬슬 다시 받아야 할 텐데……."

넉살 좋게 먼저 말을 건 토마스가 어색한 웃음을 지으며 덧붙였다.

"그런데 이곳, 좀 불쾌하지 않습니까?"

토마스의 말에 요셉이 고개를 끄덕이며 대답했다. 불쾌하다니?

"맞습니다. 불쾌한 기운이 가득합니다. 뭐라고 정의할 수는 없지만, 늘 느끼던 신성력과 상반된 기운이라 신경이 곤두서네요."

요셉의 말에 마나를 이용해 주변을 살폈지만 별다른 점을 느끼지 못해 고개를 갸웃거렸다. 불쾌한 기운이라…….

"저는 잘 모르겠습니다. 왜 그렇게 느끼신 건지요."

내 말에 서로를 바라보며 눈치를 보던 둘이 머뭇거리다 입을 열었다.

"으음…… 정확히 정의할 순 없지만 경계해야 할 위험한 기운인지라 이렇게 잠을 포기하고 깨어 있습니다."

"뭐라고 해야 할까요? 죄인의 사형식이 집행된 직후와 가장 비슷합니다."

엥? 무슨 소린지 도무지 알아들을 수 없어 고개를 갸웃거렸다. 그러나 이미 두 사람은 서로의 설명에 공감한 듯, 고개를 끄덕이고 난리도 아니다.

야영지를 만드느라 고생한 일행의 대다수는 이미 잠에 든 시간이라 사방은 더욱 고요했다.

"일이 어찌 됐던 이상합니다. 마을이 있는 방향에서 유독 그런 기운이 느껴집니다."

"이 정도면 사람이 사는 마을이 맞는지도 의심스럽습니다. 그래서 아까 낮에 마을에 우리의 도착을 알릴 겸 방문하자고 말해 봤는데, 다들 피곤한지 별 반응이 없더군요."

"그러셨습니까? 하긴…… 누구든 마을에 들러 확인을 하긴 해야 했죠."

기본 중에 기본이기는 했으나 워낙 작은 마을이고 피곤해서 절차를 생략하고 말았다. 말을 듣고 혹시나 해서 마을 쪽으로 마나를 움직여 보았다. 어?

"폰디체리 경도 이상하지요?"

내 반응을 본 토마스가 잽싸게 물어본다. 그의 질문에 대답하기 전에 마지막으로 한 번 더 마을 쪽으로 마나를 운용해 보았으나 결과는 똑같았다.

"……이상합니다. 사람이 사는 마을이 아닌 것처럼 텅 비어 있는 게 확실한데 움직임이 있는 것도 같고. 뭔가 이상하군요."

"그렇죠? 마나로 감지하신 겁니까?"

"네, 저는 마나를 이용했습니다만……. 정말 이상하군요."

내가 그의 말에 건성으로 대답하며 다시 마나를 더 섬세히 움직여 기운을 읽었다. 흐릿하게라도 느껴져야 할 생명 반응이 아예 느껴지지 않는다. 혹시 여기가 아닌 걸까?

"저희는 마나에 특화된 기사가 아니라 그 정도까지는 감지할 수가 없어서……. 그냥 느낌이 이상하다 정도로는 공론화할 수가 없더군요. 아무리 설명해도 신성력의 감각을 다른 기사들은 이해하지 못해서."

토마스가 어색한 웃음을 지으며 말했다. 하긴, 말 한번 잘못 꺼냈다간 난감해지기 십상이다. 내가 동의의 표시로 고개를 끄덕였다.

"폰디체리 경에게 호기심이 있는 것도 사실이지만 워낙 마나에 섬세한 분으로 알려져 있기에, 경의 의견을 듣고자 말을 걸었습니다."

"그나저나 정말 이상하군요. 일단 경계를 늦추지 않고 지켜본 다음, 마을을 순찰해 보자는 말을 꺼내 봐야겠습니다."

얼굴을 마주 보던 두 사람이 비장하게 고개를 끄덕였다.

거의 뜬눈으로 밤을 지새우고 말았다. 하나둘씩 일어나 야영지 주변을 돌며 몸을 푸는 사람들을 본 나와 토마스 그리고 요셉은 시선을 교환했다.

조슈아와 앤드류는 가장 먼저 잠에서 깨어 주변을 돌아다니고 있었다. 그 두 사람은 나와 시온의 기사들이 하는 말을 들었는지, 심각한 표정으로 마나를 이용해 주변을 살폈다.

"이상합니다."

감았던 눈을 뜬 조슈아가 입을 열었다. 그의 동의에 마치 천군만마를 얻은 듯 반가워 고개를 끄덕였다. 나만 느낀 것이 아니지? 옆에 있던 앤드류가 역시 동의를 표한다.

"정말 그렇군요. 처음 도착했을 때 느꼈던 인기척조차 완전히 사라졌습니다."

지금이다. 마을을 먼저 살펴보는 것이 좋을 것 같다고 의견을 제시하자 조슈아가 빠르게 동의해 주었다. 실질적으로 리더의 역할을 도맡아 하는 조슈아가 사람들의 주목을 끈 다음 입을 열었다.

"혹시 마나를 다룰 줄 아는 분 계십니까?"

조슈아의 질문에 대부분의 사람이 눈치를 보며 고개를 끄덕였다. 정도의 차이일 뿐, 마나를 아예 다루지 못하는 사람은 없을 것이다. 그들을 쭉 둘러본 조슈아가 말을 이었다.

"그렇다면 마나를 이용해 마을 쪽의 기운을 감지해 보시지요."

워낙 말을 잘 듣는 집단인지라 다들 군소리 없이 눈을 감고 감지

능력을 이용하기 시작했다.

어느 정도 시간이 지나자 하나둘씩 눈을 부릅뜨기 시작했다. 그들은 주변을 살피며 자신이 느낀 것이 맞는지 동의를 구하고 싶어 하는 눈치였다.

그런 상황을 바라보던 나와 조슈아, 앤드류 그리고 시온의 두 사람이 비장하게 고개를 끄덕였다. 윌리엄은 이 와중에도 숙면 중이라니 대단할 따름이다.

"뭡니까, 이거?"

"저만 이렇게 느꼈습니까? 아무 생명 반응이 없습니다."

어젯밤과는 달리 단 하나의 움직임도 느껴지지 않았다. 생명 반응 역시 전혀 느껴지지 않았다. 다들 똑같이 느낀 것인지 웅성거림이 커진다.

마나는 생명력을 상징하는 에너지이니 살아 있는 생명이 있는 곳이라면 느껴져야 하는데 아무리 규모가 작다고 해도 사람이 사는 마을에서 마나가 전혀 느껴지지 않는 건 이상했다.

"일단 조를 나눠서 마을을 살펴봐야 할 것 같습니다."

"동의합니다. 혹시 어디로 이주라도 한 것 아닙니까? 아니면 워낙 외진 곳이라 어디서 공격받고 전멸이라도 당한 건 아닐까요? 그렇지 않고서야……."

"섣부른 말은 삼갑시다. 그럼 조를 나누겠습니다."

조슈아가 성급하게 입을 여는 사람을 저지하며 조를 나누기 시작했다. 하지만 앞서 전멸이라는 말이 나온 이후로 어수선한 분위기는 나아지지 않았다.

"……조슈아 경."

"정말 아무것도 느껴지지 않는군요."

마을과 가까워질수록 이상한 예감은 더욱 커졌다. 나는 조슈아와 시온 출신 토마스와 한 조를 이루었다. 윌리엄은 딱히 어느 조에 넣기 애매해 우리 조에 따라붙었다.

내 부름에 조슈아는 조용히 응답했으나, 토마스는 마치 맡아선 안 될 냄새를 맡은 표정으로 인상을 찌푸리고 있었다.

"토할 것 같습니다."

"네?"

"토할 것 같…… 읏, 죄송합니다."

잠시 헛구역질로 말을 잇지 못한 토마스가 사과했다. 도통 영문을 알 수 없는 그의 반응에 미심쩍은 마음만 커졌다.

"드디어 마을이네요."

"네……. 그리고 종전의 선부른 말이 맞는 것 같습니다."

마을을 발견한 내가 낮게 읊조리자 조슈아가 조용히 동의하며 오른손을 높이 들어 올렸다. 뒤따르던 사람들이 그의 손짓에 삽시간에 정지한다. 역시 기본적인 훈련과 경험이 있는 기사들다웠다.

"모두가 예상한 바와 크게 다르지 않은 것 같습니다. 간략히 앞으로 어떻게 할지 작전을 짜고 진입하지요."

마을 입구를 앞두고 진하게 느껴지는 피 냄새에 모두의 얼굴에 긴장한 기색이 역력했다.

작전 회의를 시작하기 전, 나는 이 긴장감 넘치는 상황에서 멀뚱히 앉아 있는 윌리엄을 보고 놀라 잠시 헛기침을 하고 사람들의 주의를 끌었다.

"일단 진입하기 전에 아카데미로 소식을 전해야 할 것 같습니다. 여기서 기사가 아닌 사람은 윌리엄이 유일하니 그를 포함한 조를 하나 더 짜는 것이 좋겠습니다."

순간 윌리엄을 향해 못마땅한 시선들이 쏟아졌다.

이럴 의도는 아니었는데…….

평소 윌리엄이 하도 얄밉게 굴어서인지 쏟아지는 시선이 곱지 않은 것은 어쩔 수 없었다. 내가 살짝 윌리엄을 가리며 어색하게 웃자 조슈아가 말을 받았다.

"일리가 있습니다. 지금 당장 저 안이 어떤 상황인지도 모르는 상태에서 전투가 불가한 인력을 데리고 이동하는 것은 불안합니다."

잠시 말을 쉬며 좌중을 둘러본 조슈아가 다시 입을 열었다.

"그리고 지금쯤 아카데미에서 마차를 타고 후발대가 오고 있을 겁니다. 윌리엄 대공자의 역할은 이들을 만나 함께 아카데미로 귀환하는 겁니다."

"좋은 의견입니다. 미안한 얘기지만 재학생들의 실력을 생각하면, 그들이 전력에 보탬이 될 것 같지 않습니다. 여기서 보호할 대상이 한 명 이상으로 늘어나면 버겁습니다."

타국의 기사가 제법 냉정한 판단을 내렸다. 나는 그 말에 곧장 윌리엄을 보았다. 그의 얼굴에서 표정을 읽을 순 없었지만, 어딘가 불만스러운 기운이 느껴졌다.

"윌리엄. 네 의무가 막중하니 부디 몸조심하고, 서둘러 갈 수 있도록 하렴."

"……누님. 누님이랑 같이 돌아가면 안 됩니까?"

망설임 끝에 윌리엄이 작게 내뱉었다. 순간 마음이 찌릿하게 아팠지만 애써 침착한 미소를 지으며 억지를 쓰는 윌리엄을 달랬다.

"윌리엄. 나에겐 나의 의무가 있단다. 무사히 돌아갈 것이니 걱정 말고."

"어머니도, 곧 다 낫는다고 절 안심시키셨습니다. 괜찮은 줄 알고 여행을 떠났는데…… 그게 마지막이었습니다."

윌리엄이 따지는 듯 쏘아붙인 말에 저절로 씁쓸한 미소가 떠올랐다. 하지만 동요하여 같이 감정적으로 흔들릴 수는 없기에 단호하게 입을 열었다.

"내 성격을 알면서도 그리 말하는구나. 그리고 아직 그렇게 헤어질 시기는 아닌 것 같다. 어서 돌아가서 맛있는 식사를 준비해 기다리고 있도록."

내 말에 윌리엄이 고개를 푹 숙인다. 금세 조슈아가 윌리엄과 함께 갈 기사 두 명을 골랐다. 아쉬운 듯 한동안 발걸음을 떼지 못하던 윌리엄이 곧 그들과 함께 아카데미 방향으로 떠났다.

멀어지는 세 사람을 보던 우리는 이내 코앞으로 다가온 마을을 바라보며 바람 속에 섞인 피 냄새에 신경을 곤두세웠다.

"조, 조슈아. 조슈아 경!"

"저도 제 이름이 조슈아인 것은 압니다. 그만 부르십시오."

전생과 현생을 통틀어 전쟁터에서 직접적인 살육을 경험해 보지 못한 나는 길가에 널브러진 가축의 시체에 놀라 만신창이가 되어 있었다.

사냥이나 대련에서 피를 보는 일은 있었지만 이렇게 많은, 게다가 훼손 상태가 심각한 시체를 보는 건 처음이었다.

아니, 산짐승이라도 내려왔나? 다들 생각하는 것은 비슷한지 곳곳에서 침음성이 흘러나온다.

“짐승이 이런 짓을 저질렀다면 딱히 배고픈 상태는 아니었나 봅니다.”

“네? 배가 고프지도 않은데 마을까지 내려와서 이렇게 가축들을 해칩니까?”

내 단정적인 말에 말도 안 된다는 표정을 지은 다른 기사들이 반문하며 죽은 가축들을 손가락질했다. 아, 진짜. 비위 상하게 굳이 손가락질을 해야 하나. 매슥거리는 속을 애써 달래며 계속해서 의견을 주장했다.

“딱히 보기 좋은 광경은 아니지만 일단 한번 보시지요. 많이 먹지도 않았습니다.”

“……먹으려고 잡은 것이 아닌 듯합니다. 한번에 급소를 노린 것이 아니라 이곳저곳을 다양하게 물어뜯었습니다.”

“단번에 죽지 않도록 공격했다?”

이어지는 조슈아의 분석에 누군가 신음을 내며 말을 뱉었다. 죽을 때까지만 공격한 다음 먹지도 않고 그냥 사라졌다?

이곳을 거대한 먹이 창고로 생각하지 않는 이상 불가능했다. 그렇다고 이런 작은 마을을 거대한 먹이 창고로 여기는 것도 이상하고 말이다.

“이상하군요. 정말 이상합니다. 이 정도면 사람 시체도 있을 법한데요. 그리고 이렇게 사람 인기척이 나면 누구 하나 나와 보는 것이 정상 아닙니까?”

“마을 담벼락을 쭉 둘러보았습니다만 한 곳이 조금 무너진 것 말고는 다 멀쩡합니다. 밖으로 나간 발자국도 없고요.”

외벽을 점검하러 갔던 기사가 단언했다. 그렇다면 마을 사람들이 아직 안에 있다는 소린데. 초조함에 바싹바싹 마르기 시작한 입술을 꽉 깨물었다. 뭔가 느낌이 이상하다.

"곧 해가 질 것인데, 그 전에 전부 다는 아니더라도 집집마다 살펴봐야 할 것 같습니다."

조슈아의 말에 기사들이 일제히 웅성이며 동의를 표했다. 아무것도 나오지 않은 지금, 무엇이라도 찾아내야 하는 것이다.

"일단 마을이 넓지 않으니 혹시나 살아 있는 사람이나 짐승은 없는지 구역을 나눠 수색하도록 하지요."

조슈아의 말에 서로 이야기를 나눠 각기 다른 구역으로 뿔뿔이 흩어졌다.

마을 경계를 순찰하러 나간 기사들을 제외한 나머지 인원은 서른 가구가 겨우 넘을 법한 주민들의 집을 수색하기 시작했다.

클로버를 포함한 말들은 마을 중앙에 모여 있었다. 말들도 이상한 기운을 느낀 건지 괜히 불안해 보였다.

"기분이 너무 이상합니다. 여기에 계속 있으면 안 될 것 같습니다."

"토마스 경. 많이 예민해지신 것 같습니다."

"단순히 기분 탓으로 이렇게 말씀드리는 것이 아닙니다. 요셉 경에게도 물어보세요. 제 말이 틀립니까."

극도로 예민해지다 못해 불안 증세까지 보이는 토마스를 달래는 것은 생각보다 힘들었다. 가뜩이나 조슈아도, 나도 긴장한 상태인지라 그를 달랠 심적 여유가 없던 것이 컸다.

"이곳에 신이 거부하는 존재들이 있습니다."

뭐라는 거야.

긴장돼 죽겠는데 자꾸 옆에서 이상한 소리를 하면서 초조하게 구는 토마스를 딱 한 대만 쥐어박고 싶었다. 조슈아도 크게 다르지 않은지 이젠 아예 대꾸도 하지 않고 있었다.

토마스는 더는 수색 활동에 동참하지 않고 불안함에 눈알을 이리저리 굴리며 겨우 따라다니고 있었다.

"이 집도 엉망진창입니다."

"어디 도망이라도 치려고 했던 걸까요."

아무리 집 안을 살펴도 인기척은 느껴지지 않았다.

다음 집으로 넘어가려던 찰나, 밖에서 고함 소리가 들렸다.

"여기 사람, 아니 시체가 있습니다!"

"……아니었으면 했는데 결국 이렇게 되는군요."

"이거 악몽은 아니겠지요?"

한숨 섞인 조슈아의 말에 애써 초연한 척 대답했지만, 떨리는 손은 막을 수 없었다.

"하나, 둘, 셋…… 서른둘, 서른셋."

"현재 발견된 건 이게 전부입니다."

워낙 예민한 동물인지라 피 냄새가 날 때부터 불안해하던 말들이 시체를 보고 동요하기 시작했다. 군마로 훈련되었다곤 하지만 평화의 시대에 시체한테 익숙한 말이 있겠는가. 타고 다니는 주인들도 익숙하지 않을 것인데.

그 때문에 마을 중앙에 모아 놓았던 말들을 마을 초입으로 옮긴 후 시신을 말들이 있던 마을 중앙으로 옮기는 작업을 시작했다.

시신들은 헛간이며 집 안이며 모두 실내에서 발견되었다.

"뚜렷한 외상은 없군요. 모두 입술과 손톱이 이상할 정도로 파랗다는 것과 이마에 이상한 종이가 붙어 있다는 것 빼곤 평범한…… 시체입니다."

제법 의학적 지식이 깊은 한 기사가 시신들을 살핀 후 그런 결론을 내렸다. 다행히 낮의 가축들과는 달리 처참한 상태는 아니어서 심적으로 충격이 크지는 않았다.

시체들의 이마에 붙은 종이는 그 생김새도 이상했다. 그것이 영 거슬린 기사 하나가 강제로 뜯으려 했지만 신기하게도 떨어지지 않았다.

"방구석이나 헛간 구석에 뻣뻣하게 서서 죽어 있는 것을 평범하다고 할 수 있을까요."

의도치 않게 첫 번째 시체를 발견한 앤드류가 불퉁한 목소리로 항변했지만 주의 깊게 듣는 사람은 없었다.

"노인부터 어린아이까지 골고루 있군요."

"시체에 붙은 종이를 보세요. 누군가가 이들을 죽이고 붙인 것이 틀림없습니다."

모두가 아는 사실을 말로 다시 한번 정리했다.

모든 것이 수상한 상황에서, 시체들을 이대로 두고 야영지로 돌아갈지 아니면 이곳에서 시체들과 밤을 지새우며 보초를 설지 심각하게 논의하기 시작했다.

나는 그들의 말을 띄엄띄엄 들으며 이마에 붙은 종이들을 유심히 바라보았다.

낯이 익다.

첩자가 희한한 짓을 벌일 때마다 찢고 태우고 쥐고 있던 종이와 묘하게 닮아 있었다.

어느덧 산 너머로 해가 지며 삽시간에 어두워지기 시작했다. 오래 걸릴 것 같아 횃불을 준비하길 다행이었다. 각자 준비해 온 횃불을 켜기 시작했다.

우리 조는 토마스가 완전히 불안 상태에 빠져 있어서 조슈아가 그 역할을 대신했다.

나는 여전히 그 종이를 뚫어져라 바라보았다. 마침내 해가 완전히 떨어진 그 순간, 종이가 붉은빛으로 번득인 듯한 착각이 들었다.

작은 마을이 비명과 고함으로 뒤덮였다. 나는 검을 뽑아 들고 조슈아, 토마스 두 사람과 등을 맞댄 채 주변을 살폈다.

이게 현실이라고? 꿈 아닌가?

"……언데드(Undead). 저것들은 언데드입니다!"

토마스가 거의 토해 내듯 고함을 질렀다. 그의 말에 기사들이 동요하기도 전에 그것들이 공격을 퍼붓기 시작했다.

"미쳤군, 미쳤어. 분명 시체였는데……."

조슈아가 기가 막힌 듯 중얼거렸다. 오히려 비현실적인 상황에 나는 빠르게 이성을 찾을 수 있었다. 침착하게 언데드의 움직임을 좇으며 그들의 공격 패턴을 읽으려 애썼다.

"관절이 굳어서 그런지 움직임이 한정적이군요."

태연하고 담담한 내 목소리에 조슈아가 나를 어이없다는 표정으로 돌아봤다.

“누가 들으면 전쟁터에서 살다 온 줄 알겠습니다. 이 상황에서도 태연하게, 윽!”

“조슈아 경!”

갑자기 달려든 언데드를 검으로 막던 조슈아가 엄청난 기세로 밀려났다. 상대는 중년 여자로 보이는 언데드. 그러나 거기서 뿜어져 나온 힘은 사람의 한계를 넘어선 것이 분명했다.

“크흡! 조심, 하십시오. 힘이, 보통이 아닙니다!”

조슈아는 있는 힘껏 언데드를 밀어내려 힘을 주는 기색이었지만 도리어 뒤로 밀리고 있었다. 토마스는 여전히 별다른 도움이 되지 않고 있었다.

“흐압!”

다리에 마나를 둘러 언데드의 옆구리를 돌려 찼다. 다행히 마나의 힘은 통하는 것인지 언데드가 이상한 소리를 내며 옆으로 밀려났다.

“괜찮습니까?”

“허억, 덕분에 살았습니다. 무슨 힘이…….”

“……성수. 성수가 필요합니다.”

뜬금없이 성수 타령을 하는 토마스를 무시하려는데 조슈아가 그와 똑같은 말을 뱉었다.

“교황령의 성수. 언데드를 퇴치하는 데 필요한 것이지요. 그 외에 언데드를 상대할 방법은 없습니까?”

“원래라면 그냥 목을 베면 끝이라고 합니다. 확실히 하기 위해 나중에 몸을 태우거나 성수를 뿌리기도 하지만요.”

그럼 쟤들은 뭔데. 망했네, 망했어.

다시 달려드는 언데드를 향해 그가 검을 날렸지만 목을 베기는커녕 검이 튕겨 나올 지경이었다. 피부가 거의 갑옷 수준이다.

"조슈아 경! 마나를 써 보세요."

아까 언데드를 차 낼 때 마나를 활용했던 것이 제법 효과가 좋았던 것 같아 그에게 조언하자 조슈아가 바로 마나를 발동시켰다.

"이건 뭐, 칼로 벤다기보다 몽둥이로 두드리는 개념에 가깝군요."

"표현 적절하네요. 계속 그렇게 두드리면 될 것 같습니다."

"앤드류 경!"

언데드에게 밀려 어느새 우리 근처까지 온 앤드류가 그 말을 들었는지 검에 마나를 두껍게 둘러 언데드를 공격했다.

언데드는 부자연스럽게 팔을 휘두르는 속도는 제법 민첩했으며 그 힘이 엄청났다. 하지만 다리를 이용해 공격하지는 못하는 것 같았다.

"잘 하면 다리를 꺾어 놓을 수 있지 않을까요?"

언데드를 살피며 전략을 내놓자 앤드류와 조슈아가 잠시 침묵을 지켰다.

"음…… 그러니까 다리를 꺾어 움직임을 막아 제압하자는 거죠."

이상한 반응에 급하게 설명을 덧붙이며 토마스를 공격하려는 언데드의 다리를 마나를 두른 검으로 후려쳤다.

이 정도 강도로는 어림도 없는지 언데드는 단순히 뒤로 쭉 밀리는 것에서 그쳤다.

"……이런 상황에서도 냉정하게 판단한다 싶어서 놀랐습니다."

"아펠리아 경의 말대로 다리를, 윽!"

"앤드류 경! 조심하십시오!"

앤드류가 내려친 검이 언데드의 손가락에 박혀 버렸다. 녀석이 그대로 팔을 틀어 버리자 앤드류가 허공으로 내동댕이쳐진다.

미치겠네. 무슨 근력이 곰보다도 더 좋아 보인다.

잽싸게 상대하던 언데드의 복부를 후려쳐서 뒤로 넘어트린 후 쓰러진 앤드류를 덮치려는 언데드를 향해 몸을 날렸다.

“괜찮습니까?”

“덕분에 괜찮습니다.”

비척이며 일어난 앤드류가 고개를 흔들며 대답했다. 허공을 날아가는 앤드류의 모습에 겨우 정신을 차렸는지 토마스가 입을 열었다.

“언데드는 불이나 빛, 열 에너지에 약합니다. 그래서 아까 낮에는 활동이 없었던 것 같습니다.”

“참 빨리도 알려 주시는군요. 아예 다 죽고 장례식 비문으로 읽어 주시지 그랬습니까?”

땀을 뻘뻘 흘리며 언데드를 두드려 패던 조슈아가 거칠게 비꼬아 말했다. 나는 의기소침해진 토마스가 입을 닫기 전에 재빠르게 맞장구를 쳤다.

“그렇군요. 그렇다면 저기에 불을 지르면 될까요?”

“……으음……. 언데드는 태양빛에 노출되면 평범한 시체로 돌아가 멈추었던 부패가 빠르게 진행된다고 알고 있습니다.”

“하지만 이 언데드들은 낮에도 어둠 속에서 움직일 수 있죠.”

언데드의 팔을 마나를 두른 다리로 내리찍어 부러트리는 데에 성공한 조슈아가 덤덤하게 대꾸했다.

뭐야, 어떻게 알아?

“조슈아 경의 말이 맞습니다. 언데드의 기운을 가졌습니다만 기존의 언데드와 다른 양상을 보이고 있습니다. 어떻게 이런 일이…….”

“젠장, 그럼 뭐야. 방법도 없이 그냥 무조건 두드려 패면서 버티라고?”

앤드류가 지나친 마나 운용으로 지쳤는지 신경질적으로 내뱉었다.

주변에서 언데드와 격전 중인 대다수의 기사들도 지쳐서 겨우겨우 방어만 해내는 실정이다.

모두가 마나 사용에 익숙한 것이 아니다 보니 밀리는 기사들의 모습도 꽤 보였다.

“이대로 가다간 지쳐서 전멸하겠습니다. 어두워서 시야 확보도 어렵고요.”

언데드의 다리를 마나를 두른 발로 힘껏 내리찍으며 소리쳤다. 같은 곳을 집중해 공격하니 언데드의 다리가 부러지며 그대로 엎어져 바닥에서 버둥거렸다.

“토마스 경의 말을 들으셨습니까. 놈들은 태양빛에 약하다고 하니 일단 해 뜰 때까지 버텨 봅시다!”

내 말에 사방에서 욕지거리가 터져 나온다.

“해 진 지 얼마나 됐다고 해 뜰 때까지 버팁니까!”

그 말에 어색한 웃음을 지으며 앤드류가 고전하고 있는 상대를 향해 낮은 자세로 달려들었다.

“합!”

검을 포기하고 다리에 마나를 둘러 무릎을 들고 차자 언데드의 관절이 뒤로 꺾이며 다리가 부러졌다. 언데드가 뒤로 흉하게 넘어가며 버둥거린다.

“검은 방어로만 사용하고 신체에 마나를 넣어서 공격해 보십시오!”

“특정 신체 부위에 마나를 넣고 공격하는 것은 고급 기술입니다, 아펠리아 경. 특히 이런 어수선한 실전에서는 더더욱요.”

“흐억, 여기서 할 수 있는 사람, 몇 없을 겁니다.”

조슈아가 주먹을 쥔 채 격투술로 언데드를 공격하며 그렇게 답했다.

나는 성별에서 오는 신체적 약점을 극복하고자 마나로 신체를 강화하는 훈련을 오랜 기간 해 와서 그게 크게 어렵다고 생각하지 못했는데, 어려울 수도 있겠구나.

"아펠리아 경은 괜찮습니까?"

"저도 아주 괜찮지는 않습니다. 마나를 많이 소모한지라 오래 버티진 못할 듯합니다."

이미 지쳐서 겨우 피하기만 하는 기사들이 태반이었다.

너무 불리한 상황에 절로 한숨이 나왔다.

"어?"

"토마스 경! 그 검으로는 공격이 되는 것 같은데요?"

이제야 완전히 정신을 차린 토마스가 검을 빼 들고 언데드를 향해 공격을 가했는데, 팔이 그대로 뚝 떨어지는 것이 아닌가. 너무 놀라 입을 떡 벌리고 큰 소리로 외쳤다.

"축복받은 검이라 그런 것 같군요."

"그런 검이 있었으면 진작 좀 도와주지 그랬습니까! 헉, 전 곧 한계입니다."

조슈아의 침착한 분석 뒤로 앤드류가 악에 받혀 소리를 질렀다.

토마스 말고도 축복받은 검을 가진 사람은 하나 더 있었다. 요셉. 토마스가 넋을 놓고 있었다고 해서 요셉까지 그랬으리란 법은 없지 않은가.

왜 이제야 효력이 있는 공격 무기가 있다는 것을 알게 된 거지?

"요셉 경이 안 보입니다."

"……그 시온 출신의?"

지금 언데드와 전투 중인 기사들 사이에서 그의 모습은 보이지 않았다.

그렇다는 것은 전투 불능 상태로 바닥에 누워 있을 가능성이 높은데…….

사태가 급박하게 흘러가는 중이라 사상자를 제대로 확인할 수 없었다. 그가 지금 어디서 어떤 상태로 있는지 알 길이 없는 것이다.

"혹시 잘못된 건 아니겠지요. 가뜩이나 불안정한 토마스 경을 자극할 수 있으니 조용히 찾아보는 게 좋겠습니다."

"그래야겠습니다."

나는 작게 고개를 끄덕이고 주변을 누비기 시작했다.

주변을 돌아보기 시작한 지 얼마 되지 않아 익숙한 얼굴이 보여 빠르게 달려가 확인해 보았다.

"요셉 경! 요셉 경?"

"……살아 있는지 모르겠습니다. 큭, 언데드들을 보고 혼란에 빠져 넋을 놓고 있는 바람에 무방비하게 공격당했습니다."

요셉의 곁에서 한 기사가 헐떡이며 답했다. 요셉은 바닥에 누워 창백한 안색으로 눈을 감고 있었다. 설마.

"헉, 헉. 바로 가슴팍을 관통당했습니다. 그가 불사신이 아닌 이상 죽었을 겁니다."

옆에서 다른 기사가 거친 숨을 몰아쉬며 말했다. 그 역시 심하게 공격당했는지 멀쩡한 구석이라고는 한쪽 팔이 전부인 것 같았다.

그들의 말처럼 요셉의 가슴에는 무언가에 뚫린 것처럼 커다란 구멍이 나 있었다.

나는 입술을 꽉 깨물고 애써 시선을 돌려 그의 허리춤을 살폈다. 다행히 검은 그대로 있었다.

"실례하겠습니다, 요셉 경."

비록 고인이 되었지만 기사의 검은 주인에게 속한 것이다.

정중한 사과와 함께 검을 뽑아 들고 두 기사가 고전하고 있는 언데드를 향해 휘둘렀다.

"헉!"

위에서 아래로 검을 휘두르자 반으로 갈라지며 넘어가는 언데드의 모습은 꽤나 충격적이었다. 축복의 검이 이 정도로 잘 들 줄이야.

"윽. 최악이군요. 죄송합니다."

"아닙니다. 헉, 헉. 하마터면 죽을 뻔했는데 보기 흉한 것이 뭐 대수입니까."

인상을 찌푸리며 고개를 돌려 사과하자 두 사람이 손사래를 친다.

빠르게 주변을 누비며 요셉의 검으로 언데드들을 베자, 특별히 더 강한 힘을 준 것도 아닌데 손쉽게 픽픽 쓰러져 나갔다.

평소 사용하는 검보다 길고 무거웠지만 잠시나마 마나를 사용하지 않아도 된다는 점에서 충분히 감당할 만했다.

"조금만 더 버티십시오! 도와드리겠습니다!"

지쳐서 겨우겨우 버티는 기사들이 있는 쪽으로 검을 휘두르며 소리쳤다. 토마스도 빠르게 주변을 누비며 다른 기사들을 돕고 있었다.

조금만 더 버티면 되는 상황인데도 이미 많이 지친 상황이어서 그런지 부상자가 속출하고 있었다. 이미 절반가량이 전투 능력을 상실했다고 봐도 무방했다.

"헉, 이거, 보통 일이 아니군요."

기사들을 도와 언데드를 처치하다 보니 조슈아와 앤드류의 곁으로 돌아와 있었다.

지쳤다. 완전 지쳤다. 전생의 전투 능력과 순간 착각해서 너무 무리해 버렸다.

전생과는 달리 드레스에 신경 쓰느라 수련이나 훈련이 부족했나 싶기도 하다.

목숨의 위협을 받는 상황이 오자 새삼 현생의 행보가 후회스럽기도 한 것이다. 죽은 다음에 이런 게 다 무슨 소용이겠는가.

그렇게 후회하고 있는데 멀리서 무엇인가 몰려오는 소리가 들리기 시작했다. 후발대는 오지 못하게 돌려보냈을 텐데, 뭐지?

"……소리를 듣고 저희가 미처 수습하지 못한 언데드들이 몰려나온 것 같습니다. 많이 죽였다고 생각했는데, 수가 처음보다 그다지 줄지 않았습니다."

조슈아의 침착한 분석에 인상을 찌푸렸다.

해는 대체 언제 뜨는 거야. 나는 투덜거리면서도 자세를 가다듬었다. 몸에 맞지 않는 검을 휘두르느라 온몸이 통증을 호소하고 있었다.

"전략을, 좀, 세워야 할 것 같습니다. 유효한 공격을 할 수 있는 무기는 두 개. 육탄전으로 언데드와 맞설 수 있는 인력, 거의 없음."

현 상황을 냉정하게 분석하며 조슈아에게 제안했다.

그는 내 칼에 상처를 입고 뒤로 넘어가는 언데드를 강한 힘으로 내리찍어 마무리하며 고개를 끄덕이며 말했다.

"마을 입구와 그 무너진 담벼락 쪽으로 갈라지죠."

두 자루밖에 없는 검을 한곳에서 쓰기보다 나누어 방어하는 것이 유리할 것이다.

나는 고개를 끄덕이며 주변을 빠르게 둘러봤다. 절반을 겨우 넘는 기사들이 힘겨운 방어전을 이어 가고 있었다.

"서두르죠."

"네, 이대로 더 끌다가는 다 죽을지도 모릅니다."

"전 이미 죽은 셈 치면 안 될까요. 헉, 헉."

"입은 잘만 살아 있군요."

숨을 헐떡이며 뒤로 물러나는 앤드류를 향해 조슈아가 매정하게 쏘아붙였다.

아이고, 둘이 싸울 힘으로 언데드를 쓰러뜨리지그래.

두 사람을 바라보던 나는 거친 숨을 내쉬며 어서 해가 뜨기를 그 어느 때보다 간절히 바랐다.

"토마스 경은 괜찮겠죠?"

"……남 걱정할 정도로 여유 있으시군요."

담벼락 쪽으로 몇몇 기사를 이끌고 달려 나간 토마스가 걱정돼 맹렬한 기세로 덤벼드는 언데드들을 막으며 말하자 조슈아가 매정하게 답한다.

"아마, 헉, 아펠리아 경이 요셉 경의 검을 사용하고 있는 것을 눈치챘을 건데, 크게 동요하지 않는 것으로 보아 괜찮을 듯합니다."

마을 입구는 마차 하나가 겨우 지나갈 정도라 방어가 수월한 편이었다.

좁은 입구를 통해 한번에 달려드는 언데드는 많아야 넷이었다.

물론 그 뒤에 줄지어 늘어진 언데드들을 보자면 크게 희망적인 상황은 아니었다.

한 번 뚫리면 끝이다.

"……아펠리아 경. 뭔가 이상하지 않습니까? 그 검 말입니다."

침착하게 격투술로 언데드를 밀어낸 조슈아가 입을 열었다.

많이 지쳐 마나를 처음처럼 많이 운용할 수 없다 보니 강한 공격은 거의 불가능한 상태였다.

밀려오는 언데드들을 막고 있는 우리 뒤쪽에는 지친 기사들이 마나를 회복하는 데 전념하고 있었다. 나와 조슈아, 그리고 이름을 알 수 없는 다른 기사 두 명이 거친 숨을 내뱉었다.

조금만 더 지나면 잠시나마 교대할 수 있을 것이다. 상황을 분석한 내가 조슈아의 의문에 반문했다.

"당연 이상하지요. 이 검은 언데드를 평범하게 공격할 수 있으니까 말입니다."

"아니, 그게 아닙니다. 아까부터 빛이 사라지는 것 같습니다."

그의 말에 급하게 검을 살피니 확실히 어둠 속에서 빛이 난다고 느꼈던 처음과 달리 그 빛이 흐릿하다.

불길한데? 나와 같은 생각을 했는지 조슈아가 고개를 끄덕인다.

"아무래도 조만간 축복을 다시 받아야 한다던 말이 걸립니다. 빛이 진해지는 것도 아니고 흐려진다니, 좋은 징조는 아닌 것 같습니다."

"……그것참 끔찍한 가정이군요."

그 말에 이를 악물었다. 유일한 공격 무기가 그 힘을 잃는다면 이 격전은 더욱 힘들어질 것이다.

나도 이미 체력적으로 한계에 닿아 있었다. 마땅히 교대할 기사가 없어 정신력으로 겨우 견디는 중이었다.

토마스의 검도 요셉의 검과 상황이 크게 다르지 않을 것이다. 그쪽의 검까지 무력화된다면 정말 큰일이다.

"갑자기 공격이 먹히지 않아 당황하지 않도록 조심하도록 하죠."

"충고 감사합니다."

조슈아의 말에 고개를 끄덕이고는 깊게 숨을 들이켜며 다가오는 언데드를 있는 힘껏 베어 냈다.

“와, 미치겠네. 해는 대체 언제 뜹니까?”

어느 정도 마나를 회복한 앤드류와 몇몇 기사들이 교대해 주었다. 뒤로 옮겨온 나는 덜덜 떨리는 근육을 부여잡고 주저앉으며 험한 말투로 투덜거렸다.

앤드류는 요셉의 검을 넘겨받아 언데드들을 공격하고 있었는데, 체격이 요셉과 비슷하다 보니 검을 더 잘 활용하는 것 같았다. 공격하는 폼이 나보다 편해 보였다.

“동감입니다. 해 뜰 때까지 버티는 게 이렇게 힘들 줄 누가 알았겠습니까.”

“그래도 저 언데드들 얼굴에 종이가 붙어 있어 구분할 수 있으니 망정이지, 아니었으면 너무 놀라 그대로 기절해 부상병들 사이에 누워 있었을지도 모릅니다.”

내 말에 잠시 침묵을 지키던 조슈아가 진지하게 고개를 끄덕였다.

덜덜 떨리는 근육을 풀어 주기 위해 스트레칭이 필요했다.

굳은 몸을 애써 움직이자, 한계에 다다른 근육이 비명을 지르듯 아팠다.

“읏!”

“아펠리아 경!”

나는 통증을 참지 못하고 그만 앓는 소리를 내고 말았다.

“아펠리아 경! 어딥니까. 다쳤습니까? 불편합니까? 많이 아픕니까?”

"……아뇨, 그 정도로 심각하게 아픈 것 같진 않네요."

왜 이래, 민망하게. 너무 펄쩍 뛰는 조슈아의 기세에 민망해 중얼거리듯 대답하며 다시 몸을 움츠렸다. 몸은 여전히 뻣뻣했다.

"근육이 과로한 것 같습니다. 새로운 검에 적응하기도 전에 너무 무리하셨습니다."

움켜쥔 팔목을 살살 쓸면서 풀어 준 조슈아가 간단하게 결론을 내렸다.

하긴 엄청 불편했었지. 그래도 저거라도 휘둘러야 살 것 같아 어쩔 수 없었다.

"……괜찮습니다. 다행히 상처 난 곳은 없습니다."

"그렇게 정신없이 움직였는데 어떻게 압니까? 좀 봅시다. 이리 주십시오."

괜찮다고 슬그머니 팔을 빼려는 나를 확 잡아당긴 조슈아가 옷을 들춰 가며 면밀히 상태를 살폈다.

그렇지만 내가 앞서 말했듯 따로 공격당해 다친 상처로 보이는 것은 없었다. 그는 이내 한숨과 함께 잡았던 손목을 놓아주었다.

민망해진 나는 헛기침을 하며 예의상 되물었다.

"조슈아 경은 어디 다친 곳 없습니까? 저는 검으로 공격하느라 거리라도 확보했지만, 경은 그냥 맨몸으로……."

"잊으신 것 같은데, 저는 기사단 내에서도 격투술은 상급입니다. 마나도 가장 예민하게 다루는 축에 들고요."

맞다, 그랬지. 그가 제1 기사단이라는 걸 잊고 있었다.

마나는 많이 있고 적게 있고의 문제가 아니라 얼마나 잘 쓰느냐가 중요하다.

컨트롤 능력이 좋으면 최소한의 마나로 공격력 높은 기술을 쓸 수 있어 매우 효율적이었다.

"그런데 요셉 경의 검 말입니다. 빛이 너무 흐려진 것 아닙니까?"

내 말에 뒤를 돌아본 조슈아의 표정이 흐려졌다. 갑자기 흐려진 빛이 위태로워 보였다.

"이건 추측입니다만 신성력도 일종의 기운 아닙니까. 아펠리아 경은 마나를 워낙 잘 다루다 보니 그걸 균일하게 잘 컨트롤했던 것 같습니다."

검에서 깜빡이던 빛이 완전히 꺼지는 순간, 마나의 힘을 빌려 재빨리 앞으로 튀어나갔다.

"앤드류 경! 숙여요!!"

"네?"

"숙이라고, 이 멍청아!"

영문을 모르는 앤드류가 되물어 보는 것에 대답해 줄 여유는 없었다.

나는 소리를 빽 지르고는 그의 등을 밟아 넘어트리며 뛰어올랐다. 그리고 종이가 붙어 있는 언데드의 머리를 강하게 돌려찼다.

'뚜드득-!'

"헉, 헉! 아펠리아 경! 너무합니다! 무슨 일입니까, 갑자기!"

"이 검, 더는 효과가 없는 것 같습니다. 한번 휘둘러 보시지요."

아직 회복되지 않은 몸이 떨려 왔지만, 다리에 마나를 둘러 공격을 계속했다.

검을 힐끗 쳐다본 앤드류가 내가 공격하던 언데드에 검을 이용한 공격을 시도했다.

"헉. 이거 왜 이럽니까?"

"아무래도 신성력이 다 된 것 같습니다."

"젠장, 망했군."

내 대답에 옆에서 언데드와 격투를 벌이던 기사가 신음처럼 한탄을 내뱉었다.

새벽이 다가오기는 하는 걸까. 절로 한숨이 나왔다.

왼쪽에서 언데드를 막던 기사가 순간 몸을 삐끗하는 모습이 보여 그쪽으로 몸을 틀었으나 이미 늦었다.

“크헉!”

“조심, 아, 이런!”

언데드의 단단한 손이 조금 전까지 살아 있던 기사의 목을 꿰뚫는 장면은 잔혹하기 그지없었다.

징그럽고 아니고를 따지기 전에 한쪽이 뚫린 방어선은 사태를 위태롭게 만들고 있었다. 와, 진짜 이러다 다 죽겠네.

“앤드류 경!”

“헉! 제발 말로, 말로 합시다, 우리!”

앤드류의 다리를 걸어 뒤로 넘어트린 후 갑자기 달려드는 언데드 세 마리를 힘겹게 견제했다. 내 발에 다시 나동그라진 앤드류가 소리쳤지만 듣는 시늉도 하지 않았다. 내 덕에 목숨 부지한 줄 알려나 몰라.

지원이 필요한 시점이었으나 다들 자기 앞의 언데드를 상대하는 것만으로도 벅찬 것 같았다.

“앤드류 경, 비켜요!”

나는 앤드류 앞으로 나서서 언데드의 배를 후려차고 옆의 언데드를 주먹으로 내리쳤다.

마지막으로 등 뒤를 덮치려는 언데드를 방패를 만들어 방어하기 위해 마나를 모으려던 순간.

“아펠리아 경!”

조슈아의 고함과 함께 몸이 확 밀쳐졌다. 고개를 들어 보니 익숙한 조슈아의 등이 보였다.

"마나는 공격만 가능합니다. 윽, 방어는, 큭."

"조슈아 경, 괜찮습니까? 다쳤죠? 일단 뒤로 빠지십시오!"

신음을 애써 참는 모습이 심상치 않아 보여, 입술을 꽉 깨물며 물었지만 조슈아는 고개를 저었다.

"아닙니다. 갑작스럽게 마나를 운용하다 보니 근육이 놀란 것 같습니다. 아펠리아 경이야말로 일단 뒤로 빠져서 마나를 회복하십시오. 뒤에서 봐도 몸이 덜덜 떨리는 게 보입니다."

아닌 게 아니라 가만히 서 있기도 어렵게 떨리는 몸은 전투를 치르기에 무리가 있어 보였다. 그저 상황이 이러니 애써 몸을 일으킬 뿐이었다.

"책임감도 좋지만 상황에 따라 물러나는 것도 필요합니다. 아펠리아 경이 여기서 죽어서 돌아가면 아마 폰디체리 공작께서 저나 앤드류 경 둘 다 사이좋게 저승길 길동무로 만들어 주실 겁니다."

"……우리 이런 상황에 너무 현실적인 발언은 자제합시다. 힘이 안 나잖아, 힘이."

조슈아의 말에 반발한 앤드류가 몸을 일으켜 다시 방어선을 구축했다.

문득 제국에서 기다리고 있을 아버지를 떠올리며 떨리는 몸을 후방으로 옮겼다.

정말 더 이상은 무리였다. 여기서 이렇게 죽을 순 없다.

이 와중에 피식 웃는 에카이트가 떠오르는 것은 어째서일까. 아마 지금쯤 세상모르고 아카데미에서 꿈속을 헤매고 있겠지. 그 모습을 떠올리니 조금 얄밉기도 하다.

윌리엄, 잘 가고 있는 거니?

죽자고 버틴 보람이 있었는지, 멀리서 해가 뜨기 시작했다. 언데드들은 빛을 피해 몸을 뒤틀며 어두운 곳을 찾아 도망가기 시작했다.

그렇게 도망가는 언데드들을 힘을 합쳐 막아 내자, 언데드의 얼굴에 붙은 종이가 햇빛에 타들어 가며 그 움직임이 완전히 멈췄다.

이제는 움직임을 멈춘 시체들과 부상병, 그리고 사망자들로 마을이 어수선했다.

"생각보다 사태가 심각하군요."

"……정치적으로도 골치가 아프겠습니다, 이거."

사방을 둘러보는 조슈아와 앤드류를 바라보던 나는 그제야 쓰러지듯 자리에 앉았다. 정말 이대로 죽는 줄 알았다.

두런두런 이야기를 나누던 두 사람은 바닥에 주저앉아 넋이 나간 나를 보고 걱정스러운 표정을 지었다.

"아펠리아 경. 잘해 주었습니다. 경이 없었으면 지금까지 못 버텼을 겁니다. 혹시 다친 곳은 없습니까?"

"괜찮은데, 다 끝났다 싶어서 그런지 몸에서 힘이 풀려서요."

내 말에 앤드류가 고개를 끄덕거렸다.

"그럴 겁니다. 최전방에서 꽤 무리하셨잖습니까. 아펠리아 경은 일단 저기 나무 그늘에서 좀 쉬고 계십시오."

"사망자 분류, 시체 수습, 부상자 확인, 응급처치. 급한 것은 이 정도입니다. 일단 움직일 수 있는 사람들끼리 최대한 해 볼 테니 앤드류 경 말대로 좀 쉬시죠."

더 거절할 기운도 없어서 힘없이 고개를 끄덕이며 몸을 일으키려 하자, 조슈아가 성큼 다가와 어깨를 붙잡고 부축하기 시작했다.

다소 어색하고 불편하긴 했지만 가릴 처지가 아니라 애써 초연하게 그의 부축을 받았다. 우리 둘을 지켜보는 앤드류의 표정이 묘하다.

"영상석으로 이 장면을 찍어서 에카이트 공에게 팔면 아마 제1 기사단에 공석이 하나 생기지 않을까요."

"어제 아펠리아 경에게 걷어차이면서 겨우 목숨 보전하던 어떤 멍청이의 영상석도 제법 팔릴 것 같군요."

조슈아의 말에 입을 삐죽거린 앤드류가 몸을 돌려 마을 안으로 들어섰다.

나무 그늘까지 부축해 준 조슈아가 바닥까지 섬세하게 살피고 앉을 자리까지 봐 준 후 자리를 떠났다.

밤새도록 격전을 벌이고 이제야 긴장이 풀어지기 시작하니 갑자기 졸리기 시작한다. 여기서 자면 안 되는데…….

"……리아 경. 아펠리아 경?"

"헉! 네, 네?"

몸을 부드럽게 흔들며 나를 부르는 목소리에 화들짝 놀라 눈을 떴다. 눈앞엔 걱정스러운 표정의 조슈아가 있었다.

"많이 지쳤었나 봅니다. 수습은 이제 거의 다 끝났습니다. 혹시 남은 언데드가 있나 확인차 2인 1조로 수색하기로 했습니다."

“……저랑 조슈아 경이 한 조인가 보군요. 제가 이러고 있어서 괜히 더 고생했겠습니다.”

내 말에 조슈아가 단호하게 고개를 저으며 손을 내밀었다. 나는 사양하지 않고 그의 손을 잡아 몸을 일으키며 엉덩이를 털었다.

날이 밝았지만 좁은 골목은 여전히 어두웠다. 밤새도록 언데드들과 어둠 속에서 격전을 벌인 탓인지, 몸이 저절로 긴장되는 것이 느껴졌다.

“아펠리아 경. 너무 긴장한 것 아닙니까?”

“어제 제법 놀란 것 같습니다.”

조용히 고개를 끄덕인 조슈아는 내 앞으로 나서서 먼저 골목을 훑어보기 시작했다.

“여기는 별것 없군요.”

“과연 그럴까?”

좁은 공간에서 낮게 퍼지는 음성에 나와 조슈아가 검을 뽑아들었다. 첩자의 목소리였다.

삽시간에 온몸에 긴장감이 돌기 시작했다.

“제법 강하더구나, 서쪽 대륙의 기사란 작자들도.”

“당신 짓이로군.”

내 말에 상황을 파악한 조슈아가 어둠 속에서 검을 뽑는다. 나도 검집에 손을 댄 채 신경을 곤두세웠다.

“작은 짐승만 나와도 혼비백산할 줄 알았는데, 제법이더군. 덕분에 혼란 속에 조용히 납치하려는 계획은 실패하고야 말았지.”

“닥쳐라! 다치고 죽은 사람이 여럿이다. 죄 없는 마을 주민들부터 각국에서 모인 기사들까지 모두 피해를 입었다.”

"그래서?"

조슈아의 매서운 힐난에도 나른하고 거만한 어조로 되묻는 첩자는 뻔뻔하기 그지없었다.

분함을 참지 못해 앞으로 나서려는데, 조슈아가 먼저 매서운 공격을 퍼부었다.

"성격도 급하지. 너희 때문에 내가 잃은 것을 생각하면 여기서 검을 뽑아야 하는 것은 나인 것을."

조슈아의 공격을 종이 한 장 차이로 피하는 첩자는 상당한 실력자로 보였다.

"므네모쉬, 도망간 우리들의 공주. 그 요망한 계집이 제 의무를 무시하고 떠나 버린 덕분에 모든 것이 아주 엉망이 되었어."

조슈아를 도와 첩자를 향해 매서운 공격을 가하려던 나는 순간 멈칫했다.

므네모쉬가 누군지 알 리 없는 조슈아만이 전혀 신경 쓰지 않고 공격을 이어 나갔다.

첩자는 유유자적 공격을 피하며 연극조로 말을 계속하였다.

"그녀는 우리 황실의 마지막 정통 혈통이었어. 약속대로 우리 아버지와 혼약을 맺고 후계를 낳아 우리 가문이 황실의 정통성을 이어 가도록 만들어야 했다."

거기까지 말을 마친 첩자는 잠시 숨을 고르느라 공격을 멈춘 조슈아를 완전히 무시하고 나를 매섭게 노려보았다.

생전 느껴 본 적 없는 광기 어린 살기에 순간적으로 몸이 굳었다.

"그 계집이 다 망쳐 버렸어!"

첩자가 버럭 고함을 지르자 순간 주변에 거친 바람이 부는 것처럼 머리가 뒤로 흩날렸다.

조슈아가 더욱 긴장한 기세로 검을 다잡는 것을 보며 나도 자세를 고쳤다.

어머니가 정말로 동쪽 대륙 출신이라니. 게다가 저 첩자의 아버지와는 약혼 관계였고?

갑작스럽게 유입된 정보에 머릿속이 혼란스러워졌다.

"그 계집이 제 의무에서 도망친 덕분에 결국 내 아버지는 평범하기 그지없는 귀족의 딸과 결혼할 수밖에 없었지. 거기서 태어난 후사는 정통성이 없다고 인정받지 못하더군. 덕분에 그 후사는 지금도 이토록 고생을 하고 있고 말이야. 정통성을 잃은 황가는 내분으로 다툼이 끊이지 않고 있네. 어떻게 생각하는가?"

그래서 뭐를 어떻게 해 달라고. 고루한 신세 한탄을 늘어놓으며 나에게 책임을 전가하려는 첩자를 어이없다는 표정으로 노려보았다.

아니, 오죽했으면 약혼 관계에서 도망을 다 쳤겠냐고. 나를 광기 어린 눈으로 노려보던 첩자가 다시 입을 열었다.

"찾고 또 찾았다. 아직 므네모쉬가 살아 있다면 그 여자를. 만약 죽었다면 그 자식이라도 찾아내려고 말이다."

"네 억지에 놀아 줄 마음은 없다. 헛소리의 대가는 네 목숨으로 받아 가면 되겠군."

매섭게 말하며 검과 함께 몸을 날렸으나 첩자가 재빠르게 몸을 숨겼다.

삽시간에 시선에서 사라진 그를 찾아내고자 마나를 이용했지만 잡히는 기척은 없다. 주변을 경계하다 조슈아와 등이 맞닿는 게 느껴졌다.

숨 막히는 긴장감 속에서 낮게 속삭이는 목소리가 들렸다.

"즉, 이젠 네가 내 열쇠라는 소리야. 우리 왕국을 다시 제국으로 만들고 그 모든 영광을 다시 시작하게 만들 열쇠 말일세."

"절대 네 뜻대로 되지 않을 거다."

이를 악물고 등 뒤로 검을 휘둘렀지만 검은 허공을 가를 뿐이었다.

"기억해라, 므네모쉬의 딸. 네 어머니가 도망친 의무에서 결코 자유롭지 못할 것이다."

혼란스러움에 뭐라고 입을 열어야 할지 몰라 첩자를 매섭게 노려보기만 했다.

"말이 많군. 너 또한 많은 무고한 목숨들 앞에서 유죄이다."

그런 나와는 달리 조슈아가 사나운 어조로 대꾸한다.

"모든 것의 시작은 므네모쉬다."

"닥쳐라! 비겁한 핑계로 일관하지 말고 정면에 나서 검을 뽑아라. 내가 네 목을 베어야 할 이유는 이미 충분하고도 넘친다!"

조슈아의 사나운 외침에 잠시 침묵을 지키던 첩자가 이내 광기 어린 웃음소리를 터트린다.

어두운 골목길이 쩌렁쩌렁 울리는 착각이 들 정도였다.

이 정도 소란이면 주변에서 누가 듣고 달려 나올 법한데.

사실 남이 들어서 좋은 내용은 전혀 아니었기에, 누가 이 소란을 듣고 와 주기를 바라는 마음보다는 누가 이 대화를 듣지는 않을까 조마조마한 마음이 더 컸다.

"곧 찾으러 올 것이다, 아펠리아. 이번에는 실패했지만 그땐 반드시 성공할 것이야. 그럼, 다시 보지."

"어딜 도망치려고!"

다시 귓가로 들리는 목소리에 휙 검을 휘둘렀지만 검 끝에 걸리는 것은 아무것도 없다.

어두운 골목에 메아리처럼 울려 퍼지는 첩자의 불쾌한 웃음소리를 들으며 사방을 경계했다.

"……이젠 정말로 없는 것 같습니다."

"그런 것 같네요."

사방을 마나로 훑던 조슈아가 먼저 입을 열자 마찬가지로 마나로 수색하던 나 역시 고개를 끄덕이며 동의했다.

이 사태를 뭐라고 설명해야 하나…….

이 모든 것을 듣고도 묵묵히 주변을 경계하는 조슈아를 보자니 가슴이 답답하고 혼란스러웠다.

어디까지 말해야 하고 어디까지 숨겨야 하는 걸까. 그런 내 혼란스러움을 읽은 것인지 조슈아가 먼저 입을 열었다.

"무엇을 염려하는지 알고 있습니다. 저는 굳이 따져 묻지도, 먼저 입을 열지도 않을 겁니다."

"조슈아 경……."

"저는 아펠리아 경, 당신을 신뢰합니다. 당신의 판단에 따라 결정하시지요."

생각지도 못한 배려에 괜히 눈가가 시큰해지는 기분이다. 입술을 꾹 다물고 고개를 끄덕이자 그가 피식 웃으며 검을 검집에 집어넣는다.

그를 따라 검을 검집에 집어넣자 곁으로 다가온 조슈아가 어깨를 다정하게 어루만지듯 툭툭 두드리며 격려해 주었다.

"……고맙습니다, 조슈아 경."

"뭘 이런 걸 가지고요. 고마워할 필요 없습니다."

나는 잠시 골목을 뒤돌아보다가 앞장서 골목을 떠나는 조슈아의 뒤를 따랐다.

마을과 그 주변을 수색한 결과 언데드들을 더 발견할 수 있었다.

그들은 날이 밝아 별다른 힘을 쓰지 못했고, 덕분에 손쉽게 처리할 수 있었다.

밤새 시달리며 여러 사람이 목숨을 잃었다.

독이 오를 대로 오른 기사들이 곱게 처리하지는 않았는지 마을 구석에 모인 언데드들의 사체는 어제보다 더 처참했다.

"마을을 전체 소각하기로 결정 내렸습니다."

"네, 그렇게 하는 것이 옳은 것 같습니다."

조슈아와 내가 첩자와 대치하느라 잠시 부재중이던 차에 자체적으로 회의를 진행한 기사들이 그렇게 말했다.

그 결정을 들은 나는 바로 고개를 끄덕이며 동의했다.

어중간하게 마을을 보존하겠답시고 그대로 내버려 두어 괜한 불씨를 남길 필요는 없으니까 말이다.

조슈아도 고개를 끄덕여 동의를 표했다. 우리 둘의 동의를 받은 기사가 잠시 침묵을 지키다 무겁게 입을 열었다.

"……언데드들, 그러니까 마을 주민들로 추정되는 시신들은 총 58구입니다."

"58구……."

어젯밤 무참히 검으로 후려치던 언데드들의 모습이 기억 속을 아프게 지나간다.

급박한 상황에서 동정을 베풀지는 못했으나 아마 영원히 잊을 수 없을 것이다.

참담함과 죄책감을 느끼며 눈을 꾹 감고 있자니 눈앞의 기사가 다시 입을 연다.

“기사들도 제법 많이 죽었더군요.”

“얼마나…… 얼마나 됩니까?”

목이 메어 잠시 말을 멈추었던 내가 질문을 마치자 기사가 잠시 입을 꾹 다물었다 힘겹게 열어 그 숫자를 말한다.

“자그마치 열세 명입니다. 중상자 여덟, 중상자를 제외한 부상자는 열둘입니다.”

“열세 명이나…….”

가만히 그 숫자를 곱씹었다. 너무 많이 죽었다.

각국 기사들이 갑작스러운 사고에 휘말려서 개죽음을 당한 셈인데, 이 문제가 과연 정치적 문제로 부상하지 않을 수 있을까.

참담한 현실에 눈을 지그시 감았다.

더군다나 첩자가 이 모든 사달이 나 때문에 벌어진 것이라고 했다.

죄책감이 밀려왔다. 그의 말대로라면 나 때문에 정말로 죄 없는 사람들이 죽은 것이다.

“기사들의 경우 시신은 최대한 수습하여 아카데미로 옮겨야겠습니다. 마을을 소각하기 전에 장례식도…… 약식으로나마 치르는 것은 어떻습니까.”

조슈아의 말에 입을 꾹 다물고 고개를 끄덕였다.

그의 말에 잠시 움찔한 기사가 한숨을 쉬며 고개를 끄덕였다.

증오의 대상으로 삼아야 할 언데드들도 결국은 피해자였다. 수많은 목숨의 무게가 무겁게 가슴을 짓눌렀다.

활활 타오르는 마을을 먼발치서 바라보며 토마스의 나지막한 기도 소리를 듣자니 마음이 뒤숭숭하기 그지없다. 그의 뒤로는 흰 천으로 덮인 시체 한 구가 있었는데, 어젯밤의 전투로 유명을 달리한 요셉이었다.

"……이로써 망자는 망자에게 주어진 길로 떠납니다. 신의 가호가 함께하기를 빕니다."

기사들은 묵념으로 조용히 그들의 가는 길을 배웅했다.

숨이 턱턱 막혀 오는 기분에 입술을 꽉 다물고 있는데 옆에서 작게 속삭이는 목소리가 있었다.

"아펠리아 경. 덕분에 살았습니다."

앤드류였다. 어제 몇 번이고 위험을 무릅쓰고 그를 구해 냈다. 그러나 결과적으로 이 모든 위험이 나로 인해 시작되었다는 것을 아는 이상, 감사 인사를 기꺼이 받을 수가 없었다.

"아닙니다. 제가 실력이 더 좋았더라면, 더……."

말을 하다 목이 메어 입을 꾹 다물자 주변에서 격려의 말을 건네기 시작했다.

"폰디체리 경. 기억하실지 모르겠지만, 어제 경이 도와주지 않았으면, 저도 저쪽에서 흰 천 덮고 누워 있었을 겁니다."

"전 남을 돕기는커녕 겨우겨우 제 몸이나 지키는 것이 다였습니다. 누군가를 탓할 일이 아닙니다."

아니야. 아니라고.

이 모든 일이 나 때문에 벌어진 것이란 말은 차마 할 수 없었다. 아무것도 모른 채 격려하는 기사들을 마주하자니 양심이 쥐어짜이는 것처럼 아팠다.

"아펠리아 경. 자책할 필요 없습니다. 그 이상한 작자의 말에 휘둘리지 마세요. 미친 사람 아닙니까."

귓가에 낮게 속삭이는 말에 애써 마음을 가다듬고 가볍게 고개를 끄덕였다.

마을의 수레들을 모아 말과 연결해 시체를 싣고 아카데미를 향해 출발했다. 시체를 실은 채 숲길을 달리자니 음산함이 배가 되어 전체적으로 우울한 분위기였다.

쉬지 않고 말을 달린 덕에 이동 거리는 제법 되었다.

잠시 지친 숨을 고르고 있는데 아카데미 방향에서 빠르게 다가오는 기운이 느껴지기 시작했다.

이곳에도 언데드가 있는 건가, 긴장해 검을 뽑으려던 때였다.

"누님! 누님, 거기 계십니까?"

윌리엄이다! 익숙한 목소리에 고개를 들고 소리가 난 방향으로 시선을 집중했다. 힘차게 땅을 울리는 말발굽 소리. 복잡한 숲길 사이를 뚫고 말을 몰아 달려 나온 사람은 에카이트였다.

"에…… 카이트?"

아니, 네가 여길 왜 와?

실전 전투에 하등 도움이 되지 않는 외교관이 무서운 기세로 다가

오는 모습이라니, 황당하기 그지없다.

언데드가 더 나올지 몰라 서둘러 아카데미로 돌아가는 중이었는데…… 윌리엄과 에카이트를 만나니 반가움보다는 황당함이 앞선다.

이동 중이던 기사들이 두 사람을 보고 일제히 멈췄다.

“아펠리아. 괜찮습니까? 다친 곳은?”

“누님, 무사하십니까? 아카데미로 돌아가던 길에 웬 미친개들이 따라붙어서 겨우 따돌렸습니다. 나머지 인원은 무사히 아카데미로 돌아갔고, 저와 에카이트 공은 마을이 걱정돼 이렇게 찾아왔습니다.”

윌리엄의 말에 놀라 눈을 동그랗게 떴다.

미친개? 언데드가 된 것은 마을 주민들만이 아니었나 보다. 추격을 위해 동네 개까지 언데드로 만들었다는 생각에 소름이 돋았다.

조슈아도 같은 생각을 했는지 옆에서 신음을 냈다.

“그 미친개들은 어떻게 했습니까? 죽였습니까?”

“죽이기는커녕 저희가 죽을 뻔했습니다. 제가 말을 잘 타서 살았죠. 다들 도망가기 바빴습니다.”

윌리엄의 질린 표정을 보니 정말로 그저 도망치느라 바빴던 모양이다.

언데드 개들이 그날 저녁부터 지금까지 숲속을 누비고 있다고 생각하니 새삼 등골이 서늘하다.

대화 내용을 들은 기사들 모두 같은 생각을 했는지 신경을 곤두세우고 사방을 경계하기 시작했다.

영문을 모르는 윌리엄과 에카이트만 얼떨떨한 표정으로 기사들을 바라본다. 한 번 언데드를 겪었으니 이렇게 반응하는 것도 당연하다.

멍하니 기사들을 지켜보던 두 사람은 수레에 실린 흰 천들을 보고는 표정을 굳혔다.

"……사망자가 있군요."

"일단 이 숲을 벗어나야 할 것 같습니다."

"아펠리아 경. 위험한 상황이지만 오늘은 여기서 쉬어야 할 것 같습니다."

앤드류의 말에 뒤를 돌아보니 다들 파리한 표정으로 겨우 말 위에 앉아 있었다. 조슈아가 끙 하고 앓는 소리를 내면서 고개를 끄덕였다.

"이런 상황에서 숲을, 그것도 해가 진 숲을 통과하는 것이 더 위험합니다. 마침 공터겠다, 야영지를 만들고 불침번을 서는 편이 낫겠습니다."

조슈아의 말이 맞다. 내가 고개를 끄덕이는 모습에 지친 기사들이 말 위에서 내려왔다.

"미치겠군. 이런 적극적인 행동을 취할 줄이야. 거기에 정보까지 노출되다니 최악이군. 조슈아 경의 입이 무겁기를 바랄 수밖에."

에카이트의 말에 나는 그저 입을 꾹 다물었다.

급한 대로 천막을 친 다음 일행들이 간단한 식사를 준비하고 있을 때를 이용해 빈 천막에서 에카이트에게 상황을 모두 설명한 후 들은 첫 마디였다.

"……저 때문에 많은 사람이 죽고 다쳤습니다."

"그도 그렇군. 이제 어쩔 건가?"

에카이트의 말에 순간 가슴이 철렁 내려앉았다. 이 많은 목숨을 어떻게 해야 할까. 침울해하는 나를 바라보던 에카이트가 단호하게 입을 열었다.

"어쩌지도 못할 거, 쓸데없이 자책해서 감정 낭비하지 마. 자기 탓이 아니라는 위로를 듣고 싶은 건가?"

그 날카로운 음성에 나도 모르게 고개가 숙여졌다.

물론 나 스스로도 이게 전부 내 탓이라고 생각하진 않는다.

다만 누군가 첩자의 말을 들었을까 봐, 내 탓이라고 비난할까 봐 방어적으로 굴었던 것 같기도 하다.

치사한 속마음을 들킨 것 같아 입을 꾹 다물었다. 나도 한참 멀었다. 그런 나를 무표정하게 바라보던 에카이트가 낮은 한숨을 쉬며 말했다.

"더 신경 쓰지 말지. 그 첩자가 생각보다 포악하고 미친놈인 것이지, 그대를 탓할 일도 아니고 말이야."

"……똑같은 말을 하십니다."

조슈아와 똑같은 말로 위로하는 모습에 나도 모르게 입을 열자, 그가 대번에 인상을 찌푸렸다.

"누가? 조슈아 경이?"

"네, 그랬습니다."

단번에 조슈아를 짚어 내다니 감도 좋다. 고개를 끄덕이며 동의하자 한참 동안 입을 다물고 있던 에카이트가 엉뚱한 말을 했다.

"둘이 제법 친해졌나 보지? 수색조도, 전투조도 같은 조로 나뉜 것을 보면 말이야?"

"네?"

"……아무튼 돌아갈 때까지 몸조심해야겠군. 이 기사 무리에서 둘밖에 없는 '짐짝'이니까 말이야."

말을 돌리는 것이 대화를 끝내고 싶어 하는 것 같았다.

굳이 이 대화를 길게 이어 갈 필요를 느끼지 못한 나는 그저 고개를 끄덕였다.

“폰디체리 경. 어제는 미안했습니다. 언데드 퇴치에 앞장서도 모자를 마당에…….”

아이 깜짝이야.

경계 근무를 서는데 갑자기 나타난 토마스가 사과를 건넸다. 나는 애써 놀란 마음을 진정시키며 고개를 저었다.

“아닙니다. 저도 뭣도 모르고 무작정 싸운 것이지 그런 혼란스러운 상황이라면 누구라도 그랬을 겁니다.”

“어제 전투가 끝나고 스스로를 돌아보니 너무나 한심스럽더군요. 요셉 경도 결국 잘못돼 버리고…….”

싸늘하게 가슴에 관통상을 입은 채 죽어 있던 요셉이 떠올라 입을 다물 수밖에 없었다. 토마스가 씁쓸하게 말을 이었다.

“……가을이 되면 아들을 보러 갈 수 있다고 좋아했습니다.”

아들이 있었구나…….

망자의 사정이란 들으면 들을수록 먹먹할 뿐이다.

나는 질끈 눈을 감고 죄책감을 분노로 바꾸기 위해 애썼다. 억울하게 죽은 사람들의 넋을 달래기 위해 내가 할 수 있는 일은 첩자에게 제대로 보복하는 것이었다.

“부상자를 살펴볼 시간이 없어서 아직 정확히 확인된 것은 아니지만…….”

뜸을 들이는 토마스를 보고 입술을 앙다물었다. 어쩐지 안 좋은 내용이 튀어나올 것만 같았다.

"언데드의 공격을 받으면 보통 그 상처 부위가 감염되곤 합니다. 감염이 되면 그 후론 썩는다고 하지요. 제가 알고 있는 언데드와는 그 양상이 달라서 뭐라고 확언할 수는 없지만요."

"썩…… 는다고요? 어디에서 어디까지요?"

청천벽력 같은 소리에 당황해 눈을 동그랗게 뜨고 되물었다.

"상처 난 부위에서 시작해 온몸이요. 그래서 감염을 막고자 상처 부위에서 좀 떨어진 곳까지 절단을 하기도 합니다."

끔찍한 감염 차단 방법에 나는 마른 입술을 꽉 깨물었다.

기사에게 신체 절단은 사망 선고나 다름없었다. 기사가 아니라 일반 귀족, 설사 황족이라고 해도 신체가 절단되고 나면 요직을 유지하기 힘들 것이다.

아니기를 바라는 것 외에 할 수 있는 게 없는 나 자신이 무력하게 느껴졌다.

"치료법이 있기는 합니다."

"뭡니까?"

토마스의 말에 반색하며 되물어 보자 그가 담담한 표정으로 입을 열었다.

"성수입니다. 성수로 상처를 씻고 치료하면 감염이 낫습니다. 감염이 해결되고 남은 상처는 그냥 일반 치료법으로 치료해도 낫습니다."

"성수가 있습니까, 지금?"

"만일의 상황을 대비해 저희가 가져온 성수는 각각 한 병입니다. 그 정도로는 한 사람 분의 중상 내지 몇 명의 경상 정도밖에 돌보지 못합니다."

"……그리고 시온이나 교황이 계시는 곳까지는 최소 열흘은 걸리겠고요."

"왕복을 생각하면 그 두 배의 시간이 걸립니다."

미치겠네. 교황이 있는 지역은 성역이라 기본적으로 신성력이 존재하는 곳이었다. 그리고 마력은 신성력과 상반된 힘.

마력을 이용한 통신구나 마법 시대의 유물들이 작동하지 않아 미리 연락을 취해 중간 지점에서 만나는 것조차 불가능하다.

도무지 답이 나오지 않아 깊은 한숨을 내뱉었다.

"아니기를 바랄 수밖에요. 폰디체리 경, 이런 분위기에 미안합니다만 망토가 풀렸습니다."

토마스가 깔끔하게 대화를 정리하며 내 어깨를 가리켰다. 그의 손가락을 따라 시선을 옮기니 어깨에 간신히 걸쳐 있는 망토가 있었다.

정말로 끈이 느슨해 곧 풀릴 것처럼 보였다. 대충 추스르려 했으나, 이를 만류한 토마스가 가까운 천막에 들어가 제대로 옷을 고쳐 입고 나오기를 권했다.

불침번의 밤은 길다. 그의 말도 맞기에, 더 이상 거절하지 않고 가장 가까운 천막으로 들어갔다.

"……으으."

"조슈아 경?"

마침 들어갔던 천막은 조슈아의 천막이었다. 반듯하게 누워 있는 모양은 평소 그의 성격을 대변해 주고 있었다.

"조슈아 경. 어디 불편합니까?"

마치 악몽이라도 꾸는 듯 나지막한 신음을 내는 조슈아는 흡사 어딘가 아픈 사람 같았다.

"조슈아 경. 잠시 일어나 보십시오. 조슈아 경!"

바로 옆에 꿇어앉아 어깨를 흔들며 그를 깨우려 들었지만 조슈아는 쉽게 깨지 않았다.

"으음……."

한참을 흔든 끝에 겨우 눈을 뜬 조슈아를 보니 안도의 한숨이 흘러나왔다.

"아펠리아…… 경? 뭡니까?"

"악몽을 꾸신 것 같습니다. 하긴 그렇게 끔찍한 일을 겪었으니."

"여긴 왜 들어, 윽!"

안심하고 대화를 이어 가려던 나는 몸을 일으키던 조슈아가 터트린 신음에 온몸을 굳힐 수밖에 없었다.

다쳤다. 부상이 있는 것이다. 그날 밤, 나를 대신해 언데드와 맞서던 장면이 뇌리를 스쳐 지나갔다.

"다쳤군요."

"……아닙니다. 나가 주십시오."

"다친 것이 분명합니다."

"아니라고 했습니다. 쉬게 비켜 주십시오."

"어딥니까?"

실랑이 끝에 마음이 급해져 조슈아의 양 허벅지를 무릎으로 누르며 방해하는 두 손을 한 손으로 막아 냈다.

반대편 손으로 상처 부위로 짐작되는 옆구리를 헤집는데 아무래도 소란스러웠던지 밖에서 웅성거리는 소리가 났다.

"거기 뭡니까? 괜찮습니까?"

"뭐야, 저긴 누구 천막이지?"

나는 밖이 웅성웅성하든 말든 조슈아의 옷을 들추는 데 여념이 없었다.

얼마나 그랬을까. 마침내 상처 부위의 자극을 견딜 수 없었던 조슈아가 순간 힘을 풀면서 목적을 달성할 수 있었다.

들춰진 옷 아래에는 어둠 속에서도 선명하게 보일 만큼 길게 긁힌 자국이 있었다. 그 중심은…… 불길하게도 이미 검은색에 가깝게 변해 있었다. 순간 눈앞이 하얗게 변하는 것 같았다.

"……조슈아 경. 상처가 있지 않습니까."

스스로도 놀랄 만큼 넋이 나간 목소리였다. 내 말에도 조슈아는 놀랄 만큼 무덤덤하다.

"별것 아닙니다. 그냥 긁힌 것일 뿐."

"아니요! 이건 그냥 긁힌 상처가 아니라……."

"아펠리아, 거기까지. 달밤에 남녀가 한 천막에서…… 썩 보기 좋은 광경은 아니군."

소란 끝에 천막 입구가 열리며 에카이트와 앤드류, 윌리엄, 그리고 뒤로 늘어선 여러 명의 기사가 보였다.

에카이트를 제외하곤 모두 어색한 표정으로 시선을 피하고 있었다. 조슈아의 한숨 소리에 나는 어색한 미소를 지으며 천천히 그에게서 떨어졌다.

오해받기 딱 좋은 상황이었다.

"저기, 어……. 그러니까 에카이트 공?"

싸늘한 표정을 짓고 있는 에카이트는 어쩐지 화를 참고 있는 것으로 보였다.

사방이 다 나와 에카이트의 눈치를 보고 있는 것 같다. 차마 무시할 수 없어, 먼저 어색한 웃음을 지으며 입을 열었다.

"뭐지?"

온 얼굴로 심기가 불편하다 표현하고 있는데 나오는 말투는 태연자약하다.

설마…… 이상한 생각한 건 아니겠지? 아니, 사람이 다친 것 같이 끙끙거리는데 확인해 보는 게 인지상정 아니겠냐고.

"어, 뭔가 좀 잘못 생각하시는 것 같은데, 정확히 상황을 설명드리자면……."

어렵게 입을 떼어 상황 설명을 하려는데 에카이트가 말을 막고 끼어들었다.

"따로 설명할 상황이라도 되는 것처럼 말하는군. 단순히 조슈아 경의 상처를 확인하고 있던 거 아니었나? 조슈아 경이야 자존심에 다쳤다는 걸 알리기 싫었던 모양이고, 그대는 동료의 부상을 외면할 수 없는 성격이니. 기어코 상처를 확인해 보겠다고 고집을 부렸겠지."

딱딱한 말투는 사실을 적시하고 있었지만 다소 화가 난 것처럼도 느껴졌다. 아니, 다 알면서 대체 왜 저러는 거야?

그가 퉁명스러운 어조이긴 해도, 간단히 상황을 설명해 준 덕에 주변의 소란도 쉽게 정리되었다.

오해한 건 아니라니 다행이긴 한데, 조슈아를 노려보는 그의 눈빛이 불손하게 느껴졌다.

아무리 그래도 환자를 때리진 않겠지. 하지만 어쩐지 그럴 수도 있을 것 같은 느낌에 조심스럽게 조슈아의 앞에 서서 에카이트의 시선을 막아 주었다.

한참의 소란 끝에 조용해진 천막 안에서 조슈아의 환부를 꼼꼼히 살핀 에카이트가 매정하게 옷을 내리며 입을 열었다.

"곪았군요."

"감염이 있기는 한데, 소독만 제대로 하면 금방 회복할 정도입니다."

에카이트의 명료한 진단에 조슈아가 고개를 끄덕이며 대수롭잖게 동의를 표했다. 대충 봐도 제법 상처가 깊어 보이는데……. 나는 그런 두 사람을 보며 인상을 찌푸렸다.

천막으로 들어오기 전 토마스와 나눴던 말이 떠올라 그냥 대수롭게 넘길 일이 아니란 생각에 입을 열었다.

"언데드의 공격을 통한 감염은 일반적인 방식을 통해선 회복할 수 없다고 들었습니다. 성수가 필요합니다."

내 말에 천막 안에 침묵이 감돌았다. 에카이트가 '끙' 하고 앓는 소리를 내며 입을 열었다.

"교황령에 가야 한단 소리로 들리는군."

"정확합니다."

소란 중에 천막 안으로 들어온 건지, 토마스가 갑작스럽게 끼어들어 동의를 표했다. 모두의 시선이 그에게로 집중되었다.

"혹시나 했는데 역시나 같습니다. 기존에 알고 있던 언데드와 행동 양식이 많이 달라서 섣불리 말씀드리지 못했는데, 환부를 보니 명확해졌습니다. 저대로 두면 썩습니다."

아까 나에게 했던 말을 그대로 다시 담백하게 내뱉는 토마스를 보고 다들 할 말을 잃었다.

조슈아는 아직 실감이 나지 않는 모양인지 인상을 찌푸릴 뿐 별다른 행동을 취하진 않았다.

오히려 당황한 것은 처음 이 사실을 접한 앤드류였다.

"아니, 썩는다는 것은 또 뭡니까? 썩으면요?"

"팔이나 다리 등 잘라 낼 수 있는 부위면 감염이 더 진행되기 전에 절단을 하기도 합니다. 물론 치료를 할 수 있다면 좋겠지만, 불가능할 경우에 말입니다. 그런데 이 경우는……."

말을 더 잇지 못하는 토마스를 두고 다들 입을 굳게 다물었다. 몸통을 잘라 낼 수 없으니, 그에게 무의미한 조치이기 때문이다.

"다친 사람은 저 하나가 아닙니다. 저보다 심하게 다친 사람도 부지기수인데, 성수로 치료가 된다고 하셨지요?"

"네, 너무 늦지만 않으면 성수로 치료 가능합니다."

조슈아의 차분한 질문에 토마스가 즉답했다. 너무 늦지만 않으면……. 내가 그의 말에 홀린 듯이 입을 열었다.

"어디까지가 너무 늦지 않는 겁니까?"

내 말에 다들 일제히 고개를 끄덕였다. 그에 토마스가 비장한 표정을 짓더니 눈을 질끈 감았다 뜨며 말했다.

"아무도 모릅니다. 진행의 정도는 각각 다르기 때문에 생각보다 상처가 깊거나, 상처 부위가 넓다면 진행이 빠를 것이고……. 또 움직임이 많으면 혈액 순환이 활발해져서 더 그럴 겁니다."

"그렇다면 부상자들이 직접 시온으로 찾아가는 것 또한 불가능하겠군요."

조슈아의 말에 토마스가 고개를 끄덕였다.

최악이다. 왕복으로 거의 한 달이 걸리는 긴 여정을 운에 의지하여 기다리라니.

살기 위해 잘라 냈는데, 굳이 그러지 않아도 괜찮았다면?

곧 올 것 같아 버티다가 결국 감염으로 죽어 버리면?

"……일단 부상자의 수와 정도를 파악해야 할 것 같군요."

깊은 침묵 끝에 에카이트가 지금 상황에서 취할 수 있는 최선의 조치를 내놓았으나 아무도 이를 주의 깊게 듣지 못했다.

혼란을 피하고자 자세한 사항은 비밀로 한 채, 새벽부터 급하게 아카데미로의 귀환을 서둘렀다.

모두 눈치가 빠른 사람들인지라 따로 묻지 않고 아카데미로 귀환하는 것을 순순히 따라 주었다.

아카데미에 도착한 신입생들이자 살아남은 기사들은 쉴 틈도 없이 일사불란하게 실내 수련장을 응급 병동으로 꾸미고 있었다.

아무리 평화의 시대라지만 왕국들은 자잘한 분쟁으로 사상자를 만들어 왔기에 이런 전시 상황에 그럭저럭 익숙한 편이라고 했다. 물론 이것은 예외적으로 큰 규모라고는 했다.

"부상자는 총 스무 명입니다. 그 중 네 명은 다행히 단순 골절입니다만…… 문제는 중상자들이죠."

의원이 명료하게 설명했다. 급한 이동으로 중상자들이 무리를 했을 것이라는 생각은 했지만 그들의 상태는 생각보다 심각했다.

아카데미에 상주하는 의원의 기준에 따르자면 중상자로 분리된 여덟 명 중 몇몇은 벌써 팔다리가 검은빛, 보랏빛을 띠면서 심각한 감염 상태를 보이고 있다고 했다.

"……이래서야 조슈아 경은 다쳤단 소리도 못 꺼내겠습니다."

앤드류의 신음과 같은 말에 두 눈을 질끈 감았다. 성수는 고작 두 병. 누구 하나를 완전히 낫게 하는 데 쓰기엔 너무도 적은 양이었다.

떠오르는 해로 밝아진 주변은 웅성거리는 재학생들과 교수들로 더욱 어수선해졌다.

"일단 감염을 지연시킬 관리법을 알려드리겠습니다. 저도 책으로만 익힌 내용이라 얼마나 정확할지는 모르겠으나, 딱히 다른 방법이 없으니까요."

"좋습니다. 이제 뒷일은 저희에게 맡기고 최대한 빨리 시온이든 교황령이든 성수를 구할 수 있는 곳으로 가셔야 할 것 같습니다."

토마스의 말에 비장하게 대답하는 앤드류를 두고 묵묵히 서 있는 에카이트를 바라보았다. 이제 어떻게 하면 좋을까.

"제가 가는 것이 맞겠군요."

"동의합니다. 저 혼자서는 공신력도 부족하고 사태를 설명하는 데에는 그만한 권위가 있는 사람과 동행하는 게 좋습니다."

하기야. 가까운 역사에선 찾아볼 수 없는 초유의 언데드 사태이다.

아무리 교황을 수호하는 시온의 기사라고 해도 쉽게 설명하고 설득할 수 있는 것은 아닐 테니 능숙하게 외교 논리로 밀어붙일 수 있는 에카이트가 필요할 것이다.

그리고 성수를 이렇게 갑자기 많이 쓰게 될 거라곤 상상도 못 했을 교황을 설득하는 데 시간이 걸릴 것이다. 실제로 겪은 나조차 꿈인지 현실인지 구분하는 데 한참 걸렸으니 말이다.

"그런데 에카이트. 말, 잘 탑니까?"

이 숲까지 급하게 달려온 걸 보면 어느 정도 타는 것 같기는 한데……. 에카이트를 위아래로 가볍게 훑어보며 그렇게 물었다. 그러자 같이 있던 앤드류와 토마스가 움찔하더니 나와 같은 시선으로 그를 바라보았다.

아니 뭐, 외교관이 말을 잘 타 봐야 얼마나 잘 타겠는가. 중간에 버리고 갈 수도 없는 짐을 지고 가는 것이 아닌가 하고 걱정할 수도 있지 않은가. 가뜩이나 급한데.

기가 막힌다는 표정으로 이쪽을 쳐다보는 그의 시선을 슬그머니 피하며 속으로 투덜거렸다.

"뭐, 토마스 경이 먼저 가서 상황 설명을 해도 되겠지요. 걱정하시는 것만큼 말을 못 타는 건 아니니 너무 걱정 마시길."

"……도움이 될까 해서 같이 가 볼까 했는데, 난 여기서 포기하도록 하지."

어느 사이 다가와 오가는 대화를 주의 깊게 듣던 윌리엄이 간결하게 선언했다.

윌리엄의 말에 앤드류가 깊게 고개를 끄덕거렸다. 그런 앤드류를 얄밉다는 표정으로 노려보던 윌리엄이 턱짓으로 병상이 있는 커튼 너머를 가리켰다.

"각국에 연락은 어떻게 하려고? 사망자부터 시작해서 부상자들까지."

그러고 보니…… 누가 하지? 윌리엄이 미처 생각하지 못한 상황을 지적했다. 나는 당황해 앤드류와 에카이트를 번갈아 보았다.

"……제가 이동하면서 영상석으로 최대한 해 보겠습니다."

"아니면 내가 베이야드 공작에게 직접 연락해서 상황을 설명해도 괜찮지 않을까 하는데?"

윌리엄의 제안에 에카이트가 잠시 침묵을 지키다 고개를 끄덕였다.

엑? 나는 의외로 쉽게 고개를 끄덕이는 에카이트를 보고 놀란 표정을 지었다. 미안한 말이지만 윌리엄에게 그다지 신뢰가 가지 않았기 때문이다.

"윌리엄 대공자라면 외교관들 사이에서 제법 유명합니다. 기사와는 거리가 멀지 몰라도 정치인으로는 상당한 궤도에 들었으니까요."

하긴. 능글거리는 황태자와 간혹 이미지가 겹치는 것을 보면 충분히 일리가 있다.

그러나 이미 윌리엄은 내 놀란 표정에 자존심이 상한 눈치다. 그를 눈웃음으로 살살 달래면서 신음이 흘러나오기 시작한 병상 쪽으로 시선을 돌렸다.

며칠이 지났는지 모르겠다. 에카이트가 토마스와 함께 떠난 후 밤낮없이 바쁘게 돌아갔기 때문이다.

"아픕니다. 아파요! 어떻게 좀 해 주십시오."

"다리가, 다리가 너무 아픕니다."

중상자들이 누워 있는 병상에서는 고통에 찬 신음이 끊이지 않고 이어졌다.

토마스의 설명대로 성수를 희석시켜서 만든 물로 상처 부위를 일정 시간 간격으로 닦고 있었는데, 전문 간호 인력이 부족하여 결국 나까지 수건을 들어야 했다.

그러나 아무래도 그 양이 충분하지 못해, 더 심해지는 것을 막는 정도이지 깨끗이 낫게 하지는 못했다.

"……미치겠군요. 매정한 얘기지만 중상자들을 포기하고 경상자들의 상처 진행을 늦추는 게 낫지 않겠습니까? 저 지경이 됐는데 성수가 온다고 회복이 되겠습니까?"

전투에서 돌아온 기사들 역시 쉬지도 못하고 간병에 투입되어, 사방에 낯익은 기사들이 있었다.

그들 중 하나가 환자를 닦은 수건을 들고 낮은 목소리로 자신의 의견을 성토했다.

하지만 사실 내가 아니었을 뿐이지 저기 있는 게 나일 수도 있다고 생각하면, 그들에게 매정한 잣대를 들이대긴 쉽지 않았다.

"……쉬운 일은 아니지만 일단 최대한 버텨 봅시다."

"저야 자국 출신 기사가 없어서 크게 답답하고 안타깝지는 않습니다만, 폰디체리 경은 다르지 않습니까. 조슈아 경인가요? 경상자로 분리되어 있긴 하지만, 상처 부위는……."

조슈아의 상태가 떠올라 입술을 꾹 깨물자 그가 이내 고개를 꾸벅 숙이고 지나쳐 갔다.

"……으으."

"조슈아 경, 몸은 좀 어떻습니까?" 환부에 희석한 성수를 적신 수건을 가져다 대자 그가 낮은 신음을 내며 감은 눈을 떴다.

며칠이나 지났다고 온 얼굴에 병색이 완연했다.

"버틸…… 만 합니다. 깊게 자지 못하는 것만 빼면요."

"당연히 그럴 겁니다. 이대로 두면 장기까지 감염이 진행될 판이니 어서 성수를 더 가져오거나 다른 치료 방안이 필요합니다."

갑작스럽게 들린 목소리는 퉁명스럽기 그지없는 의원의 목소리였다.

요 며칠 사이 부상자들과 부상자들을 간호하는 기사들의 '치료법도 모르는데 의원은 무슨 의원이냐', '혹시 누구 하나 잘못되면 일 치를 줄 알아라.' 같은 협박 어린 말들에 신경이 극도로 곤두선 것이 원인인 듯했다.

성수는 이미 그냥 물과 다를 바 없는 상태까지 희석한 상태였고, 그렇다고 무슨 약을 쓰기도 걱정스러운 상황이었다.

떨어져 가는 성수에 예민해진 기사들의 성화에 결국 의원이 폭발한 것이다.

“이건 의원인 제가 치료할 수 있는 상처가 아닙니다. 저는 그만 손 놓겠습니다. 괜히 능력 밖의 일에 손을 댔다가 엄한 책임을 물 것 같아 엄두가 안 납니다.”

“잠시만, 잠깐만요!”

의료인을 뜻하는 흰 가운을 내동댕이친 의원이 성큼성큼 밖으로 나간다.

병상에 누워 있던 조슈아가 지그시 눈을 감았다. 그 순간만큼은 병상의 앓는 소리도 끊긴 채 침묵만이 흘렀다.

“……아펠리아 경. 오늘이 마지막일 것 같습니다. 성수요.”

앤드류가 침통한 목소리로 성수가 든 물통의 바닥을 내려다보며 말했다. 일주일도 버티지 못하고 동이 나 버린 것이다.

지금쯤 겨우 제국을 지나 교황령으로 향하고 있을 두 사람을 생각하니 눈앞이 깜깜했다.

“미치겠군요. 토마스 경의 말에 따르면 오래된 성수는 효력이 없다고 하던데……. 귀족들이 어린 시절 세례를 받을 때 받았던 성수를 설사 잘 보관하고 있다고 해도 쓸 수 없습니다.”

“그리고 한 번에 만들어 낼 수 있는 성수의 양도 한정적이라고 하지 않았습니까. 아마 교황령에서 비축량을 다 내어 준다고 해도 충분할지 모르겠습니다."

결국 부정적인 결론으로 귀결되는 상황에 깊은 한숨만이 나왔다.

간호를 위해 새 수건을 가지러 왔던 기사가 대화를 듣더니 쉰 목소리로 입을 열었다.

"……제국의 귀족들은 어린 시절에 세례를 받을 수도 있군요. 시온을 제외한 보통의 왕국에서는 왕족쯤은 되어야 성직자의 얼굴이라도 볼 기회가 있을 텐데, 역시 제국이란 대단하군요."

제국이 교황청에 기부금이랍시고 보내는 돈이 얼만데. 속으로 현실적인 대화를 삼키며 예외도 있다는 것을 일깨워 주기 위해 입을 열었다.

"그렇습니까? 하지만 저도 세례는 받지 못했는걸요."

내 말에 놀란 표정으로 고개를 드는 기사에게 애매한 웃음을 지었다.

"아실지 모르겠습니다만 제 모친께서는 그 신분이 분명한 분이 아니셨습니다. 그 덕에 교황청에서 세례를 거부했다고 들었어요."

어떻게 반응해야 할지 모르고 당황해 허둥대는 모습을 보니, 괜한 말을 했나 싶어 멋쩍게 웃으며 말을 덧붙였다.

"사실 칼라한 제국 내에선 신성력을 중요하게 생각하는 분위기가 아니라 아버지께서도 굳이 힘을 써 가면서까지 억지로 받으려고 안 하셨다고 합니다. 제국에도 저처럼 세례를 못 받은 사람들이 있을 겁니다."

"……흠흠. 네, 그렇군요. 하여튼 조금이라도 좋으니 빨리 성수를 가져와 주셨으면 좋겠습니다. 점점 상태가 나빠지는 게 눈에 보이니 보기만 해도 괴롭군요."

그의 말이 너무도 공감돼 고개를 크게 끄덕였다.

앤드류도 같은 마음인지 한숨과 함께 고개를 끄덕였다.

그때였다. 외부로 통하는 문밖에서 소란스러운 발걸음과 말소리가 들리더니 쾅 소리와 함께 문이 열렸다.

열린 문으로 몇몇 재학생들이 벌겋게 상기된 표정으로 나타났다.

"약이, 성수가 왔습니다!"

나와 앤드류, 그리고 옆에서 대화를 나누던 기사가 서로 시선을 교환하다가 벌떡 자리에서 일어났다. 성수가 도착했단다.

성수가 도착한 것은 다행이었지만 문제는 성수만 도착한 것이 아니라는 점이었다.

가장 큰 문제는 그 성수를 가져온 대상에 있었다. 한동안 기억에서 잊고 지냈던, 리디아 펠튼의 얼굴을 여기서 볼 줄은 꿈에도 몰랐다.

"……이것 참, 뭐라고 말을 해야 할지."

조슈아를 제외하고 유일하게 제국 출신인 앤드류가 곤란한 표정으로 나를 바라보았다.

하긴 이미 한물간 이야기이긴 했지만 리디아와 내 암투 아닌 암투는 제국 내에서 제법 흥미로운 이야깃거리였기 때문에 모르는 것이 더 이상할 것이다.

"뭐, 저도 할 말이 없는데 앤드류 경이 무슨 할 말이 있을까요, 하하."

내 말에 앤드류가 어색한 웃음을 지으며 고개를 끄덕였다.

리디아가 가져온 성수는 무려 네 병이나 되었다. 그녀의 등장이 달갑지 않으면서도 달가운 묘한 상황이었다. 그래도 시간은 벌었다 싶다.

리디아와 내 꺼림칙한 관계를 잘 알지 못하는 기사들은 태연스럽게 한자리에 모여 이 성수를 어떻게 사용할 것인지에 대해 활발히 의견을 나누기 시작했다.

"일단 중상자들의 상태가 너무 심각합니다. 성수를 희석하지 않고 상처에 부어 절단까지 가는 최악의 상황을 막고, 희석한 물로 연명 치료를 계속하는 것은 어떨까요?"

"중상자들이 전부 처음과 같은 상태라면 모르겠지만 이미 진행이 너무 많이 된 사람들도 있습니다. 한 사람이 한 병을 다 써야 겨우 치료가 될까 말까 한 경우도 있지 않습니까."

현실을 날카롭게 지적하는 한 기사의 말에 잠시 좌중이 침묵에 휩싸였다.

그랬다. 조슈아의 간호에 집중하고 있기는 했지만 당번제 때문에 나도 중상자들을 하루에 몇 번이고 돌봤다.

눈으로 직접 본 그들의 상태는 과연 다시 재기할 수 있을지 걱정스러울 정도로 눈에 띄게 심각해지고 있었다.

조슈아도 마찬가지였다. 장기로의 감염이 시작된 것인지 끼니를 거의 섭취하지 못하기 시작했다. 뾰족한 방법이 없는 것인지 침묵이 길어지려던 찰나.

"중상자들을 다시 분류하지. 경상자 중에 중상이 된 사람도 있을 테고. 면밀히 보고 나누어서 그 정도에 따라 성수 희석 농도와 치료 빈도를 조절하자고."

언제 왔는지도 모르게 덥석 대화에 낀 윌리엄이 진지한 표정으로 기사들을 돌아본다.

우리가 부상자들과 며칠간 씨름을 하는 동안 외교적인 문제와 씨름한 윌리엄의 얼굴은 잔뜩 피로해져 있었다.

"……그러다 잘못되기라도 하면."

"내가 책임지지."

대공자이며 대륙의 실세인 칼라한 제국에서 파생된 공국 출신인 윌리엄의 말에 침묵이 깨졌다.

"좋습니다. 뭐라도 해야지요. 합시다!"

"그럽시다. 일단 부상자를 나누는 기준부터 다시 정하죠."

활발하게 이어지는 대화를 뒤로하고 내심 윌리엄이 걱정돼 그의 곁으로 가 귓속말을 속닥였다.

"네가 뭘 어떻게 책임지려고? 너무 위험한 거 아니야?"

"여기서 아무런 결정도 못 내리고 다 죽어 버리기라도 한다면 더 큰 책임을 져야 하거든요. 차라리 이쪽이 싸게 먹힐 겁니다. 어찌 됐든 베이야드 공자를 대신해서 일을 보고 있으니, 어느 정도 책임은 져야지요."

……맞다. 윌리엄은 황태자과였지. 저 나름대로의 계산으로 손해 보지 않는 최선의 선택을 했다는 걸 알고 구태여 더 얘기하지 않기로 했다.

대충 봐도 피곤한 기색이 역력한 윌리엄이 걱정되어 다시 귓속말을 이어갔다.

"피곤해 보이는데, 이제 거의 정리된 거니? 좀 쉴 수 있는 거야?"

"아니요. 완전 바쁩니다. 그 느림보들, 이제 겨우 제국을 지났나 봅니다."

에카이트와 토마스의 위치를 듣자 절로 신음이 나왔다. 전혀 아랑곳하지 않은 윌리엄이 다시 입을 열었다.

"그나저나 웬 천박한 여자가 물 몇 병 가지고 들어와 아주 유세를 떤다는 소문이 있던데요."

"응?"

"……리디아 펠튼이요. 누님, 어디 가서 눈치 없단 소리 듣죠?"

윌리엄의 말에 어색한 웃음을 지으며 입을 열었다.

"그런 얘긴 아직 못 들어 봤는데……. 아무튼 그 여자가 아카데미에 온 건 맞아. 성수를 들고 말이야."

"아주 가관입니다. 하도 하는 짓이 꼴같잖아서 성수도 가짜는 아닐지 이리저리 확인해 봤는데, 진짜 성수인지 확신할 수는 없지만 딱히 유해한 것도 아니더군요."

성수가 가짜일 수 있다는 생각은 미처 해 보지 못했기에, 윌리엄의 말에 놀라 입을 떡 벌렸다.

"여하튼 지금 신입생들과 재학생들이 완전히 분리된 공간에서 지내고 있지 않습니까? 그 여자, 벌써부터 신입생들 사이에서 정치질이 한창입니다."

"……지금 이 상황에서 정치할 것이 뭐 있다고. 그리고 설마 그렇다 해도 급한 쪽은 부상자들이지 않겠니."

계획에 없이 튀어나온 리디아가 영 껄끄러웠지만 당장 무슨 수를 쓰기에는 상황이 여의치 않다.

내 말에 답답하단 표정으로 가슴을 두드린 윌리엄이 내 손목을 잡아끌고 병동으로 사용하는 실내 수련장을 박차고 나갔다.

때마침 식사 시간이었는지 식당이 붐비는 것이 멀리서도 눈에 들어왔다. 윌리엄이 성큼성큼 그쪽으로 걸음을 옮겼다.

"윌리엄, 식사라면 굳이……."

"식사가 아닙니다. 한번 직접 봐야 아실 것 같네요."

열린 문 너머로 익숙한 여자의 뒷모습이 보인다. 리디아 펠튼이었다. 한동안 소문조차 듣지 못했는데……. 잠잠했던 그녀의 갑작스러운 등장은 긴장감을 불러일으켰다.

"……그래서 안타깝지만 부상자들을 직접 간호하는 건 어려울 것 같더라고요. 조금 눈치가 보이기도 하고요."

"정말 마음이 고우십니다. 귀하게 자란 분이 이 먼 길을 달려오신 것으로도 부족해서……."

"아뇨, 아무리 힘들더라도 부상자들을 생각하면 당연히 와야지요. 그리고 또 따로 부탁하신 분과의 관계를 생각하면 거절할 수도 없었답니다."

저건 또 무슨 광경이래.

일전의 붉은 드레스와는 상반되게 단아하고 수수한 원피스 차림의 리디아는 그녀의 말과 어우러져 순하고 천사 같은 영애로 보일 지경이었다.

"아침 일찍 아카데미에 도착하기 무섭게 지금까지 저러고 있습니다. 하녀까지 대동해서 왔는데, 가관도 아니었어요."

"필히 마차를 타고 왔겠구나."

내 말에 윌리엄이 굳은 표정으로 고개를 끄덕였다.

제국에서 아카데미까지의 거리는 제법 멀었다. 일반 영애가 말로 움직일 수 없는 거리였다. 더군다나 하녀를 대동해서 왔다면 마차로 움직일 수밖에.

그런데 어딘가 이상했다. 사건이 터진 이후 바로 소식을 들었다 쳐도 말을 빨리 달려야 겨우 도착했을 법한 시간에 마차로 도착하다니 말이 안 된다.

그날 이후, 첩자와 내통한다는 명확한 증거를 잡지 못했는데. 그 정황을 이렇게 잡으니 속이 다 시원했다.

"흠. 일이 재미있게 굴러가는구나."

낮게 중얼거린 혼잣말에 윌리엄이 의외라는 표정으로 나를 돌아보았다.

"어쩔 줄 몰라서 입술이나 꾹 깨물고 계시다 뛰쳐나가시면 제가 그 사이에서 누님을 따라가야 할지 저 여자 입을 틀어막으러 가야 할지 고민했을 텐데 말이죠."

전생이라면 매우 맞는 예측일지도 모른다. 속으로 뜨끔하면서도 겉으론 어색한 웃음을 지었다.

그러자 윌리엄이 흥미로운 표정으로 나지막이 물었다.

"그래서 어떻게 하실 겁니까?"

"보아하니 사랑하는 애인인 에카이트의 부탁을 받고 먼 길을 마다하지 않고 달려온, 착하고 순종적인 영애로 보이고 싶은 것 같구나. 그렇다면 내가 도와줘야지."

내 말에 윌리엄이 피식 웃었다. 내 의도를 짐작한 것이 분명했다. 윌리엄을 따라 작게 웃으며 말을 이었다.

"여기까지 좋은 의도로 왔는데, 권력으로 애인을 빼앗은 공녀의 훼방으로 할 일도 못하는 것은 말이 안 되지 않겠어? 남들 보기에도 그렇고 말이야."

"암요. 잘됐군요. 마침 일손도 부족했는데 말이죠."

윌리엄이 얄미운 미소를 지으며 리디아를 지그시 바라보았다. 바라보는 시선을 느낀 것인지 리디아가 우리가 있는 식당 입구 쪽으로 시선을 돌렸다.

전혀 당황하지 않고 기다렸다는 듯 환한 미소로 우리를 바라보는 리디아를 보고 옆에서 낮게 혀를 차는 것이 들렸다.

"혹시 더 불편한 곳은 없습니까?"

당번 시간이 되어 성수로 다른 중상자의 상처를 닦으며 나지막한 목소리로 물었다.

그에 정말 죽은 사람이라고 해도 믿을 만큼 안색이 파리한 중상자가 힘겹게 고개를 끄덕였다.

예상치 못한 반응에 허둥거리며 어디가 그렇게 불편한 것인가 살피려는 나에게 그가 힘겹게 입을 열었다.

"……귀, 귀가 따가워 죽겠소. 시장 바닥도 아니고 조용히 좀 시켜 주시오."

아……. 그의 말에 인상을 찌푸리며 경상자들이 누워 있는 구역을 돌아보았다.

리디아의 호들갑스러운 목소리와 부상자들의 끔찍한 상처에 놀람을 감추지 못하는 재학생들의 목소리가 들렸다.

저 민폐덩어리들을 괜히 들였나? 환자들을 앞에 두고 최소한의 상식은 통할 것이라고 기대했던 내가 바보가 된 기분이었다.

"자, 보셔요. 이런 상처는 최대한 살살 닦아 주어야 한답니다. 이렇게요."

"으……. 정말 대단하십니다. 저희 기사 지망생조차 이런 상처를 다루는 것은 익숙하지 않아 힘든데 말입니다."

시체를 두고 나누는 대화여도 예의 없는 태도라고 지적할 수준인데……. 하물며 살아 있는 사람을 두고 할 만한 대화는 아니었다. 나는 혀를 차며 그들 근처로 다가갔다.

심기 불편한 표정으로 그들을 노려보는 기사들이 잔뜩 있었으나, 리디아에게 잘 보이고 싶어 하는 재학생 무리들은 이를 눈치채지 못한 듯했다.

“리디아 양, 고생이 많습니다.”

“어머, 오신 줄도 몰랐습니다. 알았으면 인사를 드릴 것을요.”

“저야 어제부터 계속 여기 있었는데, 아마 못 보셨던 모양입니다. 괜찮습니다. 이 상황에 인사가 대수랍니까.”

왔는데 아는 척도 안 하느냐는 식으로 툭 하니 시비를 걸기에 가소롭다는 표정을 애써 참으며 받아쳤다.

원래 있던 건 나고, 나중에 온 건 너야. 찾아서 인사를 나눌 것이었으면 네가 했어야 맞는 것이라고 지적한 셈이다.

내 말에 잠시 입술을 깨물던 리디아가 금방 웃으며 미안한 표정을 짓는다.

“너무 수수하게 계셔서 미처 못 알아봤습니다. 차림이 그러시다 보니…….”

“그럴 수 있지요. 하지만 말씀하신 것처럼 상황이 이러한데 제 한 몸 꾸미고자 시간을 쓰는 건 낭비라고 생각해서요.”

나는 순순히 고개를 끄덕인 뒤, 아무리 수수하다고 해도 원피스에 장갑까지 갖춰 치장하고 나온 그녀의 행동을 낭비라고 에둘러 지적했다.

이번에는 모른 척하고 넘어갈 수 없을 만큼 노골적인 지적에 리디아가 얼굴을 빨갛게 붉히며 황급히 변명을 늘어놓았다.

"레이디의 기본 소양은 언제 어디서든 지켜야 하니까요."

"네에……. '제대로 된 간호'도 못 받는 부상자들을 도우러 오신 그 숭고한 봉사 정신만 해도 이미 충분히 아름답지요. 몸소 그 방법을 알려 주는 모습까지. 그 뜻은 높이 사겠어요."

무슨 말을 하든 별 상관없다는 태도로 무성의하게 고개를 끄덕이며 말했다. 어때, 나를 깎아내릴 때 했던 말을 직접 듣는 소감이?

분한 것인지 당황한 것인지 입을 다물고 이러지도 저러지도 못하는 그녀를 가만히 바라보다가 그녀가 간호하던 부상자를 살폈다.

상처 근처로 물이 흥건하다. 밑에 침상까지 물에 젖어서 난리도 아닌 상태를 보니 확 열이 오른다.

아니, 지금 누가 누굴 가르친다는 거야. 기가 막히다 못해 화가 났다. 애써 분을 삭이고는 보란 듯이 호들갑을 떨며 리디아가 들고 있던 수건을 낚아채 물을 짜냈다.

"세상에, 리디아 양! 어떻게 이런 짓을. 계속 이런 식으로 하신 건가요?"

"네, 네? 뭘 말씀하시는 건지 모르겠네요."

"기본 중의 기본 아닌가요. 어쩜 이렇게 물을……. 이러다가 상처가 덧나기라도 하면 어쩌시려고요."

마치 큰일이라도 난 것처럼 비난하며 물기를 짜낸 수건으로 젖은 상처를 두드려 닦아 냈다.

사실 하루 이틀 상처 관리를 소홀히 했다고 해서 극단적으로 상황이 나빠지는 것은 아니었다.

하지만 열심히 애쓰는 다른 기사들의 노력까지 싸잡아 부족한 간호로 폄하하는 것을 두고 볼 순 없었다. 민망함에 어쩔 줄 모르는 리디아를 못 본 척하며 상처를 마저 살폈다.

"죄송합니다. 제가 더 잘 살폈어야 했는데. 너무 자신만만하게 말하기에 이런 줄은 미처 몰랐습니다. 혹시 많이 불편하십니까?"

"……애쓰는 사람한테 투정하는 것 같아서 차마 말하지 못했는데 신경 써 줘서 고맙소."

리디아의 돌봄을 받던 부상자가 힘없는 목소리로 점잖게 대답하자 그녀의 표정이 순간 왈칵 일그러졌다.

자기편을 들어 주며 아니라고, 괜찮다고 해야 하는데. 그간의 연극이 헛수고가 되는 순간이었다.

아파서 기력도 없이 누워 불안에 떠는 환자 앞에서 그 소란을 피워 놓고 우호적인 반응을 기대했다면 그것이야말로 오만하기 그지없는 것 아닐까.

치료를 마무리하고 마른 수건으로 젖은 자리를 덮은 후 자리에서 일어나 리디아를 매섭게 바라보았다.

보통의 영애라면 잘잘못을 떠나 눈물부터 흘릴 텐데. 리디아는 한 번 움찔했을 뿐, 독한 표정으로 시선을 피하지 않았다.

그녀의 곁에서 호들갑을 떨던 재학생들 몇몇은 입을 꾹 다물고 돌아가는 상황을 파악하고 있었다.

"리디아 양. 그간 리디아 양이 간호했던 사람들을 알려 주셔야겠습니다. 아무리 봐도 리디아 양이 돌봤다는 환자들의 상처를 다시 살펴야 마음이 놓이겠어요."

내 냉랭한 말에 리디아가 아랫입술을 꾹 깨물고 불만스럽게 바닥을 내려다본다.

얼씨구? 충분히 행동을 취할 시간을 줬음에도 입만 삐죽거리고 있다. 그녀를 황당한 시선으로 바라보다 다시 입을 열었다.

"리디아 양. 대체 뭐 하는 짓이죠? 지금 한시가 급한 상황인 것도,

제대로 된 간호가 필요한 사람이 많은 것도 누구보다 잘 알고 있다 생각했는데요."

"말이 너무 심하시네요. 나름대로 노력한 사람을 두고 그런 식으로 폄하하시다니요."

"말조심하세요. 쉬지도 못하고 그대보다 노력해 온 사람들이 태반입니다. 뒤늦게나마 손을 보태려는 마음만은 높게 사겠습니다."

리디아가 분한 모양인지 씩씩거리기 시작했다. 아무래도 계획과 달리 망신을 당한 데다 완곡하게 나올 줄 알았던 내가 직선적인 태도로 자신을 공격하자 당황한 것 같았다.

그런 그녀를 지그시 바라보며 다시 입을 열었다.

"그간 노력해 온 사람들을 부족하다 폄하한 리디아 양에게서 그런 말을 들으니 이상하네요."

"제가 언제 그런 말을 했다고 그러시나요? 전 정말 억울합니다!"

딱 잘라 발뺌하는 리디아를 보며 가소롭다는 미소를 지었다. 불과 어제 아침에 한 말이니 누가 알까 싶어 저러는 것이다.

하지만 입을 놀린 이상 이 좁은 아카데미에서 소문이 퍼지는 속도를 제대로 계산했어야지.

사교계보다 소문이 퍼지는 속도가 혁신적으로 빠른 아카데미에서 난 그런 적 없다는 시치미는 안 통한다. 나는 정말로 화난 표정을 지으며 입을 열었다.

"점점 못 봐줄 행동만 하고 있군요. 여기 재학생분들도 그 자리에 계셨을 테니 들었겠지요. 기사에게 명예가 얼마나 중요한지 알리라 믿습니다. 정말 못 들으셨습니까?"

리디아 뒤에 선 재학생들을 하나하나 바라보며 물어보자 모두 입을 꾹 다물고 시선을 피했다.

이런 상황에서 침묵은 곧 긍정이다. 당황한 리디아가 분한 듯 목소리를 높인다.

"그런 식으로 몰아붙이면 누가 답하겠어요? 정말이지, 제국에서도 그랬지만 여전히 고압적이기 그지없는 태도네요."

"리디아 양. 그 말 그대로 돌려드리지요. 그대야말로 제국에서부터 정도에 어긋날 정도로 무례한 태도로군요."

낮은 목소리로 시선을 깔며 답하자 리디아가 입을 다문 채 분해서 어쩔 줄 몰라 한다.

"미안하지만 뭔가 착각하고 있는 모양인데, 아카데미 내에 계급이 없다고 하지만, 그건 아카데미에 소속된 사람들에게만 해당되는 것이죠."

학생도 아닌 게 계급사회 아니라고 맞먹으려 드는데 정신 차리렴.

내 말을 잘 알아들은 건지 얼굴이 벌겋게 달아오르기 시작했다.

"성수를 가져온 것은 감사하지만 이런 식으로 낭비해도 된다는 뜻은 아니지요. 리디아 양의 말대로 성수가 충분하지 않아 아끼며 버텨야 하는 상황에서 이렇게 과용하다니요."

"성, 성수는 얼마든지 더 가져올 수 있어요."

오호라? 뭔가 믿는 구석이 있는 듯 자신만만하게 받아치는 리디아를 조용히 바라보았다. 대충 짐작이 간다.

점점 실마리가 잡히는 느낌이었다.

에카이트가 자리를 비우기 무섭게 그와 리디아가 그렇고 그런 사이라는 소문이 돌기 시작했다. 그것도 모자라 아카데미에 그 소문의 당사자인 리디아가 나타났다.

그것도 그냥 온 것이 아니라 에카이트가 가져다주라고 한 성수를 들고 오다니.

에카이트가 돌아오면 금방 들통 날 거짓말이다. 하지만 본인은 진짜라고 믿는 눈치다. 거짓이라면 이렇게까지 많은 사람들 앞에서 당당한 태도를 보이기 쉽지 않을 것이니 말이다

그렇다면 답은 하나다.

리디아는 본인도 모르게 첩자에게 이용당하고 있다.

"그렇다면 다 떨어진 셈 치고 미리 좀 가져다주시면 좋겠네요. 아시다시피 양이 부족해서 희석해서 쓰고 있지 않습니까."

"좋아요. 문제없어요!"

"그것참 반가운 소식이군요. 이제 도울 만큼 도운 것 같으니 이만 쉬러 가셔도 좋을 것 같네요."

내 말에 자존심이 상한 듯 리디아가 입을 앙다문다.

하지만 이미 기사들 사이에 적대적인 분위기가 흐르기 시작했다.

더 있기 불편한 상황인지라 도도하게 고개를 휙 돌리며 병동을 빠져나갔다.

엉거주춤 서 있는 재학생들을 피곤한 시선으로 바라보던 내가 입을 열었다.

"도와주시러 온 것은 감사합니다만 방금 전처럼 잘못된 도움은 오히려 부상자를 고통스럽게 하고 본인도 힘들어진답니다. 여러분의 마음도 충분히 이해가 갑니다."

내 완곡한 거절 의사에 그들도 납득한 듯 고개를 끄덕이며 민망해했다.

자칫 도와준다고 나선 재학생들을 무안을 줘서 내쫓았다는 소문이 돌기 쉬운 상황인지라 나름대로 아쉬운 소리를 해 보기로 했다.

"하지만 일손이 부족한 것은 사실이랍니다. 도와주실 수 있다면, 가볍게 힘쓰는 일이나 간호와는 상관없는 자잘한 일들을 부탁드리

고 싶은데요. 혹시 괜찮으실지요."

내 말에 서로를 바라보며 시선을 교환하던 재학생들이 어색한 미소와 함께 고개를 끄덕였다.

리디아가 불러 놓은 관중을 굳이 내쫓을 필요는 없지. 이제 이 연극은 내가 이끌어 가면 된다.

"아펠리아 경. 정말 대단한데요?"

리디아를 매정하게 내쫓은 지 이틀째.

앤드류가 또 동향을 살피고 왔는지 혀를 차며 아부에 가까운 감탄을 계속한다.

대수롭지 않은 척 하던 일을 계속하니 그가 더욱 호들갑을 떨며 말을 이었다.

"그 여자는 방에 틀어박혀 두문불출이랍니다. 거기에 일을 돕기로 한 재학생들이 좋은 이야기만 해 주고 있고요."

"다들 애쓰는 중인데 좋은 말이라도 들어야 기운이 나겠지요."

"아니, 그런 당연한 소리는 말고요. 아펠리아 경의 진면목을 드디어 알아봐 준다는 말이죠."

내 진면목이 뭐기에 알아봐 준다는 건지 모르겠다. 하던 일을 멈추고 어색한 미소로 앤드류를 잠시 바라보자 그가 흥분한 어투로 말했다.

"원래 기사가 무뚝뚝하다지만 아무래도 제국 출신 귀족에 또 여자인 아펠리아 경을 두고 내심 다들 다른 기대를 했을 거란 말이죠."

살짝 빈정이 상했지만 나름대로 일리가 있는 앤드류의 말에 고개를 끄덕이며 듣는 시늉을 하자 그가 말을 계속한다.

"사람 마음이 참 간사하게도, 기대한 것이 충족되지 않으면 실망을 하지 않습니까."

그렇겠지. 여자라고 하니 가녀리고 여성스러운 모습을 기대했을 수도 있겠다 싶어서 고개를 끄덕였다.

그렇다고 레이디처럼 굴면 뭐가 기사냐고 또 시비를 걸었을 게 분명하니 딱히 후회되진 않았다.

"재학생들의 눈에 이 힘든 환경에서 인상 한번 찌푸리지 않고 묵묵히 환자를 돌보는 아펠리아 경이 대단해 보였나 봅니다. 거기에 거짓말까지 해 대는 그 여자랑 비교가 되는 바람에 더 좋은 평가가 나온 거지요."

"저 혼자 고생하는 것도 아닌데 괜히 공로가 저한테 집중되는 것 같아 오히려 미안하네요."

내 담백한 반응에 앤드류가 잠시 감동했다는 눈빛을 보이더니 비장한 웃음을 지었다.

"에카이트 공이 빨리 돌아왔으면 좋겠군요. 부디 그때까지 그 여자가 자리를 지키고 있어야 할 텐데 걱정입니다."

마치 흥미로운 연극의 개막을 기다리는 청년처럼 장난스럽게 웃은 앤드류가 이내 낮은 신음을 흘리는 부상자에게 시선을 돌렸다.

나는 언제 웃었냐는 듯 진지해진 그를 힐끗 바라보고는 다시 조슈아에게로 걸음을 옮겼다.

에카이트가 떠난 지 열흘도 더 지났다. 리디아가 가져온 성수도 곧 바닥난다. 더 가져올 수 있다는데 언제 가져오려나.

고민을 속으로 삼킨 나는 나지막한 한숨을 쉬며 죽은 듯 눈을 감고 얕은 숨을 쉬는 조슈아를 바라보았다.

신기한 일일세. 리디아는 정말로 성수 네 병을 가져왔다. 미심쩍지만 일단 고맙다고 인사한 뒤, 성수를 들고 윌리엄의 방으로 향했다.

'똑똑.'

"바쁘니까 썩 꺼져."

"……윌리엄, 많이 바쁘면 다음에 다시 올까? 조금 급한 일이라서."

뾰족한 목소리에 놀라 어색하게 잠시 침묵이 흐른 끝에 문이 벌컥 열렸다. 그곳에는 초췌한 몰골의 윌리엄이 있었다.

"누님은 언제든 환영입니다. 다음엔 그냥 노크하고 바로 들어오세요."

"어떻게 그래. 너도 영 힘든 모양이구나."

"누님 상태가 더 안 좋아 보이는데 식사는 하세요? 잠은?"

윌리엄의 걱정에 내가 어색하게 웃었다. 식사나 잠이나 제대로 챙긴다고 말하기엔 너무도 부족한 수준이었기 때문이다.

내 어색한 웃음에 알 것 같단 표정을 지은 윌리엄이 의자 보며 고갯짓했다. 나는 성수를 앞의 테이블에 올려놓고 자리에 앉았다. 윌리엄의 시선은 성수에 꽂혀 있었다.

"성수입니까?"

"응. 리디아 양이 가문의 상단을 통해 전달받았다고 해."

"갈수록 수상하군요. 펠튼 상단이 이 정도로 유능하다니. 참, 어제 저녁에 베이야드 공자와 연락이 닿았습니다."

에카이트와 연락이 닿았다는 얘기에 눈을 동그랗게 뜨고 윌리엄을 바라보았다. 그 말인즉 교황령을 벗어나 아카데미에 가까워지고 있다는 뜻이기도 했으니까 말이다.

"곧 도착할 겁니다. 길어야 이틀 내지 삼 일. 성수가 충분하지 않아 축복을 내릴 수 있는 사제와 함께 오느라 좀 늦는 것 같습니다."

"그래도 정말 다행이구나. 지금 이 성수 네 병에 에카이트가 가져올 성수 그리고 사제들이 있으면 차도가 있겠어."

하루빨리 에카이트가 돌아왔으면 좋겠다. 기쁜 소식에 안도의 한숨을 쉬는데 윌리엄의 표정이 묘하다.

"윌리엄. 표정이 안 좋은데? 무슨 문제라도 있는 거야?"

"네. 성수 말입니다. 그 광대 같은 여자가 가지고 온 앞의 네 병과 지금 네 병이요. 영 이상합니다."

"이상하다니? 효과가 있긴 있었잖아. 미심쩍긴 했지만 진짜 성수 맞는 것 같던데? 희석해서 사용해서 그런지 효과가 약하긴 해도 상처가 더 진행되지 않는 것을 보면 말이야."

내 변론에 윌리엄이 고개를 저으며 다시 입을 열었다. 목소리엔 확신이 가득했다.

"아뇨. 제가 이상하다고 한 것은 다른 부분입니다. 성수는 진짜일 수 있겠지요. 문제는 그 성수의 출처에요."

"아, 그 부분이라면 나도 동의해. 먼저 리디아 양이 들고 온 네 병은 에카이트가 줬다고 했지?"

내 말에 윌리엄이 단호하게 고개를 저었다. 처음부터 믿지 않아서 그런지 단호하게 고개를 젓는 모습에도 크게 놀라지 않았다.

하지만 리디아가 그 이야기를 얼마나 많이 하고 다녔는지 재학생들은 '역시 소문대로 차기 베이야드 공작의 총애를 얻고 있는 것은 리디아다.'라고 입방정을 떨기 바빴다.

"제가 죽자고 말을 몰아 아카데미에 와서 그 여자한테 제일 먼저 연락을 했다고 칩시다. 그렇다고 해도 마차를 타고 제국에서 아카데미까지 그렇게 빨리 올 수 있다고요? 거기에 하녀까지 달고?"

"그건 그렇지만……. 일단 거짓이 확인되기 전까진 그게 사실이잖니. 일단은 말이야."

내 말에 윌리엄이 뚱한 표정을 지었다.

"상식적으로 말이 안 됩니다. 다른 사람들은 몰라도 제국에서 온 사람들이면 알지 않습니까. 뭐, 베이야드 공자가 자다가 새벽에 계시를 받고 일어나 먼저 언질을 주었다면 얘기가 달라지지만요."

윌리엄은 터무니없는 가정까지 하면서 말도 안 되는 상황임을 주장했다. 역시 내 생각이 옳았다.

"네 말이 맞아. 하지만 성수를 들고 온 사람을 두고 이것저것 따지고 들어 봐야 사기만 떨어질 테니……."

"그래서 일단 입 다물고 있었는데……. 베이야드 공자랑 연락해 보니 전혀 모르는 일이라고 합니다. 가고 있으니 도망 못 가게 그 여자 잘 잡아 두라고 신신당부하더군요."

독 오른 에카이트의 표정이 연상되어 잠시 웃음이 나왔다.

"어찌 됐든 지금 상황에서 더 따지고 생각할 여유는 없어. 일단 급한 대로 받은 성수를 써서 버티는 수밖에."

"그렇기는 한데 영 찜찜해서요. 이번 성수는 진짜일지. 더 실험해 볼 용구도 없습니다. 이전엔 임시로 가지고 있던 것으로 어떻게 확인을 해 본 것인데 지금은……."

침묵이 흐르는 방은 문을 두드리는 급박한 노크 소리에 소란스러워졌다.

급박한 노크와 함께 전해진 소식은 한 기사가 호흡 곤란으로 위급한 상태라는 내용이었다.

"갑작스러운 호흡 곤란이라니. 대체 이게 무슨……."

"진작에 그러고도 남았을 일입니다. 지금껏 용케 잘 버텨 온 것이지요."

윌리엄과 급하게 임시 병동으로 향했다. 병동이 얼마나 혼란스러운지 멀리서도 느낄 수 있었다.

"제가 보기엔 이게 시작이 아닐까 합니다."

앤드류의 침통한 말에 내가 인상을 찌푸리며 그를 돌아보았다.

시작이라니? 나와는 달리 그의 말을 바로 이해했는지 윌리엄이 대답해 주었다.

"아무래도 그렇겠군. 한 명이 저렇게 발작을 시작했으니 곧 다른 사람들도……."

"……발작 끝엔 검은 피까지 토했다고 합니다. 아무래도 더는 버티지 못할 것 같은데, 이젠 어떻게 하지요?"

내 말에 잠시 침묵하던 두 사람 중 앤드류가 먼저 입을 연다.

"에카이트 공은 언제 온답니까? 이제 희석한 성수도 거의 없습니다. 발작을 진정시키려 보다 많은 양을 사용했더니, 오늘 저녁도 못 넘길 정도만 남았습니다."

오늘 저녁. 최후통첩과도 같은 말에 가슴이 서늘해진다. 그런데 윌리엄은 이 상황에서 이상할 정도로 태연한 표정을 짓고 있었다.

"그 느림보, 이르면 내일이나 오겠지."

"윌리엄, 잠깐만 얘기 좀 하자. 앤드류 경. 잠깐 실례할게요."

윌리엄의 팔을 잡아 조금 떨어진 곳으로 움직인 후 낮은 목소리로 말했다.

"윌리엄. 리디아가 준 성수, 믿어도 될까?"

"당연히 못 믿죠. 처음 가져온 성수도 못 미더웠습니다. 그래도 그때는 진짜인지 가짜인지 실험해 볼 도구나 있었지, 지금은 그것도 없으니."

"성수가 다 떨어져 가. 앤드류의 말대로 이게 시작이라면? 이대로라면…… 더 악화될 거야."

어떡하면 좋지. 혼란스러워하는 나를 빤히 바라보던 윌리엄이 다시 입을 열었다.

"그 여자가 준 성수 때문에 고민하시는 거죠?"

정곡을 찔려 순간 움찔했다. 아무리 찜찜하다고 해도 당장 사람을 살릴 수 있는 약이 눈앞에 있는데 그걸 외면하는 결정은 쉽지 않았다. 내 침묵에 윌리엄이 고개를 끄덕였다.

"사실 저라면 쓸 것 같습니다. 썼을 때와 안 썼을 때 발생할 문제를 따져 보면 말이죠."

"맞아. 만약 안 쓰고 버티다 누구 하나 잘못되었다? 그런데 알고 보니 그녀가 준 성수가 제대로 된 성수였다면?"

내 말에 윌리엄이 고개를 끄덕이며 말했다.

"그런데 만약 저게 제대로 된 성수가 아니어서 누군가를 해친다면 어떻게 하실 겁니까?"

"……사실 나도 그게 걱정이야."

낮은 한숨과 함께 동의하자 윌리엄이 피식 웃으며 나를 바라본다.

"누님은 마음이 여리시군요. 해치든 말든 그건 우리 사정이 아니지요. 다른 선택이 없는 상황에서 그 여자가 성수라고 말한 것을 받아 쓴 것이니까요."

맞는 말이다. 입을 꾹 다물고 있자, 침묵을 동의로 이해한 윌리엄이 부드럽게 웃으며 말을 계속했다.

"물론 남의 목숨으로 이런 실험하고 싶지 않습니다. 일단 두 병은 희석하고 나머지는 비상용으로 두죠."

"……그리고 성수를 사용하기 전에 이 성수의 출처가 리디아 양인 것을 좀 더 홍보하는 편이 그녀에게도, 우리에게도 좋을 것 같구나."

내 말에 씩 웃은 윌리엄이 고개를 끄덕였다.

"좋아요. 보아하니 나서고 주목받는 것을 좋아하는 성격인 것 같던데. 조금만 자극해도 앞에 나설 겁니다."

"제가 어떻게 구한 성수인데! 어쩜, 이런 상황에서 신분의 귀천을 가른답니까? 아니면 질투라도 설마 질투하는 건 아니죠?"

리디아의 격양된 목소리가 들린다. 슬쩍 흘린 소문을 빠르게 주워들은 리디아가 며칠간의 칩거를 접고 다시 식당에 나타난 것이다.

참 알기 쉬운 성격이란 말이야? 속으로 혀를 차며 식당 문밖으로 흘러나오는 그녀의 목소리를 가만히 듣고 있었다.

"정말이지, 성수가 있는데도 굳이 안 쓰는 이유를 모르겠어요. 설마 자국 출신 기사가 가장 위급한 환자로 남았을 때에나 쓰려고 그러는 걸까요?"

"에이, 어디 그렇겠습니까? 뭔가 이유가 있어서……."

"사람 목숨을 구하는 일에 무슨 이유가 더 필요하죠? 정말 속상해요. 이럴 줄 알았으면 드리지 않는 것인데."

쯧쯧. 필요에 의해 그녀가 의도한 대로 굴러가게 해 주고 있지만, 기세등등하게 나오는 꼴을 보자니 기분이 별로다.

리디아의 말이 거짓이란 게 밝혀진 뒤로 재학생들의 태도가 많이 조심스러워졌다.

"직접 가서 말해 보시는 것은 어떨까요? 이 정도면 반박하지 못할 겁니다."

"그, 그렇지만 아무래도 너무 성격이 고압적이신지라……."

"무슨 오해가 있는 것 같은데 이번 기회에 잘 말해 보시는 건 어떨까요?"

속 터지는 소리가 여기까지 들리는 것 같다.

여기에 위급한 환자가 생겼는데 성수를 쓰지 않고 있다는 소문을 흘리면 재학생들의 등쌀에 밀려 쫓아오겠지.

나는 씩 미소를 지으며 나한테 빚진 것이 있는 패트릭을 찾았다.

"왜 제가 드린 성수를 안 쓰시는 거죠? 응급 환자도 있다고 들었는데요."

"오해입니다, 리디아 양. 먼저 주었던 네 병의 성수 모두 요긴히 잘 사용하였는걸요."

입을 앙다물고 주변을 살피던 리디아가 멀리 단상에 놓인 성수 네 병을 보고 기세등등하게 목소리를 높였다.

"그럼 저것들은 뭔가요?"

"아……. 리디아 양이 이번에 전달한 성수는 아직 성분 확인을 못 해서요."

곤란한 미소를 지으며 답하자 리디아가 어이가 없다는 듯 콧방귀를 뀐다. 볼수록 가관이다. 괘씸한 행태에 나도 같이 비웃어 주려다가 참았다.

"제가 가짜 성수라도 만들어 왔다는 말인가요?"

"그런 것이 아니라……. 환자들에게 사용할 것이니 확실히 한 후에 사용하려는 것이지요."

내 말에 리디아가 단호한 표정을 지으며 입을 열었다.

"펠튼의 이름으로 보증하겠어요. 제 가문이 제법 큰 상단을 운영하는 것은 아시리라 믿어요."

간도 크군. 뭘 믿고 저렇게 확신하는 거지?

내가 고개를 끄덕이던 찰나 마치 짠 것처럼 중상자의 침상에서 뒤틀린 신음이 터져 나왔다.

"으, 으헉! 컥!"

"정신 차리십시오! 성수, 성수가 더 필요합니다!"

급하게 소란스러운 침상으로 달려가자 새까맣게 변한 팔을 파들파들 떨면서 목을 움켜쥐고 숨을 헐떡이는 중상자가 보였다.

감염이 목까지 올라와 호흡을 방해한 것 같았다.

"흐으, 헉, 헉. 차라리, 흐억, 차라리 죽, 죽여, 으아악!"

그 발작적인 반응에 성수라도 써야겠다 싶어 리디아를 돌아봤다.

"리디아 양! 성수를 좀 가져다주세요. 여기로요! 빨리!"

"제, 제가요?"

리디아는 잔뜩 겁먹은 표정으로 움찔했다. 평소라면 그녀가 조금쯤 불쌍해 보였겠지만 지금은 아니었다.

"뭐 하고 있어요, 어서요!"

리디아는 눈을 질끈 감고 단상으로 달려가 성수를 쥐고 종종걸음으로 다가왔다. 그 사이 발작이 일어난 중상자의 몸이 굳어지는 것 같았다.

"여, 여기."

그의 입에 성수를 기울여 넣어 주려 했지만 쉽지 않았다. 수건에 적셔 입으로 흘려야겠다. 급히 수건을 찾는데 리디아가 얄밉게 쫑알거린다.

"저, 저라면 손가락에 적셔서 입에 넣어 드리겠네요. 설마 환자가 불결하다고 피하시는 건가요?"

아니, 이 정신 나간 여자가? 순간 험한 말이 튀어나갈 뻔했다. 나는 마음을 가라앉히며 이를 악물었다.

환자를 돌보는 기본도 모르는 여자다. 손만큼 더러운 것이 어디 있다고.

게다가 감염 환자다. 어떤 경로로 전염되는지 알 수 없기에 조심해야 하는 것이다.

대꾸할 가치도 없다. 무시하고 수건을 찾는데 어느새 곁으로 다가온 앤드류가 내 손에 수건을 쥐여 주며 사납게 쏘아붙인다.

"그렇게 성녀 노릇이 하고 싶으면 직접 하시는 게 어떻습니까. 입만 살아서는."

성수를 들어 수건에 적시려던 찰나, 입술을 꽉 깨문 리디아가 먼저 병을 낚아채 자신의 손가락에 성수를 적셨다.

몇 방울의 성수가 그녀의 손끝에 맺힌다. 미친 거 아니야? 앤드류가 말리려는 내 어깨를 붙잡아 만류했다.

"자, 입을 열어 보셔요."

그녀는 덜덜 떨면서도 자애로운 표정을 지으며 손가락을 환자의 입 안으로 밀어 넣었다.

사고는 순식간이었다.

"아아아악! 내, 내 손가락!"

"흐억, 으으으!"

리디아의 손가락을 타고 흘러들어 간 약간의 성수가 회복 작용을 하면서 통각이 살아났는지 중상자가 비명을 지르며 손가락을 꽉 깨물고 말았다.

몸부림을 치며 검은 피까지 토하는 바람에 그녀의 얼굴과 원피스에 검은 핏자국이 튀었다.

저렇게 될 줄 알았다. 나는 혀를 차며 중상자의 입에 수건을 억지로 밀어 넣었다.

"리디아 양, 손 빼요! 앤드류 경. 성수를!"

잽싸게 손을 빼낸 리디아가 훌쩍훌쩍 울음을 터트리는 것을 뒤로 하고 입에 물린 수건으로 성수를 흘려보냈다.

정제되지 않은 성수라 효과가 좋았던지 발작을 일으키던 중상자의 몸에서 힘이 빠지는 것이 느껴졌다.

"좀 괜찮습니까?"

"흑, 흐윽. 아, 아파……."

"리디아 양. 경솔한 행동의 대가를 치렀으니, 따로 더 지적하지는 않겠어요. 의원도 없으니 방에 돌아가 하녀의 도움을 받는 것이 좋겠습니다."

내 말에 원망스러운 표정을 짓던 리디아가 제법 많이 놀란 모양인지 덜덜 떨리는 몸을 휙 돌렸다. 그 모습이 좀 딱해 보여 앤드류를 애매한 표정으로 바라보았다.

"싫습니다."

"저 아무 말도 안 했는데요."

"무슨 말을 할지 뻔합니다."

"앤드류 경."

그의 이름을 부르며 아쉬운 표정을 짓자 앤드류가 한숨을 한 번 쉬고는 몸을 돌려 리디아를 따라나섰다.

아무리 괘씸하다고 해도 상태가 저런 여자를 혼자 가게 두는 것이 영 찜찜했기 때문이다.

엉겁결이긴 했지만 새로운 성수가 진짜 성수임을 확인했다. 나는 성수를 사용해도 좋다 지시하며 병상을 훑어보았다.

곧 에카이트가 돌아온다. 조금만 더 버티자.

모두의 예상대로 발작은 순차적으로 일어났다. 성수로 한 명을 달래면 곧이어 다른 사람이 발작한다.

희석한 두 병을 빼고 남은 두 병 중 한 병을 순식간에 다 써 버렸다.

"이제 한 병 남았군요."

"윌리엄의 말로는 늦어도 해가 뜰 무렵이면 에카이트가 도착할 것 같다더군요. 그때까지만 버티면 돼요. 이것도 일단 소분해서……."

그때 귓가에 익숙한 목소리가 비명을 지르는 소리가 들렸다.

"조슈아 경!"

잘 버텨 준다고 생각했던 조슈아가 발작했다. 나는 정신없이 그의 상태를 파악했다.

"아까 저녁 이후로 거의 의식을 차리지 못하고 있습니다. 속으로 얼마나 감염이 진행되었을지……."

삽시간에 검게 변한 그의 몸을 보니 두려워지기 시작했다.

이럴 때일수록 침착해야 한다. 나는 심호흡으로 숨을 가다듬고는 수건을 조슈아의 입가에 대고 성수를 흘려 넣기 시작했다.

하지만 조슈아의 안색은 돌아오지 않았다. 뭔가 일이 잘못되는 것 같은, 불길한 예감이 들었다.

"아, 아펠리아 경. 그만 멈추세요. 조슈아 경! 조슈아!"

조슈아의 입술이 퍼렇게 변하며 발작이 잦아들고 경직이 시작되었다. 어째서?

"조, 슈아 경? 조슈아! 왜, 왜 이러는 겁니까? 왜 조슈아 경만!"

"성수, 성수가 잘못된 것 아닙니까? 이건 방금 막 새로 연 성수 같은데."

설마. 그럴 리가 없다. 성수가 효과 있는 것을 확인했는데.

"조슈아, 숨을 쉬어요. 숨을 쉬란 말이에요."

당황해 성수를 내려놓고 그의 몸을 흔들었지만 점점 숨이 멎어 가는 것이 느껴졌다.

"아펠리아 경! 독극물일 수도 있는데 위험합니다!"

숨이 넘어갈 것만 같은 조슈아를 상대로 심폐 소생술을 시도하려 했다. 그러나 앤드류가 나를 만류하며 대신 심폐 소생술을 시작했다.

"조슈아 경! 정신 차려요!"

하지만 이미 굳어지기 시작한 조슈아를 회복시키진 못했다.

눈물이 날 것만 같다. 점점 차갑게 식어 가는 그를 잡아 흔들던 나를 누군가가 잡아당겼다.

"앤드류 경. 이걸로 다시 먹여 보게."

익숙한 목소리에 몸을 돌려보니 에카이트가 앤드류에게 성수를 건네며 나를 바라보고 있었다.

"에카이트!"

"그 꼴은 다 뭔가. 잠도 끼니도 다 거른 모양이로군."

보름가량을 무리해 움직인 탓인지 퀭한 몰골의 에카이트를 바라보다 흐느끼다시피 하며 그에게 안겼다.

진짜 왜 이렇게 늦게 온 거야. 갑작스럽게 안긴 내게 놀란 것인지 에카이트가 몸을 굳히는 것이 느껴졌다.

"아펠리아? 괜찮은 건가? 아펠리아."

"일찍 왔어야지, 대체 왜 이렇게……."

말을 하다 까무룩 멀어지는 의식에 그의 품에 기대며 눈을 감았다. 멀리서 나를 부르는 목소리들이 들렸지만 피로가 누적된 탓인지 도무지 정신을 차릴 수가 없었다.

[번외] 에카이트 뮈제 베이야드 03

마른하늘에 날벼락이라는 표현은 이런 때 쓰는 걸까. 에카이트는 다급히 아카데미에 도착해 숨을 헐떡이는 윌리엄을 멍하니 바라보았다.

"그러니까 지금 뭐라고 했습니까?"

"도대체 몇 번을 말해야 알아들을 건가? 사고가 났다니까?"

"대공자가 돌아와 지원을 요청할 정도의 사고가 대체 뭐냐는 질문이었습니다."

사고가 났다는 말에도 에카이트는 냉정하게 상황을 파악하려 했다.

윌리엄은 답답한 마음에 에카이트의 가슴팍을 손가락으로 눌러 밀며 말했다.

"자네 약혼녀 생사를 장담할 수 없을 만한 사고라고 하면 이해가 되겠나?"

순간 심장이 철렁한다는 말이 무엇인지 알 것 같았다. 가슴이 서늘하다.

"어떤 사고인지 자세히 말해 보세요."

"대민 지원을 나간 마을이 비어 있었어. 마을 주민은 보이지도 않고, 죽은 가축 주검만 즐비하더군. 사태가 심상치 않다고 여겨 이렇게 아카데미로 도움을 요청하러 온 걸세."

윌리엄의 말에 에카이트가 낮은 한숨을 뱉어 냈다. 그러니까 아직 '생사를 장담할 수 없을 만한' 사고가 벌어진 것은 아니라는 말이다.

"사태를 너무 비약한 것 아닙니까?"

"……돌아오는 길에 끔찍한 것들을 만났네."

"끔찍한 것들…… 말입니까?"

윌리엄은 그렇게 말하며 생각만 해도 끔찍하다는 듯 몸을 부르르 떨었다.

답답함에 그를 채근하려던 찰나 윌리엄 뒤에서 함께 돌아온 한 명의 기사가 나섰다.

"얼굴에 종잇장을 붙인 미친개가 추격해 왔습니다."

"개 말입니까?"

혹시 자신이 아는 개와 다른 개가 있는지 생각하던 에카이트가 설마 하고 되물었다.

아니, 말을 타고 개를 못 따돌린다고?

아무리 윌리엄이 기사로서 능력치가 바닥이라고 해도 귀족인 이상 기본적인 기마술은 익혔을 터.

무슨 늑대한테 쫓긴 것도 아니고 말이 안 된다. 기사만 둘이다.

"무슨 생각을 하시는지 알 것 같습니다. 우선 말 상태를 보십시오. 물어뜯기고 긁히고 난리도 아닙니다."

그들이 타고 온 말을 면밀히 본 에카이트가 혀를 찼다. 숲길이 어두워 늑대를 개로 잘못 본 것은 아닐까.

"늑대였던 거 아닙니까? 종이는 또 웬 말이고……."

"제가 개와 늑대도 구분 못할 것 같습니까."

"뭐 그렇다고 하죠."

"이 쓸데없이 의심병만 도져서는! 내가 미쳤다고 헛소리를 해? 그것도 내 사촌 누이의 생사를 두고? 상태로 보아 그냥 개도 아니고 죽은 개였어. 무엇인가 적힌 종이에 조종당하는 것처럼 말도 안 되는 움직임을 보이더군."

윌리엄의 말에 잠시 침묵이 흘렀다. 에카이트가 탄식했다.

"그런 것들이 숲에서 돌아다닌다면 마을도 멀쩡할 리 없겠군요."

윌리엄이 뭐라고 더 덧붙여 말하는 말은 들리지 않았다.

지원군을 부르기엔 시간이 빠듯하다. 지원군이 도착할 무렵엔 이미 사태가 끝났을 것이다.

문득 저번 사냥 대회에서 피 웅덩이에 죽은 듯 쓰러져 있는 아펠리아의 모습이 떠올랐다.

손끝이 차갑게 식으면서 이성이 멀어지는 기분이 들기 시작했다.

"……이봐? 베이야드 공자!"

에카이트는 자신을 부르는 윌리엄을 뒤로하고 방으로 돌아와 다급하게 영상석을 뒤적였다.

"젠장, 아펠리아에게 영상석을 줄 생각을 왜 못한 거야."

자신의 아버지이자 외교부 수장인 베이야드 공작에게 사태를 알려 만약을 대비한 후, 아펠리아에게로 간다.

딱히 이성적으로 결론을 내린 것은 아니었지만 다른 생각이 나지 않았다.

에카이트는 영상석을 초조하게 흔들었다. 그러자 불이 몇 번 깜빡이기 시작하더니 영상 대신 베이야드 공작의 목소리가 흘러나온다.

에카이트의 간략한 설명에 잠시 침묵을 지키던 공작이 결론을 내렸다.

「언데드 같구나. 네게 알려 준 것 같은데.」

"……아. 기억이 납니다. 주술로 살아 움직이는 시체들."

어쩐지 찜찜한 느낌이 들더라니, 이것이었나 보다.

기억이 나기 시작하자 제법 세세한 것들까지 떠올랐다.

떠오른 내용들을 곱씹던 에카이트가 자리에서 벌떡 일어났다. 영상석에서는 공작의 목소리가 계속해서 흘러나오고 있었다.

「벌써부터 교황청에 사람을 보내서 뭔가를 부탁하기에는 불확실한 것들이 많구나. 일단 제국 내에서 근래 세례를 받은 가문들을 수소문해 두마. 만약 언데드가 맞다면 그들에게서 성수를…….」

에카이트는 영상석을 뒤로하고 방을 뛰쳐나와 미친 사람처럼 마구간으로 뛰었다.

그러던 중 가는 길이 같았는지, 윌리엄 일행과 다시 마주쳤다.

“뭐야, 지원군 요청을 벌써 한 건가? 지금 어딜…….”

그들을 지나친 에카이트는 자신의 말을 데려와 황급히 올라타더니 거칠게 말을 몰고 나갔다.

그 모습을 멍하니 바라보던 윌리엄 일행도 말을 몰아 뒤를 쫓았다.

“인기척이 느껴집니다. 규모가 제법 큰 것을 보아 마을에 갔던 기사들이 분명합니다!”

기사의 말에 에카이트가 박차를 가했다.

제발. 제발.

저절로 바라는 말이 입 밖으로 흘러나올 판이었다.

“누님! 누님, 거기 계십니까?”

뒤쪽에서 윌리엄이 큰 소리로 아펠리아를 찾는다.

그 소리를 들으며 인기척이 난 방향으로 말을 달리자 수풀 너머로 아펠리아의 모습이 보였다.

미칠 것 같은 안도감과 알 수 없는 감정에 휩싸여 하마터면 아펠리아를 얼싸안을 뻔했다.

애써 감정을 추스르고 예의를 차려 안부를 묻는 말을 하면서도 스스로의 감정에 놀랄 수밖에 없었다.

그리고 동시에 인정할 수밖에 없었다. 자신이 이 엉뚱하면서 용감한 약혼녀를 제법, 상당히 많이 마음에 두고 있음을 말이다.

그의 마음을 시험해 볼 일은 오래지 않아 벌어졌다.

아펠리아가 제1 기사단 출신의 제법 잘생긴 기사 조슈아의 이름을 언급하며 부드러운 미소를 지었다.

에카이트는 왠지 속이 비틀리는 감정을 느끼며 조용히 혀를 찼다.

그전까지는 제법 야망도 있고 계산도 빠른 데다 실력도 제법인 그를 높게 평가했었는데 아펠리아의 미소를 본 뒤로 그의 단점을 떠올리는 데에 집중하고 있으니 말이다.

이렇게 감정적으로 반응하다니, 낯선 제 모습에 헛웃음만 나왔다.

옆에서 쫑알거리는 아펠리아를 보고 있으니 저절로 웃음이 나왔다.

아마 본인은 자신이 제법 수다스럽게 군다는 것을 모를 것이다.

조금 더 가까워지면 더 많은 말을 해 주겠지. 상상만 해도 흐뭇해 아펠리아를 지그시 바라보았다.

죽여 버릴까. 천막을 걷자마자 눈에 들어온 장면에 순간 살의가 치솟았다.

그것은 약삭빠른 기회주의자 조슈아의 위에 올라탄 아펠리아를 보고 떠오른 첫 감정이었다.

반대로 조슈아가 아펠리아의 위에 있었다면 망설임 없이 뭔가 행동을 취했을 것 같다.

애써 상황을 객관적으로 보려 애썼지만 쉽지 않았다.

"저기, 어……. 그러니까 에카이트 공?"

많은 사람의 앞이라 예의를 갖춘 호칭으로 부른 것이리라.

그것조차 거슬려 에카이트는 이를 악물었다.

보는 눈이 여럿인 것을 알아챈 아펠리아가 눈치껏 그 위에서 내려왔지만 이미 벌어진 일이다.

자신의 약혼녀가 또다시 불필요한 소문에 휩싸이는 꼴을 떠올리기 싫은 에카이트가 단호하게 상황을 정리했다.

물론 변명처럼 뱉은 말이지만 사실이었기에 그의 기분은 그렇게까지 최악으로 떨어지지 않을 수 있었다.

아무리 봐도 아펠리아는 자신을 전략적 약혼자 그 이상으로 여기지 않는 것 같았다. 어디서부터 꼬인 걸까. 하루 종일 이상할 정도로 그녀 생각으로 머릿속이 가득했다.

"기사인 저보다 기마술에 더 능한 것 같습니다. 체력도 그렇고요."

"글쎄요. 그런 것보다는 정신력이 아닐까 싶습니다. 서두르죠."

아카데미에 도착하기 무섭게 바로 교황령으로 출발하였다.

그 후 거의 말 위에서 생활하다시피 이동했다. 영상석을 통해 보고를 주고받으며 걸음을 재촉하자 시온 출신 기사 토마스가 감탄을 뱉었다.

하지만 그리 와 닿지 않았다. 빨리. 더 빨리 가야 한다.

첩자가 개입되어 있는 만큼 뭔가 느낌이 좋지 않다.

이런 상황에서 아펠리아를 남겨 두고 떠나게 되다니…….

한 명의 기사로서 제 역할을 해낸다는 세간의 평가를 받고 있지만, 그가 보기엔 그렇지 않았다.

불완전한 자신의 빈틈을 감추고자 사람들과 거리를 두는 모습을 보고 더욱 확신을 가졌다.

여기사로서 얕보이지 않기 위해 애쓰는 모습은 오해를 사기 쉬웠으리라.

아펠리아를 두고 깊은 상념에 빠졌다는 것에 기가 막혀 헛웃음을 짓다가 다시 말의 속도를 높였다.

"제대로 미쳤군."

에카이트의 격한 말에 앞서 달리던 토마스가 뒤를 힐끔거린다.

에카이트의 말 너머로 답하는 목소리는 윌리엄이다.

「……그 여자한테 성수 준 적 없단 걸로 이해하겠네.」

"그 여자 줄 것이 있었으면 제가 들고 갔겠지요. 시간상 말이 안 되기도 하고요."

「그렇지. 조금만 지나도 다 밝혀질 것인데 대체 뭘 믿고 저렇게 뻔뻔하게 나오는 건지 이해할 수가 없군.」

"아펠리아가 곤란한 상황이겠군요."

「뭐, 새삼스럽게. 그쪽이랑 약혼한 뒤로 곤란한 상황이 어디 한두 개였어야지.」

정곡을 찌르며 비아냥거리는 윌리엄의 말에도 목구멍이 막힌 것처럼 답답했다. 반박할 말이 없었다.

아펠리아도 앞서 있었던 일들을 다 마음에 담아 두고 있는 것이라면, 그래서 이미 마음에 벽이 쌓인 상태라면 어떡하지.

막막하면서 동시에 갑갑하다. 침묵을 지키는 에카이트를 두고 윌리엄이 먼저 대화를 끝내려 했다.

「아무쪼록 서둘러 오는 편이 좋을 것 같네. 누님은 지금 부상자들 간호하느라 죽어나는 중이거든. 아, 참고로 조슈아던가? 그 녀석을 보는 누님의 시선이 제법 애절한 것 같았어.」

자신이 신경 쓰는 부분을 정확하게 짚어 공격하는 윌리엄을 보며 황태자를 떠올린 에카이트가 혀를 찼다.

리디아가 수상한 성수를 또 가져왔단다. 윌리엄이 전해 준 소식에 에카이트는 죽을힘을 다해 말을 몰았다.

같이 이동하는 토마스가 지친 것은 눈에 들어오지도 않았다.

교황령에서 성직자 몇을 데려왔으나, 그들은 이렇게 말을 달릴 수 없어 따로 이동하고 있었다.

허겁지겁 아카데미에 도착해 아펠리아가 있을 임시 병동으로 달렸다.

열어젖힌 문 안으로 소란스러운 사람들의 목소리와 울부짖는 그녀의 목소리가 들린다.

한걸음에 달려가 보니 조슈아가 마치 독에 중독된 것처럼 죽어 가고 있는 것이 보였다.

무감각하게 그를 바라보다가 품에서 성수를 꺼내 앤드류에게 건넸다.

성수를 들이켠 그의 안색에 생기가 도는 것을 확인한 아펠리아가 안도했다는 듯 품에 안겨 들었다.

아펠리아다. 감정을 자각한 후라 그런 것일까, 숨이 가빠지면서 품에 들어온 그녀를 꽉 안지 않고는 못 배길 것 같았다.

그런 그를 알 리 없는 아펠리아는 몇 마디 투정 같은 말과 함께 의식을 놓았다.

지치다 못해 부서질 것처럼 온몸이 힘들었지만 에카이트는 기꺼이 아펠리아를 방으로 옮겼다.

아펠리아가 깨어났을 때를 대비해 펠튼가의 그 미친 여자는 잡아

가둬 두었다. 이걸로 당분간은 어떻게 될 거다.

그는 아펠리아의 곁에서 간만에 깊은 잠에 빠져들었다.

물론 며칠이 지나도 깨어나지 못하는 아펠리아를 두고 지난 사냥 대회에서의 악몽을 반복하는 것은 피할 수 없었다.

죽은 듯이 잠만 잤던 것 같다. 얼마나 잔 것인지도 모르겠다.

가장 먼저 눈에 들어온 것은 침대 옆에 엎드려 있는 에카이트였다.

여긴 대체 어디지? 병동은 아닌데…….

말끔하게 정돈된 공간이 왠지 모르게 익숙했다. 에카이트 방이자 강제로 옮겨진 탓에 이제는 내 방이기도 한 곳.

이곳이 어딘지 파악한 후 옆에 있는 에카이트를 다시 내려다보니 황당함에 헛웃음이 다 나왔다.

이렇게 있어도 되나.

헛웃음이 나오기는 했지만 에카이트를 보니 이 악몽 같던 시간이 드디어 끝났음을 실감할 수 있었다.

곤히 잠든 모습을 보니, 제법 오랫동안 곁을 지킨 것 같았다. 가만히 그를 보고 있자니 뭔가 간질거리는 느낌이 들었다.

어쩐지 소중히 여겨지는 기분이랄까. 그에게 소중히 여겨질 리 없지만…….

한 마디로 설명할 수 없는 이상한 느낌에 그를 똑바로 바라보지 못하고 몸만 꿈지럭거렸다.

제법 오래 누워 있었던 모양인지, 무척이나 몸이 결렸다.

"아…… 펠리아?"

"콜록!"

갑자기 들린 이름에 놀라 급하게 기침을 토해 내자 그가 벌떡 자리에서 일어난다.

"물부터 마시지."

방금 일어난 사람이라고 볼 수 없는 신속함이다. 그가 건네는 물잔을 받아 마시며 놀란 마음을 진정시켰다.

"혹시 불편한 곳은? 성직자들이 살펴 주기는 했는데, 사실 썩 믿을 만하지는 않아서……."

바라보는 시선이 따갑다. 그만 쳐다봐. 물 먹다 체하겠다. 내가 다 마신 잔을 내려놓자마자 바로 채워 주었다. 웬일이람.

어느 정도 갈증이 해소돼 목을 가다듬고 입을 열었다.

"흠, 흠. 별다른 이상은 없는 것 같습니다. 몸이 좀 결리는 것을 빼면요."

"하기야 거의 사흘을 누워 있었으니 그럴 만도 하지요."

에카이트의 말에 눈이 저절로 커졌다. 사흘? ……어쩐지 몸이 결리더라.

쓰러지기 직전의 기억을 하나둘 떠올렸다. 그러다 얼굴색이 퍼렇게 변해 굳어 가던 조슈아의 얼굴이 떠올랐다.

"조, 조슈아는 어떻게 됐습니까?"

"조슈아 '경'이라면 위기는 잘 넘겼습니다. 완전히 회복된 건 아니지만요."

아무리 위기를 넘겼다곤 하지만 마지막으로 본 그의 모습이 떠올라 그다지 안심이 되진 않았다.

직접 눈으로 확인해야 안심할 수 있을 것 같아 찌뿌둥한 몸을 이리저리 움직이며 자리에서 일어났다.

"뭐 필요한 거라도 있습니까! 말만 해요. 내가 다 가져다줄 테니."

그저 일어났을 뿐인데 허둥지둥 난리다. 대체 왜 이러는 거지. 뭐

잘못한 거라도 있나.

그를 무시하고 실내복 위로 가운을 걸쳐 외출 준비를 했다.

“아펠리아. 아직 그렇게 움직이면 안 됩니다. 쉬어야 할 텐데. 필요한 것이 있으면…….”

“아뇨, 괜찮습니다. 조슈아 경은 지금 어디에 있나요? 아무래도 직접 봐야겠습니다.”

내 말에 에카이트가 잠시 침묵을 지킨다.

“됐습니다. 다른 사람에게 물어보겠습니다.”

“……따라오시죠.”

평소와 달리 예의를 갖춘 말투다. 낯선 그 모습에 한참을 쳐다보았다.

그러나 그는 그런 내 시선을 무시하고 길을 안내해 주겠다고 앞서 가기 시작했다. 나는 조용히 그 뒤를 따랐다.

정말 몸 상태가 좋아진 것인지, 에카이트를 따라 도착한 곳은 병동이 아닌 조슈아의 방이었다.

그 앞에 낯익은 두 명이 서 있는 것을 보고 반사적으로 인사를 건넸다.

“오랜만입니다. 그간 별다른 일은 없었습니까?”

“별다른 일이라면 아펠리아 경이 겪었지 않습니까. 그간 무슨 일이 있었는지 듣고 얼마나 놀랐는지요.”

“그러게요. 대체 이게 다 무슨 난리랍니까?”

이들이 여기 있다는 것은…….

“보아하니 황태자 전하께서 오셨나 봅니다?”

“네. 사태가 사태인지라 피해 입은 나라들과 연락해 대략적인 것을 정리하고 어제 막 아카데미로 오셨습니다.”

“급하게 움직이시느라 고생했습니다.”

예의를 갖춘 인사에 두 사람 다 어색한 미소를 짓는다.

말하지 않아도 알 것 같았다. 오는 내내 얼마나 투덜거렸을까. 오랜만의 만남에 반가워 대화를 더 나누려는데 에카이트가 끼어들었다.

“들어갔으면 하는데.”

“먼저 안에 고하겠습니다.”

가볍게 문을 두드리고 방에 들어갔던 기사가 밖에 나와 고개를 끄덕이며 문을 열어 주었다. 나는 마른침을 삼키며 조심스럽게 안으로 들어갔다.

침대에 누운 조슈아 곁에 성직자와 황태자가 있었다.

성큼성큼 다가가는 에카이트를 따라 침대 근처로 이동해 먼저 인사를 올렸다.

“제국의 태양을 뵙습니다. 그간 안녕하셨습…….”

“안 그래도 오늘까지 소식이 없으면 쳐들어갈까 싶었는데 제 발로 찾아왔군. 아주 사고뭉치도 이런 사고뭉치가 없어. 좀 얌전하게 지내는가 했는데 이게 다 뭔가?”

황태자가 버럭 소리를 지르며 일어나는 바람에 놀라 움찔하며 뒤로 물러서려는데 에카이트가 어깨를 감싸며 나를 잡아당기는 게 아닌가.

아니, 왜 이러는 거야.

당황한 내가 몸을 비틀어 그의 손을 떨치려 했지만 쉽게 놓지 않는다.

황태자가 그런 에카이트를 한심하다는 듯 쳐다보다 고개를 저었다. 그러다 갑자기 팔을 잡아당겨 나를 침대 옆 의자에 앉혔다.

"됐네. 더 잔소리할 기운도 없으니 그만하지. 일단 무사하니 다행이고."

휴. 잔소리를 더 하지 않겠다는 황태자의 말에 긴장이 풀어져 웃음이 나왔다.

내 어색한 미소에 오히려 심기가 꼬였는지 황태자가 툴툴거리며 다시 입을 연다.

"자네 때문에 황성이 없어질 뻔했네. 소식을 들은 폰디체리 공작이 어찌나 날뛰던지, 쯧쯧."

아, 아버지……. 황태자는 다시는 떠올리고 싶지 않다는 듯 고개를 저었다.

"심려를 끼쳐 죄송합니다."

"……말씀 중에 죄송합니다만 물 좀 주십시오."

잠든 줄 알았던 조슈아가 눈을 뜨고 물을 부탁했다.

옆에 서 있던 성직자가 물을 전해 주는 사이 그의 얼굴을 꼼꼼히 살폈다.

"예전보다 많이 나아진 것 같군요."

"나아지지 않았다면 지금쯤 침대가 아니라 관에 누워 있을 겁니다."

내 말에 조슈아가 물을 내려놓으며 가볍게 답했다. 거의 숨넘어가기 직전이었으니 틀린 말도 아니다.

"정말 미안했어요, 조슈아 경. 미리 확인을 해 두는 것인데 생각을 못했습니다. 하마터면 정말 큰일 날 뻔했어요."

즉각적으로 그에게 사과하자 그가 파리한 안색으로 고개를 저었다.

"달리 선택지가 있던 상황도 아니었고, 제가 봐도 아펠리아 경은 주어진 상황에서 최선의 선택을 했다고 생각합니다."

그의 담백한 위로에도 미안한 마음을 지울 수 없었다. 그렇게 조슈아의 상태를 살피는데 황태자가 상황을 정리해 주었다.

"결국 신체 일부를 결국 절단하게 된 사람이 두 명이나 있었네. 추가적 사망자는 없다는 게 다행이라고 해야 하나."

신체 절단이라니. 끔찍한 결과에 절로 앓는 소리가 나왔다. 황태자의 말은 거기서 끝나지 않았다.

"각국에서 사절단이 올 걸세. 유가족들도 포함되겠지. 한동안 꽤나 소란스럽겠군."

각국 사절단이라. 사태를 보다 자세히 파악하기 위한 방문일 것이다.

"최대한 줄이긴 하겠지만 아펠리아, 그대가 그들과 대면해야 합니다. 그 현장에서 살아남은 이의 증언이 필요하니 말입니다."

에카이트의 말에 무겁게 고개를 끄덕였다.

그런 나를 보던 에카이트가 다소 불만스러운 말투로 다시 입을 열었다.

"아마 다른 생존자들보다 더 많이 사절단과 만나야 할 수도 있습니다. 전투에서 리더처럼 이끌었다는 증언이 다수 있었으니 말입니다."

리더라……. 성검을 들고 그 지옥과 같던 곳을 누비던 기억이 순간 머리를 지난다.

"제가 해야 하는 일이 있다면 모두 하겠습니다."

내 대답에 에카이트와 황태자 모두 고개를 끄덕였다.

"그러려면 대화가 좀 필요하겠군. 조슈아 경이랑은 다시 얘기하도록 하고 잠시 나가지."

나는 재빨리 자리에서 일어나 나가는 황태자의 뒤를 쫓았다.

방문을 나서며 돌아본 조슈아는 어쩐지 멍한 표정으로 나를 응시하고 있었다.

이야기를 마치는 대로 돌아와 제대로 안부를 물어야겠다.

"바로 본론으로 들어가지. 리디아 펠튼을 캐 보니 첩자와 내통한 것으로 보이는 증거가 있더군. 그 성수 네 병, 그리고 나중의 네 병. 아, 그중 한 병은 빼지. 독약이더군."

그럴 줄 알았다. 경련하던 조슈아의 모습이 떠올라 어금니를 꽉 깨물었다.

"그녀는 성수를 에카이트, 네가 준 것으로 오해하고 있더군. 속은 줄도 모르고 억울함을 호소하며 감옥에 갇혀 있다네."

내심 그녀가 어디서 무엇을 하고 있는지 궁금했는데 아카데미 내부 구금소에 있나 보다.

차라리 잘된 일이란 말에 고개를 갸웃거리기도 전에 에카이트가 말을 받는다.

"다들 제국을 상대로 직접적인 책임을 논하기는 부담스럽겠지요. 그 누구도 설명할 수 없는 사고이니까요. 하지만 그대로 넘어가기엔 자존심의 문제도 있고 피해자들에 대한 문제도 있으니 본보기가 필요할 테고."

"……그 여자에게 책임을 묻기 적절한 상황이기도 하고요."

결국 이렇게 되는구나, 리디아 펠튼.

"일단 대외적인 처리는 그렇게 하면 된다지만, 실상이 문제입니다. 첩자의 목적이 아펠리아, 그리고 돌아가신 폰디체리 공작부인인 것까지는 명확한데, 무엇을 하고 싶어 하는 것인지는 정확히 알 길이 없습니다."

에카이트의 말에 나와 황태자 모두 고개를 끄덕였다. 아니, 원한이 깊어 죽이고 싶은 것도 아닌 것 같고.

그렇다고 납치를 시도한다고 하기에는 너무 뜸을 들인다. 그동안 기회가 몇 번이나 있었는데.

나와 같은 생각이었는지 황태자가 먼저 입을 열었다.

"살해, 납치. 둘 다 기회는 너무도 많았지. 황당할 정도로 말이야. 그런데 대체 왜 그 많은 기회들을 내버려 두고 실험하듯 구는지 모르겠군."

"동감합니다. 당하는 입장에선 상당히 기분이 나쁩니다."

결론이 나지 않을 것 같았는지 황태자가 먼저 자리에서 일어났다.

"뭐, 이제 이 이야기는 그만하고 각자 할 일들 하지. 에카이트는 나를 따라오고. 그 많은 나라들이 들들 볶을 걸 생각만 해도 피곤하네."

"알겠습니다. 아펠리아, 그대도 조금 더 쉬어야 하니 같이 나갑시다."

에카이트의 권유에 자리에서 일어난 나는 쉬러 가기 전 조슈아를 한 번 더 봐야겠다 생각하며 방을 나섰다.

"언데드라니, 대체 그게 뭡니까?"

"증거를 보이시오. 제가 바보 천치로 보이십니까? 그 이상한 것에 공격받았다니, 순순히 믿을 것 같습니까."

생각보다 반응이 좋지 않다.

강당은 각국에서 보내온 사절단과 유가족들로 인산인해를 이루었다.

그들은 언데드의 존재조차 제대로 이해하지 못했으며, 동시에 증거도 없이 이러한 대형 참사를 이해하라는 설명에 수긍하지 못하고 있었다.

뭐, 내가 그들이어도 당연히 그렇게 생각했을 것 같다.

실체와 맞닥뜨려 사투를 벌인 나조차 처음엔 그 존재를 의심하지 않았던가.

언데드와 처음 만났던 상황을 떠올리는데, 귓가로 피해자 가족의 애타는 비명이 들렸다.

"하나밖에 없는 아들입니다! 가문의 부흥을 위해 떠난 길이지, 이런 망자의 길에 오르고자 떠난 길이 아니란 말입니다!"

"전도유망한 기사가 외팔이라니! 사태가 이 지경이 되었는데 어떻게 나서서 책임지는 사람이 하나도 없단 말입니까!"

"아드님뿐만 아니라 제국에서도 피해자가 나왔습니다. 아카데미에 인재를 보냈던 모든 국가가 피해를 입었다고 해도 과언이 아닐 겁니다."

에카이트의 말에 잠시 침묵이 흘렀다. 잠시 조용해진 사방을 무겁게 살핀 에카이트가 다시 입을 열었다.

"그 마음은 이해하지만, 내부에서 책임질 사람을 찾으며 서로를 공격하는 것보다 이 사태를 일으킨 외부의 적에 집중해야 한다고 생각합니다."

그 설득력 있는 말에 잠시 좌중이 침묵에 빠졌다.

첩자에 대해 구구절절 이야기할 수 있는 상황이 아닐 텐데, 어쩌려고 '외부의 적'이라 말하는 거지. 조용히 상황을 지켜보고 있는데

한 사신이 표독스럽게 입을 열었다.

“말씀 한번 잘 하셨습니다. 제국에서 피해자가 나온 것도 맞지만 가해자 또한 제국 출신으로 압니다만.”

“그건 또 무슨 소리요? 범인이 제국 출신이라는 말인가요?”

에카이트는 웅성거리는 사람들을 아랑곳 않고 매서운 표정으로 사신들을 하나하나 바라보았다.

에카이트와 시선이 마주친 사신들이 헛기침을 하며 입을 다물기 시작하자 삽시간에 사방이 다시 조용해졌다.

저것도 능력이란 말이지. 어쩐지 든든한 느낌에 그를 흘끗 쳐다보았다.

사방이 조용해지자 이번에 입을 연 것은 황태자였다.

“입이 비뚤어져도 말은 바로 하라 했네. 언데드의 공격으로 인한 피해를 논하는 중에 왜 엉뚱한 내용이 끼어드는 건지 모르겠군.”

황태자의 싸늘한 말에 우물거리던 사신이 다시 분한 듯 입을 연다.

제국의 황태자가 저렇게까지 말하면 보통 입을 다물 텐데……. 제국에 무슨 억하심정이라도 있는 걸까.

“그 리디아 펠튼인지 뭔지 하는 제국의 귀족 영애가 껴서 이 사달이 난 게 아닙니까. 왜 그 부분은 은근히 덮고 넘어가십니까!”

아, 맞네. 리디아도 있었지. 왜 그 말을 안 하나 했다. 나도 모르게 고개를 끄덕일 뻔했다.

비뚜름히 올라가는 황태자의 입매를 보니 좋은 말이 나올 것 같지 않았다.

“호오……. 그녀를 어떻게 아는지 모르겠지만 내 친히 결론을 말해 주지.”

절대자의 위엄에 사신이 움찔했다.

"그녀는 지금 구금 중일세. 모든 사람들이 동정할 정도로 알아서 처벌할 테니 걱정하지 않길."

"엄밀히 말해 그 여자가 가져온 성수 중 절반 이상이 진짜 성수였습니다. 중대한 잘못을 저질렀지만 결과적으로는 모두에게 조금이나마 도움이 되었다는 걸 말하고 싶군요."

에카이트의 싸늘한 발언이 더해지자 주변이 조용해졌다. 먼저 문제 제기를 했던 사신이 입을 다무는 모습에 사태가 진정되나 했는데, 옆에서 날 선 음성이 들려왔다.

"그렇다고 해도 너무 수상합니다. 증거가 없어 믿지도 못하겠는데. 그 여자는 뭘 어떻게 알고 바로 성수를 들고 왔답니까."

정곡이다. 예리하게 파고드는 질문에 입술을 살짝 깨물었다.

설명할 길이 없는 정보 전달 속도. 첩자의 존재를 말하지 않고서는 쉽게 설명할 수 없는 내용이었다.

사신은 거기서 멈추지 않고 날카로운 말을 계속했다.

"그리고 그 동방의 사신은 지금 어디에 있답니까? 애초에 아카데미의 부활을 말했던 것은 그자가 아닙니까! 그런데 이제 와서 보니 학생 하나 보내지 않았다고 하고. 이건 보통 수상한 일이 아닙니다."

날카로운 결론을 도출해 낸 사신을 보고 절로 감탄사가 나왔다. 아차, 이럴 때가 아니지.

차갑게 얼어붙은 분위기에 누구 하나 쉽게 입을 열지 못하고 있었다.

제아무리 황태자라지만 첩자가 얽힌 일이라 쉽게 발언하지 못하는 것이 분명했다.

침묵이 길어지려는데, 조심스러운 목소리가 들렸다.

"뭐, 리디아 펠튼이라는 여자의 소문은 한 번쯤 들어 보지 않았습니까?"

분명 에카이트와 관련된 추문을 말하는 것이겠지.

한번 입을 떠난 말들은 저런 식으로 방방곡곡을 돌며 사람을 괴롭힌다.

"그 소문이 사실이라면 베이야드 공자도 이 일의 책임에서 자유로울 수 없을 것이오."

"근거 없는 소문은 없다지 않습니까. 이미 아카데미 내에도 소문이 파다하다 합니다."

그 말에 웅성거리던 사람들이 에카이트와 나를 힐끗거리기 시작했다. 나는 애써 초연한 표정을 짓기 위해 마음을 다잡았다.

불편하고 어색한 상황에서 입을 연 것은 황태자였다.

"한낱 소문을 두고 호들갑이 심하군. 다들 정치계며 사교계며 그 생리를 모르지 않을 터. 그렇다면 소문이 얼마나 부질없는 것인지 잘 알 텐데."

거만한 황태자의 발언에 사신들이 차마 아니라고 부정하지 못하고 시선을 피한다.

"그리고 사람의 질투란 터무니없는 짓을 벌이게도 하지."

황태자의 마지막 말에 다들 한숨을 쉬며 고개를 끄덕였다. 그 모습이 너무도 한심해 고개를 돌렸다.

떠드는 입장에서야 그저 흥미롭고 재미있는 이야깃거리에 불과하지만, 당사자는 고통 그 자체인 것을 왜 모르는 걸까.

애써 초연한 표정을 지으려 했지만 호기심에 찬 사신들의 시선에 심기가 점점 불편해졌다.

"왜 그렇게 흘끔흘끔 보십니까. 기분 나쁘게. 할 말 있으면 하세요."

내가 참다못해 싸늘하게 한 마디 하자 다들 헛기침과 동시에 언제 그랬냐는 듯 시선을 돌린다.

기가 막힐 따름이다. 코웃음을 치며 고개를 돌리다가 나를 지그시 응시하는 에카이트와 눈이 마주쳤다.

뭘 봐? 불쾌감이 확 치솟아 인상을 찌푸리며 시선을 돌렸지만 에카이트는 계속 나를 바라보고 있었다.

분명 착각한 것이겠지만…… 뭔가 애원하는 듯한 착각이 들게 하는 시선이 마음을 불편하게 만들었다.

이후 사신들과의 대화는 순조롭게 진행되었다.

리디아 펠튼이 가져온 성수가 해를 끼친 대상은 불행인지 다행인지 조슈아뿐이었기에 그에 대한 처벌은 전적으로 제국의 결정을 따른다고 했다.

또한 범인이 첩자라는 것을 밝혀 서대륙 내의 단결을 필요로 하는 사건으로 정리했으며, 언데드의 존재에 대한 의구심은 생존자들의 증언을 통해 증명될 것이다.

드러난 모든 의혹들이 정리되자 상황은 일사천리로 진행되었다.

제국의 책임론은 피하게 되어 다행이었다.

장례식은 단출하게 치러졌다. 검게 변한 시신들은 사제의 도움으로 혈색을 되찾아 평범한 모습으로 장례를 치를 수 있었다.

신성력의 존재에 대해서 한 번도 깊게 생각해 본 적이 없던 나로서는 생소한 동시에 두렵기도 하였다.

"아펠리아 경."

"아, 조슈아 경. 이제 몸은 좀 괜찮습니까."

멀리서 장례식을 바라보는데, 조슈아가 다가와 이름을 불렀다.

그의 안부를 물으며 다쳤던 곳을 뚫어져라 바라보자 그가 피식 웃는다.

“걱정도 많습니다. 안 괜찮았으면 이렇게 나오지 않았을 겁니다. 기사의 생명은 몸이 아니겠습니까. 저에게도 제 몸이 가장 소중합니다.”

“그야 그렇지만 상태가 오죽 심각했어야죠.”

내 투덜거림에 그가 다시 낮게 웃으며 내 어깨를 톡톡 두드렸다.

“걱정 마십시오. 슬슬 움직여 줘야죠. 하도 누워서 골골거렸더니 몸이 다 굳었습니다.”

“그렇다면 다행인데……. 아, 그러고 보니 가족들은요?”

부상자들의 경우 가족들이나 가문에서 사람이 나와 상태를 살피고 병간호를 해 주었다. 그의 가문에서도 누가 오지 않았을까, 하는 생각에 그렇게 질문하며 주변을 살폈다.

깜빡하고 인사를 못 드린 건가 하는 생각에서였다.

하지만 조슈아의 씁쓸한 표정에 괜한 질문을 했다는 생각이 들었다.

“그다지 화목하고 정감 있는 가족은 아닙니다. 저는 차남인데다 제 큰형님께선 그렇게 자비로운 분이 아닌지라.”

미안한 마음에 그의 어깨를 가볍게 두드린 내가 고개를 가볍게 까닥이자 그가 고개를 젓는다. 사과받을 일은 아니란 뜻이다.

“다 끝나서 다행입니다.”

화제를 전환하고자 내뱉은 말에 그 또한 고개를 끄덕이며 동의했다.

사신들이 하나둘 아카데미를 떠나기 시작했다.

제국 잘못이 아니라 외부의 공격임을 강조하자 다들 납득해 주었다.

하지만 아카데미의 관리국은 제국. 인도주의적 차원에서 제국은 소정의 보상을 약속했다. 그래서인지 떠나는 사신들의 발걸음이 가벼워 보였다.

실상 아카데미에 보내졌던 인력들이 각국의 세도가 자녀들이었다면 일은 더 커졌을 것이다.

하기야 애초에 이러한 만에 하나 벌어질 수도 있는 불상사를 대비해 한미한 가문 출신의 기사들을 골랐던 것이니 말이다.

씁쓸하게 생각을 정리하는데 옆에서 익숙한 목소리가 들린다.

"신성력이 대단하긴 대단하군요."

"그런데 그동안은 쓸 일이 없어서인지 신성력을 사용하는 사제들의 표정이 미묘했습니다. 뭐랄까, 자신에게 숨겨진 기능을 발견한 표정이랄까요?"

사신들을 배웅하느라 아카데미 입구에 뚱하게 선 황태자의 뒤로 배행한 조슈아의 말에 앤드류가 우스꽝스러운 표정을 지으며 덧붙인다.

사제들의 표정을 떠올린 나는 작게 웃으며 고개를 끄덕였다.

신성력을 이렇게 제대로 써 본 적이 없으니, 효과를 나타내는 모습에 놀랐을 거다.

간간이 작은 단지를 안고 눈이 벌게져서 나가는 유족들도 보였다.

앤드류가 낮은 목소리로 입을 열었다.

"살아서는 그렇게 거대했던 기사들인데……. 죽어서는 한 줌 유골이라니. 이번 일로 느끼는 바가 많군요."

나와 조슈아가 그의 말에 고개를 끄덕였다.

날이 풀리기 시작했다. 많은 시신을 각국으로 옮기기에는 꽤 시간이 걸릴 터. 시신을 그대로 옮길 수 없어 사제들의 도움을 받아 화장을 한 것이다.

"살아 있을 때에 최선을 다해야겠지요. 언제가 우리의 마지막일지는 모르는 노릇이니까요."

내 말에 두 사람이 침묵하며 고개를 숙인다. 아카데미를 떠나는 사신들과 유족들의 행렬이 점점 줄어든다.

이 사태가 완전히 마무리되는 대로 우리도 아카데미를 떠나 제국으로 귀환할 터.

돌아간 다음의 일을 생각하자니 분기탱천해 저택 앞에서 검을 들고 기다리실 아버지의 얼굴이 가장 먼저 떠올랐다.

성질대로라면 벌써 아카데미에 오고도 남았을 분이 제국에 남아 계시다는 것이 오히려 더 큰 불안 요소로 작용하고 있었다. 폭풍 전야가 이런 것일까.

나는 마른침을 삼키며 제국의 평화를 기원했다.

외부인들이 모두 떠난 아카데미는 적막함으로 가득했다.

이젠 우리 앞에 남은 아카데미의 일을 처리해야 할 때다.

나와 에카이트, 앤드류, 그리고 조슈아까지. 모두가 걸음을 옮긴 곳은 펠튼, 그 여우가 구금된 장소였다.

앞장서 걸어가는 황태자의 발걸음이 흉흉하기 그지없어 차마 가까이 붙을 마음이 들지 않았다.

"꺼져 버려! 어떻게 감히 나에게 이런 대접을 할 수 있어? 제국에서 가장 귀한 자리에 앉을 사람도 못 알아보면서 무슨 일을 하겠다는 거야!"

멀리서 메아리치는 목소리는 평소 기억하던 얄미운 목소리와 다르게 표독스럽기 그지없었다. 저거 리디아 실버 펠튼 맞아?

하지만 옆에서 나지막이 욕지거리를 내뱉는 앤드류를 보며 역시 그 여자가 맞구나 하는 확신을 가질 수 있었다.

"제대로 미쳤군요. 감히 공작 부인 자리를 눈독 들이는 꼴도 가당찮았는데. 저거 보십시오. 마치 황후라도 될 것처럼 말하고 있지 않습니까."

앤드류의 신랄한 말에 다들 고개를 끄덕여 동의를 표했다.

펠튼이 구금된 장소에 가까워질수록 쩌렁쩌렁한 발악에 가까운 음성이 선명하게 들려왔다.

"생각한 것보다 더 독한 여자군요."

조슈아의 싸늘한 음성에 다들 침묵으로 동의하며 앞서 멀어진 황태자를 급하게 따라잡았다.

황태자는 이미 리디아가 구금된 장소에 도착해 있었다.

그녀를 바라보는 황태자의 표정은 상상을 초월할 정도로 무시무시했는데, 내가 아는 황태자가 맞나 다시 볼 정도였다.

"처음 거슬린다고 느꼈을 때 죽여 없앴으면 깔끔했을 것을, 내 잘못이다."

"저, 전하. 저는 정말 억울합니다. 분명 카이, 아니 에카이트 공이 제게 편지를 보냈습니다. 사랑한다고 속삭였습니다! 우리는 서로 사랑하는 사이란 말입니다!"

뭐? 사랑하는 사이? 기가 막혀 수상하다는 시선으로 그를 바라보자 에카이트가 펄쩍 뛰면서 고개를 젓는다.

전에 본 적 없이 당황하는 모습을 보니 뭐 찔리는 게 있나 의심스럽기도 하다. 강한 부정은 긍정이라지 않나.

"난 그런 내용을 담은 편지를 보낸 적이 단 한 번도 없는데……. 그것참 신기한 노릇이로군."

싸늘한 반응에 펠튼이 원망에 가득 찬 눈동자로 그를 바라보았다.

커다란 눈동자에 눈물이 그렁그렁 차올랐지만 딱히 가여운 마음은 들지 않았다.

“지금 약혼녀가 바로 앞에 있다고, 또 그 약혼을 주도한 황태자 전하가 있는 자리라고 이러시는 겁니까?”

“아니, 내 대답은 어디서든 똑같을 것이다.”

“이러실 수는 없습니다! 그간 제게 사랑을 속삭이는 연서들을 수십 통 넘게 보내셨잖아요. 그러다 일이 그렇게 되고…… 한동안 소식이 없어 마음이 찢어질 것 같았습니다.”

대충 사실을 알고 있지만, 눈물을 글썽이며 호소하는 모습을 보니 헷갈린다.

혼란스러운 마음에 치열하게 진실 공방을 벌이는 두 사람을 번갈아 바라보았다.

“도무지 무슨 소리를 하는지 모르겠군. 사랑을 속삭이는 연서?”

“왜 모른 척하시나요. 제국에서 제일 귀한 자리에 앉혀 주겠노라, 그렇게 약속하셨잖아요. 사랑해요, 에카이트. 날 버리지 마요.”

불쾌한 듯한 에카이트의 표정과 애걸복걸하는 펠튼의 표정이 교차된다.

에카이트는 뭔가 알 것 같다는 표정으로 펠튼을 바라보며 종전보다 더 싸늘하게 말했다.

“생각 이상으로 분별력이 떨어지는군. 내가 너 같은 여자한테 사랑 고백을 해야 하지? 그것도 연서까지 써 가며. 누군가에게 속고 있다는 의심은 한 번도 못해 봤나?”

그녀 역시 의심하고 있던 건 아닐까. 에카이트의 말이 펠튼을 자극한 건지, 이제는 거의 발작하듯 소리 지르며 항변했다.

“하, 하지만 공식 석상이나 그런 곳에서도 다정하게, 연인처럼 대해 주셨잖아요! 물론 저 여자와 얽히기 시작하고는 눈치가 보여서인지 자주 그러지 못하셨지만 말이에요."

상황이 어떻게 돌아가는지 알 것 같아 에카이트를 싸늘한 시선으로 바라보았다.

연서는 아마 높은 확률로 첩자의 소행일 것이다.

자신의 뒤를 바짝 쫓는 에카이트의 행동에 맞추어 연서를 보내고 펠튼을 꿈꾸게 만든 것이리라.

에카이트가 첩자를 쫓으려 리디아를 이용한 것처럼 첩자 역시 에카이트를 방해하기 위해 그녀를 이용한 셈이다.

어쩐지 고작 남작 영애가 막무가내로 벌인 행동이라고 보기엔 앞뒤가 맞지 않는 일뿐이었다.

에카이트 또한 같은 결론에 도달한 것인지 앙다문 이 사이로 앓는 듯한 소리가 흐른다.

아무리 첩자의 개입으로 만들어진 상황이라고 해도 에카이트의 행동이 그러한 여지를 준 것은 변하지 않는 사실.

더 이상 이 일에서 자신에게 죄가 없다고 주장할 수는 없겠지.

조용해진 복도에 펠튼의 거친 숨소리만 울려 퍼진다.

그때 가만히 벽에 기대어 있던 황태자가 몸을 바로 하고 싸늘한 표정으로 펠튼을 바라본다.

"리디아 펠튼. 앞으로 제국 그 어디에서도 펠튼 상단의 이름을 들을 일은 없을 것이다."

"저, 전하. 부디 제 말을 더 들어 주십시오. 저는 정말 억울합니다!"

"그만. 펠튼이라는 성은 이제 제국에서 없는 성이다. 성이 없는 귀족은 없지. 고로 너는 더 이상 귀족이 아니다."

황태자의 말에 리디아의 얼굴이 새파랗게 질렸다.

앤드류가 그런 그녀를 다소 안쓰러운 표정으로 보기는 했지만 그것도 잠깐이었다. 황태자가 다시 입을 열었다.

"비참하게 길 위에서 생활하면서 네가 노린 것들, 꿈꾼 것들이 얼마나 허황된 것이었는지 깨우치길 바라지. 그리고 너와 같은 불온의 싹이 자라게 방임한 것도 큰 죄."

황태자의 싸늘한 일갈에 펠튼이 몸을 파르르 떨었다.

이어질 말이 두려운 것일까? 그녀의 반응과는 무관하게 황태자가 매정하게 입을 연다.

"그 죄는 네 가문이 같이 질 것이다. 그들 또한 네가 살게 될 비참한 생활과 크게 다르지 않은 삶을 살게 될 것이다."

이제는 넋을 잃은 펠튼이 멍하니 황태자를 바라보았다.

황태자는 싸늘한 표정으로 그 모습을 내려다보다가 그녀의 손가락으로 시선을 돌렸다.

황태자의 시선을 따라 펠튼의 손가락을 바라보니 며칠 전 부상자에게 물렸던 자국이 아직도 선명했다.

어? 어두운 탓일까, 뭔가 이상하다.

마치 썩어 가는 것처럼 중심이 새까맣게 변한 것이……. 유심히 바라보던 나는 어떤 사실을 알아채고 놀란 표정을 지었다.

하지만 그 사실을 알아낸 것은 나뿐만 아니었던지 황태자가 먼저 입을 열었다.

"호오……. 아직 아물지 않은 모양이군."

"전하, 제발……. 성수가 필요합니다. 제가 돕지 않았습니까!"

자신의 손가락을 두고 말하는 황태자를 보고 정신이 든 듯, 펠튼이 간절히 청한다.

감염이나 전염이 될 수도 있다더니 정말이었어. 순간 그때의 상황이 떠올라 아찔해졌다.

황태자는 그 간절한 청에도 눈 하나 깜짝 않고 비웃으며 말했다.

"뻔뻔하군. 좋다. 주기는 주지. 그 시기는 내 마음이니, 어디 한번 기다려 보도록."

우리는 그녀가 크게 흐느끼는 소리를 뒤로하고 황태자를 따라 걸음을 옮겼다.

12. 동대륙

12. 동대륙

아침부터 부산스럽다.

몇 달밖에 지나지 않았는데 짐이 제법 늘었다.

말 한 마리로 모든 짐을 옮겨야 해서 부랴부랴 짐을 줄이느라 바빴다.

그래도 다들 준비가 빠른 편이라 지각하는 사람 없이 모두 아카데미 정문에 모였다.

"누님. 제국으로 돌아가는 길에 우리 애쉬우드 대공령이 먼저 나옵니다. 들렀다 가시지요?"

윌리엄이 아쉬운 표정으로 조른다.

노숙까지 하면서 급히 돌아가야 하는 건 아니기에, 잠시 생각하다 고개를 끄덕였다. 가는 길에 들르는 것 정도는 괜찮겠지.

……그리고 일단 그렇게 되면 아버지를 만나는 시간도 늦출 수 있지 않을까.

사납게 눈을 빛내며 무엇이든 때려 부술 기세의 아버지가 떠올라 어색한 미소를 지었다.

한결 표정이 밝아진 윌리엄이 말 위에서 주변을 둘러보다 뚱한 표정의 황태자와 눈이 마주쳤다.

"어찌 그리 보시는지요."

"아니, 보면 볼수록 단순하다 싶어서. 애쉬우드 대공은 편하겠군."

"저희 아버지뿐만 아니라 황제 폐하께서도 좀 편하셔야 할 것인데, 걱정이네요."

아마도 황태자에게 저렇게 빈정거릴 수 있는 사람은 이 제국 내에 윌리엄밖에 없을 것이다.

나는 당황해서 당돌하게 받아치는 윌리엄을 힐끗 쳐다보았다.

다행히 황태자는 크게 노여워하는 기색 없이 그의 말을 되받아치고 있었다.

두 사람의 모습에 놀란 것은 나뿐만이 아니었던지 앤드류와 조슈아가 속삭이기 시작했다.

"마치 형제 같습니다. 애쉬우드 대공자만 있을 때에는 그냥 닮았나 싶었는데 같이 있으니 성격까지 비슷하군요."

"……둘 다 썩 좋아할 얘기는 아니니 그만합시다."

조슈아의 현명한 중재에 조용해진 앤드류를 두고 뒤돌아 아카데미를 찬찬히 둘러보았다.

옆에 있던 에카이트가 그런 나를 보고 말을 건넸다.

"그만 보지. 무슨 좋은 추억이 있다고. 난 그대가 좋은 것만 기억했으면 하네. 괜히 아카데미로 떠나게 부추겼나, 죽을 만큼 후회했지."

갑작스러운 말에 당황해 혹시 다른 사람들이 들은 건 아닌지 눈치를 살피며 낮은 목소리로 받아쳤다.

"요즘 이상합니다. 왜 자꾸 실없는 소리를 하는지. 내가 와야 한다고 생각해서 온 곳입니다. 그러니 신경 쓸 필요 없습니다."

"……내가 어지간히도 싫은가 보군, 그대는."

응? 방금 무슨 소릴 들은 거지?

그의 말을 도무지 이해할 수 없어 미심쩍은 표정으로 바라보았다.

하지만 에카이트는 언제 그런 말을 했냐는 듯 정면을 응시하며 시선을 피했다.

그래, 잘못 들었나 보다.

"전하, 출발하시겠습니까."

그때 호위로 따라온 동료 기사 하나가 황태자에게 의견을 물었다.

황태자는 대답 대신 말을 출발시켰다. 앞서가는 황태자를 따라 모두 말을 몰기 시작했다.

드디어 제국으로 간다.

차례로 달려 나가는 일행을 보며 나는 가슴팍이 뜨거워지는 것을 느꼈다.

첩자가 남긴 영상석. 완전히 잊고 있다가 짐을 싸던 도중 발견해 품에 챙겼다.

급히 영상석을 꺼내 보니 벌겋게 달아오른 것이 곧 터질 것 같았다.

그동안 아무런 반응도 없었는데 갑자기 왜 이러는지 알 길이 없다.

던져야 하나, 잠시 고민하던 찰나 클로버가 아카데미 정문을 넘어섰다.

그리고 그 순간, 영상석에서 엄청난 빛이 터져 나왔다. 어디론가 몸이 빨려 들어가는 느낌을 마지막으로 나는 정신을 잃었다.

어둡다. 숨이 막히고 갑갑하다. 벗어나기 위해 몸을 이리저리 뒤틀다 정신이 들었다.

갑자기 뜬 눈으로 빛이 한꺼번에 들이쳐 따가웠지만, 조금 시간이 지나자 주변 풍경이 하나둘 보이기 시작했다.

"여긴…… 어디야."

요즘 눈만 떴다 하면 모르는 사이 다른 곳에 와 있는 상황이 늘어난 것 같다.

하지만 예전과는 달리 이곳은 단 한 번도 와 본 적 없는 공간이었다.

낯선 향기, 낯선 가구, 낯선 침구.

모두 제국에서는 본 적 없는 처음 보는 물건들이었다.

–일어나셨습니까?

"뭐, 뭡니까! 당신들은 누굽니까! 여기는 다 어디고……. 신분을 밝히십시오!"

갑자기 뒤쪽에서 홀연히 나타난 여자의 모습에 놀라 몸을 일으키며 주변을 경계했다.

허리춤을 더듬으며 검을 찾았으나, 단 한순간도 몸에서 떼 놓은 적이 없다고 해도 과언이 아닐 검 또한 자취를 감춘 상태였다.

스스로를 방어할 무기도 없는 상황에서 낯선 장소에 노출되어 있다고 생각하니 불안감이 들었다.

–진정하십시오, 므네모쉬의 따님.

"대체 무슨 말을 하는 건지. 우리말은 못합니까? 그러니까 대륙어 말입니다."

들어 본 적 없는 독창적인 어조였다.

그녀에게 열심히 말을 걸었지만 알아듣는 것 같지는 않았다.

미치겠네. 여긴 대체 어디란 말이지. 당황하여 주변을 살피던 나는 불에 덴 듯 소스라치게 놀라 이제는 아예 자리에서 벌떡 일어났다.

여자들의 옷차림이 묘하게 낯이 익었다.

"그, 그 옷! 설마 이곳이 동양, 동대륙인 겁니까?"

동양의 예복을 입고 무도회에 나섰던 만큼, 그 예복의 생김새는 익히 알고 있었다.

그들이 입은 옷의 질감이나 양식이 그때 내가 입었던 것과 완전히 똑같지는 않았지만, 같은 양식을 따라 만들었다는 것은 한눈에 알 수 있었다.

"미치고 환장할 노릇이네. 이거 꿈 아니야? 느닷없이 내가 왜 여기 있는 거냐고!"

이게 꿈인지 생신지를 따져 보고 있는데, 익숙한 목소리가 들렸다.

"일어났군, 므네모쉬의 딸."

첩자였다. 주변에 무기로 삼을 만한 것은 없는지 찾아보았지만 적합해 보이는 것은 아무것도 없었다.

"설명해. 대체 여기는 어디지? 난 왜 이곳에 있는 것이고!"

"성질머리하고는. 서대륙에서는 여식을 이런 식으로 교육하나 보군."

느릿하고 독특한 어조로 빈정거리는 첩자에게 고함을 질렀다.

소리를 지른다고 뭔가 달라질 것 같지는 않았지만 그렇게라도 하지 않으면 답답해 미칠 것 같았다.

"내 검은 어디에 있지? 날 왜 이곳으로 데려온 것이냐고!"

"네 검은 내가 가지고 있지. 거기에 우리 왕국의 중요한 보물이 붙어 있는데, 그냥 두고 볼 수는 없지 않은가."

보물? 어머니의 유품이었던 반지의 원석이 떠올라 독기 어린 표정으로 그를 노려보았다. 그런 내 표정에도 아랑곳하지 않은 첩자가 비죽 웃으며 말했다.

"원래 자리를 찾아가는 과정은 늘 약간의 진통을 겪는 법이지. 어쩌겠나, 견뎌야지. 안 그런가, 므네모쉬의 딸."

원래 자리라니. 정신 나간 소리를 잘도 내뱉는다. 나는 그를 사납게 노려보다가 차분하게 입을 열었다.

"난 므네모쉬의 딸이 아니라 아펠리아 폰디체리다. 자랑스러운 칼라한 제국 제2 기사단의 기사이자 황태자를 지키는 검이지."

"오, 물론 그랬겠지. 하지만 더 이상은 그렇게 허상 속에 살도록 두지 않을 것이네."

여유롭게 대답한 첩자는 이내 시선을 돌려 조용히 서 있던 여자들을 바라보았다.

–멍청한 것들. 그토록 긴 시간이 지났는데 왜 그녀가 아직도 저 서대륙의 옷을 입고 있는 거지? 내 말이 우스운가?

–죽여 주시옵소서. 서둘러 옷을 갈아입히겠습니다.

여자들에게 뭔가 사납게 쏘아붙인 첩자가 나에게 성큼 다가왔다.

본능적으로 마나로 보호막을 두르자 그가 잠시 걸음을 멈칫하다가 크게 웃는다.

"하하하, 재미있군. 마나라고 하던가? 재주도 좋군. 뭐, 그게 얼마나 도움이 될지는 모르겠지만 말이야."

"건방진 놈."

"어떻게 생각하든 상관없네. 아, 저 여자들이 새 옷을 입혀 줄 걸세. 물론 싫다면 거부해도 좋아."

이 상황에서 새 옷 타령이라니. 나는 울컥해 소리를 질렀다.

"당연히 거부한다! 이곳의 그 어떤 것도 취하지 않을 것이다!"

"그대의 뜻이 그렇다면 그렇게 하도록. 다만 의무를 다하지 못한 저 여자들은 가치 없는 쓰레기에 불과하니 더 이상 존재할 필요가 없겠군."

생명이 걸린 협박이었다.

첩자가 속한 나라의 국민이라고 해도 생명의 무게는 다르지 않다. 첩자가 죄를 지었다고 해서 그녀들에게도 잘못이 있는 건 아니니까.

나 때문에 누군가의 목숨이 희생되는 것을 두고 볼 순 없다.

첩자는 어금니가 시릴 정도로 이를 악물고 노려보는 나를 힐끗 보고는 방을 나섰다.

"어딜, 어디를 가는 거지? 날 당장 원래 있던 곳으로 되돌려 놔!"

-마지막 기회다. 서둘러 단장시키도록. 내 인내는 길지 않아.

그를 따라 이곳을 빠져나가야 한다.

그를 따라나서려는 나를 여자들이 온몸으로 압박하기 시작했다. 그녀들은 여전히 알 수 없는 언어로 말을 걸며 어디론가 끌고 가려 했다.

누워 있던 몸이 아직 덜 풀린 것인지, 아니면 제대로 회복되지 않아서인지 저항할 수 없었다.

조금 전 첩자가 싸늘하게 내뱉은 말이 무언가에 대한 지시인 것이 분명했다.

상황이 대체 어떻게 굴러가는 것인지, 어떻게 대처해야 하는지 전혀 감도 잡히지 않아 두 눈을 질끈 감았다.

그런 내 머릿속에 떠오른 것은 씁쓸해 보이는 에카이트의 마지막 모습이었다.

한 번 입어 본 것도 경험이라고, 그녀들의 손길을 거부감 없이 받아들이며 제법 익숙하게 시중을 받았다.

괜한 저항으로 힘을 빼느니 일단 일이 어떻게 되는지 지켜보는 게 좋을 것 같았다.

낯선 여자들은 옷을 다 갈아입힌 뒤 이제는 머리까지 손질하기 시작했다.

나는 멍하니 낯선 손길에 몸을 맡기며 상황을 파악하기 시작했다.

우선 아카데미 정문을 빠져나가는 순간 첩자가 남긴 영상석에서 빛이 터지면서 의식을 잃었다.

다시 정신을 차렸을 땐 이 알 수 없는 곳이었고 말이다.

"미치겠네. 주술인지 뭔지 알 수 없는 힘으로 수작 부릴 때 알아봤어야 했는데."

부주의하게 영상석을 품에 넣어 이동한 스스로를 탓해 봤지만 그런다고 상황은 나아지지 않는다.

일단 첩자가 어머니의 신분을 이용하려 했다는 점.

이미 어머니가 돌아가신 후라 그 신분이 승계된 나를 이용하리라는 것이 현재 내가 알고 있는 전부였다. 이 신분을 어떻게 활용할지는 미지수지만.

"동대륙이면 대체 얼마나 떨어져 있는 거지. 지리를 배우면 뭐 하냐고. 지리학에도 안 나오는 곳에 떨어졌는데!"

대체 어떤 모양으로 만들려는 건지 머리를 아프게 잡아당기는 여자들을 노려보며 소리 내어 투덜거렸다.

무조건 탈출한다고 해도 돌아가는 방법을 알아야 길을 나설 것이 아닌가.

이 건물이 어디에 위치해 있는지라도 알아야 할 것인데.

이런 여자들 몇 명쯤 내팽개치고 도망가는 것은 일도 아니지만 길을 모르니 방법이 없다. 나는 답답해 한숨을 푹 내쉬었다.

당장 죽이려고 잡아 가둔 것은 아니니 급할 것은 없다.

하지만 내가 계승한 어머니의 신분을 가지고 무슨 일을 벌일지 짐작되는 바가 없어 마음이 조급해진다.

—머리카락 색이 어쩌면 이럴 수 있을까요?

—노인 같아서 징그럽다고 생각했는데 보다 보니 신기하군요.

—므네모쉬 님을 닮기는 닮았어요. 염색이 잘 되어야 할 것인데.

내가 혼잣말로 떠들자 여자들도 자신들의 언어로 말을 주고받기 시작했다.

시큼한 냄새가 나면서 머리가 무거워지는 느낌이다. 대체 뭘 발라야 이런 느낌이 나는 건지.

미심쩍은 표정으로 고개를 틀어 여자들을 바라보았지만 전혀 신경 쓰는 것 같지 않았다.

"저기, 지금 뭐 하는 건지 말 좀 해 주면 안 됩니까? 내 말 전혀 못 알아들어요?"

무의미한 질문을 던지며 그녀들의 주의를 끌었지만 집중해 머리를 만지고 있는 중이라 그런지 시선도 돌리지 않는다.

포기하고 얌전히 기다리니 손질이 끝난 듯 그녀들이 뒤로 물러났다.

—옷 위에 가운을 걸쳐 두었으니 다 마르면 빗질을 해서 조심조심 털어 내면 될 듯해요.

—화장은 어떻게 하지요? 언제라도 아라 님이 들이닥칠 것만 같아서…….

—그러게 말이에요. 대충이라도 화장을 해 놓고 머리를 마무리하는 것은 어떨까요?

자기들끼리 분주하게 수군덕거리더니 고개를 끄덕이는 모양새가 우습다.

그들을 뚫어져라 바라보는데 이것저것 화장에 쓰이는 것으로 보이는 도구를 들고 오는 것이 보였다. 이제는 화장을 하려나 보다.

저항해 보아야 별 소득이 없다는 점을 들어 조용히 눈을 감았다.

깜깜한 시야가 마치 지금의 내 상황 같아서 헛웃음이 절로 나왔다.

"이제야 뭔가 제대로 되어 가고 있는 것 같군."

치장인지 뭔지를 모두 마치고 때맞춰 들어온 첩자가 나를 보자마자 말했다.

"이젠 순순히 말해 주는 게 어때? 대체 뭘 어떻게 하고 싶은 거지?"

뭐가 제대로 된다는 건지. 나는 기분이 상해 그대로 받아쳤다.

하지만 날 선 말에도 첩자는 눈 하나 깜빡하지 않고 계속해서 위아래로 훑어볼 뿐이다. 그 모습에 기분이 나쁘다 못해 소름이 돋을 지경이다.

뺨이라도 한 대 시원하게 후려치고 싶은데 쉽게 맞아 줄 것 같지도 않고 근처에 무기로 쓸 만한 것도 없다.

불만스럽게 손목을 만지작거리다가 손끝에 걸리는 감촉에 회심의 미소를 지었다.

여자들이 치장이랍시고 손목에 끼워 준 팔찌가 제법 헐거웠다. 나는 그것을 잡아 빼 그대로 그의 얼굴로 집어 던졌다.

사방에서 놀란 숨소리와 비명이 터져 나왔다.

―세, 세상에! 왕자님!

팔찌가 정확하게 뺨을 때렸다. 충격으로 살짝 고개를 틀었던 첩자는 놀랄 만큼 태연한 표정으로 다시 고개를 들었다.

뺨에 긁힌 자국과 함께 한 줄기 피가 흐르는 것이 보였다.

헉. 그럴 의도는 아니었는데.

홧김에 계획 없이 저지른 일이라 순간 움찔하기는 했으나 그렇다고 과한 처사라곤 생각하지 않는다.

내 태도가 가소로웠던 것인지 아니면 우스웠던 것인지 그가 피식 웃으며 말했다.

"성질머리도 제 어미를 똑 닮았군. 뭐…… 머리색이 드디어 제 색을 찾은 모습을 보니 이 정도 장난은 참을 만하구나. 그 물 빠진 듯한 색이 영 거슬렸어."

머리? 무슨 머리? 내 머리카락? 혹시나 하는 마음에 뒤로 내린 머리카락을 허겁지겁 잡아 내렸다.

온갖 장신구로 고정된 탓에 이리저리 몸을 틀어 겨우 잡아챌 수 있었다. 머리색을 확인한 나는 너무 놀라 할 말을 잃었다.

"검은…… 색?"

너무 기가 막힌 상황에 입을 다물지 못하고 내 머리카락으로 추정되는 검은색 실타래를 잡아당겼다.

두피에서 알싸한 아픔이 동반되는 것으로 보아 내 머리카락임이 틀림없다.

새카맣기 그지없는 머리카락은 원래 내가 기억하는 색과 선명한 대조를 이루고 있었다.

―아주 마음에 든다. 더할 나위 없이 마음에 차는 광경이도다. 이렇게만 계속해라.

—성은이 망극하옵니다.

첩자는 만족한 표정으로 여자들에게 뭐라고 지껄이더니 뺨에 흐르는 피를 손등으로 대충 닦아 냈다.

"누구 마음대로 내 머리카락을 이렇게 만든 거야! 대체 원하는 바가 뭐냔 말이다!"

"소리를 지른들 바뀌는 것은 없어. 너를 인사시킬 곳이 많다. 자, 우선 네 이름을 지어 주실 분부터 찾아봬야지."

"이름? 헛소리 지껄이지 말고 당장 이 손 놓지 못해?"

대뜸 손을 잡아끌고 방을 벗어나려는 첩자를 뿌리치려 애쓰며 고함을 질렀다.

이름을 지어 줄 사람이라니. 막무가내도 이런 막무가내가 없다.

부모님이 지어 주시고 황제가 허락한 이름을 두고 무슨 이름을 또 짓는단 말인가.

온몸으로 저항하며 뿌리치려 애썼지만 이상할 정도로 몸이 말을 듣지 않았다.

그간 수련을 통해 몸에 축적하였던 마나의 움직임도 전에 비하면 둔했으며 근력 또한 바닥이다.

또 이자가 무슨 술수를 썼구나, 자각하는 순간 이미 방문을 넘어 복도로 나왔다. 한 번도 본 적 없는 이국적인 장식들. 그 풍경에 다시금 내가 납치되었음을 실감했다.

—흐음. 그렇군요. 부정할 수 없을 만큼 닮았어요. 하지만 그것만

으로 모든 것을 확정할 수는 없지요. 아시지 않습니까.

-알다마다. 하지만 이걸 보면 조심스러운 자네의 입 또한 다른 말을 하게 될 걸세.

생전 본 적 없는 방식으로 만들어진 마차에 태워져 한참을 달린 후 생소한 양식의 건물로 들어갔다.

비밀스러운 방으로 안내한 첩자는 나를 뒤에 세워 두고 어떤 노인과 대화를 나눴다.

은밀한 태도로 말을 주고받다가 품에서 무언가를 꺼내 건넸다.

익숙한 모양이었다. 나는 그것의 정체를 한눈에 알아보고 첩자 곁으로 급히 달려 나갔다.

"내, 내 검에 있던 것을 왜 이렇게! 내 검은 어디 있는 거지?"

-보다시피 후계의 반지에 있던 보석일세.

-호오. 정말 그렇게 보이는군요. 특유의 문양이나 색상, 질감 모두요. 게다가 당신이 맨손으로 만지지 못하는 것을 보니 더욱 확실하군요.

내 말은 들리지 않는다는 듯 덤벼드는 나를 한 손으로 막아 낸 첩자가 노인과의 대화를 이어 갔다.

그들의 대화를 이해할 수 없어 답답하고 분한 마음에 발만 동동 굴렀다.

첩자의 손 위에 놓인 보석은 당장이라도 녹아 사라질 것만 같았다.

"당장 내놔! 당장 내놓으란 말이야!"

-원래는 검에 박아 쓰고 있던 것을 오만수를 다 써서 빼냈는데, 직접 손으로는 만질 수는 없더군.

-저 소녀가 이 후계자의 반지에 있던 보석을 직접 손으로 잡을 수 있다면 그만한 증거는 없겠지요.

내 발악에도 시선 하나 주지 않던 첩자가 스산한 표정으로 나를 돌아보며 말했다.

"잠시 쥐어 볼 기회를 주지."

손을 순순히 내미는 모습이 수상했지만 달리 방법이 없었다.

나는 어머니의 유품이자 검에 박혀 있던 익숙한 보석을 천천히 낚아챘다.

손에 감싸 쥐니 차가운 냉기와 미묘한 온기가 느껴진다.

두 사람은 그런 나를 묘한 표정으로 바라보았다. 이게 대체 뭔데 그러는 걸까.

–좋습니다. 음…… 생시를 알아야 정확한 이름을 지을 텐데, 혹시 아십니까?

–알 리가 있나. 순순히 대답해 줄 것 같지도 않으니 적당히 무난한 이름으로 짓지.

–아쉽군요. 그렇다면 잠시 기다려 주십시오.

무슨 이야기를 나눈 것인지, 갑자기 노인이 방 안쪽 커튼이 쳐져 있는 곳으로 들어갔다.

잠시나마 둘만 남은 상황에 인상을 찌푸리며 그를 노려보았다.

"무슨 생각인 거지?"

"안다고 해서 바뀌는 것은 없으니 얌전히 따라오면 돼."

"정신이 나갔군."

"미치지 않은 사람은 없어."

내 말에 정말 정신 나간 사람처럼 대답한 첩자가 노인이 사라진 쪽을 주시하며 광기 어린 미소를 지었다.

말이라도 통하면 뭐라도 해 볼 텐데.

나는 멍하니 그와 커튼을 번갈아 보며 대책 없이 흘러가는 이 상황을 어떻게 타개해야 하나 머리를 굴리기 시작했다.

난 아무리 봐도 두뇌파는 아닌 것 같다.

한참 머리를 굴려도 마땅한 대책이 떠오르지 않아 스스로가 한심해질 지경이다.

에카이트라면 뭔가 수를 내서 작전을 짜고도 남았을 텐데.

한참을 기다려도 나오지 않아 노인이 다른 어디로 간 건 아닌지 의심할 무렵, 그가 홀연히 커튼을 열고 나타났다.

노인은 검은색으로 무언가를 적은 얇은 종이를 첩자에게 건넸다.

건네받은 종이를 펴서 읽은 첩자가 소름 끼치는 미소를 지으며 종이를 품에 넣었다.

그리고 그다음은 당연하다는 듯 나를 질질 끌고 처음 눈을 떴던 곳에 놓고 갔다.

무슨 이유에선지 어머니의 유품인 보석은 다시 뺏어 가지 않았다.

그래서 그 작은 보석을 마음의 위안 삼아 품에 품고 멍하니 시간을 보내는 중이다.

“말이라도 통하면 굴러가는 상황이라도 알 수 있을 텐데. 저 남자는 대체 어떻게 우리 대륙어를 할 수 있는 거지.”

말이 전혀 통하지 않으니 답답함은 이루 말할 수가 없었다.

발음 구조나 들리는 단어들을 종합해 보아도 그다지 유사한 점은 없는데.

그냥 공부했다고 보기엔 너무도 유창했다.

“혹시 그 종이를 찢어서 이상한 재주를 부려 언어를 익힌 걸까.”

나름대로 그럴싸한 결론이었지만, 정답을 알려 줄 사람이 없는 만큼 짐작에 머무를 뿐이었다.

“동대륙에 대해 아는 게 너무 없어. 정확히 어디에 있고, 또 어떤 관습이 있는지 전혀 모르는 상황에서 섣불리 계획을 세웠다가 실패하기라도 하면 경계가 심해져서 도망치기 더 어려워질 거야.”

나는 그렇게 혼잣말을 중얼거리다가 자리에서 일어나 방 안을 서성거렸다.

“정확히 어디에 위치해 있는지 알아내는 것보다 에카이트가 찾아오는 게 더 빠르지 않을까.”

오늘따라 자꾸만 그가 생각난다.

「말까지 같이 이동시킬 수 있을 만큼 강력한 이동 주문이라니. 흥미롭군요.」

“……흥미롭게 관망하기엔 사태가 제법 심각한 것 같은데.”

“맞습니다, 아버지. 폰디체리 공작이 아직 이 사실을 모르고 있으니 망정입니다. 아는 순간 사달이 날 겁니다.”

베이야드 공작의 무신경한 말에 황태자와 에카이트가 불편한 심기를 드러냈다.

두 사람의 지적에도 베이야드 공작은 태연자약한 어투로 다시 입을 열었다.

그의 말을 전하는 영상석이 붉게 번뜩였다.

「아무튼 가장 유력한 상황으론 폰디체리 공녀가 동대륙으로 납치되었다는 것인데. 이것도 정황에 따른 결론일 뿐 아닙니까.」

“말하고자 하는 바가 뭔가.”

황태자가 불편한 심기를 감추지 않고 딱 잘라 물었다. 그러자 기다렸다는 듯 베이야드 공작이 입을 연다.

「단지 우리 측의 심증만으로 전력이 얼마나 되는지, 전술은 무엇인지 전혀 정보가 없는 나라와 무력 다툼을 시작하기엔 명분이 부족하다는 말입니다.」

"무슨 말씀을 하시는지는 알겠습니다, 아버지. 하지만 제국의 유일무이한 공녀가 아닙니까. 심지어 황태자의 호위 기사를 납치하다니, 이건 제국에 대한 도발이기도 합니다."

"……제대로 응징하지 않았다는 사실이 알려지면 누가 제국의 위엄을 두려워할 텐가."

에카이트와 황태자의 말이 끝나자 잠시 침묵했던 베이야드 공작이 헛웃음을 지으며 다시 입을 열었다.

「일단 확실히 짚고 넘어갈 부분이 있습니다만.」

"뭔가."

황태자의 신경질적인 질문에 베이야드 공작이 진지한 목소리로 두 사람이 놓치고 있는 점들을 지적하기 시작했다.

「첫째로 아펠리아가 정말 그 동대륙에 있냐는 점. 심증 아닙니까, 말 그대로. 공녀가 정말로 거기 있다고 단언할 수 없단 말입니다.」

"……그렇지. 확실히 일리가 있군."

황태자의 수긍에 베이야드 공작이 말을 계속한다.

「둘째로 누가, 그리고 왜 납치했냐는 점이 문제가 될 겁니다. 심증과 공개할 수 없는 정보를 가지고는 다른 사람들을 설득할 순 없습니다.」

"……모두 맞는 말이라 더 미치겠군."

황태자가 머리를 쥐며 한숨을 쉬자 잠시 침묵이 흘렀다.

짧은 침묵은 에카이트가 입을 열면서 금방 끝났다.

“확인할 수 있는 방법이 있습니다.”
「어떻게 말이냐?」
바로 되물어 보는 베이야드 공작과 그를 뚫어져라 바라보는 황태자를 보며 에카이트가 천천히 입을 열었다.
“그녀가 쓰고 있던 머리끈 말입니다. 그 머리끈에 달린 작은 장식이 영상석입니다. 크기가 작다 보니 화상 기능은 없습니다만 대화는 가능합니다.”
에카이트의 말에 황태자가 다소 여유를 되찾은 표정으로 낮은 한숨을 내쉬었다. 작은 희망의 불씨를 본 기분이리라.
“언제 그런 깜찍한 짓을 한 거지?”
“저번 언데드 사건 이후로 영 불안해서……. 그녀가 쓰는 머리끈에 달린 장식들을 전부 다 영상석으로 바꿔 뒀습니다.”
에카이트의 말에 베이야드 공작이 낮게 혀를 차는 소리가 들렸다.
「결과가 좋으니 더 말하지는 않겠지만 네 약혼자가 아니더냐. 다음부터는 직접 건네주는 편이 좋지 않겠느냐.」
“다음이 있다면 그럴 겁니다.”
베이야드 공작의 핀잔에도 에카이트가 굴하지 않고 단호하게 대답했다.
“그런데 연락은, 연락은 벌써 해 본 건가? 살아 있나?”
“……문제가 그겁니다. 머리끈을 아펠리아가 가지고 있는지 여부를 확인할 길이 없습니다. 혹시 다른 사람 손에 있거나 혼자가 아닐 때 괜히 통신을 시도했다 들키면 그마저도 뺏길 수 있어서 아직 확인하지 못했습니다.”
에카이트의 말에 황태자가 다시 시름에 빠졌다.
베이야드 공작도 침묵을 지키는데 먼저 입을 연 것은 황태자였다.

"그렇다면 아펠리아가 머리끈을 가지고 그 장신구가 영상석인 것을 눈치채고 먼저 통화를 시도할 가능성에 걸어야겠군."

'그' 아펠리아가 과연 눈치챌 수 있을까……. 세 사람은 다시 고뇌에 찬 침묵에 빠져들었다.

같은 시각, 아펠리아는 적응되지 않는 검은 머리카락을 쥐었다 펴며 탈출을 고심하고 있었다.

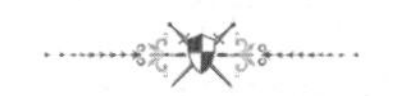

-므네모쉬 님을 닮은 것은 맞는데 저 피부색이나 눈동자 색이 소름 돋는군요.

-서대륙인과의 혼혈이라니. 신기하기도 하죠.

-생김새나 몸가짐을 봐서는 제법 귀하게 자란 것 같은데. 혹시 이번 소동으로 또 다른 분쟁의 씨앗이 생기는 건 아닌지 걱정입니다.

나를 놓고 품평하듯 이리저리 살피며 대화를 나누는 중년 여성들을 무표정하게 바라보았다.

무슨 말을 하는지는 모르겠으나 므네모쉬라는 단어가 들린 것을 보아 또 어머니 얘기일 것이다.

우리 대륙 사람들과는 확연히 다른 생김새와 특유의 복식, 그리고 독특한 화장법이 어우러져 이곳이 제국이 아니라는 것을 실감하게 했다.

"누구, 지금 이게 무슨 상황인지 알려 주실 분?"

-어머나, 세상에. 흉하기도 해라. 우리말을 전혀 못한답니까?

-그렇다고 하던데, 언어 관련 주술은 완성까지 며칠 걸린다더군

요. 왕자님께서 애쓰고 계시니 곧 되겠지요.

지쳐서 한 마디 하자 난리법석을 떠는 모양이 우습다.

거만하게 뒤로 기대 그들을 바라보자 그들이 다시 입을 열어 쑥덕거린다.

말이 통하지 않으면 행동이다. 나만 불쾌할 수는 없지 않은가.

내 비웃음에 불쾌한 표정을 지으며 고개를 돌리는 모습을 보니 유치하지만 기분이 나아지는 것 같았다.

–그러고 보니 왕자님께서 이름을 받아 오셨다지요?

–저도 들었어요. 이름을 받았다는 건 우리 왕국 시민으로 인정한다는 것인데. 조만간 거창하게 연회를 열어 소개한다는 소문이 아무래도 사실인가 보네요.

호들갑스러운 목소리들이 거슬렸다.

다시 그들을 사납게 노려보았지만 자신들의 대화에 지나치게 집중한 것인지 딱히 반응하는 눈치는 아니다.

–그렇다는 건 그녀가 정말 므네모쉬 님의 딸이라는 말인데……. 정통 후계자가 나타나면 도리어 왕자님께 위협이 될 것을, 왜 굳이 데리고 왔는지 잘 모르겠어요.

–어머, 모르는 소리. 혈통으로 따지면 이 나라의 주인은 므네모쉬 님이 마지막이 아니던가요.

–알아요. 그 이야길 모르는 사람이 있으려고요. 원래대로라면 그분과 왕께서 약혼하여 정통성을 이어 갈 예정이었는데, 므네모쉬 님이 사라지시면서 모든 일이 틀어진 것이잖아요?

–정통성이 없는 지도자를 쉽게 받아들이긴 어렵죠.

뭔가 진지한 이야기가 오가는 눈치인 것 같은데 알아들을 수 없어 답답하기만 했다.

독심술이라도 해 보는 심경으로 그들을 뚫어져라 바라보았지만 달라지는 것은 없었다.

내 시선을 크게 신경 쓰지 않는 걸 보면 다들 몰입할 만한 내용이라는 건데……. 궁금증이 커진다.

–감히 넘보지 못할 자리라고 생각해 힘이 있다고 해도 불가침으로 두었던 자리가 아니던가요. 원칙이 깨어지고 너도 나도 그 자리를 탐내며 제국이던 우리가 왕국으로 격하된 것 아니겠어요.

한 여자가 격한 목소리로 빠르게 말했고 다른 두 여자는 그 여자의 말에 다소 겁을 먹은 눈치다.

제법 흥미로운 내용일 것이 분명한데…….

나는 입맛을 다시며 그들을 바라보았다. 잠시 침묵이 흐르다 다른 여자들이 입을 연다.

–위험한 말씀을 너무 쉽게 하시는 것 아닌가요? 왕자님께서 들으면 어쩌시려고.

–할 말은 해야지요. 사실 저는 그 누구도 지지하고 싶은 마음이 없답니다. 책임을 피하고 달아난 므네모쉬 님도, 그리고 욕심을 놓지 못해 피의 전쟁을 반복하며 제국의 위엄을 잃은 지금의 왕실도요.

–자, 그만 다른 이야기를 하는 것은 어떨까요. 왕자님과 므네모쉬 님의 딸이 혼례를 올리면 늦었지만 정통성이 이어지는 것 아니겠어요?

–딸이니 다행이군요. 만약 므네모쉬 님이 아들을 낳았더라면 저렇게 살아서 우리를 불만스럽게 노려볼 일도 없었을 테니까요.

–제발 말 좀 가려서 해 주세요. 왕자님이 언제든 들이닥칠 수 있는 공간 아닙니까.

뭔가 흥분한 목소리로 쏘아붙이는 여자와 어쩔 줄 몰라 하며 말리는 여자 둘.

원래 구경 중에 싸움 구경이 제일이라던데. 내가 쳐다보는 것을 느낀 것일까, 세 사람의 시선이 나를 향한다.

살피고 관찰하는 표정. 지겹고 또 역겹기까지 하다.

정신적으로 지친 기분에 벌떡 일어나 희한한 양식의 침대로 성큼성큼 걸어가자 뒤에서 쑥덕거리는 소리가 요란하다.

“아이고, 난 모르겠으니 떠들든가 말든가. 여기서 누가 내 평판을 신경 쓰려고.”

침대에 누워 이불을 뒤집어써 버리자 한동안 쑥덕거리던 여자들이 나가는 소리가 난다.

“진짜 지긋지긋하네. 말이라도 통해야 할 것 아니야. 원래 뭘 들고 왔는지 확인할 겨를도 없이 다 뺏기는 바람에 뭘 찾아야 하는지도 모르겠네.”

짜증스럽게 침대에서 뒤척이던 중, 침대 뒤로 무언가 떨어지는 소리에 화들짝 놀라 몸을 일으켰다.

“깜짝이야……. 방금 무슨 소리가 났는데. 뭐지?”

몸을 숙여 침대 밑을 보니 익숙한 물건이 하나 떨어져 있었다.

“침대 사이에 끼어 있었나 보네. 하고많은 것 중에 머리끈 하나 남을 게 뭐람.”

작고 동그란 장식이 달린 머리끈을 들어 올리며 투덜거렸다.

“괜히 들고 있어 봐야 뺏기기나 하겠지. 어디다 숨기지.”

곰곰이 생각한 끝에 리본만 풀어내서 발목에 칭칭 감았다.

그리고 달려 있는 작은 장신구를 손으로 문지르며 숨길 장소를 고민하기 시작했다.

멍하니 말 위에 앉아 있는 에카이트는 거의 넋을 놓은 상태였다.

아카데미를 나서는 순간 빛과 함께 사라진 아펠리아를 두고 모두 할 말을 잃었다.

아카데미나 인근을 쥐 잡듯 뒤졌지만 흔적도 없이 사라진 것만을 거듭 확인하게 될 뿐이었다.

혹시 몰라 베이야드 공작을 통해 수도 인근을 뒤졌지만 그 흔적도 찾을 수 없었다.

아카데미에서 제국으로 돌아가는 길이 이토록 절망적이고 막막할 줄 누가 알았으랴.

"아펠리아……. 제발 무사하기라도 해야 할 것인데."

다치고 상처 난 모습이 떠올라 불안부터 앞선다.

아무리 강한 기사라고 해도 적진에 혈혈단신으로 떨어졌다고 생각한다면 승산은 없다고 봐야 할 터.

불안함에 아펠리아의 머리끈 장식으로 바꾼 영상석들이 담긴 상자를 톡톡 쳐 본다.

"아무리 생각해 봐도 그 정도로 눈치가 있는 스타일은 아닌데. 미치겠군. 차라리 응급 상황용이라고 하고 사용법을 설명해 줄 것을, 괜히……."

뭔가 민망한 마음에 일단 바꿔 두기만 하고 설명하는 것을 차일피일 미룬 결과가 이것이다.

"아펠리아. 대체 어디에 있는 거지."

에카이트의 속 타는 독백이 끝나기 무섭게 영상석 하나가 붉게 빛나기 시작했다.

그것을 거의 기겁하여 바라보던 에카이트가 벌떡 자리에서 일어나 영상석들을 뒤지기 시작했다.

"아펠리아? 아펠리아!"

급한 마음에 이름부터 부르던 에카이트의 손에 이내 손에 붉은빛을 내는 영상석이 들어왔다.

「어떻게 숨기지……. 귀걸이 보석을 빼내고 이걸로 달아 볼까? 어차피 치장을 하면 빼야 할 것 같긴 한데.」

"아펠리아!"

에카이트의 부름에 영상석이 잠시 조용해진다.

「이제 하다 하다 환청이 다 들리네. 에카이트라니. 여기에 있을 수 없는 사람 목소리가 왜 들리는 거야.」

걱정이 무색할 정도로 태연자약한 아펠리아의 목소리가 이어진다.

어쩐지 목이 멜 것 같은 심정에 에카이트가 살짝 목을 가다듬고 다시 입을 열었다.

"아펠리아. 들리나?"

「에…… 카이트? 진짜로? 어디서 나는 소리지?」

"진정하지. 내가 그대 머리끈의 장식을 영상석으로 바꿔 두었어. 거기서 나는 소리이니 너무 놀라지 말도록."

「진작 연락을 하지 그랬어! 이게 뭡니까, 진짜!」

에카이트가 말도 안 되는 억지를 쓰며 낮은 목소리로 투덜거리는 아펠리아를 달래듯이 부드럽게 말했다.

"몸은 괜찮나? 다친 곳은? 지금 어디에 있는 것 같나."

「동대륙. 그 첩자가 속한 나라 어딘가에 있는 것 같은데……. 쓰는 말들이 확연히 다릅니다. 생김새나 복식도요.」

역시. 예상이 맞았다.

에카이트는 깊은 한숨을 내쉬었다. 위치를 알았다고 한들 가 본 적 없는 까마득히 먼 곳.

이제부터가 시작이다. 정신을 가다듬은 에카이트가 낮은 목소리로 입을 열었다.

"영상석 잃어버리지 말고 잘 보관하도록. 갑자기 낯선 곳에 홀로 떨어져 고생이 많았겠군."

에카이트의 말에 한동안 침묵이 흐르던 영상석 너머로 흐느끼는 소리가 들린다.

말 못할 고생과 불안을 조금이나마 알아주는 사람이 생겨 서러움이 솟구쳤으리라.

이제야 제법 또래 같은 구석이 보이는군.

그렇게 생각하면서도 바로 옆에서 달래 줄 수 없다는 점에 마음 한쪽이 아릿해 온다. 나도 중증이군. 에카이트가 깊은 한숨을 쉬었다.

나는 벌겋게 부은 눈으로 침대에 누웠다. 영상석이라니. 생각하지 못한 장치였다.

물론 내 손을 떠났다면 무용지물이었겠지만 말이다.

다행히 이동의 충격으로 머리끈이 헐거워져 침대 사이에 낀 것을 아무도 보지 못한 것 같다.

그걸 또 우연히 발견해 작동시키다니. 엄청난 우연의 연속이다.

"좋은 징조라고 생각하자."

스스로를 달래며 에카이트와 정한 통신법을 다시 정리해 보았다.

"연락은 가급적이면 내가 먼저. 만약 저쪽에서 급하게 연락해야 할 일이 있다면 바스락거리는 소리를 낸다고 했고."

간단한 통신법이었지만 혹시나 잊을까 거듭 생각하며 영상석을 박아 넣은 귀걸이를 만지작거렸다.

"혹시 귀걸이를 바꿔 낄 것 같으면 그때 잠시 또 빼놓으면 되겠지."

영상석이 뒤로 빠지지 않게 그 뒤로 짧게 삐죽 솟은 귀걸이 심을 살짝 휘었다.

"반드시 돌아가고야 말겠어."

각오를 다지며 돌아가기 전까지 최대한 행패를 부려 놓고 가리란 다짐을 더하며 한결 가벼워진 기분으로 눈을 감았다.

도통 알아들을 수 없는 동대륙의 말들을 무신경하게 흘려 넘기며 이른 아침부터 치장당하는 중이었다.

치장 전에 대뜸 식사부터 하라는 식으로 상을 차려서 가져왔지만 손대지 않은 탓에 허기져 머리가 띵했다.

끼니라고 주는 것들은 죄다 기름이 줄줄 흐르는 데다, 한꺼번에 여러 음식을 가져온 탓에 무엇을 먼저 어떻게 먹어야 좋을지 알 수 없었다.

거기에 포크나 나이프도 없고 입에 맞지도 않다 보니 결국 과일 같은 것들만 집어 먹고 말았다.

새벽녘부터 성가시게 깨워서는 밥 먹으라고 성화, 치장을 한다고 성화.

정말이지 짜증스러운 상황이 아닐 수 없다.

둥그런 나무통에 따뜻한 물을 받아 알몸을 부드럽게 닦아 주는 것이 그나마 이 모든 과정 중 제일 양호한 과정이라고 할 수 있었다.

"서대륙의 어지간히 극성맞은 나라들보다 더한 것 같단 말이지. 기본적으론 강력한 남성 사회인데 계급에 있어선 혈통이 상위 개념인 거잖아."

그렇게 혼자 중얼거리며 귀찮은 치장을 꾹 견뎠다.

일단 당장에 해를 가하는 것 같지도 않고 딱히 다른 수가 없는 상황이었다.

일단 최대한 상대의 요구에 순응하면서 자극이 되거나 이목을 끌 만한 행동을 자제하라는 에카이트의 말이 이러한 불편을 견딜 원동력이 되어 주고 있었다.

당장은 실질적인 도움이 되지 못하겠지만 장기적인 계획을 세울 수 있다는 점이 마음에 안정을 찾아 주었다.

동시에 혼자 판단해 상황이 흘러가는 것에 몸을 맡기는 불안감도 어느 정도나마 가벼워졌고 말이다.

"솔직히 전략형이나 전술형 기사도 아닌데 자신 있는 게 더 이상하지."

습관처럼 혼잣말을 중얼거리자 내 머리를 한창 만지던 여자들도 자기들끼리 숙덕거리기 시작한다.

-대체 혼자서 무슨 말을 저리도 많이 하시는지.

-그러게 말입니다.

-제 이모님이 소싯적 므네모쉬 님을 모셨다는 것은 다들 아시지요?

-어머, 그럼요. 알다마다요.

또 어머니의 이름이 들린 것 같아 그들을 쳐다보려 했지만, 그들은 고개를 돌리지 말라는 듯 머리를 가볍게 누르며 치장을 계속한다.

그런 사소한 동작만으로도 이곳에서의 내 처지가 어떤지 알 만해 쓴웃음이 절로 나왔다.

전생에 한창 무시당하던 때를 떠올려도 사용인이 이런 식으로 무례하게 손짓한 적은 없었는데 말이지.

내 쓴웃음 따위엔 관심도 없는지 전혀 시선을 주지 않은 여자들이 다시 빠른 어조로 떠들기 시작했다.

–이모님이 말하시기를, 므네모쉬 님도 원래는 보통이 넘는 수다쟁이였다고 하셔요. 물론 선황께서 급작스럽게 돌아가신 이후로 말수가 급격히 줄었다곤 하지만요.

–갑작스럽게 부모님을 잃으면 누군들 쾌활하긴 어려우니까요.

–그리고 딱히 얌전한 성정도 아닌 듯해요. 손도 거친 것이 험한 일도 해 본 것 같은데요?

–처음에 검을 차고 말을 탄 상태로 나타났으니. 혹시 전사는 아닐까요?

–어머나, 농담도 참.

갑자기 깔깔 웃는 소리가 들리며 소란스러워졌다. 뭐가 그렇게 즐거운지 모르겠다. 신경이 쓰여 다시 뒤를 돌아보려 했으나, 머리를 누르는 손길이 억세다.

"진짜 어머니가 공주였던 것은 맞나 몰라. 따지자면 공녀일 때보다 신분이 올라간 건데 대접은 왜 이런 거야?"

두 차례나 머리를 눌려서 상한 기분을 여과 없이 드러내자 여자들이 서둘러 단장을 마무리했다.

말이 통하지 않으니 행동을 통해 표현할 수밖에.

–어머, 우리가 너무 호들갑을 떨었나 봐요. 불쾌한 눈치네요.

–세상에나. 부디 왕자님께는 말하지 않았으면. 왕자님은 저 사람

이 하는 말을 하실 수 있으니까요.

–이제부터 더 신경 써서 잘 대해 주면 돼요. 친절하게, 많이 웃으면서.

갑작스레 과한 미소를 지으며 친절한 몸짓을 하는 여자들이 수상했다.

갑자기 왜들 저러는 거지. 내 욕이라도 하다 양심에 찔린 걸까?

시답잖은 가정을 하며 지켜보는데, 그들이 귀걸이를 갈아 끼우려는 듯 손을 귀로 뻗어 왔다.

나는 살짝 옆으로 몸을 피해 거부 의사를 보였다.

–싫다는 것 같지요?

–그런 것 같네요. 저게 마음에 들었나 봐요. 그럼 그냥 둘까요? 저것도 귀한 것처럼 보여요. 지금 입은 옷과 잘 어울리기도 하고요.

–그래요. 하나라도 비위를 맞춰서 기분 좋게 해 주는 편이 좋겠죠.

자기들끼리 속닥거리던 여자들이 상냥한 미소를 지으며 고개를 끄덕인다. 그리고 뻗었던 손을 내리며 다른 단장을 마무리한다.

"희한하네. 뭐, 나야 순순히 포기해 주면 고맙지."

–일찍부터 서두른 덕에 그래도 여유 있게 끝났네요.

그녀들과 뜻 모를 미소를 주고받으며 멍하니 안내받은 의자로 걸음을 옮겼다.

자리에 앉아 하릴없이 시간을 보내자니 문 두드리는 소리와 함께 익숙한 첩자의 기척이 다가오는 것이 느껴졌다.

"아직은 어색하군. 그래도 저번보다는 제법 괜찮아 보여. 역시 사람에게 환경은 중요한 법이지."

"그 말엔 동의하지. 여기서 시간을 보내면 보낼수록 숨이 막히고 저급해지는 것 같아."

첩자의 첫마디를 날카롭게 받아치자 그가 가소롭다는 표정으로 씩 웃는다.

자신들의 예복을 입고 선 첩자는 제국에서 보았을 때보다 어쩐지 더 크고 강하게 느껴졌다.

하기야 키우는 똥개도 자기 집 마당에선 한 수 먹고 들어간다고 하지 않던가.

“우리는 아침마다 관료들을 모아 놓고 있었던 일, 그리고 해야 할 일들을 나누는 시간을 가진다.”

“그래서?”

“그 자리에서 일단 널 소개할 작정이다. 이름을 받았으면 응당 알리는 것이 도리이지.”

“난 어떠한 이름도 받은 적이 없다. 몇 번이고 말했지만 내 이름은 단 하나. 허튼짓은 관두는 편이 좋겠군.”

사납게 받아치는 나를 무시하듯 힐끗 바라본 첩자가 갑자기 성큼 내 앞으로 다가왔다.

커다란 덩치가 코앞으로 다가오니 위협적으로 느껴진다.

반사적으로 뒤로 물러서려는 몸을 겨우 참아 냈다. 하지만 그런 기색을 눈치챘는지 첩자가 삐뚜름하게 웃는다.

“겁이 없는 줄 알았는데, 아니었군. 아주 보기 좋아. 둔한 줄 알았는데 네 몸이 약해진 걸 본능적으로 알아챈 건가.”

저건 또 무슨 헛소리지.

갑작스럽게 내 몸이 약해졌다는 둥 그런 어이없는 타령을 하는 첩자에 기가 막혀 강하게 노려봤다.

내 찌르는 듯한 시선을 받은 첩자는 도리어 정말로 몰랐냐는 표정으로 입을 연다.

“전혀 모르는 눈치로군. 네 제국이 있던 서대륙은 마나라는 것이 지배하던 땅이고 이곳은 기(氣), 그러니까 주술의 힘이 지배하는 땅이지. 기가 지배하는 땅에 온 이상 당연한 일이란 말이다.”

무슨 말인지 모르겠다는 표정으로 첩자를 쳐다보자 그가 그럴 줄 알았다는 표정으로 부연했다.

“마나를 쓰려면 그 마나를 공급받아야 할 것이 아닌가. 이 땅엔 마나가 거의 없다시피 하니 쓸 수 있는 마나가 적다는 것이지.”

왠지 기운이 없고 마나가 잘 운용되지 않는다고 생각했는데 그게 단순한 기분 탓이 아니었다니.

다른 기사들에 비해 부족한 체력을 마나와 그 운용 능력으로 커버했던 나는 갑작스러운 무력감에 다리 힘이 풀리는 것 같았다. 생각보다 사태가 심각했다.

내 충격받은 표정이 우스웠던 모양인지 첩자가 피식 웃는다.

웃어?

웃는 모양새가 얄밉기 그지없어 어금니를 꽉 깨물고 그를 사납게 노려보았다.

노려보는 것 말고는 할 수 있는 게 없어 화가 치밀었다.

하지만 그는 전혀 신경 쓰지 않는 듯 도리어 유쾌하게 웃으며 말했다.

“나도 그 덕분에 서대륙에서 고생을 좀 했지. 자잘한 주술들도 종이에 기를 담아서 매개를 만들어야 한다니 끔찍한 시간이었어. 이젠 공평해졌군.”

“누구 맘대로 공평을 논하는 거지? 비겁자!”

“여기서 이러지 말고 밖으로 나가지. 앞으로 할 일이 많아.”

첩자는 내가 발끈하든 말든 태연히 내 몸을 잡아끌고 문을 나섰다.

먼저 그런 얘기를 들어서일까 아니면 사실이 그러해서일까, 몸에 힘이 들어가지 않아 변변찮은 저항도 못하고 그가 이끄는 대로 걸음을 옮겼다.

책에서 '서커스'라는 것에 대해 읽은 적이 있다.

여러 사람들이 진귀한 볼거리를 둘러싸고 구경하는 일종의 공연이었는데, 지금 내가 처한 상황이 딱 그러했다.

사람들은 옷 색깔에 따라 나누어 서 있었다.

첩자는 방의 제일 앞쪽 단상에 놓인 화려한 의자에 앉아 옆에 나를 세워 놓고 웅성거리는 사람들을 내려다보며 뭐라고 입을 놀리는 중이다.

–이미 들어 알고 있겠지만, 공식적으로 말하지. 므네모쉬의 딸을 되찾았다. 비록 그녀는 유명을 달리한 지 오래지만 머나먼 서대륙에 그녀의 피를 이은 딸을 남겨 두었더군.

–그래서 서대륙과 갑자기 교류를 시작하고 찾아가기까지 하셨던 것이로군요. 역시…….

–세상에 어떻게 그런 일이. 그것이 정녕 사실이십니까?

–내가 거짓을 말할 이유가 있을까?

뭐라고 반문하는 남자를 향해 서늘한 표정으로 딱 잘라 말하는 모습이 살기등등하다.

괜히 눈치를 보며 몸을 살짝 틀었다. 괜히 나까지 긴장되어서였다.

–소, 송구하옵니다. 감히 의심한다는 뜻으로 한 말은 아니었사옵니다.

–송구할 짓은 애초에 하지 말라고 수십 번도 더 말한 것 같은데, 쯧쯧.

–그, 그렇다면 혹여 이름은…….

용감하게 말을 꺼내는 남자를 바라보던 첩자가 때마침 잘 말했다며, 만족스러운 표정으로 입을 연다.

대체 무슨 말을 들었기에 저런 표정을 짓나 몰라.

-'뮤사'라는 이름을 받았네.

-오오, 이름을 받았다니. 그렇다면 이는 더 이상 의심할 여지가 없음이니, 감축, 또 감축드립니다.

-감축드립니다!

세상에, 깜짝이야.

한 사람이 호들갑스럽게 말하기 무섭게 줄지어 늘어선 사람들이 후렴구처럼 그 사람의 마지막 말을 따라 외친다.

뭐야, 여기 이상해.

나는 낯선 분위기에 주변을 경계 어린 시선으로 바라보았다.

그런 내 시선을 느꼈는지 첩자가 태연스럽게 입을 열어 내가 이해할 수 있는 제국어로 말을 건다.

"뮤사. 이제부터 이게 그대의 이름이다. 기억해 두는 편이 좋을 거야. 뭐, 질릴 정도로 불릴 테니, 기억하지 않는 것이 이상하겠지만."

"거듭 말하지만 내 이름은 아펠리아 폰디체리. 그 이외의 이름은 없다."

내 단호한 말에도 표정 하나 바꾸지 않은 첩자가 좌중을 둘러보자 웅성거리던 사람들이 조용해진다.

보아하니 절대 권력을 누리는 것 같기도 하다.

-다들 알고 있겠지만 안타깝게도 뮤사, 그녀는 우리말을 배우지 못하였다.

첩자가 뭐라고 입을 열자 다들 침통한 표정으로 서 있는 꼴이 우습다.

잠시 뜸을 들이던 첩자가 다시 비장한 목소리로 말했다.

아, 진짜 답답하다. 귀머거리에 벙어리가 된 것 같은 기분이다. 나는 한껏 인상을 찌푸리고 멍하니 그들을 바라보았다.

–무례하기론 비할 데 없는 서쪽 대륙의 야만인들이 므네모쉬를 훔쳐 간 것으로도 모자라 그녀의 딸까지도 야만인으로 키우려 든 것이다.

–역시 소문이 사실이었군요. 가엾기도 해라.

–저런 천벌을 받을 것들.

흥분해서 웅성거리는 사람들을 바라보는데 옆에서 움직이는 기척이 느껴졌다.

첩자가 자리에서 일어나자 사방이 삽시간에 침묵으로 물든다.

–그래서 나는 가엾은 뮤사에게 주술을 걸어 우리말을 이해할 수 있게 할 것이다.

–오오, 그렇지요. 주술에 있어선 왕자님께서 왕국 제일이 아니십니까.

–참으로 대단하십니다. 존경, 또 존경하옵니다.

첩자의 말 한 마디 한 마디에 호들갑스러울 정도로 충실하게 반응하는 사람들을 질린 표정으로 바라보는데 갑자기 첩자가 몸을 돌려 나를 바라본다.

"뭐, 뭐지?"

"네게 가장 필요한 것을 줄 테니 감사히 받도록."

"내게 필요한 것은 오직 내 나라로 돌아갈 자유뿐이다. 그 외에 것은……."

첩자의 말에 강하게 저항하려는 순간, 첩자의 손에서 푸른빛이 번뜩이기 시작했다.

본능적으로 몸을 움직였으나 그의 손이 더 빨랐다. 결국 그 푸른 빛을 맞고야 말았다.

뭔가 고통이나 아픔이 따라올 것만 같아서 몸에 힘을 주고 버텼으나 놀랄 만큼 아무렇지도 않다.

어리둥절한 표정으로 첩자를 바라보고 있자니 그가 피식 웃으며 입을 연다.

–겁이 많군, 뮤사.

"무례하군, 첩자."

나를 놀리듯 빈정거리는 첩자의 말에 지지 않고 받아치자 그가 흥미롭다는 표정으로 씩 웃는다.

실없기는, 별게 다 우습다.

–주술이 제대로 통한 모양이다. 여태껏 시도해 본 적 없어 걱정했는데 다행이군.

"주술이 통했다고?"

–그렇다. 보아하니 주술이 제대로 통한 것 같군.

뜬금없이 주술이 잘 통했다는 첩자의 말에 반문하자 그가 확신에 찬 어조로 답한다.

통하긴 뭐가 통해.

너무 황당해 그를 빤히 바라보았다. 혹시 머리에서 뿔이라도 돋았나, 만져 보고 싶었지만 애써 참았다.

주변에선 웅성거리며 대단하다는 둥, 역시 주술에 있어선 의심할 바 없는 일인자라는 둥 아부성 발언으로 난리였다.

"전혀 바뀐 것이 없는데."

–아니, 아니지. 내 말을 알아듣고 있지 않은가.

첩자의 말에 기가 막힌다는 표정을 짓다가 놀라 두 눈을 부릅떴다.

그러고 보니 주변에서 웅성거리는 소리를…… 알아들은 거잖아?

"어, 어떻게 된 거지. 이제 다들 내 말을 알아들을 수 있게 된 거란 말이야?"

–오, 그건 아니지. 너에게 언어 능력을 심어 주는 개념이라 그럴 수는 없지. 네게 우리말을 이해할 수 있도록 주술을 걸었다고 이해하면 편하겠군.

의기양양해하는 첩자의 표정과 감탄을 터트리는 주변의 어수선함에 저절로 인상이 찌푸려졌다.

내 표정과는 무관하게 첩자는 말을 계속했다.

–네가 하는 말도 이해가 되려면 이 많은 사람들에게 서대륙 말을 이해할 수 있게 하는 주술을 걸어야 하지. 그런 광범위 주술은 긴 시간과 노력이 필요한 일이야.

"요점만 말해. 그러니까 내가 여기 사람들이랑 '대화'라는 것을 하려면 어떻게 해야 한다고?"

–간단하다. 네가 우리말을 이해할 수 있게 되었으니 말하는 것을 배우는 것도 쉽겠지.

말은 쉽지. 그의 말에 기가 막혀 입을 떡 벌렸다.

그러다가 이내 등골이 서늘해져 조용히 입을 다물고 불만스러운 시늉을 계속했다.

만약 저들이 내가 하는 말까지 이해할 수 있었다면 그야말로 낭패를 보았을 것이다.

에카이트와 영상석으로 대화를 나눌 때, 평소처럼 혼잣말을 하는 것을 위장하며 마음 놓고 편히 소통을 했다.

그런데 만약 내가 하는 말을 남들이 모두 이해할 수 있다면?

몇 배는 조심하고 또 주의하느라 연락이 어려워지거나 벌써 들켰을지도 모른다.

하마터면 큰일 날 뻔했다.

속으로 놀란 가슴을 쓸어내리며 좌중을 둘러보았다. 그들은 여전히 첩자의 실력에 아부하기 바빴다.

–오오, 그렇다면 지금부터는 저희가 하는 말을 모두 이해할 수 있다는 것이군요.

–역시 대단하십니다!

–처음부터 가르치려면 고생도 시간도 만만치 않게 들었을 것을, 다행입니다.

그건 그렇지. 상대가 무슨 말을 하는지 이해할 수 있게 되자 막힌 가슴이 뻥 뚫리는 기분이었다.

그간 이 답답한 것을 어떻게 참았는지 모를 지경이었다.

이제 저들의 말을 알아들을 수 있으니 알아낼 수 있는 것들도 많아질 것이다.

긍정적인 징조에 애써 환해지려는 표정을 다잡았다.

–일단 뮤사의 존재를 제대로 알려야 할 필요가 있다. 오늘은 이에 대한 방법을 논의하는 것을 주제로 삼아야겠군.

–지당하신 말씀이십니다.

–그렇다면 저부터 먼저 한 말씀 올려도 될지요.

첩자의 말에 앞다투어 의견을 내고 환심을 사려는 기색이 역력한 사람들을 보면서, 나는 탈출에 대한 가능성이 한층 올라갔음을 조용히 기뻐했다.

「확실히 좋은 소식이군.」

"그렇다고 봐야죠. 일단 무슨 말을 하는지 알아들을 수만 있어도 정보를 수집할 수 있으니까요."

어수선하게 웅성거리며 연회를 열어 나를 소개하자는 둥 고리타분한 의견들이 만연하던 곳에서 벗어나 방으로 돌아온 내가 제일 먼저 한 일은 에카이트에게 연락을 취하는 것이었다.

새로운 소식에 에카이트도 긍정적인 의견을 냈다. 희망이 보이는 상황에 들떠 살짝 웃으며 입을 열었다.

"금방이라도 돌아갈 수 있을 것 같습니다."

「나 또한 간절히 바라는 중이니 함께 노력해 보도록 하지. 아픈 곳이나 불편한 곳은 없는가?」

"영 식사가 입에 안 맞습니다. 대체 뭐를 어떻게 먹어야 하는지도 모르겠고. 아, 그리고 여기 침대 완전 딱딱합니다. 푹신한 줄 알고 털썩 누웠다간 뒤통수가 깨질 겁니다."

긴장이 조금이나마 풀린 탓일까, 한편으론 조금 과장스러운 투덜거림에 영상석 너머에서 에카이트가 웃는 소리가 들렸다.

뭔가 부끄러운 마음에 잠시 말을 멈췄다.

「확실히 긴장이 좀 풀렸나 보군. 아닌 척해도 잔뜩 얼어붙은 것이 느껴졌었는데. 그나저나 그렇다면 배가 고파서 어쩐다.」

"제가 괜한 소리를 했습니다. 배야 좀 고플 수도 있지요. 못 먹을 음식을 주는 것은 아닌 것 같은데 그냥 제가 적응을 못해서 그런 것이니 곧 나아질 겁니다."

변명처럼 웅얼거리며 괜찮다고 답했지만 에카이트는 여전히 걱정이 가득한 음성이었다.

「가뜩이나 몸에 살도 없는데, 잘 못 먹고 있다니 걱정이로군.」

"워, 원래 기사들은 몸에 군살이 없는 것이 정상입니다."

적응하기 어려울 정도로 다정한 어투라 말까지 더듬어 가며 답했다. 그러자 다시 에카이트의 웃음소리가 들린다.

실없이 왜 저러는 거지. 기억 속 그와 완전히 다른 모습에 괜히 부끄러운 마음이 들기 시작했다.

「나는 군살이 좀 있어도 좋을 것 같은데 말이지. 다른 데는 몰라도 특정 부위들은 말이야.」

이번 에카이트의 말을 이해하는 데 약간의 시간이 걸렸다. 그의 말을 이해하기 무섭게 큰 소리를 낼 뻔한 것을 애써 참아 냈다.

"변탭니까? 대체 내가 무슨 소리를 들은 건가 했습니다!"

「뭐라고 들은 건가. 나는 그 앙상한 팔뚝을 말한 건데. 검을 휘두를 때마다 부러질까 봐 겁이 다 나더군.」

"그래도 그렇지 할 말, 못할 말이 있습니다!"

울컥한 목소리에 에카이트의 웃음소리가 이어진다. 벌겋게 달아오른 얼굴은 누가 볼까 무서울 정도다.

힐끗 팔뚝 쪽을 내려다본 내가 불만스럽게 투덜거렸다. 건강해 보이기만 한데, 뭐.

그리고 나 몸매 좋거든?

「미안하게 됐군. 혹시 거기서 고생하느라 건강이 상해, 전처럼 침대 신세를 지는 건 아닌가 걱정이 돼서 한 말이었네.」

"……언변은 늘 그럴듯하군요."

「이건 내 진심이니 오해하지 않았으면 좋겠군. 아프지도 다치지도 말도록. 그대가 아프거나 다치는 상황은 생각만 해도 끔찍하니까.」

"……저도 제 몸 귀한 줄 압니다. 조심할 테니 너무 앞서 걱정하진 마시죠."

「보고 싶군.」

뭐야, 왜 이러는 거야.

에카이트의 낮은 목소리에는 진심이 담겨 있었다. 당황한 내가 침묵을 지키자 다시 영상성이 반짝인다.

「……많이 보고 싶다.」

"이, 일단 저는 더 전할 말이 없으니 끊겠습니다. 나중에 다시 연락하지요."

에카이트의 대답도 듣지 않고 연결을 확 끊어 버리고는 빨갛게 변한 볼을 문지르며 당황을 애써 가라앉히려 노력했다.

–거기 그 빗 좀 건네줘요.

–이 머리 장식들을 실제로 써 보는 것은 처음인 것 같네요.

–그럴 수밖에요. 이 장식들을 쓸 수 있는 신분을 갖추었던 가장 마지막 분이 므네모쉬 님이니, 벌써 십수 년이나 지난 일이 아니던가요.

또다시 지루한 치장이 시작됐다. 하지만 오늘은 달랐다. 그들이 하는 말을 이해할 수 있게 된 상황인지라 제법 흥미진진한 정보 습득의 시간이 될 것이기 때문이다.

첩자가 내게 주술을 건 지 며칠이 지났지만, 아직 내가 동대륙어를 이해할 수 있다는 것을 듣지 못했는지 제법 편하게 말을 주고받는다.

하기야 저들 기준으론 내가 하는 말을 전혀 이해할 수 없으니 반대로 내가 그들의 말을 이해할 것이라고 생각하긴 어려울 것이다.

–서대륙의 야만인들도 머리를 기르는 관습이 있어 망정이지, 하마터면 고생할 뻔했어요.

–그러니까 말이에요.

그간 저런 대화를 나누고 있었군.

내가 건너온 서대륙을 미개한 곳으로 낮추어 말하며 시시덕거리는 꼴을 보고 있자니 그간 차라리 못 알아먹고 있던 덕에 속 편하게 있었나 싶다.

“우리 제국이 치장에 있어서는 간소한 편이라는 말에 동감하는 날이 올 줄이야.”

허리가 아플 정도로 오래 앉아 머리 손질을 받자니 지루하기도 하고 피곤하기도 하여 소리를 내 중얼거려 봤다.

내가 입을 열자 여자들이 잠시 눈치를 보다가 입을 열었다.

–들으면 들을수록 이상한 말이 아닙니까.

–그러니까 말입니다. 저번에도 말했지만 얌전한 아가씨는 아닌 모양이에요.

–어머나, 호호. 그때 손이 거칠다고 전사가 아닐까 농담을 했던 기억이 나네요.

뭐야, 초능력이라도 있는 건가?

자기들끼리는 농담이라고 한 말이겠지만 전사는 아니더라도 그와 비슷한 기사인지라 혼자 찔끔했다.

특이하게도 거울이 없는 화장대 앞에서 치장하고 있었는데, 치장을 돕는 여자들이 수시로 앞으로 옆으로 돌아가며 직접 눈으로 살피며 꾸몄다.

덕분에 나는 그들과 내내 불편한 시선을 주고받을 수밖에 없었다.

머리가 끝난 것인지 치장을 도울 색색의 도구가 담긴 상자들이 꺼내지고 얼굴로 손이 올라온다.

조용히 눈을 감으며 다가오는 연회에서 최대한 많은 정보를 얻어내리라 각오를 다졌다.

짧은 시간에 준비한 것치고 연회는 제법 풍성했다.

다만 '연회'라고 해서 당연히 우리 제국이나 대륙에서 하듯 춤을 추고 대화를 나누는 것을 생각했는데, 여기는 아예 다른 방식을 취하고 있었다.

하기야 서로 있는 줄도 모르고 산 세월이 얼마던가. 그만큼 먼 곳에서 독자적으로 발전을 이루었으니 비슷하다면 그것이 더 이상할 것이다.

-역시 연회엔 저들이 빠져서는 안 되죠.

-맞습니다. 연주 실력이 둘째라면 서러울 정도니까요. 최고라는 소리를 들은 지 오래인데 아직도 따라올 자들이 없다는 것만 해도 알 만하지요.

한 번도 본 적 없는 악기들의 연주가 끝나자 사방이 박수 소리와 웃음소리로 가득 찬다.

이곳의 연회는 가운데를 비워 놓고 둥글게 자리를 만들어 앉아, 그 가운데에서 여러 가지 공연 같은 것이 진행되었다.

연회 참석자 중 신분이 높은 사람들과 주최자가 남들보다 높이 위치한 자리에 앉아 전체를 내려다보는 느낌으로 연회를 즐기는 형식인 것 같았다.

그 때문인지 나와 그 첩자의 자리만 높은 단상 위다. 절대 왕권이라도 되는 걸까.

–어떤가. 흥미롭지 않은가? 저들은 동대륙에서도 아주 유명한 재인(才人)들이지.

"글쎄, 잘 모르겠는데. 앉아서 남들 재주 자랑을 보는 게 흥미로워 봤자."

첩자의 자부심 가득한 물음에 시큰둥하게 답하자 자존심 강한 첩자의 표정이 팍 굳어진다.

본 적 없는 구경거리이니 신기하기는 하지만, 예술도 즐기는 방법을 알아야 즐긴다고 했다.

뭐가 뭔지도 모르는 상태에서는 시간이 갈수록 피곤하고 지루할 수밖에.

–모두 조용.

굳어진 표정으로 사람들의 이목을 모은 첩자가 갑자기 자리에서 일어났다.

다음 공연을 준비하느라 가운데로 나서던 여자들이 그 말에 뒤로 우르르 빠져나가기 시작했다.

그가 일어나자 모두 바짝 얼어붙더니 연회를 즐기던 분위기가 순식간에 조용해졌다.

직접 보지 않았음에도 얼마나 공포 정치를 한 것인지 알 것 같았다.

—이토록 즐거운 날, 부왕 전하와 어마마마가 극심한 병환 중이라 참석지 못한 것에 심히 유감을 표하는 바이다.

아, 그러고 보니 왕자라고 했었지. 줄곧 왕처럼 굴기에 잘못 알고 있었나 했더니 저런 상황이었군.

듣자 하니 왕과 왕비가 자기 부모님인 것 같은데, 어쩜 저렇게 남의 이야기를 하듯 태연자약하게 말할 수 있지?

그의 매정함에 질려 그의 뒤통수를 쳐다보며 무슨 말을 하려나 귀를 쫑긋거렸다.

—며칠 전 나는 그대들에게 뮤사를 소개했었다. 앞서 말했듯 므네모쉬의 딸이지. 우리 왕국의 마지막 공주이자 황녀인 므네모쉬 말이다.

황녀는 또 무슨 말이지? 이전에는 왕국이 아니라 제국이었단 말인가?

그러고 보니 전에 비슷한 말을 했던 것도 같다. 이어지는 그의 말을 면밀히 분석하며 놓치는 것 없이 기억하려 애썼다.

—그동안 그대들이 내 가문이 이 왕국의 왕실 혈통을 잇는 것에 불만이 많았음을 안다.

—오, 오해이십니다!

—그럴 리가요. 절대 잘못 알고 계시는 겁니다.

첩자의 냉혹한 말에 다들 아니라고 발발 떨며 부정하는 목소리를 높인다.

나라도 그랬을 것이다. 지금 첩자의 목소리는 누구 하나 당장 잡아 죽일 듯이 살기등등했으니까.

어휴, 차라리 화병으로 속 터지는 편이 훨씬 낫겠다.

속으로 주군으로 모시기에는 황태자도 제법 괜찮은 사람이라고 생각하고 있는데 첩자가 다시 말을 시작했다.

-감히 아니라는 거짓을 고하지는 마라. 그간 그 정통성과 위배된다 하여 얼마나 많은 반역도들이 내 가문에 칼을 들이대었던가? 끝이 보이지 않는 내전 끝에 우리는 황실에서 왕실로 주저앉을 수밖에 없었다.

매섭고 분노가 느껴지는 첩자의 말이 끝나자 무거운 침묵이 내려앉았다.

이번에는 누구도 감히 쉽게 입을 열어 부정하려 들지 않았다. 살벌한 분위기에서 감히 눈에 띄고 싶지 않아 하는 눈치였다.

첩자의 말을 토대로 동대륙의 역사를 정리해 보았다.

이곳은 과거 제국이었다가 정통 후계자를 잃고 새로운 황가를 내세우는 과정에서 내전이 벌어져 분열이 일어난 것 같다.

그 탓에 제국의 위용을 잃고 왕국으로 격하된 것이리라.

소름 돋는 침묵이 흐르는 중, 첩자가 다시 입을 연다.

-나 또한 인정하는 바이다. 힘의 논리로 이길 수만 있다면 너도나도 군주의 자리에 앉을 수 있다니. 누구라도 욕심을 내겠지. 나라도 목숨 아까운 줄 모르고 덤빌 것이다.

그래? 난 그냥 뒤로 물러서서 군주의 자리에 앉은 사람을 올바른 군주로 만들기 위해 노력할 것 같은데.

그의 호전적 성향에 놀라며 속으로 중얼거렸다.

아, 물론 누가 봐도 폭군 같은, 그러니까 저치 같은 군주가 불합리한 피의 정치를 벌이면 상황이 달라질 수도 있을 것 같다.

-아직도, 정통성을 입에 담아 반역을 꾀하는 세력이 있다고 알고 있다.

-그, 그런 당치도 않는……

그 말에 모든 사람들이 소스라치게 놀라 그렇지 않다며, 그럴 리

있냐며 부정하는 말들로 웅성거리기 시작했다.

첩자는 더 큰 목소리로 말을 이으며 그들을 침묵하게 했다.

―그러나! 내가 감히 그 누구도 넘볼 수 없는 정통성을 가진다면 어떻게 될까.

맞는 말이기는 한데, 정통성을 어떻게 가지려는 거지. 나한테 왕위를 넘겨받는다고 공표라도 받겠다는 건가?

도무지 갈피를 잡을 수 없는 첩자의 말에 인상을 찌푸리고 있는데, 첩자가 갑자기 시선을 내게로 돌렸다. 깜짝이야. 뭐, 왜!

―순리대로라면 므네모쉬는 내 어머니가 되었어야 했다. 부왕 전하와 약속된 혼례를 치르고 나를 낳아 내게 정통성을 물려주었어야 했다!

저건 또 무슨 헛소리람. 설사 그렇다고 치자. 지금 와서 저게 다 무슨 소용이란 말인가.

첩자의 아버지도 이 첩자와 크게 다르지 않다면 어머니가 왜 도망치셨는지 알 만했다.

―그런데 그녀는 자신의 의무에서 도망치고야 말았지. 그 덕분에 모든 것이 엉망이 되고야 말았다.

그것참 그쪽의 입장에서는 유감이겠지만, 어머니의 인생으로 보자면 최고의 선택이 아니었을까 싶다.

―그녀를 탓할 생각은 없다. 모든 잘못은 그녀를 거짓된 목소리로 꾀어내 도둑질해 간 서대륙의 야만인들에게 있으니까 말이다.

―맞습니다. 일이 정리된 후 그들에게 피의 응징을 내려 잘못을 깨우치게 해야 할 것입니다!

―옳습니다!

아니, 이야기가 또 왜 그렇게 되는 건데? 나는 황당함에 어이가 없다는 시선으로 그를 바라보았다.

그러다가 그의 말에 동의하는 발언을 하며 한발 더 나아가 응징을 논하는 사람들에게로 시선을 돌렸다.

저런 궤변에 동의하는 사람들은 대체 무슨 생각인 걸까.

-조용. 그래도 나는 참 다행이라고 생각한다. 늦었지만 드디어 모든 것을 바로잡을 수 있는 순간이 오지 않았던가. 이날이 오기까지 나는 참 멀고도 먼 길을 걸었다.

무슨 말을 하려고 저렇게 뜸을 들이는 거지. 그리고 바로잡는다고? 도대체 어떻게?

그 이상한 주술이라는 것을 써서 돌아가신 어머니라도 살려 낼 셈인가?

도무지 짐작이 되지 않아 답답증을 느낄 무렵 첩자가 매서운 눈초리로 좌중을 내려다보다 다시 입을 열었다.

-므네모쉬의 딸 뮤사는 나와 혼례를 올릴 것이다.

뭐? 누가 누구랑 혼례를 올린다고?

황당하기 그지없는 첩자의 말에 입을 떡 벌리고 그의 뒷모습을 바라보았다.

내가 대체 지금 무슨 소리를 들은 거야.

돌아가는 상황을 파악하고자 눈만 데굴데굴 굴리고 있는데, 그가 나에게로 성큼성큼 다가와 팔을 잡아 일으킨다.

반항할 틈도 없이 나를 사람들 앞에 세운 그가 다시 큰 목소리로 입을 열었다.

-온 나라에 이 사실을 알리고 큰 잔치를 준비해야 할 것이다. 우리는 다시 제국으로 돌아갈 것이다!

-성은이 망극하옵니다! 그 높은 뜻을 받들어 따르겠나이다.

그의 말에 목청 높여 충성을 맹세하는 사람들을 멍하니 바라보다 고개를 돌려 그를 사납게 노려보았다.

"누구 맘대로 혼례를 올린다는 거지? 나는 이미 약혼한 몸이다. 그리고 너 같은 작자와 결혼할 생각은 눈곱만큼도 없어!"

"나 또한 서대륙 오랑캐의 피가 섞인 너와의 혼례가 썩 내키지는 않네. 내게 필요한 것은 네 어머니, 므네모쉬의 혈통뿐이다."

갑작스럽게 우리말로 답하는 첩자를 사납게 노려보자 그가 진득한 웃음을 짓는다.

"최대한 빨리 혼례를 치르고 아들을 낳아야 한다. 이 왕실에 정통 후계자의 피를 이은 아들이 태어난다면 모든 것은 순리대로 완벽해질 것이니 말이다."

저건 또 무슨 헛소리야.

결혼도 황당하고 까마득한 소리인데 아들은 또 웬 말이고.

입이 있어도 말이 안 나온다는 것이 이런 것인가 보다.

기가 막혀 헛웃음만 짓다가 애써 정신을 다잡고 목소리를 높였다.

좌중은 이미 흥분에 휩싸여 내 목소리 따위는 들리지 않는 것 같았다.

"미쳤군. 당신은 완전히 미쳤어!"

"하하, 저번에도 말했던 것 같은데. 세상에 미치지 않은 사람은 없다고 말이야."

내 고함에도 굴하지 않고 정말로 미친 사람처럼 웃어 대던 첩자가 홀연히 떠났다.

단상 위에 홀로 남겨진 나는 씩씩거리며 에카이트와 최대한 빨리 대화를 나누어야겠다고 생각했다.

방에 돌아와 영상석으로 불러낸 에카이트는 생각보다 차분히 설명을 들어 주었다.

그러다가 결혼 이야기와 아들 타령에 이르자 깜짝 놀랄 정도로 발끈하는 바람에 차마 말을 잇지 못했다.

「……그러니까 그 미친 작자가 그따위 헛소리를 했다?」

“몇 번을 말합니까. 제발 목소리 좀 낮춰요. 그리고 왜 저한테 화를 냅니까?”

괜히 나한테 성질이야.

나도 억울하고 답답하고 짜증 나는데 이렇게 길길이 날뛰면서 따져 물으면 뭐라고 답하란 거야!

「미안하게 됐군. 너무 상식 밖의 일이라 당황해서 그만……. 그대에게 화내려는 의도는 아니었어.」

“지금 중요한 건 그게 아니니 일단 넘어가죠. 이 정신 나간 작자가 금방이라도 결혼식을 올릴 기센데 어떡하면 좋죠? 혹시 이곳의 지도 가진 거 없습니까?”

내 말에 잠시 침묵을 지키던 에카이트가 깊은 한숨을 내쉬었다.

없구나. 한숨이 뜻하는 바를 빠르게 이해한 나도 같이 한숨을 쉬었다.

「알다시피 교역을 시작한 지 얼마 안 된 나라가 아닌가. 교역이나 통관 때문에 동대륙으로 가는 항로나 국경의 위치 정도만 알고 있을 뿐, 그 밖의 정보는 아직이네.」

너무 막막한 상황에 할 말을 잃고 기가 막혀 입을 벌렸다.

“아니, 그러면 방법이 없네. 나 여기서 그냥 결혼식 올려요?”

「제정신으로 하는 소린가? 절대, 절대로 안 되지, 당연히!」

“안 된다고만 하지 말고 그럼 탈출이나 구출, 뭐가 됐든 계획을 세워야 할 거 아닙니까!”

내 말에 에카이트가 거칠어진 호흡을 가다듬으며 잠시 침묵을 지킨다.

누군 단순히 미친 것을 넘어서 광기로 눈이 시뻘건 놈이랑 결혼하고 싶은 줄 아나.

「안 그래도 오늘 아버지께서 귀족 회의에 상황을 알려 대책 회의가 열렸지. 황제께서는 인력을 아끼지 말라는 명까지 내리신 상황이고.」

"……귀족 회의면 우리 아버지도……."

속 끓이며 걱정할 아버지를 생각하면 마음이 아프다가도 얼마나 분기탱천해 길길이 날뛰실지 그 모습이 떠올라 무섭다는 생각이 앞선다.

내 조심스러운 질문에 에카이트가 잠시 말을 멈춘다. 불길한 침묵을 견디지 못한 나는 그를 독촉하기 시작했다.

"에카이트, 거기 있습니까? 답답하니 빨리 말 좀 해 주시죠."

「……폰디체리 공작이라면 당연히 계셨지. 덕분에 회의장이 아주 난리가 났다더군. 오후엔 결국 다른 회의장으로 장소를 옮겨 진행했다지.」

듣기만 해도 아버지의 분노가 느껴져 조용히 입을 다물었다.

「일단 대규모 병력을 꾸려서 전쟁을 벌이는 것은 준비나 이동에 시간이 너무 많이 걸려. 빨리 이동하려 서둘렀다가 자칫 잘못해서 패배하기라도 하면 일이 복잡해져.」

"그건 저도 동의합니다. 해로를 통해서 와야 하는 길이 아닙니까? 게다가 머릿수가 많으면 변수에 너무 취약합니다."

둘 다 대규모 인력이 움직여 탈출을 돕는 것은 비효율적이라는 데에 동의했다.

「일단 동대륙에 도착하는 데에만 보름이 걸리더군. 물론 이건 모든 준비를 마치고 큰 변수 없이 부지런히 이동했을 때의 경우라고 봐야겠지.」

"아직 준비가 시작됐을 리는 없으니 보름보다 훨씬 더 걸리겠군요."

암담한 상황에 애써 실망한 티를 내지 않으려 노력하며 태연한 척 말했다.

하지만 에카이트는 이러한 사실을 귀신같이 알아채고 먼저 말을 건넸다.

「너무 초조해하지 말고 기다리고 있도록. 절대 그 빌어먹을 작자랑 결혼식장에 서는 일은 없을 테니까.」

"그걸 말이라고 합니까? 다 때려 부수는 한이 있다 해도 그런 일은 없을 겁니다."

「……폰디체리 공작이 박살 낸 회의장을 떠올리며 안도감을 느끼게 될 줄이야. 그대가 폰디체리 공작을 닮았다면 충분히 가능한 일일 것 같군.」

아버지, 대체 얼마나 난리를 치셨는지 저는 감히 상상도 되지 않습니다.

잠시 숙연해졌던 나는 작게 헛기침하곤 입을 열었다.

"다시 본론으로 돌아가지요. 일단 소수 정예로 오는 편이 맞을 것 같습니다. 자력으로 탈출을 시도하기엔 정보도 너무 부족한 것 같습니다. 또 저한테 쏠린 시선들이 너무 많고요."

「동의하네. 전략적으로 유리한 인원들로만 구성해서 출발하는 편이 가장 이상적이지.」

"이제 그 정신 나간 결혼식 준비니 뭐니 해서 사람들이 많이 붙을 것 같습니다. 어쩌면 지금처럼 대화를 나누기도 어려울 거예요."

「끔찍한 가정이로군.」

에카이트의 말에 침묵으로 동의하며 혹시 바깥에 인기척이 있지는 않은가 약해진 마나로 가볍게 탐색해 보았다.

다행히 아무것도 느껴지지 않는다.

“아, 그리고 이상한 것이 있습니다.”

「무엇인들 정상이겠나. 뭐가 이상하다는 거지?」

에카이트가 되묻는 말에 그간 머릿속을 휘젓던 생각들을 천천히 정리해 입 밖으로 내기 시작했다.

“결과적으로 첩자는 제가 필요했습니다. 정확히는 제 혈통이지요. 그래서 그의 첫 번째 목표는 저를 이곳으로 데려오는 것이었고요.”

「지금까지 있었던 일만 봐도, 틀림없는 사실로 보이는군. 그래서?」

“그렇다면 대체 왜 그간 시간을 끌면서 이런저런 사건을 벌이고 저를 곤란에 빠트리려 든 것일까요? 그냥 지금처럼 대뜸 납치해도 됐을 텐데.”

내 말에 잠시 침묵이 흐른다.

아니, 진짜 이상하잖아.

어차피 공공연하게 납치할 거라면 처음부터 납치해서 데려오는 편이 자신들에게도 더 깔끔한 것 아닌가?

에카이트도 생각을 정리할 필요가 있다고 여긴 것인지 대답에 신중을 기하고 있는 것이 느껴져 잠시 기다렸다.

잠시간의 침묵이 끝나며 영상석을 통해 에카이트의 목소리가 다시 흘러나오기 시작했다.

「아직 확실한 것은 아니니 가정으로 들어 주면 좋겠군. 우선 처음에는 확신이 필요했을 것이라고 생각한다. 일단 귀족도 아니고 제국에 단둘뿐인 공작가의 여식인 데다 기사라니.」

“……확실히 마구잡이로 덤비기엔 좀 부담스럽죠.”

내 동의에 에카이트가 막힘없이 계속 말했다.

「단순히 닮았다는 것만 보고 대범하게 납치하기엔 뒷감당이 곤란할 수 있지. 모든 위험 부담을 떠안고 납치했는데 아니라면?」

“얻은 것도 없이 명분을 주는 행동이 되겠군요. 여기 상황을 봐선 위태로운 왕가를 공포 정치로 다잡고 있는 것 같던데, 그런 대형 사고가 벌어지면 지지층을 잃기 쉽겠어요.”

「바로 그거지. 그래서 아마 한동안 확인해 보고 싶었을 테지. 그대가 다른 영애들과 같았으면 그 절차가 훨씬 쉬웠겠지만 기사라서 아마 계획에 상당히 지장을 받았을 테지.」

에카이트의 말에 곰곰이 생각해 보았다.

하긴 다른 영애들은 사교 활동을 의무적으로 즐기면서, 좋든 싫든 본인의 근황과 신상을 공유하곤 했다.

그러다 보니 쉽게 알아낼 수 있는 정보들이 많을 것이며 접근도 용이했으리라.

그러나 기사인 내 경우는 조금 다르다. 개인사에 대해서는 극히 알릴 일도, 알려질 일도 없다.

거기에 훈련이나 수련으로 두문분출하기 일쑤였으며 그 외의 시간은 제국 내에서 가장 보는 눈이 많고 경비가 삼엄한 황궁에서 근무한다.

기본적인 것만 확인하는 것도 보통 일이 아니네.

상황을 파악한 나 역시 고개를 끄덕이며 동의를 표했다.

“성가셨겠군요. 사교계로 끌어들여야 그나마 황궁 밖에 머무는 시간이 늘 텐데. 그래서 리디아 펠튼과 결탁했던 것일까요? 절 사교계로 끌어들이려고?”

정말이지 껄끄러운 이름이었지만 확실히 해 두기 위해 태연을 가장해 입에 담았다.

그는 침묵을 지켰다. 예상치 못한 침묵에 다소 불편하게 그의 다음 말을 기다렸다.

아니, 누가 뭐랬나. 왜 혼자 찔려서 저래?

태연히 아무 일도 아닌 양 사무적인 태도로 설명하려 들 줄 알았는데 의외다.

「그…… 여자에 대해선 정말 뭐라고 할 말이 없군. 모두 다 내 실수이고 또 잘못이야.」

"지금 상황이 잘잘못을 따질 만한 상태는 아니니 이 문제는 나중에 다시 얘기하도록 하지요. 대충 어떤 상황이었는지는 짐작이 갑니다. 우리가 진짜 연인 사이라면 몰라도 정략적 약혼 관계이니. 딱히 사과할 일도 아니죠."

말하면서도 괜히 속이 쓰려 괜히 저렇게 말했나 후회됐지만 그것이 사실이기에 애써 태연하려 노력했다.

잠시 침묵이 흐르다가 에카이트가 입을 열었다.

「……그 이야긴 만나서 하는 것으로 하지. 첩자는 그대를 사교계에 끌어들인 다음 잔뜩 흠을 만들어 가치를 떨어트리려 했던 것 같더군.」

"그게 어디에 도움이 된다는 거죠?"

나는 발끈해 되물었다.

어쩌면 과거 비참한 상황에 내몰린 경위를 알 수도 있겠단 생각에 신경이 예민하게 곤두섰다.

「좀 과장된 내용인 것 같긴 하지만, 일단 들어 줘. 우선 그대를 계속해서 폄하하고 우스운 꼴로 만든 다음 약혼자인 내가 그들이 조종하는 별 볼 일 없는 여자와 내연 관계라고 소문을 내는 거지.」

심장이 쿵쿵 뛰기 시작했다. 동요를 숨기기 위해 애써 숨을 고르며 말을 받았다.

"그래서요?"

「그러면 그대가 기사라는 것도 결국엔 조롱거리가 될 것이고 자연스레 사교계에 얼굴을 들고 다니기도 어렵게 되겠지.」

그래, 그랬었다.

전생에 벌어진 일을 가정하는 목소리에 심장이 쿵쾅거리는 소리가 커지는 느낌이다.

"그렇게 해서 그에게 남는 것이 있습니까?"

「그렇게 그대가 제국에서 잊히길 기다리는 거지. 그대를 납치하기도 쉽고, 뒷감당도 수월할 테니까.」

피가 차갑게 식는 기분이란 이런 것일까.

깊은 곳에서 올라온 분노가 손발을 저릿하게 하고 있었다.

깊은 흉터같이 비참한 기억으로 남았던 나의 전생은 첩자의 이해와 편리에 따라 만들어진 것이다.

「……하지만 생각보다 그대가 사교계에 능숙하게 적응한 탓에 계획대로 고립시킬 수 없었지.」

"……그래서 최대한 제국에서 떨어트려 놓고 시선이 적을 때 일을 벌인 거라고요?"

이를 악물고 말하자 에카이트가 조용히 동의한다.

「언데드 사건이나 펠튼 사건까지 포함해 추측하자면 너무 길어지니 일단 그런 것으로 정리해 두는 편이 좋겠군.」

"일단……. 일단 알겠습니다. 너무 피곤해서 그런데 먼저 자야 할 것 같습니다."

「……이런. 시간이 늦었군. 힘든 하루였을 텐데 푹 쉬도록.」

대꾸도 하지 않은 채 어두운 방에서 조용히 눈을 감았다.

끊기지 않았는지 영상석이 희미하게 빛나며 다시 에카이트의 목소리를 전한다.

「반드시 구하러 갈 테니 부디 그때까지 몸 조심히 기다리고 있도록.」

심란한 마음과 분노에 휩싸였던 마음이 가라앉는 것을 느끼며 조용히 눈을 감았다.

―일단 들어야 하실 수업이 많습니다. 간략하게 일정을 알려드릴 테니 숙지하셔야겠습니다.

이런 황당한 상황이 다 있나. 가뜩이나 늦게 잠들어 피곤해 죽겠는데, 이른 아침부터 깨우더니 한다는 소리가 저거다.

"수업은 무슨 수업이야. 이번 생에는 학자가 못 돼서 죽은 귀신이 붙었나, 아카데미부터 시작해서 왜 이러는 거래?"

짜증스러운 마음에 소리 내어 툴툴거렸지만 여자는 내 말을 알아듣지 못해 조용히 침묵으로 서 있다.

―이해하신 것으로 알고 말씀드리겠습니다. 당분간은 대륙어 수업을 들어야 합니다. 남는 시간에는 예법 수업을 들어야 하고요.

지리나 역사 수업 이야기도 할 줄 알았는데.

다음 말을 기다리던 나는 침묵하는 여자를 보며 입맛을 다셨다.

"거참 이상하네. 저게 다라고?"

―더 하실 말씀이 없으시다면 이만 아침 식사를 준비하겠습니다.

"할 말이야 많은데 대화가 통하지 않아서 문제지. 일단 알겠어요."

못마땅한 기색으로 고개를 끄덕이자 여자가 뒤로 서서히 물러나 방을 나선다.

"아카데미에서 뼈저리게 느꼈지만 난 그렇게 학구파도, 두뇌파도 아니라고. 이게 웬 날벼락이래. 아이고, 내 팔자야."

나는 깊은 한숨과 함께 고개를 푹 떨궜다.

에카이트가 빨리 구출팀을 보내 주길 간절히 바라면서 말이다.

수업은 시작하기 무섭게 생각지 못한 난관에 부딪혔다.

이쪽 말을 이해할 수 있게 되어서 습득이 빠를 것이라는 첩자의 기대와는 달리, 이해할 수 있어 문제였다.

"너희 말로 발음이 들리는 게 아니라 우리말로 바뀌어 들리는데 뭘 따라 하라는 거냐고."

–'안녕하셨습니까.' 따라 해 보십시오.

"안녕하셨습니까."

–……이것 참 큰일이로군요.

그러게요. 한숨을 쉬는 대륙어 교사의 말에 고개를 끄덕여 동의를 표했다.

발음 구조나 성조가 완전히 다른 덕분에 도통 말이 들리지 않고 있었다.

내가 듣기엔 다 비슷비슷해서 아무리 해도 똑같이 발음할 수 없었다.

–한 음절씩 해 보지요. 안!

"안?"

–……자꾸 원래 쓰시던 말을 하시면 곤란합니다. 소리를 흉내 낸다고 생각하고 해 보세요.

인내심에 한계가 왔는지 살짝 짜증을 낸 남자가 다시 천천히 입을 열었다.

–안.

–아.

–그렇죠. 비슷했습니다. 다시 한번. 안!

–아.

–좋습니다. 녕!

–여.

내가 그의 말을 마치 동물 소리를 흉내 내는 어린아이처럼 따라 읊었다.

하지만 아무리 해도 안 되는 건 안 되는 것.

내가 들어도 완전 다른 소리 같은데, 남이 들으면 오죽할까.

그가 깊은 한숨을 쉬며 고개를 숙였다.

지독한 열등생이 된 것 같은 기분에 괜히 위축된 나는 새삼 우리 말을 능숙하게 구사하는 첩자의 재능에 감탄할 수밖에 없었다.

아……. 재능이 아니라 집념인가?

–말을 모두 이해할 수 있다고 해서 수업이 쉬울 것이라고 생각했는데……. 제가 실수했네요. 오늘은 여기까지 하고 내일은 어린아이용 쉬운 책을 가져오죠.

“일단 오늘은 끝났단 얘기죠? 좋아요, 그럼 들어가세요.”

어린아이들이 보는 책이라는 말에 살짝 자존심이 상하기는 했지만 그게 다 무슨 상관이겠는가.

오늘은 이만하고 간다는 말에 애써 표정을 다잡으며 손을 흔들어 작별을 고했다.

그가 방을 나서자 탁자에 놓인 다과를 정리하러 여자들이 들어와 일사불란하게 움직인다.

"아, 산책이라도 하고 싶다. 좀이 쑤셔서 견딜 수가 있어야지."

제대로 몸을 푼 지 오래라는 생각에 찌뿌둥한 몸을 쭉 펴 가볍게 스트레칭했다.

이러다 몸이 다 굳는 거 아닌가 몰라.

그렇게 투덜거리는데 노크 소리가 들렸다.

문 쪽을 돌아보니 깐깐하게 생긴 중년 여자가 방으로 들어오는 것이 보였다.

"베이야드 공작 부인이 여기서 태어났다면 딱 저랬을 것 같군."

에카이트의 어머니이자 깐깐하기 그지없는 베이야드 공작 부인을 연상시키는 여자의 모습에 나는 다시 한번 깊은 한숨을 내쉬었다.

흔한 얘기지만 불길한 예감은 틀리지 않는다고 했다.

베이야드 공작 부인을 연상시킨 여자는 베이야드 공작 부인의 복제품이라고 해도 믿을 정도로 깐깐했다.

폭풍처럼 몰아친 수업이 끝나자 진이 빠져 딱딱한 침대 위로 물먹은 빨래처럼 늘어졌다.

"제국의 예법도 까다로운 편이라고 생각했는데 여기는 더 하네. 그냥 숨 쉬는 것도 예법을 지켜야 한다니. 베이야드 공작 부인이 알면 좋아하겠어."

숨을 쉴 때에 입을 벌리지 않고 코로 조심조심 쉬라고 말하며 시범을 보이는 모습이 떠올라 진저리를 치며 돌아누웠다.

잠시 쉬니 정신이 좀 돌아오는 것 같다. 여유가 생기니 뜬금없게도 에카이트 생각이 나 영상석을 작동시켰다.

"에카이트?"

「아펠리아. 기다리고 있었어. 별일 없었나?」

"뭐, 별일이라면 별일이겠죠."

기운 빠진 대답에 에카이트가 긴장한 목소리로 빠르게 다그쳤다.

「무슨 일인가? 혹시 신변에 문제라도…….」

"너무 호들갑 떨지 않아도 됩니다. 별다른 것은 아니고 오늘부터 이 나라 말과 예법 수업을 받게 되었습니다."

「……아주 작정을 했군. 그래, 어땠나?」

내 말에 으르렁거리듯 중얼거린 에카이트가 묻는다.

"어……. 두 개 다 최악이었어요."

「어째서? 뭐가 문제였지?」

내 머리요. 아무리 생각해도 하나를 가르치면 열을 깨우치는 머리와는 거리가 있는 것 같다.

차마 내 둔한 학습 능력을 깨우친 시간이라고는 할 수 없어 적당한 문젯거리를 떠올리려던 순간, 예법을 가르치러 왔던 여자가 생각났다.

"음…… 예법 선생으로 온 사람이 말입니다."

제 어머니의 흉이 될 수도 있는 말인데 괜찮을까?

고민 끝에 에라 모르겠다는 마음으로 입을 열었다.

베이야드 공작 부인이 예법으로 까다로운 것을 모르는 사람은 없으니 말이다.

"……완전 베이야드 공작 부인이랑 똑같았습니다. 생김새나 그런 것을 말하는 것이 아니라 그, 왜 있잖습니까."

내 말에 잠시 침묵을 지키는 에카이트를 두고 괜한 말을 했나 후회하려던 찰나 웃음소리가 흘러나오기 시작했다.

「……큭, 큭큭큭. 알 만하군. 그대에겐 말 그대로 악몽 같은 시간이었겠어.」

"꿈에 나올까 무서울 지경이었다니까요."

나도 모르게 툭 본심이 튀어나왔다.

이런 실수를. 어떻게 수습해야 하나 당황하고 있는데, 에카이트는 그 말의 어디가 웃긴지 웃음을 참지 못하고 큭큭거렸다.

잠시 영상석에서 떨어진 것인지 멀리서 크게 웃는 소리가 들린다.

「하, 하하하. 간만에 웃어 보는군. 우리 어머니를 어려워하는 줄은 알았지만 그 정도일 줄은 또 몰랐어.」

"몰랐다는 게 더 신기합니다. 제가 일전에 병문안으로 베이야드가를 드나들던 때에 얼마나 안절부절못했는지 보고도 그런 말을 하십니까."

불퉁하게 답하는 목소리에도 웃음기를 완전히 지우지 못한 에카이트가 말을 받는다.

「그래도 그 정도면 제법 좋아하셨던 건데 말이지.」

정말 싫어했다면 살아서 못 돌아갔겠네. 기가 막혀 헛웃음이 다 나온다.

이제는 웃음기를 거의 떨쳐 낸 에카이트가 좀 진정된 목소리로 말을 건다.

「우리 어머니를 떠올릴 정도면 숨 쉬는 방법까지도 가르치려 들었겠군. 제법 고생하겠어.」

"어떻게 알았습니까? 세상에 숨 쉴 때 코로만 쉬라고 입을 틀어막을 기세였다니까요. 공작 부인도 그러십니까?"

내 말에 잠시 침묵을 지키던 에카이트가 떨떠름한 목소리로 답했다.

「우리 어머니보다 더한 사람이 있었군. 어머니는 그 정도는 아니야.」

"그것참 다행이로군요. 일은 어떻게 되고 있습니까?"

「황태자 전하와 내가 제국에 도착해야 제대로 속도가 날 테지만,

일단은 아버지께서 일을 맡고 계셔. 우리도 내일이면 도착할 듯하고 말이야.」

에카이트의 말에 고개를 끄덕이며 궁금한 점을 물었다.

"귀족들에겐 어떻게 얘기했습니까?"

「간략하게 설명하지. 일단 그대가 동대륙 첩자에게 납치된 것은 사실 그대로 알렸네. 하지만 납치의 정확한 배경은 알리지 않았어.」

납치의 정확한 배경. 그것은 '므네모쉬', 즉 내 어머니와 관련된 사연을 말하는 거겠지. 그의 말에 작게 고개를 끄덕였다.

아무래도 구태의연하게 옮겨져서 좋을 말은 아니었으니 최대한 감추는 편이 나을 것이다.

"하지만 구출을 위해 오는 사람들에겐 설명해 줘야 하지 않을까요."

그렇게 말하자 에카이트가 즉각적으로 동의를 표했다.

제대로 설명이 되지 않은 채 작전을 수행했다간 오해로 인한 내분이 생기기 쉬운 상황이니까 말이다.

「문제는 구출이 성공으로 끝났다고 해서 모든 것이 끝나는 게 아니란 거지. 그대가 제국으로 돌아오는 순간 또 다른 문제가 시작될 테니.」

탈출하는 것에 급급해 생각도 못한 것이었다. 제국으로 돌아간 뒤라……. 잠깐 상상해 본 나는 인상을 찌푸렸다.

"복잡하겠군요. 왜 하필 제가 납치가 되었나부터 시작해서 여러 가지로요."

「지금 계획은 이래. 최대한 우리들의 가문과 이해관계가 있거나 입이 무거운 자들로 골라서 팀을 짠다.」

"쉬운 듯 어려운 말이로군요."

내 말에 에카이트가 동의를 표하며 낮게 한숨을 쉬었다.

「하지만 사람이라는 것이……. 온전히 믿을 수 없으니 어느 정도 각오는 해야겠지.」

“그 일은 그때 가서 고민해 보죠. 어떻게든 되지 않겠습니까?”

태평한 말에 에카이트가 작게 웃는다.

「맞는 말이야. 최대한 서두를 테니 부디 몸조심하고 있도록.」

“저도 제 목숨 귀한 줄은 압니다. 그럼 또 연락하겠습니다.”

나는 영상석을 다시 귀걸이 뒤로 끼우며 조용히 눈을 감았다.

이때만 해도 금방 집에 돌아갈 수 있을 것만 같았다.

세 번째 예법 수업이 끝나기 무섭게 탁자에 엎어졌다. 걸으면서 발가락이 닿는 순서까지 어떻게 신경 쓰란 말이야.

“여긴 미쳤어.”

그간 여러 곤란을 겪으며 은연중에 어머니를 원망하는 마음이 조금은 있었다.

하지만 이곳에 대해 알면 알수록 어머니의 선택을 백번이고 지지할 수밖에 없었다.

“밥은 또 왜 이렇게 먹기 힘든 거야.”

식사 예절이랍시고 가져온 희한한 작대기 두 개로 곡예에 가까운 솜씨로 음식을 집어 올리던 여자의 모습이 눈앞에 어른거렸다.

탁자에 엎드려 띵한 머리를 식히는데 멀리서 웅성거리는 소리가 시작했다.

“이건 또 뭐야. 무슨 소리지?”

대부분 정적에 가까울 정도로 조용했기 때문에 여기는 원래 이런 곳인가 싶었는데, 늘 그런 것은 아닌가 보다.

습관적으로 마나를 움직이다가 괜한 낭비라는 생각에 멈추고 귀를 쫑긋거렸다.

–며칠이 지나도록 제대로 인사도 받지 못한 것도 기가 막힌데, 내가 친히 보러 간다는 것도 막아?

–마마, 진정하시옵소서. 이러시면 아니 되옵니다.

–썩 비키지 못할까!

저 여자는 또 누구야.

어마어마한 성량을 자랑하는 목소리에 놀라 엎드렸던 몸을 일으켰다.

왠지 느낌상 나를 지칭하는 것 같았기 때문이다.

그리고 얼마 지나지 않아 거칠게 열린 문을 바라보며 불길한 생각은 틀리지 않는다는 법칙에 대해 잠시나마 고민했다.

–오호라, 정말로 이 방을 쓴다고? 아주 기가 막히는구나. 아라 님의 소년 시절 방이라니. 대대로 왕자비는 그의 소년 시절 방을 쓰지 않더냐. 이러다 진짜 왕비로 맞이하겠어, 하!

–진정하시옵소서. 마마, 이러시면 나중에 큰 곤욕을 치르실 수 있사온데 어찌 이러십니까.

–이미 이 자체가 큰 곤욕이다. 네년들이 감언이설로 내 눈을 가리려 들고 귀를 현혹한 탓에 일이 이렇게까지 된 것이지 않느냐!

우리말로 번역되어 들리는 고전적인 말투는 금방이라도 내 머리채를 잡을 기세였다.

하지만 누가 보아도 딱히 무술은 고사하고 운동도 안 해 본 것 같아 보이는데, 겁낼 턱이 없다.

힘겨루기를 하자고 덤벼 주면 나야 고맙지. 가뜩이나 몸도 뻑뻑하고 스트레스도 많이 쌓인 상황이니 더욱 그러했다.

그나저나 이 방이 첩자가 어렸을 때 썼던 방이라고?

괜히 찜찜하게 왜 저런 말을 해서는. 방 바꿔 줄 테니 조용히 하라고 하고 싶다.

"얌전한 척은 질리도록 하더니, 보는 사람 없다고 바로 본성 나오네."

근처까지 오지도 못하고 여자들에게 저지당해 목청만 높이는 여자를 보고 흥미진진하게 입을 열자 눈에 서리는 독기가 보통을 넘는다.

–들었느냐? 우리말 하나 못하는 계집이 뭐 그리 중하다고 이 나를 두고 저 계집을 왕비의 자리에 앉히겠다는 것이냐!

알 만하네. 듣자 하니 내가 여기서 결혼으로 얻게 될 자리에 대한 소유권 주장과 불복의 입장 표명인 것 같다.

나도 원해서 하는 게 아니라고. 그냥 너 다 하라고 말해 주고 싶다.

동대륙어를 이해할 수 있게 된 후 딱히 말을 못하는 것을 그다지 불편하게 여기지 않았는데, 오늘은 좀 불편했다.

여자가 얼마나 패악을 부리는지 몇 명이나 붙어서 제지를 하고 있는데도 점점 가까워졌다.

차츰차츰 가까워지는 여자를 빤히 바라보자 여자가 더욱 큰 소리로 악을 쓴다.

–어디서 감히 얼굴을 똑바로 들고! 아무리 정통 후계의 피를 이었다고 해도 반쪽짜리. 그게 무슨 대단한 정통이라고 감히 나를 똑바로 보느냐!

"아이고, 무서워라. 기절하겠네."

영혼 없이 악다구니를 받아치니 여자가 약이 올라 거의 눈이 뒤로 넘어갈 지경이 되었다.

내 심드렁한 표정에 더욱 어쩔 줄 몰라 하며 여자들이 변명을 내뱉었다.

–소, 송구합니다. 이런 일이 없었어야 하는데 호라 님이 지금 잠시 좀 흥분을 하셨습니다. 금방 괜찮아지실 것이니 잠시 다른 방으로 가시지요.

"음, 그것도 나쁘지는 않네. 더 있다간 저 여자 혈압이 터지기 전에 내 고막이 터지겠어."

고개를 끄덕이며 자리에서 일어나자 '호라'라고 불린 여자가 갑자기 발악을 멈추고 산뜻한 표정으로 바라본다.

어째 이게 더 무섭다.

순간 속으로 움찔했지만 드러내지 않고 지나쳐 가려던 찰나, 여자의 간드러진 목소리가 귀에 꽂혔다.

–그러고 보니 저쪽에서 제법 귀하게 컸다고 들었는데, 재미있는 이야기를 조금 해 주지. 예법에 무지한 만큼 지금이 어떤 상황인지 전혀 모르고 있는 것도 딱해서 말이야.

퍽이나 예법을 차린 언행이네, 그래. 그녀를 한심하게 바라보았지만 굴하지 않고 입을 열었다.

–아라 왕자님께는 나와 같은 왕자빈이 여덟이 있지. 내가 그 왕자빈 중에 제일 앞 순위에 있고 말이야. 아직 정식으로 즉위하시지 않아 왕자비 자리는 공석이지.

슬슬 무슨 말을 하려는지 감이 온다.

그러니까 원래 공석으로 두고 서로 눈치만 봤는데, 갑자기 나라는 존재가 나타나서 덥석 그 자리에 앉을 것처럼 구니 억울하다는 말이다.

"설마 아직 미혼이라곤 생각하지 않았지만 여덟 명이라니. 내가 원하는 자리든 아니든 아주 난리가 날 판이네."

막막한 마음에 한숨과 함께 중얼거리는데도 여자는 계속해서 말했다.

–나는 내가 왕비의 자리에 어울리는 유일한 사람이라고 생각해 왔지. 실제로 다들 압도적인 가문의 차이와 자격의 차이를 인정하고 뒤로 물러나 있던 상황이고 말이야.

여자가 갑자기 눈초리를 사납게 치켜세우고 나를 노려보며 말했다.

–그런데 네까짓 게 끼어들면서 모든 예의와 법도, 질서가 무너졌다. 나는 윗사람으로서 이를 바로잡을 의무가 있고, 또 그렇게 할 것이야.

아이고, 네. 그러시던가요.

이젠 지쳐 빠르게 지나치려 하자 그녀가 재빨리 입을 연다.

–왕자비의 자리에 앉는다는 둥, 왕비가 될 것이라는 둥. 식이 정식으로 거행되고 첩지가 내려지기 전까지 너는 그냥 잡종에 불과하단다.

–마, 마마. 부디 말씀을 삼가 주시옵소서.

–이러다 정말 큰일 나시겠습니다. 마마, 오늘은 이만 진정하시옵소서.

이젠 거리낌 없이 마구 내뱉는 여자를 보고 겁이 났는지 다들 내 눈치를 살피며 그녀를 말리기 시작했다.

그런 여자들을 표독스러운 시선으로 노려본 여자가 내 눈을 똑바로 바라보았다.

새까만 눈동자와 나름대로 하얗지만 우리 제국인들보다는 짙은 피부. 다소 각진 얼굴형. 마찬가지로 새카만 머리카락.

이국적 매력이 있는 얼굴이었지만 그 표독스러운 표정이 얼굴의 장점을 죽이고 단점을 부각시키고 있었다.

—너는 나보다 미천한 계집에 불과하다는 말이다. 이 궁의 법도대로라면 네가 매일 아침저녁으로 빈들에게 문안 인사를 하는 것이 기본 중의 기본.

아니, 인사 못 받고 죽은 귀신이라도 씌었나? 총 여덟 명이나 되는 사람들을 아침부터 찾아가 인사하고 저녁때도 찾아가 인사를 한다고?

병상에 누워 있다는 왕비라는 사람까지 포함하면 대체 몇이야.

기가 막혀 헛웃음을 지었다.

포악한 성질머리를 보건대, 첩자랑 아주 천생연분이다.

둘이 왕과 왕비가 된다면 나라의 강물이 빨간색으로 흐르는 것도 시간문제가 아닐까.

사람의 이해관계란 이렇게도 복잡하다.

호라라는 여자가 그 난리를 피우고 간 후 나를 피하리라 생각했던 것과는 달리, 은근히 찾아오는 사람들이 생겨난 것이다.

—식사가 입에 영 안 맞으신다고 들어서……. 이건 개중에 잘 드시는 탱자라는 것인데, 제 저택에서 키우는 것들이라 아주 맛이 좋습니다.

웬 남자가 얍삽한 미소를 지으며 호화로운 채반에 작고 주홍빛을 띠는 동그란 과일을 잔뜩 담아 건네며 생색을 낸다.

볼일이 있다기에 들어오라 했더니, 그 볼일이라는 것이 뇌물 전달이었나 보다.

'탱자'라는 과일이 입에 맞아 접시를 모두 비운 것이 소문으로 전해졌다고 생각하니 새삼 좌중의 이목이 얼마나 나에게 쏠려 있는지 짐작이 갔다.

그리고 거기에 어떻게든 뇌물을 밀어 넣어 줄을 잡아 보려고 하는 시도를 보니 동대륙의 부정부패가 보통은 넘은 것 같았다.

말없이 그가 내민 것을 물끄러미 바라보자 그가 횡설수설 말을 잇는다.

–다른 뜻이 있는 것은 아닙니다. 그저 잘 못 드신다고 들어서 걱정되는 마음에. 헤헤.

그 말을 곧이곧대로 믿을 거라 생각하는 건 아니겠지.

웃기는 소리 하지 말라는 표정으로 그를 흘끗 훑어보자 그가 어색하게 웃음을 그친다.

일단 과일을 담은 채반부터가 금빛으로 번쩍거리고 있는데, 아무리 눈치가 없는 사람이라도 다른 뜻이 없다고 생각하긴 어렵겠다.

괜한 것을 받아서 뒤탈을 만드는 것보다는 일괄되게 받지 않는 것이 속 편한 길이다.

어림도 없다는 뜻을 담아 절레절레 고개를 저으며 침대 쪽으로 걸음을 옮겼다.

–저, 뮤, 뮤사 님. 드셔 보시면 분명 마음에 드실 겁니다. 이 채반도 아주 훌륭한 작품입니다! 자세히 보시면 이 가운데에는 금강석이 있고…….

채반이고 자시고 그냥 좀 가라, 가.

채반이 고급이고 값비싸 보이는 것은 사실이었으나 우리 공작가 재물 창고만 가도 더 화려하고 사치스러운 것들이 즐비하다.

나름대로 엄청난 고급품이라고 여겨서 뇌물로 들고 온 모양인데,

번지수를 잘못 짚은 셈이다.

–뮤사 님? 뮤사 님, 잠시만 시간을 내주시면 결코 후회하지 않으실 겁니다!

–죄송합니다, 뮤사 님께서 피곤하신 모양이에요. 다음 기회에 다시 오시지요.

–아니, 기왕 이렇게 발걸음을 한 것도 인연 아닌가. 그럼 이건 놓고 갈 테니 전해 주게.

–이러시면 곤란합니다. 좋아하지 않으실 거예요.

그렇지. 좋아할 리가 있나. 좋아했으면 아까 내밀 때에 반색을 하고 받지 않았겠어?

나는 한숨을 쉬며 실랑이가 이어지는 접객실 쪽으로 걸음을 옮겼다.

"이거 하나만 먹을 테니까, 그만 가세요."

채반에 담긴 탱자 하나를 대충 집어 들고 그를 바라보며 손짓을 하자 그가 머뭇거린다.

–안녕.

–아, 어……. 예, 예, 그럼 이만 가 보겠습니다. 또 뵙지요.

–안녕.

그간 겨우 익힌 이곳의 말을 반복하자 그가 우물쭈물하다 채반을 들고 나갔다.

'안녕' 뒤에 더 붙는 말이 있었는데 영 발음이 어렵고 외워지지도 않아서 앞에만 겨우 기억하는 것이 이렇게도 쓰인다.

할 말 하고 살려면 말을 조금은 더 배워야 할 텐데…….

영 나아지는 기미가 보이지 않는 수업 시간을 떠올리며 깊은 한숨을 쉬었다.

「아주 가관이로군.」

"직접 봤어야 합니다. 별 시답잖은 사람들까지 다 줄을 서서 만나자고 난리인데, 말이 통하지를 않으니 쫓아내는 것도 일입니다."

그 문제의 채반 이후로 수업 시간 사이사이를 노려 밀고 들어오는 사람들은 많았다.

이런 사람들은 일절 들이지 말라는 말을 하고 싶었는데 도통 말이 통하질 않아 하나하나 돌려보내는 것도 신물이 날 지경이었다.

「나라 상태가 어떤지 알 만하군. 어떠한 체계나 법률보다도 권력이 한참 앞서 있는 것이 아니고서는 그 상황을 설명할 다른 근거가 없군.」

"그런 것 같습니다. 그리고 그 정신 나간 여자가 말한 '인사'를 한 번도 하러 가지 않았는데 잠잠하네요."

그렇게 표독스럽게 난리를 친 것에 비해 이상할 정도로 잠잠하다.

내 말에 잠시 침묵을 지키던 에카이트가 입을 연다.

「차라리 난리를 피우는 편이 나을 것을. 얌전히 있다고 하니 도리어 더 찜찜하군.」

"바로 그겁니다. 그렇게 난리를 피웠던 것을 보자면 더 그렇죠."

「몸조심하는 편이 좋겠어.」

에카이트의 간결한 결론에 한숨을 쉬며 고개를 끄덕였다. 당장 뾰족한 대처법도 보이지 않았다.

간단한 근황 교환이 끝나고 에카이트가 새로운 소식을 알려 주었다.

「일단 누가 가게 될지는 내일이 되면 거의 확정될 것 같아. 총 여섯 명이 가게 될 것 같군.」

희망적인 소식에 눈을 번뜩이며 빠르게 다음 말을 재촉했다.

"그래서 그 여섯 명이 누굽니까?"

「확실해지면 알려 주지. 일단 그 '조슈아 경'도 간다는 것만 알아 둬.」

오랜만에 듣는 반가운 이름에 영상석을 꽉 움켜쥐며 되물었다.

그러고 보니 다들 잘 지내고 있는지 모르겠다.

"조슈아 경이라니. 다친 곳은 다 나았답니까? 잘 지내고 있나요?"

「……그거야 내 알 바 아니니 잘 모르겠군.」

"무슨 말이 그렇습니까? 우리 제국을 대표해서 갔다가 다친 사람에게 그런 대접이라면 누가 나라를 위해 몸 바쳐 충성하려고요."

볼멘소리를 뱉는데 갑자기 낯익은 목소리가 끼어들었다.

「아펠리아? 들리나?」

「전하, 예절도 모르십니까?」

「아펠리아. 아펠리아? 아펠리아!」

황태자다.

반복해서 이름을 부르며 반응을 기다리는 목소리에 순간 목이 메어 말이 나오지 않았다.

나는 떨어지지 않는 입을 열어 겨우 대답할 수 있었다.

"저, 전하. 전하이십니까?"

「듣고 있으면 대답을 재깍재깍 해야지! 나름대로 잘 있다는 말은 들었는데 직접 목소리를 들어야 안심이 될 것 같았다. 들은 대로 제법 멀쩡히 잘 있나 보군.」

"뭐, 아직 안 죽고 잘 살아 있습니다."

「끔찍한 소리 하지 말고! 곧 구조대인지 구출대인지가 갈 것이니 얌전히 기다리라고. 제발 사고 치지 말고.」

「아, 그 말은 전폭적으로 지지하고 싶군요. 사고 치지 말고 있도록.」

아니, 누가 들으면 하루건너 하루마다 사고 치고 다니는 망나니로 알겠네.

억울함에 뭐라도 변론을 해 보려 입을 열려던 찰나, 다가오는 발소리가 들렸다.

"……잠시만. 누가 옵니다."

「……」

「……」

어두운 방에서 이불을 덮어쓰고 속삭이듯 한 대화라고는 해도 혹시 밖으로 새어 나간 건 아닐까 걱정됐다.

나는 영상석을 꽉 움켜쥐고 이불을 가슴께로 내린 다음 잠든 것처럼 숨을 고르게 내쉬었다.

급한 마음에 영상석의 연결을 미처 끊지 못한 것이 마음에 걸렸지만 방문이 열리는 소리에 달리 도리가 없었다.

-뮤사, 내 보물. 그간 바빴다. 돌아오는 즉시 왔거늘 벌써 자고 있군.

첩자였다. 왠지 잠잠하더라니 궁을 비웠던 모양이다.

즉, 그간 잠잠했던 것도 끝이라는 거겠지. 가슴이 답답해지는 기분에 속으로 한숨을 내쉬었다.

-넌 내가 갖지 못했던 모든 것을 되찾게 해 줄 내 영광의 열쇠가 될 것이다. 시건방진 제국 놈들에게 다시 내줄 일은 없으니 혹시나 하는 기대도 하지 말길.

마치 내가 무슨 일을 꾀하고 있는지 알고 있는 듯한 말에 목이 바싹 타들어 갔다.

하지만 공연히 침이라도 삼키는 시늉을 했다간 깨어 있는 것을 들킬 것만 같았다.

—빌어먹을 법. 너를 하루라도 빨리 왕자비의 자리에 앉혀야 속도가 날 것인데. 답답해 미치겠군.

하루라도 빨리 탈출해야 이 정신 나간 소리를 그만 들을 것인데.

나는 속으로 한탄하며 조용히 자는 시늉을 계속했다.

감은 눈 너머로 얼굴에 무언가가 다가오는 것이 느껴졌지만 딱히 살기가 느껴지지는 않아 애써 반응하지 않으려 노력했다.

툭.

입술에 거칠한 손가락이 닿더니 딱딱하게 굳은살이 박인 손바닥이 뺨을 감싸 온다.

소름이 오소소 돋는 것을 애써 참아 내며 빨리 이 작자가 나가기를 기도했다.

—다들 그대의 외모를 찬양하더군. 제국 놈의 피가 섞였다고는 하지만 감히 그 생김새는 흠잡을 것이 없다고 말이야.

알겠으니까 제발 좀 나가.

이러다가 깨어 있는 것이 들킬까 긴장감이 고조된다.

—내 아버지와 어머니는 말이야. 참 멍청한 작자들이었어. 나라면 무슨 수를 써서라도 므네모쉬를 찾아냈을 건데 말이야.

그래, 그랬겠지.

첩자의 집요함과 철저한 목적의식을 경험한 당사자로서 그의 말에 심심한 동의를 표했다.

그러다 이어지는 첩자의 말에 잠든 척하는 것도 있고 헛숨을 들이킬 뻔했다.

—그런 한심한 작자를 부모로 둔 내 심정을 너는 모를 것이다. 없느니만 못한 작자들이었지. 그래서 일단 목숨은 부지하게 두었으나

길게 살려 두진 않을 거다.

뭐, 뭐야. 정말로 자기 부모까지 해치겠다고?

부모한테도 저토록 무도한 작자인데 타인에게 인정을 베푸는 것 자체가 모순이고 무리였던 것이다.

—내내 한 나라의 황자이자 다음 대 황제가 될 내가 왜 그런 푸대접을 받는지 궁금했지. 결론은 그거였어. 멍청하고 약한 아버지와 그 가문이 내린 끔찍한 결정, 그리고 욕심을 위해 불길인 줄도 모르고 뛰어든 어머니와 그 가문의 아집.

첩자가 스산한 웃음소리를 내더니 잠시 말을 멈추었다. 그리고 속삭이듯 마지막 말을 잇는다.

—그래서 난 결심했다. 내 결정에 누구도 반대의 말을 할 수 없도록 강력한, 그 누구보다도 강력한 권력의 정점에 서겠다고. 너는 모르겠지. 황실에서 왕실로 비참하게 격하된 치욕을. 감히 내 계획에서 달아날 생각은 말거라, 뮤사. 죽어서도 따라갈 것이니까 말이다.

할 말이 끝났는지 침묵을 지키던 첩자가 등을 돌려 방문으로 걸어가는 것이 느껴진다.

가라. 빨리 가 버려라.

그렇게 바라고 있는데 방문 앞까지 멀어지던 첩자가 문득 걸음을 멈췄다.

그리고 조금 목소리를 높여 잔인한 말을 아무렇지도 않게 내뱉는다.

—므네모쉬는 다리가 있어서 도망갔더군. 만약 다리가 없었다면 도망갈 수 있었을까? 다리보다 그 혈통이 중요한 것을 아버지는 몰랐던 거지. 무려 세 번이나 도망쳤다 잡혀 왔는데도 그 다리를 남겨 뒀다니 말이야. 자지 않는 것을 안다, 뮤사. 새겨들어 둬라.

쿵.

문이 열렸다 닫히고 첩자가 멀어지는 소리가 들렸다.

더 이상 소리가 들리지 않을 정도로 멀어진 것을 확인하고서야 겨우 침대에서 몸을 일으켜 앉아 거친 숨을 내쉴 수 있었다.

"미친놈."

「……아펠리아? 괜찮은 건가?」

「저 빌어먹을 목소리. 그 개만도 못한 놈이 침실에도 드나드는 건가?」

에카이트의 걱정스러운 목소리와 분기탱천한 황태자의 목소리가 연달아 들렸지만 아직 정신을 차리지 못해 눈을 질끈 감고 숨을 골랐다.

그리고 어느 정도 진정된 후 다시 입을 열었다.

"도망가면 가만 안 둔다고 겁을 주었습니다. 여기 왕과 왕비가 지금 병환 중이라 실질적인 왕 노릇을 첩자가 하고 있단 건 말했죠?"

「그랬지.」

"모두 다 첩자가 벌인 일입니다. 권력과 야욕을 채우기 위해서라면 뭐든 할 사람입니다."

「……예상은 했지만 보통 일이 아니군. 서둘러야겠어.」

침묵을 지키는 황태자와 걱정스러운 목소리로 말을 마치는 에카이트를 끝으로 영상석 연결이 끊어졌다.

나는 뜬눈으로 밤을 지새워야 했다.

오늘따라 주변이 이상하다. 여기 말을 가르치러 오는 선생이라는 작자도 그렇고 예법 선생이라는 여자도 그랬다.

특히 예법을 가르치는 여자는 놀랄 만큼 정중하고 깍듯한 태도로 바뀐 탓에 도리어 부담스러울 지경이다.

무례하고 이치에 맞지 않게 굴었다는 뜻이 아니라, 그전과 달리

지나치게 정중해졌단 뜻이다.

"대체 왜들 이러는 거야. 밥상은 또 왜 이래?"

아침 식사는 별생각 없이 지나갔는데 저녁 식사가 기가 막힌다. 가짓수가 아예 달라져 있었다.

"뭐야, 무슨 최후의 만찬처럼."

말하고 보니 무섭네.

괜히 소름이 돋아 머리를 긁적이며 멍하니 밥상을 바라보았다.

넓적하게 누운 생선 위로 장식된 화려한 채소 조각은 매우 이질적으로 보였다.

누구 하나 붙들고 속 시원히 물어볼 수 있으면 좋겠는데, 지금 내 언어 수준은 인사말이나 겨우 따라 발음하는 정도라 그것도 여의치 않다.

이상한 상황은 저녁상이 치워지고 나서도 이어졌다.

며칠 전 난동을 부리고 나갔던 호라라는 여자가 다른 여자 일곱 명을 이끌고 나타난 것이다.

인원수나 외관으로 봐선 첩자의 일곱 부인인 것 같았다.

일곱 명이라고 들었을 땐 아무 생각 없었는데 저렇게 서 있는 것을 보니 많기는 많은 것 같다.

딱히 여자에 욕심이 많다는 느낌보다는 정치적 욕심이 많다고 느껴지는 구색이었다.

호라는 표독스러운 표정을 숨길 생각도 하지 않은 채, 나를 사납게 노려보고 있었다.

차라리 전과 똑같이 대해 주는 게 나은 것 같다. 그렇게 생각할 무렵, 그녀가 소름 끼칠 정도로 상냥하고 정중한 목소리로 입을 열었다.

-저녁 문안 인사를 드립니다.

–인사 올립니다.

호라의 말이 끝나자 나머지 일곱 명이 따라 인사하는 장면은 괴기스러웠다.

갑작스러운 인사에 당황해 그들을 바라보며 고개를 까닥이자 앞에 선 호라가 입을 열었다.

–듣자 하니 아라 님과 밤을 보내셨다고 하던데. 그렇다면 응당 그에 맞는 대접을 해야겠지요.

누가 누구랑 밤을 보내? 기가 막혀 입이 떡 벌어졌다.

이제야 상황이 좀 이해가 가네.

사람들의 은근한 태도와 지나치게 공손해진 언행은 어젯밤 내 방에 들어와 혼자 신나게 떠들고 협박까지 한 첩자의 행동에서 비롯된 것이었다.

그러니까 나랑 첩자 간에 뭔가 있었다고 여겼던 거로군.

“하하, 이것 참 기가 막힐 노릇이군. 미안한데 완전히 잘못 짚었습니다. 엄한 사람 죽일 것 같은 표정으로 노려보지 말고 나가서 일이나 보지?”

그들을 바라보며 선의의 충고를 건넸지만 알아들을 리 만무했다.

–저희와 같이 미천한 자들의 인사 따위 받지 않겠다고 하시면 어쩔 수 없지만 온 성의를 생각해서라도 인사는 받으시옵소서.

어디서 이 가는 소리가 들리는 것 같은데……. 착각하고 있다는 뜻으로 고개를 저어 봤지만 완벽히 잘못 이해한 눈치다.

여자들의 눈매가 사나워지는 것을 보면 말이다.

–이것 참 안타깝게 됐군요. 우리보다 미천한 신분이셨을 때 우리가 아량을 베푼 것은 모르셨나 봅니다.

“아니, 저기 완전히 처음부터 끝까지 다 오해하고 있는데.”

–조롱할 생각이라면 관두시죠. 이미 늦었습니다. 이로써 당신은 우리 왕자빈들을 모두 적으로 두겠다고 말씀하신 것과 다름이 없는 것.

"아, 진짜 답답해 죽겠네. 그런 것이 아니라 완전히 다 오해라고요!"

–각오하시는 게 좋을 겁니다. 아라 님이 항상 궁에 계시는 것은 아니거든요.

망했군. 망했어.

파르르 떨며 몸을 돌려 나가는 호라와 일곱 여자들을 멍하게 바라보다 깊은 한숨을 쉬었다.

아군을 늘려도 부족할 상황에 적만, 그것도 저렇게 노골적인 적대심을 표하는 사람들만 늘어나고 있으니 걱정만 커진다.

에카이트라면 삽시간에 저런 사람들쯤은 자기편으로 회유했을 것인데.

……그가 보고 싶어지는 밤이다.

걱정했던 것이 무색할 정도로 유치한 복수들이 이어져 조금 허탈했다.

"뱀이 대단히 무서운 건가 보네, 여기 여자들한텐. 아, 생각해 보니 우리 제국도 크게 다르지 않구나."

방에 실뱀을 푼 것이다.

나는 아무렇지 않게 뱀의 머리를 밟고 목을 잡아채 들어 올렸다. 그러자 시중을 들던 여자들이 기겁해 달아나는 것이 아닌가.

고놈 참 에카이트 가문의 인장을 닮았단 말이야.

뭔가 반가운 느낌에 뱀을 요리조리 살피다 밖에 풀어 주었다.

내 모습을 본 여자들은 벌벌 떨고 있었는데, 순간 내숭이라도 떨어야 했나 하는 후회가 들었다.

"아, 그리고 아침에 그건 또 뭐야."

뱀을 치우고 나니 아침에 있었던 일이 떠올라 황당함에 헛웃음을 지었다.

말을 가르치는 선생이 얻어 온 간식 상자에서 정체불명의 곤충들이 튀어나왔는데, 그것들은 정작 나보다 그 간식을 들고 왔던 선생을 기절시키고야 말았다.

"놀랄 만한 것이어야 시늉이라도 하지. 미리 언질이라도 해 주면 놀라는 척이라도 해 줄 텐데."

이래서야 어디 사람이 놀라겠냐고. 절로 '쯧쯧' 소리가 났다. 그리고 누가 그 말을 들은 것처럼, 곧 제법 놀랄 만한 일이 생겼다.

"음, 이건 좀 놀랍네."

누가 저랬는지 비위도 좋다.

방에 딸린 작은 정원 정도는 산책해도 된다는 허락을 받았다.

날도 좋고, 몸이 찌뿌둥해 잠시 방을 나섰는데, 정원 나무에 걸린 죽은 쥐 시체가 나를 반기고 있다.

그것도 여러 마리가. 마치 사과나무에 사과가 열리듯 걸려 있는 꼴을 보고 인상을 찌푸리고 있는데, 나를 따라 나온 여자가 기절할 것처럼 벌벌 떨며 입을 연다.

–세, 세상에 어쩌면 저런…….

"난 아무래도 사교계나 이런 쪽에선 적을 많이 만드는 능력을 타고난 것 같군."

제국에서도 사교계 내의 위치가 썩 훌륭한 편은 아니었는데 이번에 그 정점을 찍은 것 같다.

여자의 비명 같은 울림에 우르르 몰려나온 다른 여자들 역시 사색이 되어 버렸다.

–세상에, 아이고머니나……. 흉해라, 흉해.

–사람을 불러오겠습니다. 이건 분명 보통 일이 아닙니다. 왕자님께서 아시면 사달이 나고도 남을 일이라고요.

–그, 그래요. 그런데 이 사건이 왕자님 귀에 안 들어가고 해결할 수 있을까요?

–뭐, 그건 그렇지만……. 일단 최대한 빨리 처리하고 생각해 보아요. 이때 왕자님이 오시면 어쩌려고요.

그 말에 얼굴이 더 창백하게 질린 여자들이 입을 꾹 다물고 일사천리로 움직인다.

물론 이 광경을 첩자가 발견하면 아주 피바람이 불겠지.

딱히 자비로운 성격도 아닌 그가 자기 집 앞마당에서 자신도 모르는 일이 자행된다는 것을 기꺼이 받아들일 리가 없다.

그것도 저런 흉한 꼴이 났는데 말이다.

이곳도 그럴지는 모르겠지만 원래 궁에선 아무것도 죽어서는 안 됐다. 아프거나 병든 것은 그것이 사람이 됐든 동물이 됐든 궁 밖으로 보내진다.

그런데 버젓이 죽은 것들이 저렇게 걸려 있다니.

제국에서 저런 일이 생긴다면 주모자와 관련자 모두 무사하지 못하리라.

묵묵히 흉한 풍경을 바라보던 내 머릿속에 독기 어린 호라의 표정이 떠올랐다.

–뮤사님, 식사 시간입니다.

난리를 치르고 방에 돌아오니 얼마 지나지 않아 또 식사 시간이란다.

"아무리 내가 비위가 좋다지만 방금 같은 광경을 보고도 밥이 넘어갈 거라고 생각하다니."

내가 혀를 차며 차려진 밥상을 내려다보았다.

여전히 밥상은 화려했다.

육류는 특히나 손이 가지 않아 오늘도 샐러드와 닮은 음식으로 손을 옮겼다.

"냄새가 다른데?"

음식을 입가로 가져가던 나는 뭔가 이질감을 주는 냄새에 잠시 멈칫하고 손을 멈췄다.

"아냐, 잘못 느꼈을 리 없어."

음식을 코앞에서 조금 더 흔들자 이상한 냄새는 조금 더 분명하게 느껴졌다.

"상한 건 아닌 것 같고. 둘 중 하나겠지."

이상한 맛을 섞어 내 기분을 망치려 했거나, 몸에 좋지 못한 것을 섞어 아파 보라는 것이거나.

어느 쪽이든 알면서 당해 줄 만큼 내 아량은 그리 넓지 않다.

조용히 식탁을 밀어 식사를 하지 않겠다는 의사를 보였다. 그 모습에 당황한 여자들이 웅성거린다.

그리고 그때였다.

–와, 왕자님!

타이밍도 좋아라. 첩자가 반가운 날이 있을 줄이야.

살기등등한 기세의 첩자가 노크도 없이 문을 박차고 들어와 방 한가운데 서서 여자들을 살벌하게 노려본다.

지은 죄도, 걸리는 것도 없는 나조차 눈치를 보게 될 정도로 시선은 날카로웠다.

실제로 그 시선을 받은 여자들은 당장 목이 떨어질 것처럼 두려움에 덜덜 떨기 시작했다.

–무능하고 멍청한 데다 쓸모없는 것들.

–주, 죽여 주시옵소서.

–그리 청하지 않아도 죽일 예정이다.

보아하니 앞서 있었던 쥐 사건을 듣고 분노한 것 같았다.

아마 자잘한 뱀 사건이나 뭐 그런 유치한 사건들도 알고 왔겠지.

여자들에게서 시선을 돌려 그를 바라보자 시선이 마주쳤다.

–뱀 그리고 쥐. 또 뭐가 더 있지?

역시나 다 알고 왔군.

지금이야말로 음식에 대한 이야기를 해도 좋을지 잠시 망설여졌다.

그야말로 심증이라 괜한 소리를 했다가 실없이 예민한 사람이 될 것 같았다.

얼굴이 새하얗게 질린 여자들을 완전히 끝장내 버릴 것 같았기 때문이다.

하지만 눈치가 에카이트와 비교해도 뒤지지 않을 정도로 발달한 첩자는 그런 내 망설임을 읽어 낸 듯, 바로 추궁에 들어갔다.

–더 있군, 뭔가. 말해.

–아, 아닙니다, 왕자님. 정말로 그게 다입니다.

'퍽!'

첩자는 용감하게 입을 열어 부정하던 여자를 가차 없이 발로 차 버렸다. 흉포한 것은 이미 알고 있었지만…… 해도 해도 너무하지 않은가.

–어디서 감히. 내가 너 따위에게 물은 줄 아느냐.

"아무리 그래도 여자를 그렇게 차다니 상식이 없군. 그리고 죄목이 정해지기 전까진 무죄라고!"

감히 신음도 내지 못한 채 벌벌 떠는 여자를 대신해 목소리를 높였지만 첩자는 전혀 들어 주지 않았다.

"이곳은 내가 곧 법이다. 내 앞마당에서 또 무슨 일이 있었는지 알아야겠다. 때마침 내가 먼 길을 떠난다는 얘기가 돌기 무섭게 재미있는 일들이 벌어졌다기에 말을 돌렸지."

독특한 억양으로 우리말을 구사하는 첩자를 보며 침묵을 지켰다.

이게 다 첩자가 자리를 비운다는 소문이 있어서 그랬구나.

상황을 납득한 것과는 별개로 그의 기가 막힌 언행은 도무지 이해할 수 없었다.

음식에 대해선 말하지 않는 편이 좋겠다.

전말이 확실해지고 주모자를 잡아 심문하기도 전에 죄 없는 사람들이 피를 볼 것만 같았기 때문이다.

하지만 입을 열지 않는다고 그가 모르는 것은 아니었다. 비워지지 않은 밥상으로 시선을 돌린 첩자가 삐뚜름한 표정을 지었다.

–그 밥상. 다 먹은 것인가?

먹었다고 하기엔 너무 그대로 남았다.

어떻게 대답해야 하나 고민하다 결국 어색하게 고개를 끄덕일 수밖에 없었다.

그러자 첩자가 가당치도 않는다는 듯 코웃음을 치며 말했다.

–새가 쪼아 먹고 갔어도 그것보단 더 먹었을 것이다.

"입맛에 맞지 않아 평소에도 거의 손대지 않았어. 말한 대로 비위 상할 일도 있어서 그런지 더 못 먹겠더군."

태연하게 변명하는 말에 미심쩍은 표정을 짓던 첩자가 알겠다는 표정으로 고개를 끄덕이더니 다시 입을 열었다.

-그렇다면 이 아까운 음식들이 모두 버려지겠군.

도무지 그 말의 의도를 알 수 없어 가만히 침묵을 지켰다.

그때 그가 바닥에 넘어져 떨고 있는 여자를 가리키며 입을 열었다.

그가 입을 열자 그가 얼마나 잔혹하고 영리한 자인지를 새삼 알 수 있었다.

-낭비는 옳지 않다. 네게 이 상을 받을 영광을 주마.

만약 저기에 독약이라도 들었다면.

덜덜 떨면서도 감히 명을 거역하지 못한 여자가 자리에서 일어나 상 앞에 섰다.

숨 막히는 침묵이 이어졌다.

내면의 갈등은 그리 길지 않았다.

나는 잽싸게 테이블을 발로 밀었고, 아무리 마나의 도움이 없다고 해도 기사로서 탄탄히 수련한 만큼 어렵지 않게 목적을 이룰 수 있었다.

'쾅! 와장창!'

"지금 이게 뭐 하는 짓이지?"

말 그대로 밥상을 엎은 나는 태연하게 첩자를 바라봤다. 그러자 그가 사나운 시선으로 나를 노려봤다.

몰라서 물어보는 것은 아니겠고. 그 의도를 물어보는 것이 틀림없었지만 딱히 대답하고 싶지 않아 입을 닫았다.

내 침묵이 기폭제가 된 것인지, 첩자는 더욱 길길이 날뛰기 시작했다.

"지금 감히, 내 앞에서 날 기만하려 들어?"

밥상 한번 엎었다고 기만까지 나오다니.

극단적이기 그지없는 첩자의 말에 속으로 혀를 차면서 계속 입을 다물고 그를 외면했다.

그러자 그가 살기등등한 목소리로 입을 연다.

"좋다. 이런 식으로 나온다고 해서 내가 원하는 바를 이루지 못할 것이라 생각하나 보군. 그것이 얼마나 큰 착각인지, 이번 기회에 제대로 가르쳐 주지."

가르치다니, 뭘?

괜히 등골이 서늘해져 고개를 돌려 그를 바라보았지만 그는 다른 곳을 바라보고 있었다.

–호라가 키우는 개를 데려와라.

–와, 왕자님. 호라 님의 개 말씀이십니까?

–……오늘따라 명을 재촉하는 자들이 많구나.

–아, 아닙니다. 바로 데려오겠습니다.

그 여자의 개는 왜?

갑작스럽고 뜬금없다. 개를 찾는 첩자의 행동에 당황한 것은 나만이 아니었다.

이해할 수 없는 그의 명령에 지시 사항을 되물어 보는 만행을 저지른 여자 하나가 생명의 위협을 느끼고 쏜살같이 방을 빠져나갔다.

소름 돋는 침묵이 흐르기 시작하자 무슨 말이라도 꺼내 이 침묵을 깨야 한다는 생각이 들었다.

갑자기 식사를 엎어 버린 것에 대해 무슨 말이라도 하는 것이 낫겠다 싶어 먼저 입을 열었다.

"내 기분이 나쁜 것을 식탁 엎는 것으로 표현한 것뿐인데, 그게 그렇게도 큰일인가? 유난도 병이군."

괜히 말했나. 말하고도 민망하네.

침묵을 깨고자 꺼낸 내 억지스러운 말에도 첩자는 눈 하나 깜빡하지 않았다.

그의 시선은 오로지 시녀가 나간 문에 고정되어 있었다.

아니, 도대체 이 상황에서 개는 데려와서 뭘 하려는 거지? 사람들끼리 해결하면 될 일인데 동물은 왜.

바닥을 어지럽힌 음식에 계속해서 신경 쓰는 여자들이 눈에 걸렸다.

무슨 수작을 부렸다면 당장 치우고 싶겠지.

마치 예술 작품처럼 호화로운 음식들이 바닥에 한데 뒤섞이니 마치 개밥같이 어수선하다.

개밥같이 어수선하다? 개밥?

순간 머릿속을 스쳐 지나간 단어에 고개를 휙 돌려 첩자를 바라보았다.

저 지독한 작자가 무슨 생각으로 그 여자의 개를 데려오라고 했는지 알 것 같았다.

“지금 뭐 하자는 거지?”

“시끄럽군.”

“설마 지금 저걸 그 여자 개한테 먹이겠다고?”

“뭐가 문제지? 불과 몇 분 전만 해도 훌륭한 음식이고 식사였다. 감히 한낱 미물이 혓바닥이라도 내밀어 볼 수 있다면 호사이고 영광이지 않은가.”

틀린 말은 아니기에 뭐라고 반박할 수 없었다.

시간이 지날수록 불안감은 점점 올라갔다. 나는 초조한 표정으로 문을 응시하는 첩자를 바라보았다.

그 정신 나간 여자 성격에 독 정도는 타고도 남았을 것 같은데.

그 여자가 그간 보여 줬던, 이제껏 겪어 보지 못한 표독스러운 성격을 떠올리니 초조해졌다.

성격만큼 맹독을 탔다면 접시가 녹았겠지만 접시는 멀쩡했다.

그리고 그만큼 뒷생각도 없이 마구잡이로 일을 저지를 정도로 어리석진 않아 보였다.

하지만 앞으로 벌어질 일이 너무나도 선명하게 눈앞에 보이는 것 같아 불안감에 입술이 바짝바짝 마를 무렵, 멀리서 개 짖는 소리와 익숙한 여자의 고성이 들려오기 시작했다.

–이, 이 무례한! 세상에 이런 법은 없다. 감히 우리 리리를 데려가려 들다니! 궁을 떠나 바깥일을 보러 나가신 아라 님께서 대관절 내 개를 왜 찾는단 말이냐!

–호라 님, 진정하십시오. 왕자님께선 오늘 출궁하셨다가 급히 귀환하셨습니다. 정말로 왕자님께서 리리를 데려오라고 명하셨어요. 저도 어쩔 도리가 없으니 따라 주시지요.

이해할 수 없다는 호라의 반응에 난감하지만 단호한 어투로 답하는 여자의 목소리가 들렸다.

호라는 첩자가 다시 궁에 돌아왔다는 말에 당황했는지 갑자기 말을 더듬기 시작했다.

–하, 하지만 먼 곳으로 급히, 또 오래 계시다 온다고 들었는데…….

–그러셨었죠. 왕자님께서 기다리고 계십니다. 인내에 있어 그리 자비로운 분이 아니라는 것은 잘 알고 계시리라 봅니다.

여자의 말에 더 이상 대꾸하는 소리가 들리지 않는 것으로 보아, 호라 또한 상황을 충분히 파악한 것 같았다.

첩자의 그간 행동에 비추어 봤을 때, 그 리리라는 개를 데려가게 두고 본인은 처소로 가서 숨죽여 기다리는 편이 화를 피하는 가장 좋은 방법인 것 같았다.

하지만 호라의 발소리가 멈추지 않고 가까워지는 것을 봐선 그러지 않은 듯했다.

제법 살벌한 풍경이 벌어지겠군.

나는 여전히 문을 보며 태연히 서 있는 첩자를 곁눈질로 힐끗 본 뒤, 바닥에 쓰러진 채 여전히 떨고 있는 여자를 바라보았다.

일어나란 소리가 없어 눈치를 보고 있거나 다리에 힘이 풀려 일어나지 못하는 것 같았다.

–그냥 들어와라.

–네, 네. 왕자님, 들겠습니다.

문 앞에서 서성거리는 기운을 느꼈는데 첩자도 같은 것을 느꼈나 보다.

그의 말에 바짝 얼어붙은 여자가 사나워 보이는 대형견 한 마리를 힘겹게 끌고 들어왔다.

그녀의 뒤를 따라 들어온 것은 역시나 호라였다.

저게 리리라고?

이름 때문에 가졌던 편견일까, 뭔가 작고 앙증맞은 강아지를 떠올렸던 나는 호랑이와 흡사하게 생긴 개를 바라보며 그 개를 질질 끌고 온 여자를 대단하단 표정으로 바라보았다.

리리는 자신을 끌고 온 여자보다도 한참은 덩치가 더 큰 개였기 때문이다.

–아, 아라 님을 뵙습니다. 먼 길 가시는 것으로 알고 한동안 뵙지 못할까 서운하던 찰나였습니다. 이토록 빨리 궁에서 뵐 줄 알았다면 아쉬울 필요도 없었을 것을요.

잠시 창백한 표정으로 말을 더듬던 호라가 금방 자신의 페이스를 찾아 태연한 표정으로 말을 마무리했다.

하지만 첩자는 그녀에게 일절 관심이 없어 보였다.

그는 그대로 호라의 인사를 무시한 채 개를 끌고 온 여자를 바라보며 말했다.

—먹여.

—아, 아라 님. 리리는 방금 막 식사를 마친 참입니다. 귀한 음식 허락해 주신 점은 참으로 감사할 일이지만…….

—먹이라고 했다.

첩자는 아예 호라는 바라보지도 않고 여자를 향해 지시를 반복했다.

호라는 더 이상 첩자와 대화하는 것이 무의미하다고 결론을 내린 것인지 이제는 개를 잡고 어쩔 줄 모르는 여자를 노려보기 시작했다.

—리리는 이미 식사를 했다고 말했다.

천생연분도 저런 천생연분은 없을 거다.

첩자를 상대로도 제법 성질을 내는 호라를 놀라운 시선으로 바라보다가 덜덜 떠는 그녀의 손끝을 발견하고 속으로 혀를 찼다.

어지간히도 아끼는 개인가 보다.

이렇게 된 이상 더 개입할 구석이 없다. 나는 한발 물러서 사태를 관망하기 시작했다.

—마지막 명령이다. 먹여라.

살기가 피부로 느껴질 정도로 분노를 실은 목소리다.

그런 목소리로 명령하는데 거부할 사람이 있을까.

여자는 개를 질질 끌고 음식 앞으로 데려갔다.

밖에서 제법 '컹컹' 소란스럽게 짖던 개는 덩치와 어울리지 않게 잔뜩 주눅이 든 모양이었다.

꼬리를 가랑이 사이로 붙인 채 음식 앞에 서서는 첩자의 눈치를 보다가 혀를 내밀었다.

—리리! 리리, 안 돼!

호라의 애절한 목소리를 뒤로하고 음식을 먹기 시작한 개는 이내 꼬리를 흔들며 먹는 속도를 높이기 시작했다.

뭐야. 멀쩡한 음식인가?

심지어 맛있는지 바닥을 말끔히 핥아 가며 먹는 것이 아닌가.

괜한 의심을 했던 것인가 의아해하던 중이었다.

하지만 괜한 의심이 아닌 것을 증명이라도 하듯 얼마 지나지 않아 이상 증상이 나타나기 시작했다.

—리, 리리!

개가 잠시 휘청하더니 양다리를 부들부들 떨며 소변을 지리기 시작했다.

그것을 시작으로 이상 증상이 더욱 심화되었다.

애써 떨리는 다리로 버티던 개는 이윽고 오물 위로 쓰러져 거품을 물고 음식물을 토하기 시작했다.

—아까까지만 해도 건강하던 개가 갑자기 왜 이렇게 된 것인지 궁금하군. 그 좋은 음식을 먹었는데 말이야. 호라, 너는 답을 알고 있을 것 같은데.

—리리! 정신 차려라. 리리!

첩자의 말은 들리지 않는 듯, 호라는 개를 흔들며 거의 흐느끼고 있었다.

나는 흉하게 널브러진 개를 질린 표정으로 바라보았다. 물론 토사곽란을 일으키며 고통스러워하는 모습에 동정심이 들기는 했다.

하지만 내가 저 자리에 똑같이 누워 같은 고통을 겪고 있었을 수도 있다고 생각하니 끔찍하기 그지없다.

결국 자신이 벌인 일의 대가를 받은 셈이다. 그것도 아끼는 개를 통해.

주인을 잘못 두어 저렇게 된 개는 가여웠지만, 발을 동동 구르며 어쩔 줄 모르는 호라는 어떻게 봐도 가엽지 않았다.

–저 개가 죽었으면 너도 죽었을 것이다, 호라. 대충 무슨 짓을 했는지 알겠구나. 처소에서 얌전히 기다리고 있도록.

첩자의 서늘한 말에 눈치를 보던 여자들이 호라를 잡아 일으켜 방 밖으로 내보내려 했다.

하지만 쓰러진 개를 붙들고 흔드는 호라는 순순히 일어나지 않았다. 첩자의 눈빛이 삽시간에 살벌해졌다.

–리, 리리. 리리도 같이 옮겨라. 나는 내 발로 가겠다.

하지만 더 지체했다간 무사하지 못할 것이라고 본능적으로 느꼈는지, 여자들을 시켜 개를 옮기게 했다.

과장을 조금 보태면 타고 다녀도 될 만큼 큰 개를 옮길 엄두가 나지 않을 것 같았다.

하지만 평소 호라의 위엄이 보통은 넘는지 여자들은 더러움과 무거움을 감수하고 힘겹게 개를 옮기려 들었다.

방을 나가기 전 뒤를 돌아 나를 노려보며 원망의 시선을 보내는 것을 잊지 않는 호라를 보며 혀를 찼다.

지금 누굴 비난하려 드는 거야?

어이가 없어진 나는 잠시나마 가졌던 일말의 동정심을 깔끔하게 털어 냈다.

첩자는 그녀가 자신의 개를 데리고 나가는 것까지는 관심 밖의 일인지, 일련의 과정을 가만히 노려볼 뿐이었다.

그는 그들이 일으키는 소란이 들리지 않을 때가 되어서야 바람처럼 방을 빠져나갔다.

“이게 다 무슨 난리람. 아이고, 냄새.”

지독한 냄새를 남기고 떠난 호라의 애견을 떠올리며 고개를 절레절레 저었다.

그때 뒤에 주저앉아 있던 여자가 작은 목소리로 웅얼거리는 것이 들렸다.

—……독약은 아니었습니다.

"응? 뭐라고 했죠?"

독약이 아니라고? 그녀를 돌아보며 되물어 보자 조금 커진 목소리가 들려왔다.

호라의 크다 못해 거대한 개를 옮기느라 다른 여자들이 모두 방을 비운 덕에 방에는 나와 그녀 단둘뿐이었다.

—그저 망신을 주는 약 같은 겁니다. 물론 당하고 나면 너무도 수치스러워 스스로 목숨을 끊기도 하고 공식 석상에 다시는 나오지 못하기도 하지만요.

어……. 확실히 그건 그렇겠네.

죽지 않더라도 죽을 만큼 굴욕적이고 창피한 일이니 어지간한 영애라면 위로받는 것조차 치욕으로 여길 것이다.

여자의 말에 고개를 끄덕이며 새삼 호라가 얼마나 악질적이고 공격적인 성격인지를 다시금 느꼈다.

그나저나 왜 갑자기 친절하게 설명을 해 주는 거지?

의아해진 나는 그녀를 바라보다 손을 뻗었다.

"일단 일어나요. 거기 있다간 옷에 난리가 나겠으니까."

—……가, 감사합니다.

내 의도를 정확히 알아챈 그녀가 머뭇거린 끝에 손을 잡고 자리에서 일어났다.

—사람을 더 불러와 방을 정리해 드리겠습니다.

"어, 뭐 사양하기엔 상태가 너무 심각하니 부탁 좀 하지요."

나는 방을 둘러보고 고개를 끄덕이며 지독한 냄새에 살짝 인상을 찌푸렸다.

방을 나서려던 여자가 고개를 돌려 낮은 목소리로 빠르게 말을 내뱉었다.

—반드시 복수하려 들 겁니다. 호라 님은 그런 분이니까요. 아시는지 모르겠지만 왕자님께서 늘 궁에 계시는 것은 아닙니다.

그 전에 첩자가 호라를 거의 끝장낼 기세였는데 말이지.

그리고 이튿날 호라가 아닌 다른 왕자빈 중 하나가 어제 일의 책임자로 지목되어 목숨을 잃었다는 것을 전해 들을 수 있었다.

밤새 삼엄해진 감시 탓에 에카이트와는 연락을 하지 못한 상태였다.

에카이트, 준비는 잘 되고 있는 거지?

나는 초조한 마음에 눈을 질끈 감았다.

[번외] 에카이트 뮈제 베이야드 04

아펠리아가 사라졌다. 아카데미 문을 넘으며 그녀가 잘 따라오나 돌아보려던 찰나 등 뒤로 엄청난 빛이 번쩍 했다.

갑작스러운 상황에 놀란 것도 잠시, 그 빛의 방향이 아펠리아가 따라오던 방향이라는 것에 경악했다.

눈을 크게 뜨고 아펠리아가 있던 자리를 정신없이 살폈지만 어디에서도 찾아볼 수 없었다.

아카데미 내부와 인근, 제국까지 확인해 보았지만 흔적도 없이 사라진 아펠리아에 에카이트의 가슴이 서늘해졌다.

「골치 아프게 됐구나. 정황상 그 동대륙으로 납치된 것 같은데 말이다.」

“그렇습니다. 아무래도 사안이 사안인 만큼 신속한 대응이 필요합니다.”

「굳이 서두를 필요 있겠느냐. 아직 확실한 증거도 없고……. 구출대를 편성해 보낸다고 치자. 뒤따를 소문이며 그 신분에 대한 것도 드러날 텐데, 어떻게 감당할 테냐.」

영상석을 통해 아버지인 베이야드 공작과 대화를 나누던 에카이트는 답답한 마음에 조용히 눈을 감았다.

맞는 말이었다.

아마 자신이 아펠리아에게 가지기 시작한 감정만 아니었다면 아무런 문제 없이 동의하고 넘어갔을 것이다.

「쯧쯧. 같은 공작가지만 뒤떨어지는 신분적 배경 그리고 외동딸인 점을 보아 딱 적합한 배우자감이라고 생각했거늘. 하필이면 이런 일이 터지는구나.」

"이미 벌어진 일을 두고 한탄해서 무엇합니까. 납치되어 낯선 곳에 홀로 있을 아펠리아가 걱정입니다. 좋은 방법이 없을까요."

공작의 불만스러운 말을 단호하게 자르며 대책을 구하는 에카이트의 말에 잠시 침묵이 흘렀다.

「내 말을 이해하지 못한 모양이구나. 꼭 구할 필요가 있느냐고 물었다.」

"터무니없는 소리는 하지도 마십시오!"

에카이트가 격하게 받아쳤다. 그러자 공작은 기가 막힌다는 듯 헛웃음 쳤다.

에카이트 역시 그 모든 리스크를 안고 아펠리아를 구하는 것이 얼마나 비효율적이며 불필요한 것인지 그 누구보다 잘 알고 있었다.

평소의 자신이라면 지금처럼 반발하기보단 보다 여러 각도로 방법을 따져 보며 아버지와 의견을 주고받았을 것이다.

에카이트가 지금쯤 무슨 생각을 하고 있는지 짐작한 듯 공작이 먼저 입을 열었다.

「이제 좀 정신이 드느냐.」

"……이성으로만 처리할 수 있는 일이 아닌 것을 아시지 않습니까."

궁색한 변명에 공작이 웃음을 터트렸다.

에카이트 또한 이토록 빈약한 논리에 기대어 아버지와, 아니 다른 누구와도 옳고 그름을 가린 적이 없었기에 이런 말을 하는 자신이 어색했다.

하지만 이대로 이성적 논리에 동의하고 물러나기엔 포기할 수 없는 것이 있었다.

아펠리아의 안전.

지금 물러서면 아펠리아의 안전 또한 포기하는 것과 다를 바가 없다.

에카이트의 입이 막중한 책임감을 안고 다시 열렸다.

"대내외적으로 아펠리아는 제 약혼녀가 아닙니까. 다른 사람도 아니고 제가, 그리고 아버지께서 그녀의 구출에 대해 이성적인 잣대를 들이대어 미온적으로 나온다면 좋은 평가를 받긴 어려울 겁니다."

「세간의 평가란 것은 간사하여 중간에 말 몇 마디만 더 흘려 넣으면 비난받아 마땅할 일도 필요에 의한 희생으로 쉽게 둔갑하지.」

공작의 말이 뜻하는 바가 무엇인지 이해할 수 있었기에, 에카이트는 또다시 침묵할 수밖에 없었다.

오랜 세월 동안 두 사람의 이해는 항상 같아 왔고, 에카이트 또한 공작의 판단에 이성적으로 동의하기 때문이다.

옳은 소리였다. 그의 의견에 동의는 하지만 동조하지는 못하는 것. 그것이 지금 그의 상황이었다.

공작이 뒤이어 말했다. 평소라면 이미 서로 같은 생각을 하고 있기에 굳이 세밀하게 말하지 않을 내용들이었다.

「아끼는 약혼자가 실종되었다. 백방으로 찾기 위해 노력을 기울였지만 실패하였다. 또는 불의의 사고로 사망하였다.」

아펠리아의 죽음까지도 계산적으로 언급하는 아버지의 냉정한 모습에 순간 심장이 철렁 내려앉았다.

"……폰디체리 공작가의 공녀입니다. 폰디체리 공작이 그런 식의 처리에 순순히 동의하지 않을 겁니다."

「제아무리 공작인들 혼자서 무엇을 어쩌겠느냐? 타고난 무관인지라 정치든 외교든 둔한 사람이다. 저 스스로 아펠리아가 동대륙에 납치된 것을 알아내는 것도 요원한 일이지.」

"……무슨 말씀이 하고 싶으신 겁니까?"

저렇게 극단적인 계산까지 염두에 두고 있을 줄은 몰랐다.

에카이트는 떨리는 목소리를 애써 감추며 태연히 되물었다.

그러자 이 당연한 상황을 뭘 더 묻느냐는 투로 공작이 말했다.

「아예 아펠리아가 동대륙에 납치되었다는 사실 자체를 대외적으로 공개하지 않는 것도 방법이란 소리다. 단순 실종으로 시간을 끌다가 뭐, 동대륙과 알력 싸움이 필요할 때에나 폰디체리 공녀에 대한 납치 의혹을 세간에 흘리면 적당하겠지.」

에카이트는 한 사람의 외교관으로서 아버지를 존경해 왔다.

그는 자신의 스승이었으며 길잡이였으며 또 정치적 이해 공유자이기도 했다.

지금도 그가 내린 잔인한 결론과 방법이 외교적으론 얼마나 유용한지 동의하고 있었다. 하지만 감정 하나 끼어들 틈 없는 논리에 숨이 막히는 것 같았다.

"……그 방법이 최선이라고 생각하시는 겁니까?"

「지금으로서 생각할 수 있는 가장 이상적인 방법 중 하나가 아니겠느냐. 말처럼 해내기는 어려울 것 같지만.」

공작의 회의적인 반응에 에카이트가 빠르게 반문했다.

"무엇 때문에 그렇게 생각하십니까?"

「황태자. 오죽 싸고돌아야 말이지. 아무리 아끼는 호위 기사에 오랜 기간 같이 자란 친우라지만, 쯧.」

공작의 말에 에카이트가 조용히 동의를 표했다.

두 사람은 친남매라고 해도 믿을 정도로 가까운 사이였다.

아펠리아가 기사 서임을 받은 후로 주종 관계를 표방한 덕분에 지금의 기사와 주군의 관계가 된 것일 뿐, 그 이전의 관계는 정말로 그러했다.

아펠리아의 신분적 결함만 아니었어도 감히 황태자비로 언급될 만큼 친밀하고 이상적인 관계였던 것이다.

아펠리아와 황태자 간의 친밀한 유대에 내심 불편해하던 것이 지금은 한 줄기 희망이 되었다는 것에 에카이트는 속으로 헛웃음을 지었다.

잠시 뜸을 들이던 공작의 입이 다시 열렸다.

「단순 실종으로 처리하려면 황태자를 속여야 하는데, 그 성격에 쉽게 속지는 않겠지. 심지어 그 자리에 같이 있지 않았더냐. 속이지 않으려면 설득해야 하는데, 그가 퍽이나.」

황태자. 적이 아니라 아군임이 감사한 대상을 꼽으라면 그의 이름이 가장 먼저 나올 정도로 대하기 힘든 대상이었다.

그는 자신이 가진 것들을 완벽하게 이용하는 사람이었다.

공작의 말대로 어설프게 속이려 들었다간 들키는 건 시간문제일 것이다. 그리고 감히 그 뒷감당을 할 수 있는 사람은 제국이 아니라 대륙을 통틀어도 없다고 봐야 할 것이다.

황태자는 여느 지배자가 그렇듯 자신을 기만하는 자에 대해 자비롭지 않다.

에카이트는 황태자에게 희망을 걸고 다시 입을 열었다.

"아버지 말씀이 옳습니다. 폰디체리 공작이야 어떻게든 한다고 칩시다. 하지만 황태자는 반드시 구출로 가닥을 잡을 겁니다."

「나도 그것 때문에 골치가 아프구나. 정치, 외교적 문제 등 고려해야 할 것이 산더미인데 황태자가 감정에 치우쳐 과격한 방식으로 구출에 뛰어들지 않게 제지까지 해야 한다니.」

다시 침묵이 이어진다. 공작의 침묵에 담긴 비난을 모르지 않기에, 에카이트 또한 묵묵히 침묵을 지키며 그 비난을 감수했다.

「이제 제법 외교관으로 한 사람 몫을 해낸다고 생각하던 차였는데, 착각이었나 보구나. 실망스럽다.」

"서로 간의 생각에 이견이 있었던 것이지요. 어떻게 매번 같을 수 있겠습니까."

「그게 진짜 이유이더냐?」

평소와 궤도를 달리하는 의견을 두고 변명처럼 내뱉은 말에 공작이 되물었다.

그의 날카로운 질문에 에카이트는 순간 말을 잇지 못하고 입을 다물었다.

사실과 다르다는 것을 서로가 이미 암묵적으로 알고 있는 상황이다.

쉽게 긍정할 수도 그렇다고 쉽게 부정할 수도 없는 질문이었다.

침묵이 길어지자 이내 영상석 너머로 혀를 차는 소리가 들렸다.

「그토록 감정을 자제하도록 가르쳤거늘 실망이 크구나. 누차 그러한 감정은 독이 될 뿐이라고 하지 않았더냐. 어떠한 감정도 가지지 말라고 그렇게 말했거늘. 쯧쯧.」

"……죄송합니다."

변명조차 하지 않는 에카이트에게서 완벽한 긍정을 읽은 공작이 허탈한 목소리로 말을 이었다.

「어렵게 됐구나, 어렵게 됐어. 이제 너와 나는 서로 다른 길로 가게 되겠구나.」

"모를 일입니다."

「진심이더냐? 벌써, 결국 그렇게 되어 버린 것이냐.」

앞뒤 설명을 생략한 물음이었지만 아펠리아에 대한 자신의 감정을 물어보는 질문임을 이해한 에카이트가 잠시 침묵했다.

대답을 기다리듯 마찬가지로 침묵을 지키는 영상석 너머의 공작이 마치 눈앞에 있는 것처럼 에카이트가 마른침을 삼키며 입을 열었다.

"……네. 진심입니다."

에카이트의 대답에 공작의 나지막한 한숨 소리가 영상석을 통해 전해진다.

「다시 연락하지.」

"네, 연락드리겠습니다."

영상석의 빛이 꺼지며 정적이 흐른다.

에카이트는 나름대로 아펠리아에게 긍정적이고 호의적인 아버지를 떠올리며 혹시나 하고 기대를 했었다.

너무 순진했다. 일련의 상황을 겪고 난 지금, 제 어리석었던 기대를 곱씹으며 에카이트는 절로 헛웃음을 뱉었다.

그랬다. 원래 저런 분이었다. 필요에 의해서라면 얼마든지 호의적인. 반대로 말해 필요가 없어진다면 얼마든지 무관심해진다.

혹시 모를 일말의 지지를 기대했던 스스로의 안일함을 꾸짖으며, 황태자가 부디 예상대로 아펠리아의 구출에 적극적이기를 바랐다.

한편 어머니의 반응은 아버지와 정반대였다. 에카이트는 어머니가 보내는 의외의 지지에 조금 얼떨떨했다. 그 점이 참 어머니답다고 생각됐지만.

아마 어제 있었던 귀족 회의 덕분에 그녀가 납치되었다는 소문을 들은 것 같았다.

어머니가 먼저 영상석을 통해 대화를 청할 정도이니 말이다.

「……듣고 있는 게냐.」

“네, 잘 듣고 있습니다.”

「이미 파혼한 관계라 정리가 된 사이라면 몰라도 약혼한 사이잖니. 서로가 서로에게 신의를 보이고 그것을 지켜야 하는 것은 당연한 일. 네가 공녀의 구출에 최선을 다해 네 명예를 지키리라 믿겠다.」

물론 순수하게 아펠리아에 대한 애정에서 비롯된 당부는 아닐 것이다.

뭐, 그런 당부를 순수한 애정으로 할 사람은 혈육인 폰디체리 공작밖에 없지 않을까.

물론 폰디체리 공작이라면 이런 평화적인 방법의 당부보다 공격적인 방법으로 명확한 의사 표현을 마친 직후다.

잠시 악몽과도 같았던 폰디체리 공작의 폭주를 떠올린 에카이트는 어머니의 말에 동의를 표했다.

“어머니를 부끄럽게 만드는 일은 없을 겁니다.”

「당연한 소리를 하는구나.」

“그렇습니까.”

「소식 기다리마.」

“네, 들어가십시오.”

영상석이 빛을 잃고 꺼진다. 제국이 거의 코앞이다.

조슈아의 날 선 시선. 제국에 도착할 때까지 계속된 그 시선은 모르려야 모를 수 없을 정도로 노골적이었다.

하지만 에카이트는 그를 굳이 상대하지 않았다.

가뜩이나 신경 쓸 일이 많은데, 저런 감정 소모성 싸움으로 이어질 것이 분명한 시선까지 걸고넘어질 여유가 없었기 때문이다.

다행히 지금까지는 조슈아가 직접적으로 시비를 걸지 않아 조용히 넘어갈 수 있었다.

하지만 제국에 가까워지자 그는 기어코 에카이트가 상대할 수밖에 없도록 입을 열었다.

"어떻게 되어 가고 있는 겁니까? 아펠리아 경 말입니다."

"……바로 옆에서 지켜보고도 아직도 그 답을 모른다니 한심하기 그지없군. 동대륙으로 납치됐다고 하지 않았나."

"누가 납치당한 것을 몰라서 물었습니까? 구출이나 아펠리아 경의 상황. 그런 것을 물은 것이지요."

"궁금하면 재주껏 알아내 보든가."

스스로도 이상할 정도로 날을 세우고 있었다. 조슈아만 보면 왠지 모르게 비이성적으로 변했다.

물론 그 이유는 아펠리아겠지만, 아직은 쉽사리 긍정할 수 없었다.

"가소롭기 그지없군요."

"……방금 뭐라고 했지?"

감히 가문도 계승하지 못할 백작가 차남 따위가.

에카이트는 자신의 귀를 의심하며 되물었다.

하지만 역시나 잘못 들은 것은 아니었다.

"가소롭기 그지없다고 말했습니다."

"그건 내가 할 말이군. 같이 이동하고 있다고 막역한 사이이고 동등한 관계라 착각한 모양이야. 주제를 파악하는 게 어떤가."

"말씀 잘하셨습니다. 천박하게 구는 여자 하나 어찌하지 못하고 약혼녀를 구설에 시달리게 한 것도 우스운데 이제 와서 신의 넘치는 약혼자처럼 구는 것에 대해선 어떻게 생각하십니까?"

정면으로 비난하는 조슈아의 눈빛은 힐난으로 가득했다.

심상치 않은 기류에 곁을 지키던 앤드류가 '큼큼' 헛기침 소리를 내며 중재에 나섰다.

“왜들 이러십니까. 두 분 다 예민하신 것은 알겠습니다만 우리끼리 이런 식으로 무의미한 언쟁을 벌여서 좋을 것이 있겠습니까?”

“비겁하십니다. 아펠리아 경이 가엾고 아깝습니다.”

앤드류의 중재에도 조슈아는 이성을 잃은 사람처럼 직설적으로 비난하기에 이르렀다.

에카이트는 마치 계속해 보라는 듯 그를 가만히 쳐다보았다.

“기사는 그 어느 것보다 가장 명예로운 직업이 아닙니까. 그런데 약혼자의 잘못된 처신이 그 명예에 흠을 내지를 않나, 기만당할 일을 만들지를 않나. 당신만 아니었어도 더 찬란하게 빛났을 사람입니다. 훨씬 대접받았을 사람이란 말입니다!”

“그게 지금 상황이랑 무슨 상관이지?”

에카이트는 매정하게 그의 고함을 쳐 냈다. 그러자 그를 씩씩거리며 노려보던 조슈아가 잠시 심호흡을 하며 마음을 가라앉혔다.

빠르게 마음을 다스리는 데에 성공한 그가 전보다 한참 침착해진 목소리로 입을 열었다.

“……다 들었습니다. 구해야 한다는 둥, 말아야 된다는 둥. 베이야드 공작과의 대화 말입니다!”

모든 내용을 들었다면 이렇게 에카이트를 비난할 수 없다.

말하는 투를 보니 극히 일부만, 그것도 구출에 대해 회의적으로 말하는 부분만 들은 것 같다.

가뜩이나 앞에 있던 일련의 사건들로 자신을 탐탁지 않게 생각하고 있었는데 그런 대화까지 들었다면 당연히 의심할 수밖에 없으리라.

쓸데없는 감정 소모와 해명을 거쳐야 한다니, 벌써부터 지칠 것 같았다.

하지만 간략하게라도 설명하지 않으면 쉽게 넘어갈 것 같지 않아 머릿속을 정리한 뒤 입을 열었다.

하지만 에카이트보다 먼저 입을 연 것은 내내 소극적으로 입을 다 물고 무거운 침묵을 지켜 왔던 황태자였다.

그는 아펠리아와 영상석을 통해 연락이 되기 시작한 후로부터 그나마 제정신이 들어온 것 같았는데…….

"……구해야 한다, 말아야 한다? 감히 그딴 말을 했었다고?"

황태자의 개입에 놀란 것도 잠시, 그가 보이는 살벌한 반응에 모두가 잠시 침묵을 지켰다.

그러나 침묵은 그의 화를 가라앉히는 데 별다른 도움이 되진 못했다.

"그 누가 되었던, 아펠리아의 신병 확보에 대해 이견을 보이는 자는 나에 대한 도전하는 것으로 생각하겠다."

황태자에 대한 도전이라니. 반역을 일으킬 생각이 아니라면 감히 생각해 보지도 못할 일이었다.

다들 무거운 침묵 속에서 눈치만 살피고 있는데 황태자가 다시 입을 연다.

"내가, 얼마나 많은 노력을 했는데. 이번이 정말로 마지막이거늘. 만약, 정말로 만에 하나 아펠리아의 신변에 티끌 하나만큼의 문제라도 생긴다면 함부로 입을 놀린 사람부터 온전하지 못할 것이다."

제아무리 공작이라 한들 아펠리아 구출에 초 치는 소리라도 했다간 가만두지 않겠다는, 극단적인 경고였다.

에카이트는 황태자의 살벌한 경고가 가깝게는 자신의 아버지, 그리고 넓게는 자신의 가문을 겨냥하고 있다는 걸 알면서도 묘한 안도감을 느꼈다.

황태자의 단호한 태도를 통해 어떻게든 구할 수 있을 것이다.

할 수 있는 최선을 다할 수 있을 것이다.

그러한 믿음이 생겨나면서 작게나마 안심할 수 있었다.

애매한 순간에 개입한 황태자 때문에 제대로 된 해명을 하지 못한 자신에게 조슈아의 사나운 시선이 계속되었지만, 아무래도 좋았다.

아펠리아만 늦지 않게 무사히 구할 수 있다면 말이다.

'퍽!'

에카이트는 자신의 뺨 옆을 날카롭게 지나가 벽에 부딪혀 부서진 회중시계 파편을 멀거니 바라보았다.

"곁에 있었으면서 아무것도 못하고 무능하게 내 딸을 빼앗긴 주제에 잘도 여기를 찾아왔구나!"

"……뭐라 드릴 말씀이 없습니다."

"할 말도 없으면서 대체 여긴 왜 온 것이냐! 여기서 죽고 싶은 것이 아니라면 당장 꺼져 버려!"

이성을 잃고 날뛰는 폰디체리 공작은 기세만은 흉흉했지만, 무섭단 느낌보단 애처로운 느낌이 들 정도로 많이 야위어 있었다.

아펠리아가 아카데미로 남몰래 훌쩍 떠난 이후 딸에 대한 배신감과 원망에 한동안 두문불출하던 공작의 앞으로 언데드 소식이 들려왔다.

혹시나 아펠리아가 잘못된 것은 아닌지 난리도 아니었다.

당장에라도 아카데미로 떠나려는 그를 붙잡은 것은 성수 확보를 위한 외교적 담화에 참석해야 한다는 현실적인 상황이었다.

하지만 아펠리아에게 도움이 되는 일을 하고자 제국에서 딸을 기다리기로 힘든 결심을 내린 그에게 돌아온 것은 딸의 실종이자 납치 소식이었다.

폰디체리 공작이 얼마나 자신의 딸을 아끼는지는 모르는 사람이 없을 정도로 공공연하고 유명한 이야기였다.

그런 딸이 절체절명의 위기 상황에 처했다는 소식에 그가 이성을 잃고 날뛰는 것은 당연한 일이었다.

굳이 만나서 자극해 봤자 도움이 될 리 없는 상황이었지만 에카이트는 폰디체리 공작가를 방문했다.

그 이유는 생각보다 간단했다.

므네모쉬.

첩자가 몇 번이고 언급한 이름이자 오래전 유명을 달리한 폰디체리 공작 부인의 이름이었다.

물론 제국이 기억하는 이름과는 달랐지만 그 이름이 칭하는 사람은 변하지 않았다.

이 모든 사건의 핵심은 므네모쉬라는 아펠리아의 어머니에게 있음을 명확하게 알게 된 이상, 그녀에 대해 알 필요가 있다고 판단했다.

폰디체리 공작에게 있어서 역린이나 다름없는 공작 부인의 얘기를, 그것도 이 시점에 꺼내는 것이 결코 현명한 판단이 아닌 것은 알고 있었지만 별다른 선택지가 없었다.

사납게 날뛰는 폰디체리 공작을 견뎌 내는 사이, 방은 더 이상 던지고 망가트릴 것이 없을 정도로 엉망이 되어 있었다.

"……나가. 당장 꺼져 버려! 내 딸과 같이 나타날 것이 아니라면 내 눈앞에서 꺼져 버리란 말이다!"

폰디체리 공작의 고함에 에카이트가 조용히 입을 열었다.

"그러려면 도움이 필요합니다."

에카이트의 말에 숨을 헐떡이던 공작이 사나운 눈초리로 되물었다.

"무슨 도움 말이냐."

"므네모쉬를 아십니까."

"……네가, 네가 어떻게 그 이름을."

"그녀가 누구인지는 알고 계시군요."

에카이트의 말에 공작이 나지막한 소리를 흘리다 고개를 끄덕여 긍정했다.

"오랜만에 듣는 이름이군. 그립기 그지없는 나의 부인, 시엘라 폰 디체리 공작 부인의 결혼 전 이름이지. 그 이름을 소리 내어 불러 본 지도 오래되었군."

공작이 회상에 잠긴 듯 아련한 눈빛으로 먼 곳을 바라보았다.

공작 부인이 살아 있을 때에 그토록 애절한 사이였다고 들었는데 소문이 사실이었나 보다.

에카이트는 공작이 더 깊은 상념에 빠지기 전에 단도직입적으로 물었다.

"공작 부인에 대한 정보가 필요합니다."

"……말할 수 있는 것이 없다. 알려 줄 만큼 아는 것도 없고 말이다."

방어적으로 나올 줄 알았다는 듯, 에카이트가 잠시 입을 다물고 진중한 눈빛으로 그를 바라보았다.

두 사람의 시선이 허공에서 얽혔다.

"그것이 바로 이번에 아펠리아가 납치된 원인이기에 그렇습니다. 이번에 새로이 동방 국가와 교역을 시작했다는 것은 아시겠지요."

에카이트의 말에 공작이 고개를 끄덕여 동의를 표했다.

아무리 외교며 대외 정치에 관심이 없는 공작이라지만 워낙 유명한 일이었기에 알고 있는 모양이었다. 그의 동의에 에카이트가 말을 계속했다.

"거기에서 우리 측으로 첩자를 보냈습니다. 물론 새롭게 교역하는 나라의 속사정을 캐내기 위해 당연한 일입니다만 이 첩자는 그런 유의 첩자와는 다른 행보를 보이더군요. 이상해서 캐 보았지요."

이어지는 에카이트의 말에 무언가 걸리는 게 있는지, 공작의 눈동자가 흔들렸다.

분명 무엇인가 짚이는 바가 있는 눈치였다. 에카이트는 말을 계속했다.

"첩자는 처음부터 아펠리아를 노렸습니다. 그 이상한 행보에 저희도 역으로 추적해 첩자의 진짜 목적이 무엇인지를 알 수 있었지요. 그의 목적은 바로 폰디체리 전 공작 부인이었습니다. 그들은 공작 부인을 므네모쉬라 부르더군요."

에카이트의 말에 폰디체리 공작이 쓰러지듯 의자에 주저앉았다. 에카이트는 그런 그를 잠시 바라보다 말을 이었다.

"결론만 말씀드리자면 첩자는 아펠리아가 므네모쉬의 딸이기 때문에 그녀를 납치했고, 또 그것을 이유로 결혼하려 들고 있습니다."

"뭐, 뭐라고?"

대외적으로 공개되지 않은 내용인지라 처음으로 알게 된 세세한 속사정에 폰디체리 공작이 아연한 표정으로 에카이트를 바라보았다.

힘없이 의자에 앉아 있던 그의 눈이 무서운 빛을 띠었다.

"알아야겠습니다. 므네모쉬가 대체 누구인지. 제국에서 그녀에 대해 설명할 수 있는 사람이 또 누가 있겠습니까."

"……빌어먹을 놈들. 그곳이 미친놈들 소굴인 것은 들어서 알고 있었지만 이 정도일 줄이야."

기억을 더듬으며 이를 가는 공작을 잠시 두고 보자 그가 천천히 입을 열었다.

"……내가 아는 것은 모두 말하지. 모두 말하겠네."

"부탁드리겠습니다."

"반드시, 반드시……. 그 아이를 되찾아야 해. 그 아이까지 잃으면 내겐 아무도 없네."

폰디체리 공작의 당부에 에카이트가 단호한 눈빛으로 고개를 끄덕였다.

잠시 눈을 감고 회상에 잠긴 폰디체리 공작이 천천히 입을 열었다.

므네모쉬는 도망치는 중이었다. 열세 살 그녀에게 고향은 그저 떠나고 싶은 땅이었다.

떠나지 못한다면 차라리 죽는 것이 났다. 필사의 각오로 도망치자 풍랑에 위태롭게 흔들리는 작은 배에 몸을 맡길 수 있었다.

짧은 토막 지식으로 방향만 겨우 잡아 가는 므네모쉬의 항해는 예상대로 험난했다.

이리저리 몸이 흔들리고 바닷물인지 빗물인지 알 수 없는 물에 몸이 잠기면서 표류하길 한참.

이대로 끝이구나 싶어서 정신을 놓았는데…… 눈을 뜨니 아직 이승이었다.

불행인지 다행인지 거기서 죽을 목숨은 아니었나 보다. 조업 중이던 서대륙 어부들에 구출돼 목숨을 유지할 수 있었던 것이다.

그렇게 우여곡절 끝에 서대륙에 도착했지만 그때부터가 진정한 시련의 시작이었다.

"도대체 어디서 온 걸까요? 행색도 특이하고……."

"부모는 어디 가고 저 어린 것이 이 날씨에 구걸을 해? 쯧쯧."

패물이 있으면 그래도 당장은 먹고살 수 있을 줄 알았다. 그래서 그 풍랑 속에서도 소중하게 지켜 낸 것이었는데.

무작정 멀리 온 것은 좋았으나 멀어도 너무 먼 곳으로 와 버렸다. 말이 통하지 않을 줄이야.

어리지만 영특했던 므네모쉬는 차라리 남루한 행색으로 동정을 받는 편이 패물을 드러내 위협을 받는 것보다 백번 낫다는 생각에 마을 어귀에 자리를 잡았다.

딱히 구걸을 하려던 것은 아니었지만 행색이 이렇다 보니 저를 불쌍히 여긴 동네 아낙들이 빵 조각을 조금씩 놓고 갔다. 어떻게 보면 구걸을 하는 것처럼 느껴졌으리라.

–춥다. 너무 춥다.

이곳의 겨울은 동대륙의 겨울보다 엄청 추웠다.

이까짓 패물, 대충 쥐여 주며 겨울옷을 달라 하면 아마 몇 벌이고 내줄 것이다.

그런 유혹이 매서운 칼바람이 불 때마다 불어닥쳤다.

하지만 스스로를 보호할 힘도 없는 어린 소녀가 그런 패물을 쥐고 다닌다는 소문이 돈다면?

–……참아야 해. 참아야 하는 거야. 이 정도는 참을 만해.

눈을 질끈 감은 채 몸을 덜덜 떨고 있는데 갑자기 어깨부터 온기가 퍼져 나가기 시작했다. 묵직한 무게감도 함께였다.

–이게 무슨…… 누구……?

"소문이 사실이었군. 요즘 같은 태평성대에 부모도 없이 구걸하는 어린아이가 있다는 말에 반신반의했는데 말이지."

큰 말에서 내려선 남자가 알아먹을 수 없는 말로 자신을 내려다보며 혀를 찬다.

그의 어깨에 둘러져 있었던 것으로 보이는 큰 망토가 자신의 몸을 감싸고 있었다.

"이 날씨에 지방 영지까지 시찰하느라 바빴는데, 그래도 보람은 있군."

므네모쉬는 남자가 무슨 말을 하는지는 모르겠지만 그의 망토가 주는 온기에 몸이 노곤해지는 것을 느꼈다.

"여기는 수도도 아니고 해서 고아원도 없는데……. 일을 시키기엔 너무 어려 보이고. 어쩐다."

"영주를 만나 보시지요. 그가 더 잘 알 것이니 그와 대화하시는 편이 나을 듯합니다."

"그래. 일단 그 전에 얼어 죽어 버리면 아무 소용없으니 뜨거운 우유에 초콜릿 녹인 것이나 한 잔 주라고."

그의 뒤에 서 있던 다른 남자의 정중한 대꾸에 남자가 뭐라고 말한다. 뒤에 있던 남자가 잠시 어딘가를 다녀왔다.

공주로 자라 예법에 밝고 눈치가 빠른 므네모쉬는 단박에 두 사람의 관계가 상사와 부하일 것이라 짐작했다.

돌아온 남자의 손에는 김이 폴폴 나는 컵이 들려 있었다.

"마시멜로까지! 제법 제대로군. 좋아, 이걸 마시면서 기다리라고. 내일 다시 찾아오지."

므네모쉬는 김이 나는 잔을 받아 들고 그 온기에 손을 녹이며 그를 바라보았다.

남자는 무어라 말한 뒤 말을 타고 멀어졌다.

조용히 손에 쥔 음료에 입을 댄 그녀는 달콤하고 부드러우면서 따뜻하게 배 속을 덥히는 맛에 매료되어 오랜만에 행복을 느꼈다.

—동대륙 출신이네. 맞지, 아가야? 아니, 열 살은 되어 보이는구나.

담벼락에 기대어 간만에 편히 잠들었던 므네모쉬는 동대륙어로 말을 거는 목소리에 소스라치게 놀라 눈을 떴다.

눈앞에는 눈이 튀어나올 만큼 화려하고 어수선한 복색의 사람들이 서 있었다.

—……우, 우리말을 어떻게 하는 거죠?

"봐, 맞잖아. 동대륙 아이야."

"그러네. 신기하기도 하지. 동대륙에서 여기 오는 건 불가능하다고 하지 않았어?"

"그랬으면 우리 부모님은 어떻게 오셨겠어? 그만큼 아주 어렵다는 거지."

므네모쉬는 익숙한 생김새의 여자가 다른 사람들과 서대륙어로 대화하는 것을 멍하니 바라보았다.

잘못 들은 건가, 하고 생각하는 순간, 그녀의 입이 다시 열렸다.

—동대륙 사람이 여기까지, 그것도 혼자 왔다니 아주 사연이 많겠구나. 우리랑 같이 가지 않을래?

—……저는. 그러니까 저는…….

—힘든 일이 많았겠지. 쉽게 사람을 믿지 않는 것은 훌륭한 태도이긴 한데, 여기에 이렇게 있다가는 얼어 죽을지도 몰라. 게다가 동대륙 말을 아는 사람은 이곳에 아주 드물단다.

그녀의 말에 므네모쉬는 더 이상 고민하지 않고 고개를 끄덕였다.

그렇게 므네모쉬가 서대륙에 와서 처음 몸을 의탁하게 된 곳은 다름 아닌 집시 무리였다.

새벽같이 그들과 함께 마을을 떠난 므네모쉬는 어제의 그 남자가 다시 돌아와 그녀를 찾을 줄은 꿈에도 몰랐다.

"그때 그녀는 열세 살이었어. 지방 영지를 시찰하러 내려갔을 때 처음 봤었지. 나중에 시엘라에게 그녀가 이곳까지 온 전말을 듣고 내심 깜짝 놀랐어. 마을은 바다에서 조금 멀리 떨어진 곳이었거든."

회상에 잠긴 폰디체리 공작의 눈이 먼 곳을 응시하다 에카이트에게로 돌아왔다.

열세 살.

홀로 배를 타고 목숨 건 탈출을 강행하기엔 너무도 어린 나이였다.

에카이트는 시엘라 공작 부인의 파란만장한 어린 시절의 극히 일부만 들었을 뿐인데도 동대륙에서 그녀가 겪었을 참담함이 느껴지는 것만 같았다.

"꼬질꼬질한 작은 몸으로 담벼락에 붙어 벌벌 떨고 있었어. 그래도 제법 자존심도 있어 보였고, 함부로 자란 아이 같지는 않았다. 이상하게 발이 떨어지지 않았지. 짧은 만남이었지만 기억 속에 계속 남아 있었다."

"열셋이라. 동대륙에서의 삶이 만만치 않았었나 봅니다."

"누구라도 그랬을 거야. 강단이 있는 그녀조차 질려서 달아날 정도였으니 다른 사람이라고 견딜 턱이 있나."

공작은 다시 회상에 빠진 듯 먼 곳을 바라보기 시작했다. 에카이트는 그의 회상을 돕기 위해 조용히 입을 닫았다.

므네모쉬는 그래도 제법 행복한 삶을 살았다. 절제와 법도 속에 끼워 맞춰진 숨 막히는 삶이었지만 날 때부터 그러한 환경에서 태어났으니 크게 어색할 것은 없었다.

물론 이 모든 것은 황제였던 자신의 아버지가 병상에 눕기 전이자 황후였던 자신의 어머니가 피를 토하며 엎어지기 전까지였다.

어린 므네모쉬가 보기에도 참 이상한 병환이었다.

평화로운 표정으로 아침 문안 인사를 받던 어머니가 그날 갑자기 각혈을 하고 저녁 문안 인사도 받지 못할 만큼 상태가 나빠진 것은 말이다.

다음 날도, 그다음 날도 문안 인사는 할 수 없었다.

어머니는 귀애하던 외동딸인 자신의 병문안조차 받지 못할 만큼 위독한 상태로 며칠을 앓다가 결국 세상을 떠나고야 말았다.

무엇인가 이상하다고, 의심의 목소리를 높이는 므네모쉬를 하얗게 질린 얼굴로 보듬어 안은 황제는 아무 말도 하지 않았다.

어머니가 돌아가신 지 얼마나 되었다고, 므네모쉬는 그다음 날 바로 그간 말이 많던 자신의 약혼처가 정해졌다는 소식을 들었다.

참으로 이상하기 그지없었다.

–아바마마. 아직 어마마마의 시신을 덮은 흙도 굳지 않았습니다. 이런 법도는 세상에 없습니다.

–아가. 저기 달이 보이느냐?

므네모쉬의 분에 찬 목소리와는 다르게 낮게 가라앉은 황제의 목소리는 창밖의 달을 가리키고 있었다.

화가 났을지언정 배워 온 예절이 몸에 밴 므네모쉬는 황제의 말에 따라 달을 바라보았다.

–보름달입니다. 지금 달 따위가 다 무슨 소용이라고…….

—그래. 아주 꽉 찬 만월이야. 무엇이든 차게 되면 기울기 마련이란다.

—달이 차면 기울어 초승달이 될 것이고 또 그믐을 지나 다시 보름달이 되겠지요. 그것이 자연의 순리이자 섭리가 아니겠어요.

영특하게 답하는 딸을 잠시 기특하다는 시선으로 내려다보던 황제가 눈을 지그시 감고 다시 말을 계속했다.

—잘 배웠구나. 지금의 달은 기울게 될 달이란다. 네가 이렇게 어린데……. 하필 네 차례에 이 기우는 달을 보아야 한다니 이 아비는 가슴이 찢어진다.

—저는 괜찮습니다. 보름만 기다리면 금방 다시 보름달을 보지 않습니까?

—……그 기다림이 과연 순탄할지 모르겠구나. 다시 보름달이 뜰 때까지 이 아비가 네 곁에 있을지도 모르겠고 말이다. 미안하구나. 정말 미안해.

알 듯 말 듯 아리송한 소리를 하는 황제를 알 수 없는 표정으로 바라보던 므네모쉬가 입술을 달싹이다 이내 입을 닫아 버렸다.

황제인 제 아버지가 이토록 마음 아파하고 어쩔 줄 모르는 모습은 처음 봤기 때문이었다.

그리고 약혼 따위, 적당히 시기가 지나면 어떻게든 파기할 수 있으리라 애써 위로해 보았다.

—미친놈. 흉악한 놈. 잔인한 놈!

므네모쉬는 자신의 약혼자만큼 끔찍한 사람은 없으리라 생각했다. 소리 내어 입에 익지도 않은 험한 소리를 내뱉었지만 속은 풀리지 않았다.

무려 자신보다 나이도 열 살 이상 많은 데다 전 부인과 그 소실의 남매는 자신의 어머니가 갑작스럽게 돌아가시기 얼마 전 불의의 사고로 유명을 달리했다고 들었다.

즉, 한 번 결혼을 했고 자식까지 낳은 남자가 자신의 약혼자로 나선 것이다.

도대체 얼마나 뻔뻔해야 그런 남자가 감히 공주의 부군이 되어 나라를 물려받겠다고 나선단 말인가.

약혼 전 형식적 절차로 처음 그를 본 므네모쉬는 저런 자와 약혼 관계로 묶이느니 차라리 죽는 편이 낫겠다는 생각까지 했다.

−아무리 권력이 무섭다고 해도, 저런 남자가 내 약혼자로 나서는 걸 반대하기는커녕 지지한다고?

물론 반대하는 청렴하고 상식 있는 무리들은 분명 있었다.

하지만 한바탕 잔인한 숙청이 일자 다들 한발 뒤로 물러섰을 뿐이다.

므네모쉬의 약혼자로 나선 남자가 그녀를 만날 무렵이 돼서는 반대의 목소리를 내는 사람이 아무도 없었다.

−대체, 대체 어떻게 해야 하는 거지? 아바마마는 무슨 생각이신 거고?

므네모쉬는 스스로 고민해 보았자 달라질 것이 없다고 결론을 냈다.

그리고 그렇게 결론을 내리자마자 곧바로 황제를 만나야겠다고 생각했다.

하지만 그조차 쉽지 않았다.

−아바마마를 뵈러 왔다.

−마마, 아뢰옵기 송구하오나 바쁘십니다.

성도 내보고 으름장도 내 보았지만 아직 키도 다 자라지 않은 공주보다는 떡하니 버티고 선 다음 대 권력자의 위엄이 더 컸다.

므네모쉬는 결국 급하게 정해진 약혼식 당일까지도 황제를 만나지 못했다.

므네모쉬는 결국 그렇게 약혼을 했다.

"더러운 놈들이었지. 권력에 대한 탐욕이 엄청나 수단과 방법을 가리지 않더군."

공작의 말에 에카이트는 침묵했다. 이것은 첩자 아버지의 이야기일 것이다.

첩자의 광기가 예사롭지 않다고 생각했는데, 대를 이어 내려온 광기였었나 보다.

"그때 시엘라는 열 살이 겨우 넘은 어린아이였어. 아무런 힘도 쓸 수 없는 그 무력한 상황을 홀로 버텼다고 생각하면……."

"끔찍하군요. 그래도 그 어린 나이에 배를 타고 홀로 떠나올 생각을 했다니 제법 강단이 있으셨습니다."

"시엘라도 처음에는 겁이 났겠지. 온실 속에서 귀하게 자란 공주가 아니더냐. 하지만 더 나빠질 수 없으리라 믿은 상황이 그 이상으로 더 악화되니 별수 없었던 거야."

저기서 더 상황이 나빠졌다고? 에카이트는 그 최악의 상황을 상상해 보곤 기가 막혀 조용히 공작의 다음 말을 기다렸다.

황제는 황후를 잃고 상심해 마음에 병을 얻었고 그로 인해 국정을 돌볼 여유가 전혀 없었다.

그것이 므네모쉬의 약혼자와 그 패거리들이 세간에 발표한 내용이었다.

이러한 어려움과 모든 불편함을 감수하고서 그는 황제를 대신해 공주의 약혼자 신분으로 국정을 돌보겠노라 선언하였다.

직접 나서기엔 너무 어렸고 또 편을 들어줄 만한 친척도 하나 없는 므네모쉬는 그를 이겨 낼 힘이 없었다.

이미 그 약혼자의 잔혹함과 무도함이 전국에 알려진 터라 그의 섭정엔 거침이 없었다.

므네모쉬는 자신의 아버지가 단순히 마음의 병을 얻어 자리에 누운 것이 아니란 것도, 그리고 그 약혼자가 좋은 사람이 아니라는 것도 모두 알고 있었다.

하지만 어쩌겠는가. 자신에겐 힘이 없는 것을.

므네모쉬는 그에게 문안 인사를 가야 한다며 그녀를 재촉하는 여자들을 황당하게 바라보았다.

제아무리 권력의 힘이 강하다고 한들 법도 위에 서려고 하다니.

–난 그자에게 인사하러 가지 않겠어.

–마마, 그러실 수는 없습니다.

–그럴 수 없다니? 나는 공주이다. 내 아버지는 황제이시고. 이 나라에서 내게 인사를 요구할 수 있는 사람은 오직 아바마마와 돌아가

신 어마마마뿐인걸.

—……섭정 왕이 계시지 않습니까, 마마. 법도대로면 섭정 왕이 더 위입니다.

섭정 왕이라니.

므네모쉬는 공주인 자신도 모르는 사이 섭정 왕이라는 것이 생겨났다는 것에 온몸을 파르르 떨었다.

누가 섭정 왕의 자리에 올랐는지 직접 말하는 사람은 없었지만 그것이 자신의 약혼자를 지칭하는 것이리라.

본능적으로 깨우친 므네모쉬가 눈을 부릅떴다.

그간 두려움에 가려졌던 분노가 드디어 드러난 것이다.

—앞장서라. 섭정 왕. 재미있구나. 섭정 왕이 계신다면 응당 인사를 드려야지.

—……네, 마마. 안내하겠습니다.

분노로 반짝이는 므네모쉬의 눈빛을 읽지 못한 것은 아니었으나 그것을 두고 이러시면 안 된다고 말할 순 없었다.

불안한 시선으로 그녀를 살피던 여자들이 앞장서기 시작했다.

므네모쉬는 섭정 왕이 되었다는 약혼자가 황궁 내에 버젓이 거처를 두고 있다는 사실이 너무도 기가 막혔다.

심지어 그 거처가 감히 자신의 아버지인 황제의 방과 같은 곳에 있다는 것에 알 수 없는 불안감과 분노를 느꼈다.

—설마……. 설마, 아닐 거야.

약혼식이 끝난 후로도 황제는 건강 악화를 핑계로 그 누구의 문안 인사도 거절하고 있었다.

그토록 예뻐하던 외동딸인 므네모쉬조차 몇 번의 거절 끝에 더 이상 발걸음을 하지 않고 있으니 아마 드나드는 사람은 아예 없다고 봐도 과장이 아닐 것이다.

그간 찾아오지 못했다고는 하나 그곳의 구조와 방향을 모두 잊은 것은 아니다. 황제의 처소로 가는 길에 다른 방은 없다.

설마 아무리 무도하고 간악하기로서니 아직 황제의 자리에 멀쩡히 사람이 있는데.

불안감에 므네모쉬의 발걸음이 점점 빨라졌다.

–마마, 걸음이 너무 빠르십니다. 법도를 잊으셔서는 안 됩니다.

–법도? 그렇지. 말 한번 잘 했다. 나도 혹여 법도를 잊은 자가 있는 것은 아닐까 확인하려 하는 것뿐이다.

므네모쉬가 흥분에 숨을 헐떡이며 황제이자 자신의 아버지가 있는 거처 앞에 도착했다.

방 앞을 지키는 사람들에겐 눈도 돌리지 않고 입을 열었다.

–공주가 문안 인사를 왔다고 고해라.

–예. 공주님께서 오셨습니다!

–기다리고 있었다. 들라 하라.

안에서 들리는 목소리는 익숙한 아버지의 음성이 아니었다. 그 남자였다.

므네모쉬는 자신이 우려했던 말도 안 되는 상황이 사실로 다가온 것 같아 몸을 덜덜 떨며 방 안으로 걸음을 옮겼다.

그곳에 익숙한 아버지의 물건들은 없었다.

황제의 색을 사용한 방이었지만 온통 처음 보는 물건들로 가득 찬 방은 낯설고 어색하기 그지없었다.

–고집이 센 것인지, 아니면 버릇이 잘못 든 것인지 인사가 참으로 늦는구나.

–……이, 이게 다 뭐란 말인가. 이 방은 황제, 오직 황제께서만 쓰

실 수 있는 방이거늘. 황제는 어디에 계시냐!

–어허, 저 말버릇. 돌아가신 황비 마마가 여식을 썩 잘 가르친 것은 아닌가 보군.

건방지게 죽은 황비를 입에 담으며 므네모쉬의 행동을 빈정거린 남자는 황제가 늘 앉던 의자에 당당히 앉아 그녀를 바라보고 있었다.

–너 따위가 섭정 왕으로 앉는 것에 동의한 적은 없다. 감히 스스로를 섭정 왕으로 높여 칭하고 황실의 법도를 어지럽힌 죄는 목숨으로 갚아도 부족할 것이다!

–아이고, 이것 참 무섭기도 해라. 공주, 아직 어려서 모르는 것이 참 많은 것 같소. 남이라면 몰라도 약혼자인 만큼 그대의 무지는 나의 흠이니 내 친히 가르쳐 주지. 그대가 부디 영리한 사람이면 좋겠어. 난 두 번이라는 게 없는 사람이거든.

므네모쉬의 불과 같은 분노를 우습게 받아친 남자가 서늘한 시선으로 그녀를 바라보았다.

므네모쉬는 분을 참지 못하고 몸을 파르르 떨다 산전수전을 겪으며 잔혹함을 익힌 남자가 풍기는 야성에 몸이 저절로 움츠러드는 것을 느꼈다.

–안타까운 일이지만 그대도 알다시피 황제께서는 매우 아프시다네. 오늘 저녁에 당장 부고가 들린다고 해도 이상하지 않으리만치 말이야.

–……거짓말. 병명도 똑바로 말하지 못하는 병이 무슨 하룻밤 사이에 목숨도 앗아 갈 만큼 큰 병이란 말이냐.

–마음의 병이 다 그런 것 아니겠나. 공주가 이렇게 막무가내인 것을 알게 되면 그 병이 더 깊어질 것 같군, 쯧쯧.

협박이다.

므네모쉬는 협박받는 것에 익숙한 아이는 아니었으나 영리한 아이였기에 그의 말이 그녀를 굴복시키기 위한 협박임을 바로 알아들었다.

-나라고 이런 어중간한 섭정 왕의 자리가 좋을 턱이 있나. 하지만 황제께선 국정을 돌볼 상황이 되지 않고 그 공주는 어리고 이토록 세상 물정에 어둡기까지 하니. 누군가는 나서서 이 나라를 이끌어야 하지 않겠는가.

-……좋다. 백번 동의해 누군가 나서서 섭정을 해야 하는 상황이라고 하지. 하지만 그 섭정 왕을 정하는 데 있어 황권을 지닌 공주인 내 의견을 완전히 배제할 수는 없는 법.

므네모쉬의 떨리는 목소리를 듣던 남자가 가소롭다는 듯이 픽 웃는다.

-잊었나 본데, 공주. 우리는 약혼한 사이라네. 그리고 아직 성년이 되지 않은 약혼자는 다른 약혼자가 성인일 경우 그가 대리인으로 의견을 행사할 수 있고 말이야.

맞는 말이다. 아직 성년이 되려면 한참 먼 므네모쉬가 입술을 파르르 떨었다.

-그래서 내가 친히, 번거롭지만 그대를 대리해 동의의 의사를 표한 것이지. 이제 이해가 되는가?

-……앞으로 뭘 어떻게 하려는 생각이지?

므네모쉬의 말에 그가 목젖이 보일 정도로 고개를 젖히며 크게 웃는다.

광기 어린 웃음에 저절로 몸이 위축되는 것을 느꼈다.

-눈으로 직접 보고도 아직 모르겠는가? 공주, 앞으로 내가 뭘 어떻게 할 것 같은가?

남자의 말에 므네모쉬는 그를 노려보았다.

–반드시 죗값을 치르게 될 것이다.

–만약 내가 지은 죄가 있다면 그렇겠지. 공주, 예의와 법도는 중요한 법이니 부디 앞으론 문안을 잊지 않았으면 좋겠군.

므네모쉬는 입술을 꾹 깨물고 그를 노려보았다. 남자는 여유로운 표정으로 그런 그녀를 관찰하며 대답을 재촉했다.

–대답은?

마지막 자존심이었다.

입을 다문 채로 그를 노려보았다.

하지만 남자에게는 그녀의 자존심을 지켜 줄 의사가 전혀 없었다. 그가 다시 대답을 재촉했다.

–대답은?

므네모쉬가 끝내 입을 열지 않자 남자가 사나운 표정으로 그녀를 협박하기 시작했다.

–순종을 모르는군. 공주가 이러니 황제의 마음의 병이 깊어질 수밖에.

–……그러지.

–이런. 약혼자에 대한 존경이 보이지 않는군.

정신이 까마득해지는 것 같았다. 앞으로도 수많은 치욕이 있을 것이다. 그리고 자신은 지금처럼 아무런 대꾸도 못하고 견뎌야 할 것이다.

–……그러겠습니다.

–좋아. 이만 물러가 보도록.

떨리는 목소리로 내뱉은 대답에 남자는 만족한 듯 웃으며 고개를 끄덕인다.

풀리기 일보 직전의 다리를 힘겹게 이끌고 처소로 돌아온 므네모쉬는 어머니가 돌아가셨을 때보다 더 서럽게 울며 밤을 지새웠다.

앞으로 죽느니만 못한 삶이 펼쳐질 것을 직감했기 때문이다.

"그래도 그때까지는 아직 살 만했다고 하더군. 아직 황제가 살아있었으니 말이야."

폰디체리 공작의 말에 에카이트가 '끙' 하고 탄식을 흘렸다.

수법이 잔인하기 그지없었다. 물론 정치적 측면에서 봤을 때엔 더할 나위 없이 확실하고 정확한 처사이기는 했다.

하지만 아무리 냉정하다고 해도 근본은 사람이 아니던가. 권력욕이 저렇게 대단할 수가. 에카이트는 감탄할 수밖에 없었다.

"시엘라는 하루하루가 지옥 같았다고 하더군. 죽고 싶은 마음, 도망치고 싶은 마음. 그런 마음이 정신을 어지럽혔지만 병석에 누운 아버지를 두고는 어디도 갈 수 없었다고 해."

"하지만 그자의 성격상 황제를 그때까지 살려 두었을지……."

날카로운 지적에 공작이 허탈한 웃음을 지으며 고개를 끄덕였다.

"당연한 의심이지. 나도 처음 시엘라에게 그 얘기를 들을 때 가장 먼저 든 생각이기도 했고 말이야."

공작의 말에 에카이트가 쓴웃음을 지었다. 무슨 말이 이어질 것인지 알 것 같았다.

"자네 짐작이 맞아. 그때 이미 황제는 죽어 있었어. 시신을 방부처리하여 비밀이 새어 나가지 않게 소수 인원으로 관리했고. 아무리

병환이 중하기로서니 공주이자 외동딸인 시엘라의 얼굴 한번 보려고 하지 않았으려고."

"……공작 부인께서는 그 사실을 언제 아셨던 겁니까?"

"아주 늦게 알았지. 본인도 짐작은 하고 있었을 거다. 하지만 받아들이고 싶지 않았겠지."

공작의 말에 에카이트가 조용히 동의를 표했다. 갑작스럽게 어머니를 잃었다. 그것도 대단히 석연치 않은 일로.

그로부터 얼마 지나지 않아 유일한 혈육이자 절대 권력자였던 아버지마저 힘을 쓰지 못하고 병석에 누웠다.

열 살짜리 어린 소녀는 설사 진실이 눈앞에 놓여 있나고 해도 쉽게 받아들이지 못했으리라.

"그래도 용케 결혼을 서두르지는 않았군요. 차라리 결혼을 서두르고 적당한 시기를 보아 황제의 죽음을 공표하는 것이 더 나았을 수도 있는데 말이죠. 공작 부인이 당시 너무 어려서 그랬나 봅니다."

"모르는 소리. 나이가 문제가 아냐. 동대륙에서는 초경을 시작하지 않은 소녀는 아직 아이라고 해서 결혼할 수 없다고 정해져 있다네. 만약 끝내 월경을 시작하지 않는다면 불임을 뜻하기도 하니 서로를 위해 그렇게 법도를 정했다더군."

공작의 말에 에카이트가 앓는 소리를 냈다.

이렇게나 원시적이고 또 원초적인 국가가 있다니. 에카이트의 경악에도 공작은 담담하게 다음 말을 계속했다.

"그러다가 시엘라가 알아 버렸지. 열두 살이 되던 해였다던가. 확실하지는 않지만 시엘라는 그들이 자신에게 초경을 앞당기는 어떠한 약을 먹였다고 생각하더군. 생각보다 이르게 초경이 시작된 것이지."

에카이트가 나지막이 혀를 찼다.

저런 식으로 일을 추진하는 나라라면 하루라도 빨리 아펠리아를 구출해야 한다.

상식이 통하지 않는 야만적이기 그지없는 그들의 과거 행적에 에카이트는 불안과 초조함에 입술이 마르는 것을 느꼈다.

"시엘라는 모든 것이 끝났다고 생각했지. 흔적을 감추고 숨기면서 그렇게 처음을 넘겼지만 그것은 오래가지 못했어. 그래서 결국 위험을 무릅쓰고 황제를 찾아갔고, 거기서 진실을 본 것이지."

어린 나이의 공작 부인이 겪었을 참담한 상황이 떠올라 에카이트가 두 눈을 질끈 감았다.

나름대로 삭막하고 메마른 유년기를 보냈다고 생각했는데 공작 부인에 비할 것이 못 되었다.

"그래서 시엘라는 도망치기로 결심한 거야. 그녀를 황궁에 붙잡아 둔 유일한 미련인 황제가 사라졌으니까."

"……도망도 쉽지는 않았겠습니다."

"그렇다고 하더군."

에카이트의 말에 공작이 동의했다.

므네모쉬는 끔찍한 진실을 알게 된 후로 도망치기로 결심했다. 절대로 그와 결혼해서 그가 원하는 것을 주지 않으리라.

그것이 그녀가 할 수 있는 최대의 공격이자 복수였다.

끼니도 거부해 보고 독성이 있다는 꽃을 집어 먹는 등 그녀는 안온하기 그지없는 황궁에서 죽기 위해 노력했다.

하지만 그토록 쉽게 죽은 부모와는 달리 그녀는 죽을 수조차 없었다.

―공주. 재미있는 짓을 했더군.

―……꺼져 버려.

―양잿물은 또 어디서 용케 구해서는. 쯧쯧. 이런 것 하나 제대로 관리하지 못하는 공주궁 사람들은 목숨으로 사죄해야겠군.

늘 이런 식이었다. 그는 므네모쉬가 마음에 차지 않는 행동을 하면 그는 그녀의 주변 사람들에게 가혹한 형벌을 내렸다.

그러다 보니 사람들은 섭정 왕이자 잔혹한 실권자인 그를 원망하기보다는 자꾸 엄한 짓을 해서 그가 벌을 내리게 하는 므네모쉬를 원망하고 미워했다.

자신의 편이라고는 단 한 명도 없는 황궁에서 날 선 시선을 받으며 하루하루 살아가는 것은 지옥과도 같았다.

죽는 것도 쉽지 않구나.

므네모쉬는 멍한 표정으로 남자를 외면했다. 그러자 흥미를 잃은 남자가 이내 방을 떠났다.

죽을 수 없다면 도망치자.

그러나 열두 살의 공주가 생각할 수 있는 계획은 너무도 쉽게 간파당하고야 말았다.

세 번째 시도에서야 겨우 성벽을 넘어 도망칠 수 있었다.

물론 멀리 가지도 못하고 잡혀 왔지만 말이다.

남자는 대단히 분노했다. 감히 므네모쉬와 같이 보잘 것 없는 어린 여자아이가 자신의 꿈을 망가트리려 들었기 때문이다.

―빌어먹을 계집.

처음으로 들어 보는 막말에 그녀는 몸을 굳혔다.

그동안 푸대접에 익숙해졌다 생각했는데 아니었다.

—감히 내 계획에 찬물을 끼얹으려 들다니. 정말로 죽고 싶은 건가.

—……차라리 죽여. 너와 부부로 살아야 한다면 차라리 죽는 것이 내겐 축복이다.

—가소로운 계집. 설사 내가 널 죽일 마음이 든다고 해도 말이다. 네가 생각하는 것처럼 빠르고 쉽게 죽지는 못할 것이다.

남자의 소름 돋는 음성과 협박에 므네모쉬가 순간 몸을 움찔했다.

—어디 한번 도망가 봐. 이 대륙에서 내 눈이 닿지 않는 곳은 없다. 네가 숨을 곳 따위는 없다는 말이다. 다음번에 잡혀 들어올 때에는 결코 이번처럼 끝나지는 않을 것이다.

남자는 사나운 협박을 남긴 후 자리를 박차고 나갔다.

므네모쉬는 방에 홀로 남겨졌다.

달아날 것이다. 도망치다 죽는 한이 있어도 그렇게 할 것이다.

—이 대륙에서는…….

남자의 말을 곱씹던 므네모쉬가 어린 시절 아버지가 들려준 머나먼 서대륙의 이야기를 떠올렸다.

가다 죽어도 좋다.

그런 필사의 각오로 탈출한 끝에 결국 므네모쉬는 죽지 않고 서대륙에 올 수 있었던 것이다.

"대단하군요. 아펠리아도 고집 있고 악착같은 구석이 있다고 생각했는데 그게 공작 부인에게서 온 성향이었나 봅니다."

에카이트의 말에 공작이 조용히 고개를 끄덕였다.

"시엘라를 아는 사람이라면 모두 그 아이를 보고 그녀를 닮았다고 했지. 내게 아펠리아는 시엘라의 흔적이자 아픈 손가락이야."

"그나저나 공작 부인을 처음 만난 건 정확히 언제입니까?"

"아마 시엘라가 열세 살이었을 때일 거야."

공작의 말에 에카이트가 고개를 끄덕이며 다음 질문을 계속했다. 이야기에 빈틈이 있었다.

"제가 알기론 공작 부인과 결혼하실 때에 공작 부인께서 그렇게까지 어려 보이진 않았는데 말이죠."

"당연하지. 다시 시엘라를 만난 것은 그보다 훨씬 뒤의 일이니까. 집시와 함께 이곳저곳을 떠돌아다녔으니, 쉽게 마주칠 수 없었지. 뭐, 그래도 그 덕분에 마주치게 됐다고나 할까."

공작의 말에 에카이트가 다음 말을 기다렸다.

므네모쉬의 도박은 성공적이었다.

집시들은 비록 언행이 투박했지만 그만큼 정도 많았다. 어디에도 속하지 못하고 가족도 없이 떠도는 그들에겐 서로가 가족이고 기댈 언덕이었다.

그들과 처지가 크게 다르지 않았던 므네모쉬는 금방 그들 틈에 섞여 들어갔고, 그녀의 영특하고 어린 두뇌는 새로운 언어를 빠르게 습득하기 시작했다.

처음 몇 달간 언어가 서툴러 더듬거리는 탓에 자연히 위축되었던 므네모쉬는 그들의 편안하고 따스한 태도 덕에 크게 기죽지 않고 빠르게 언어를 습득할 수 있었다.

동대륙어를 할 수 있던 여자는 스스로를 '티아'라고 소개했다.

덧붙여 자신의 부모가 동대륙 출신이라고 했다.

그녀의 부모는 임신한 것을 알자마자 도망을 꿈꿨다고 한다.

임신을 들키면 더욱 매서운 감시에 시달릴 것 같아 힘든 노동을 감내하면서도 임신을 숨겼다고 했다.

그들은 너무나도 비참한 삶을 사랑하는 아이에게 물려주고 싶지는 않았다.

그래서 단순히 도망치는 것에서 그치지 않고 목숨을 건 항해를 계획했다.

다행히 어업에 종사하는 노예였던 그들은 므네모쉬보단 상황이 나았다.

그들은 뱃길에 능숙했고 또 곁눈질로 익힌 덕에 대충이나마 배를 몰 줄 알았다.

물론 쉬운 길은 아니었다.

어찌 되었든 그들은 행운과도 같이 동대륙을 벗어나 서대륙에 왔다.

당장 생계와 언어적 장벽에 부딪혔으나 그간 살아왔던 길이 워낙 험난했기에 그 정도는 어렵지 않게 극복해 낼 수 있었다고 했다.

사정이 어떻든 므네모쉬는 곁에 친절하고 좋은 스승을 둔 덕에 빠르게 말을 익힐 수 있었다.

"네시, 어쩜 그렇게 춤을 잘 추는 거야?"

"그러게 말이야. 사뿐사뿐, 마치 공주님 같단 말이지."

므네모쉬는 일행들에게 네시로 불리고 있었다. 말뿐만 아니라 집시로 밥벌이를 하기 위해 춤과 악기를 배운 므네모쉬는 특히 춤에 소질을 보였다.

공주 같다는 칭찬에 므네모쉬는 담담히 웃었다. 실제로 그녀는 공주였으니까.

“그러게요. 몸이 가벼워서 그런가?”

“하긴. 뭘 먹어도 영 살이 붙지 않는단 말이야. 걱정이야, 걱정.”

“넌 살이 너무 붙어서 문제고 말이야. 세상에 의상이 몸에 맞지 않아 춤을 못 추게 된 집시라니.”

화기애애하게 서로를 놀리는 분위기 속에서 환하게 미소 짓는 므네모쉬는 이제 열일곱 살이었다.

“이제 곧 애쉬우드 대공령이야. 수도는 우리 같은 집시들에게 너무 빡빡해서 엄두가 안 난다.”

“대공령도 어떨지 모르지. 아직 한 번도 가 보지 못한 곳이잖아? 문전박대당할 수도 있다고.”

실제로 성문조차 통과하지 못해 겨우겨우 다 떨어져 가는 음식을 다시 분배하고 서둘러 다음 마을로 이동한 적도 제법 많았다.

부정적인 말에도 천성이 긍정적인 집시들은 실망하지 않았다.

“뭐, 그렇다면 어쩔 수 없지만. 대공령은 제법 사람들이 부유하고 유복하대. 또 올해는 풍작이었다고 하니까 인심이 더 후하지 않을까? 원래 기분이 좋으면 문고리도 헐거워지는 법이야.”

“그건 그렇지. 아, 제발 이번에는 따뜻하고 말랑한 빵을 잔뜩 먹을 수 있었으면 좋겠다.”

영지와 마을 어귀에 움막을 짓고 낮 시간에 광장이나 변두리에서 공연을 펼치는 것이 집시들의 일이었다.

그들은 사람들에게 즐거움을 선사했고, 그런 즐거움은 음식이나 동전이 되어서 돌아오곤 했다.

그것이 집시들의 주요 수입처였다.

간혹 영주가 집시의 공연에 흥미가 있는 경우도 있는데 이는 아주 운이 좋은 경우로, 성에 불려 가서 며칠간 공연을 펼치기도 했다.

그렇게 성에서 공연을 펼치면 당장 몇 달은 정착할 수 있을 만큼의 사례가 뒤따르곤 했는데, 그들은 그것을 저축하거나 정착하는 데에 쓰지 않고 그동안 눈여겨보았던 장신구나 옷 또는 먹고 싶은 음식들을 사는 데에 쓰곤 했다.

므네모쉬는 시끌벅적한 일행들 속에 섞여 저 멀리 보이는 대공령을 물끄러미 바라보았다.

화려하고 웅장한 성벽. 과거 그녀가 그토록 벗어나고 싶어 했던 것이었지만 지금은 달랐다.

므네모쉬는 저번에 배당받은 돈으로 마련한 방울이 달린 화려한 발찌를 손수건으로 살살 닦으며 부디 무사히 저 성벽을 통과하기를, 또 내일의 공연에 부디 좋은 반응이 있기를 기도했다.

므네모쉬는 웅장하기 그지없는 대공령의 내부를 둘러보며 과거 찬란했던 자신의 황국을 떠올렸다.

아버지와 어머니가 같은 가마에 올라 행진했으며 자신은 그 뒤의 가마에 앉아 따라갔었다.

소리치며 환호하던 백성들과 넓고 화려했던 거리. 반짝이는 불빛과 보석들.

마지막 기억은 끔찍하기 그지없었지만 어린 시절의 아름다운 추억들은 기억 속에 박제된 듯 남아 있었다.

과거를 떠올릴 만큼 크고 규모가 있는 곳은 처음인지라 그녀는 잠시 회상에 빠졌다.

그런 그녀의 모습을 다른 이유로 넋이 나간 것이라 오해한 일행들이 뒤에서 키득거렸다.

"아닌 척해도 애는 애란 말이지. 화려하지? 칼라한 제국은 이것의 몇 배는 더 화려하다고."

"요 몇 년간 치안 정돈인지 뭔지를 한다고 출입이 까다로워져서 최근에는 가지 못했지만, 다음에 꼭 같이 가자. 너에게도 보여 주고 싶어."

"……그런 게 아닌데. 그냥 다른 생각을 잠시 했어요."

"부끄러워하기는. 일단 시장 구경이나 해 볼까?"

놀리는 일행들을 보며 사실과 다르다고 부정했지만 다들 크게 신경 쓰지 않는 눈치였다.

우르르 시장으로 몰려가는 집시들을 일반 주민들이 곁눈질로 힐끗거렸다.

화려한 색감의 천에 독특하게 박음질된 옷. 이국적인 장신구를 한 개성 있는 외모의 집시들은 어디를 가든 시선을 모았다.

"오, 제법 오랜만에 왔는데도 가게들이 거의 다 그대로네."

"대를 이어서 경영하는 가게들인 것 같아. 대단하네. 정착하는 삶이라, 신기하다."

"부러운 건 아니고?"

한 걸음 뒤떨어져 시장을 살피던 므네모쉬는 광장을 보고 일행들을 불러 세웠다.

"아침도 먹었겠다, 점심은 저기서 공연하고 따뜻한 빵으로 먹는 건 어때요?"

"어, 저기에 광장이 있었던가? 시장 근처라면 사람도 많겠어. 좋아. 식전에 몸이나 풀어 볼까?"

므네모쉬는 공연 전이면 언제나 들뜬 상태가 되는 일행들과 함께 경쾌하게 발걸음을 옮겼다.

이곳에서 그 옛날, 자신에게 망토를 덮어 주었던 그 이상한 청년을 다시 만나게 될 줄은 모른 채.

경쾌한 탬버린 소리를 비롯한 타악기, 현악기 소리가 어우러지면서 출처를 짐작할 수조차 없는 이국적인 음악이 만들어졌다.

므네모쉬는 자신에게 신호를 주는 동료들에게 고개를 끄덕이며 화려한 몸짓으로 한가운데로 뛰어들었다.

"세상에, 화려하기도 해라. 저들은 어느 나라 사람일까요?"

"그러게. 이쪽 사람은 아닌 것 같은데?"

"서쪽 나라 사람들은 피부색이 짙다고 하던데 거기 혼혈일 수도 있겠어요."

화려하고 격정적인 춤사위에 눈을 떼지 못한 사람들이 므네모쉬의 이국적 생김새에 폭발적인 관심을 보였다.

흔한 일이었기에 무덤덤해진 므네모쉬는 저 관심을 사그라뜨릴 방법을 알고 있었다.

"우와! 엄마, 방금 정말 나비 같았어!"

"아니야, 새 같았어. 너무 예쁘다!"

화려한 천을 휘날리며 이어지는 춤사위에 어린아이들이 자지러지며 박수를 쳤다.

팁을 넣는 상자로 제법 많은 동전이 쏟아졌다. 므네모쉬는 살짝 웃으며 화려한 춤사위를 마무리 지었다.

이후 광대놀음부터 몇몇 공연을 더 하고 나서야 공연은 완전히 끝났다.

관중들이 떠난 자리를 정리하며 수익금을 챙기는 동료들을 도와 뒷정리하던 므네모쉬는 갑작스럽게 들린 낮익은 목소리에 고개를 들었다.

"저기……. 잠시 괜찮을지?"

"오늘 공연은 모두 끝났어요. 공연을 더 보시려면 내일 저녁에 오셔야 합니다."

어느 마을을 가든 꼭 이런 남자들이 있었다. 크게 특별한 일도 아닌지라 므네모쉬는 여지를 주지 않으려 단호하지만 영업적인 목소리로 대답을 건넸다.

그러자 그 남자의 옆에 서 있던 젊은 남자가 웃으며 그의 옆구리를 쿡 찔렀다.

"형님, 그렇게 물으면 저라도 수상해서 도망가겠습니다."

"시끄럽다. 어, 그러니까 할 말이 있는데 말이지."

대놓고 말을 낮추지는 않았지만 어투를 보아하니 귀족이다. 행색도 그렇고 말이다.

므네모쉬는 좀 더 공손해지기로 했다.

"말씀하세요."

"어……. 그러니까 그, 몇 년 전에 담벼락에서 따뜻한 코코아 마셨던 그 꼬맹이지?"

담벼락, 따뜻한 코코아.

므네모쉬는 그 두 단어에 어째서 목소리가 익숙하다 느꼈는지 깨달았다.

그때 그 남자다.

하지만 달리 어떻게 반응해야 할지 모르겠다. 잠시 침묵을 지키던 므네모쉬는 이어지는 남자의 말에 인상을 찌푸렸다.

"그때 그 거지꼴로 있던 꼬마가 맞지?"

거지꼴. 틀린 말은 아니었지만 당사자에게 대놓고 할 말은 아니었다.

하지만 상대는 귀족으로 보이는 남자, 또 어떤 의미에서는 은인이었다.

므네모쉬는 한 번은 참기로 했다.

"하도 꼬질꼬질해서 잘 몰랐는데……. 남자가 아니었네?"

므네모쉬는 자신의 가슴을 뚫어지게 쳐다보며 엉뚱하게 말을 마무리하는 남자의 뺨을 매섭게 올려붙였다. 두 번은 없다.

"맞을 만하셨습니다."

"누가 뭐라고 하던?"

에카이트가 힐난조로 공작을 탓하자 그도 불퉁한 목소리로 투덜거린다.

"새처럼 마르고 가녀린 사람이 어디서 그런 힘이 났는지, 뺨이 다 얼얼하더라고. 같이 있던 애쉬우드 대공이 대놓고 웃는데 어찌나 얄밉던지."

유쾌한 성정의 애쉬우드 대공을 떠올린 에카이트가 고개를 끄덕여 심심한 동의를 표했다.

"아무튼 그렇게 다시 만났지. 운명처럼 말이야."

"그런데……. 어떻게 공작 부인을 어떻게 한눈에 알아보신 겁니까?"

말이나 나눠 보고 며칠이라도, 아니, 단 몇 번이라도 본 사이라면 또 모르겠지만 아주 잠깐, 그것도 망토를 둘러 주고 코코아를 한 잔 건네주는 그 짧은 시간 동안 본 사람을 몇 년이 지나고 완전히 다른 모습, 다른 장소에서 다시 보고 알아볼 수 있다니.

에카이트는 도무지 이해할 수 없어 폰디체리 공작을 바라보았다. 공작은 그게 왜 궁금하냐는 듯, 태연하게 답했다.

"못 알아볼 수가 있나? 냄새가 같은데."

어쩌면 저 부녀는 동물에 더 가깝지 않을까.

과거 리디아 펠튼을 이용해 아펠리아를 기만했던 때가 있었다.

분명 자세한 내막을 알 리 없는데, 그녀는 뚜렷한 이유 없이도 그에게 명백한 적대심과 경계심을 보이며 거리를 두려 했다.

그 과정에서 발등에 금이 가는 사소한 사고도 있었고 말이다.

에카이트는 공작의 말을 들으며 그 동물적 감각이 유전임을 확신할 수 있었다.

"……보통 사람이 들으면 전혀 공감할 수도, 이해할 수도 없는 말씀을 하시는군요."

"남들의 이해를 바라고 하는 소리는 아니니까. 시엘라도 나를 한눈에 알아본 것은 아니었지만, 낯이 익다는 생각은 하고 있었다고 하는군."

어머니 쪽 유전도 있군.

에카이트는 속으로 고개를 끄덕였다.

"……괜한 말을 했군. 아직 아펠리아도 모르는 일인데. 아, 아니지. 전에 그 축새 같은 녀석이 말했었군."

투덜거리던 공작이 다시 희미한 미소를 지으며 회상에 빠져든다.

공작 부인이 세상을 떠난 지 햇수로 십수 년이다.

짧은 기간 동안 나눈 사랑이 아직까지도 이어질 수 있음에 에카이트는 순수하게 감탄했다.

"보면 볼수록 사랑스러운 사람이었다, 시엘라는. 광장에서 춤을 추는 모습을 보고 넋이 나가는 줄 알았지. 나비처럼, 새처럼……."

공작 부인의 모습을 회상하던 공작이 마음이 아픈 듯 인상을 찌푸렸다.

"시엘라는 그 내면을 조금만 들여다봐도 온 곳이 상처투성이인데도 웃을 수 있는 그런 사람이었어."

공작이 깊은 한숨과 함께 말을 이었다.

비록 고개가 돌아가게 얻어맞았음에도 폰디체리 공자는 전혀 분하지 않았다. 오히려 미움받게 되었다는 당혹감이 더 컸다.

"때린 것은 미안합니다만, 시선이……."

"내가 실수했소. 사과하지. 제대로 사과할 기회를 주겠소?"

난감한 기색을 보이면서 사과하는 므네모쉬를 저지한 폰디체리 공자가 도리어 정중하게 사과하자 이번엔 므네모쉬가 당황하기 시작했다.

이렇게 정중히 반응할 줄은 예상하지 못했다.

아무리 잘못했다고 해도 맞아서 기분 좋을 사람은 없을 터인데 특이하다 못해 이상할 지경이었다.

머뭇거리는 므네모쉬를 뒤에서 살피던 일행들이 잠시 숙덕거리더니 그녀의 등을 슥 밀었다.

"사람은 언제 어디서 어떻게 다시 만날지 모르잖니. 나쁘게 끝나서 좋을 관계는 없어. 다녀와."

"그래. 정리는 우리끼리 해도 충분하니까. 우리 움막이 어디 있는지도 알잖아? 볼일이 끝나면 거기로 와."

이러지도 못하고 저러지도 못한 채로 멀뚱히 서 있던 므네모쉬는 자신을 떠미는 손길에 폰디체리 공자에게 한 걸음 더 다가갔다.

폰디체리 공자는 본능적으로 그녀가 운명의 상대임을 직감했다.

"이리로."

"호오? 형님, 이런 분이신 줄 미처 몰랐습니다."

놀란 듯, 놀리는 듯 유쾌하게 떠드는 애쉬우드 대공자를 무시한 채 므네모쉬를 정중히 에스코트하는 폰디체리 공자의 귀 끝이 빨갛다.

그들이 어영부영 멀어지자 집시들이 하나둘씩 입을 열었다.

"봤지? 눈빛 말이야."

"당연하지. 네시는 우리처럼 돌아다니면서 방랑하는 삶과 어울리지 않아. 정착할 수 있다면 좋을 텐데……."

"일단 몸이 너무 약하니까 말이야. 언제 죽어도 이상하지 않을 정도인걸."

걱정 어린 말에 다들 잠시 침묵을 지켰다.

므네모쉬는 어린 나이에 정신적으로 시달리고 초경을 앞당기기 위해 본인도 모르게 억지로 먹은 약 때문에 몸 상태가 엉망이었다.

거기다 스스로 죽고자 먹었던 독성분들은 중화되지 않고 그대로 몸 안에 남아 그녀를 서서히 괴롭히고 있었다.

지금이야 한창때라 괜찮다지만 조금만 더 지나면 몸이 이런 생활을 견디지 못할 것이다.

"하지만 저러다 괜히 상처받는 일만 생길까 봐 걱정이네."

므네모쉬와는 가장 친한 티아가 진심 어린 걱정을 하자 모두들 침묵을 지켰다.

아프다고 해서 앞으로 나아가지 않을 순 없기 때문이다.

"네시. 네시. 뭔가 입에 익지를 않는군."

"……본명은 아닙니다. 제대로 된 이름도 아니고요. 보시다시피 이곳 출신이 아니라서요. 제 이름이 발음하기 어려워 동료들이 지어 준 이름이지요."

별것 아닌 대화였지만, 므네모쉬와 폰디체리 공자는 금세 친해졌다. 두 사람은 성안에 있는 정원을 산책하며 이야기꽃을 피웠다.

므네모쉬는 자신이 독성분이 든 꽃이며 뿌리를 뜯어 먹는 바람에 출입이 금지되었던 궁 안의 인공 정원을 떠올리며 씁쓸한 미소를 삼켰다.

"원래 이름이 있었겠군. 뭐였나?"

"……흔한 발음이 아니라서 아마 듣고도 금방 잊으실 겁니다."

"그럴 리가. 내가 그대와 관련된 것을 잊는다고?"

낯부끄러운 소리를 태연하게 잘도 한다. 공자는 그게 부끄러운 소리인지 잘 모르는 눈치였다.

므네모쉬는 살짝 웃으며 천천히 입을 열었다.

"므네모쉬. 므네모쉬라고 합니다."

"므…… 네시?"

"뭐, 비슷합니다."

므네모쉬는 역시나 쉽게 발음하지 못하는 공자를 두고 그럴 줄 알았다는 표정을 짓고는 부드럽게 웃으며 화제를 전환하려 했다.

하지만 공자는 쉽게 포기하지 않았다.

"다시. 다시 말해 줘."

"……므네모쉬. 므네모쉬입니다."

"므, 네모쉬."

그녀는 제법 비슷하게 발음하는 공자를 두고 맞게 발음했다며 고개를 끄덕여 주었다.

그리고 며칠 후 정확한 발음으로 자신의 이름을 부르는 공자를 두고 놀라 눈을 동그랗게 뜰 수밖에 없었다.

“왜 이름을 부를 때마다 표정이 이상해지지? 그 이름을 싫어하나?”

공자의 말에 므네모쉬가 큰 눈을 깜빡였다.

둔한 사람이라고 생각했는데 용케도 알아봤다.

잠시 대답을 망설이던 므네모쉬는 진중하고 또 묵직한 그의 눈동자에 홀린 듯 입을 열었다.

“……죽어서라도 떠나고 싶던 곳에서 불리던 이름이니까요. 조금 그립기도 하고, 생각이 많아지는 이름이지요.”

“내가…… 그대에게 이름을 지어 줘도 괜찮을까?”

“이름 말씀이신가요?”

“싫다면 신경 쓰지 않아도 되지만…….”

혹시나 자신이 부담스러워할까 봐 말을 무르는 공자가 나이와 덩치에 어울리지 않게 귀여워 보였다.

자신과 열 살도 더 넘게 차이 나는 약혼자를 떠올리며, 그보다 조금 어리기는 해도 자신보다 제법 나이가 많은 그가 가진 우직함에 순수하게 감탄했다.

“아니에요. 그냥 놀라서……. 생각해서 지어 주신다면 기꺼이 받겠어요.”

므네모쉬의 긍정에 공자가 환해진 얼굴로 웃다가 이내 이름을 고심하기 시작한 것인지 미간을 찌푸렸다.

간질간질하고 따뜻한 나날이 이어지며 대공령을 떠나야 하는 날이 다가왔다.

집시들은 므네모쉬가 이곳에 남는 것이 당연하다는 듯, 그녀에게 작별 인사를 건넸다.

서대륙으로 도망친 후에도 내내 쫓기는 느낌에 한순간도 깊이 잠들지 못했던 므네모쉬는 한곳에 머물러야 하는 정착 생활이 두려워 함께 떠나려 했지만 동료들은 단호했다.

그리고 어느새 마음 깊은 곳까지 스며든 공자는, 결국 떠돌이를 자처하던 므네모쉬의 발걸음을 멈추게 하였다.

폰디체리 공작의 저택에서 두런두런 말소리가 이어진다. 폰디체리 공작과 공작 부인, 그리고 폰디체리 공자, 세 사람이 한자리에 모여 있었다.

"나는 좋다. 고집스럽게 아직까지 홀로 있기에 여기서 대가 끊기는 줄 알았는데, 누구라도 네가 좋다면야 마다할 이유가 있을까."

"하필 다른 곳에서 온 사람인지라 외양이 달라 수군거림을 다 막아 주지는 못하겠구나. 감수할 수 있다면 우리가 힘써 보마."

폰디체리 공작 부부는 금슬이 좋은 것치고는 자식운이 없어 아주 느지막이 아들을 하나 보아 겨우 대를 이을 수 있었다.

그러나 그 아들도 자식운과는 거리가 있었는지 도통 결혼에 뜻이 없어 보였다.

그저 검에 미쳐서 수련을 반복하고 병법을 익히는 모습에, 억지로 결혼을 강요해 봐야 불행해지기만 할 것 같아 부부는 그의 결혼 문제에서 손을 놓았다.

그러던 아들이 서른이 다 되어서야 결혼을 하겠다고 나섰다.

아마 저 이방인 아가씨가 아니면 아들이 결혼을 입에 올릴 일은 앞으로도 없지 않을까.

자신들은 곧 일흔이 다 되어 가는 노인인 만큼, 살아 있을 때에 최대한 도와주고 싶었다.

“반대하실까 걱정했는데 다행이군요.”

“우리가 네 고집을 모를까. 괜히 이기지도 못할 네 결정에 반대한다고 나서 봤자 결국 끝까지 반대하지도 못할 것을. 죽는 날까지 원망받고 서먹하게 지내는 것은 싫구나.”

공작 부인의 우아한 웃음에 공자가 어색하게 웃었다.

“그 아이, 눈빛이 처연한 것이 살아온 길이 순탄하지는 않았겠더구나. 지금 이 마음 변치 않게 잘 챙겨 서로 행복하게 살았으면 한다.”

공작의 말에 고개를 끄덕인 공자가 방을 떠났다.

그렇게 공작 부부의 전폭적인 지지와 황제의 승낙 끝에 므네모쉬와 폰디체리 공자는 결혼식을 올릴 수 있었다.

“‘시엘라’는 무슨 뜻을 가지고 있나요?”

폰디체리 공작은 정원에 그림처럼 서서 장미를 살피는 므네모쉬를 사랑이 뚝뚝 떨어지는 눈동자로 바라보다 뜬금없는 물음에 피식 미소 지었다.

우여곡절 끝에 결혼식을 무사히 치른 뒤, 공작 부부는 노환을 이유로 아들에게 직위를 물려주고 지방 영지로 내려간 후였다.

“그 이름을 지어 준 지가 언제인데 이제야 물어보다니.”

“……그야 당연히 좋은 뜻을 담아 지어 주셨을 거라 생각했으니까요. 굳이 말씀해 주지 않으시는데 물어보기도 그랬고요.”

쑥스러워하는 자신의 부인을 더없이 사랑스러운 표정으로 바라보던 공작이 부드러운 목소리로 설명했다.

“고대 제국어로 높은 산맥을 뜻하지.”

“높은 산맥…….”

"그 누구도 함부로 밟을 수도, 닿을 수도 없는 높은 산맥 말이야."

이제는 시엘라 공작 부인이 된 므네모쉬는 공작의 말에 말문이 막힌 듯, 벌겋게 눈가를 물들이며 그를 바라보았다.

그녀의 눈물에 어쩔 줄 몰라 하던 공작이 결국 그녀를 품에 안았다.

"울리려고 한 말은 아니었는데……. 평생 지켜 줄 테니 걱정 말라고. 영원히, 죽음에서도 지켜 줄 거니까."

"당신 허풍도 참……."

호기로운 공작의 말에 시엘라는 물기 어린 목소리로 웃음을 터트렸다.

더할 나위 없이 평화롭고 사랑스러운 날들이었다.

폰디체리 공작의 주름진 눈가에 물기가 맺히는 것을 본 에카이트가 눈치껏 시선을 돌렸다.

절절하게 서로를 사랑했다고 들었다. 막연한 서술에 크게 가슴에 와 닿지 않았던 말이었다.

하지만 당사자에게 듣는 과거의 기억들은 그의 감정과 뒤섞여 절절하게 다가왔다.

매정하고 냉정하단 평가에 익숙한 에카이트마저도 두 사람의 사랑이 어떻게 끝났는지를 알기에 마음 한편이 씁쓸했다.

"아펠리아를 가지고……. 급격히 몸이 안 좋아졌다. 원래도 약한 몸이었어. 아이까지 욕심내서는 안 됐는데……. 시엘라가 워낙 단호했지. 물론 변명이지만 말이야. 나도 내심 욕심이 났던 거지. 그리고 혹시 괜찮지 않을까 했던 마음도 컸고."

"……네, 압니다."

"불러 오는 배와는 반대로 초췌해지는 아내의 안색을 보는 건 차라리 내가 아팠으면 할 정도로 고통스러운 일이었어. 서서히 생명이 저물어 가는 과정을 옆에서 지켜보는 것은 고문에 가까웠지."

사랑하는 사람이라면 더더욱 그렇겠지.

에카이트는 자신도 모르게 그의 감정에 공감하며 고개를 끄덕였다.

지금 이 순간에도 혹시나 아펠리아가 잘못되기라도 하면 어쩌나 하는 단순한 가정만으로도 불안감에 뒷골이 서늘한데 말이다.

"아이가 밉다가도 사랑스럽다가도……. 결국 시엘라는 아펠리아가 태어나고 얼마를 더 버티다가 떠나버렸지."

에카이트는 침묵을 지켰다. 입술을 씰룩거리던 공작이 결국 체면을 잊고 눈물을 줄줄 흘리기 시작했다.

"내, 내 딸은 내 아내의 마지막 유산이고 내 보물일세. 내가 어떤 마음으로 품고 키웠는데 이렇게 잃어버릴 수는 없어."

"……압니다. 저에게도 이미 너무 소중한 사람입니다. 그녀를 잃는다는 것은 상상에도 없습니다."

에카이트의 말에도 불안감과 두려움을 완전히 걷어 내지 못한 공작이 두 눈을 질끈 감았다. 감은 눈에서도 눈물이 끊임없이 흘러내렸다.

에카이트는 공작의 감정에 공감하며 그가 시엘라 공작 부인에게 가지고 있는 감정이 그가 아펠리아에게 가지고 있는 감정과 크게 다르지 않다고 느꼈다.

열정을 다해 사랑했던 사람을 잃은 사람의 눈물이 저렇게도 서럽다면, 제대로 닿지도 못한 사람을 잃고 흘릴 눈물의 무게는 얼마나

무거울까.

반드시 되찾는다.

에카이트는 이를 악물고 각오를 다졌다.

문화가 다르다고는 하지만 목숨을 빚진 것이니, 어떤 식으로든 보답해야 한다는 부담감이 생겼다.

—이렇게라도 좀 드셔야 기력이 돌지, 그렇게 조금씩 드셔서는 곧 앓아눕는다 해도 이상하지 않을 것 같아요.

저번에 호라의 개 사건 때 도움을 받았던 여자가 살갑게 식사 시중을 들었다.

그 전과는 다르게 내 앞 접시에 음식을 올리기 전, 본인이 하나하나 먼저 먹어 본 뒤 음식을 주고 있었다.

처음 보는 낯선 모습에 도대체 왜 저럴까 의아해 고개를 갸웃거리던 나는 이내 예법 수업에서 해답을 찾았다.

이것은 '기미'를 하는 것이라고 한다.

혹시 내가 먹을 음식에 독이 들었는지 먼저 먹어 보는 역할이라는데, 누구의 강요가 없다면 자발적으로 하기 힘든 일인 것 같았다.

"굳이 그렇게까지 안 해도 되는데……. 어지간한 독에 대해서는 기본적으로 내성을 가지고 있거든요."

—……죄송합니다. 무슨 말씀을 하시는지 이해하질 못하겠어요. 어서 드세요. 맛이 좋습니다.

"말이 빨리 늘어야 할 것인데……. 서로 계속 다른 소리만 하니 답답해서 살 수가 있나."

한숨을 쉬며 앞 접시의 음식을 입으로 옮겼다. 짭조름하면서 감칠맛이 나는 것이 제법 먹을 만했다.

'기미'라는 것이 추가되자 평소보다 오래 식사로 시간을 보냈다.

도무지 배가 불러서 더 먹을 수 없다는 눈치를 주자 여자가 재빨리 상을 물렸다.

그 뒤로 이어진 언어 수업은 가히 고문에 가까웠다.

배는 부르지, 차도는 없지. 수업 내용이 그대로 귀를 통과해 흘러나가는 것이 눈에 보일 지경이었다.

애초에 다 이해가 되는 상황이다 보니 간절함이 떨어져서인지, 아니면 듣는 귀가 발달하지 않아서인지 놀랄 만큼 늘지 않고 있었다.

언어를 가르치는 역할을 수행하는 사람도 내가 너무 진척이 없으니 부담스러운 눈치였다.

하기야 첩자의 성격으로 보아 엄한 사람에게도 태연스럽게 책임을 뒤집어씌워 처벌하고도 남을 사람인데 책임 소재가 조금이라도 있으면 불안하겠지.

시간이 지나 수업이 끝나고 깊은 한숨을 내쉬었다.

"계속 이렇게 가다간 결정적인 순간에 낭패를 볼 것 같은데 말이지. 무슨 방법이 없을까……."

혼잣말을 중얼거리고 있는데 한 여자가 눈치를 살살 살피며 다가오는 모습이 보였다.

"뭐죠?"

-저……. 말이 안 통해서 많이 불편하시지요?

더 말해 무엇 하겠는가. 나는 망설임 없이 고개를 끄덕였다.

구태여 저런 말을 꺼내다니 뭔가 제안하려는 것은 아닐까 하는 기대가 생겼다.

—왕자님께서 서대륙어에 능통하신 것은 아실 테죠?

설마 그 빌어먹을 첩자한테 말을 배워 보는 것은 어떻겠냐는 둥, 그런 헛소리를 하는 것은 아니겠지.

김이 샌 나는 한숨을 쉬며 그녀를 바라보았다.

은혜를 원수로 갚는 것도 아니고 이게 뭐람.

불신에 가득 찬 표정으로 그녀를 바라보자 여자가 소스라치게 놀라서 손을 내저었다.

—아뇨, 절대 그런 뜻은 아닙니다! 왕자님께선 워낙 바쁘시기도 하고……. 아무튼 그것이 아니라, 왕자님께서 서대륙 말을 배우실 때에 스승으로 계셨던 분이 있으신데, 마침 그분이 궁에 들어오셨다고 해서요.

첩자의 서대륙어 스승?

단순히 두뇌가 탁월하다는 이유 하나만으로 외국어를 그렇게 능숙하게 해낼 수는 없는 법이다.

하지만 그렇다고 해서 크게 상황이 달라질까. 실망한 표정으로 그녀를 바라보자 황급하게 입을 열었다.

—그냥 평범한 선생님이 아닙니다. 서대륙 출신이시거든요.

서대륙 출신?

귀가 번쩍 뜨이는 소리에 눈을 동그랗게 뜨고 그녀를 바라보았다.

같은 대륙 출신이라니. 듣던 중 반가운 소리였다.

말은 기본으로 통할 것이고 이것저것 정보를 알아내거나 도움을 받기에도 용이할 것이란 판단이 섰다.

말을 꺼낸 여자를 기대에 찬 표정으로 바라보자 그녀가 어색한 표정을 짓다가 이내 입을 열었다.

—……아마 왕자님을 제외하고 동대륙에서 서대륙어를 할 수 있는 유일한 사람이 아닐까 싶은데요.

"그를 만나게 해 줘. 만나야겠어."

덥석 손을 잡으며 간절한 어조로 졸랐다. 말은 통하지 않지만 분명 어조로 충분히 전해질 것이다.

내 갑작스러운 행동에 움찔한 여자가 이내 머뭇거리다 내 의중을 물어본다.

—만나고 싶으시다는 것이죠?

고개를 격렬하게 끄덕거리자 여자가 살짝 웃었다.

—마침 왕자님께서도 자리를 비우셨고 그분이 궁에 오시면 꼭 들르는 정원도 바로 근처랍니다. 내일 산책이라도 가시겠어요?

다시 고개를 끄덕이자 그녀가 알겠다는 듯 고개를 마주 끄덕였다.

"……그래서 덕분에 좀 편해졌다고 해야 할까요?"

「확실히 곁에서 그렇게 도와주는 사람이 있다면 도움은 되겠지. 그렇다고 해도 너무 의존하거나 신뢰하지는 말도록.」

간만의 제대로 된 연락이라 반가운 마음에 구구절절 상황을 설명하자 에카이트가 동의하면서도 주의를 주는 것을 잊지 않았다.

나 또한 일련의 일들을 겪으면서 사람에 대한 신뢰가 많이 떨어진 상태인데다 경계심도 올라간 상태라 그의 말에 적극적으로 동의했다.

"그나저나 그 호라라는 여자……. 너무 잠잠해서 찜찜해요."

내 말에 에카이트가 한숨을 한 번 쉬고는 말을 이었다.

「안 그래도 물어보려던 차였는데. 순순히 물러설 성격이었으면 그렇게 패악을 부리지도 않았을 것 같아 더 걱정이군.」

"바로 그겁니다. 폭풍전야도 아니고 이게 다 뭔지……. 아무리 그저 창피를 주는 정도의 약이라고 해도 음식에 약을 탄 점도 악의적이고요."

「그렇지. 개인적으론 차라리 독약이 더 온순한 방법이라고 생각해. 기본적으로 잔인하고 복수심이 많은 성격으로 보이는데.」

에카이트의 정확한 분석에 고개를 마구잡이로 끄덕이던 나는 헛기침을 하며 작게 동의했다.

"흠흠. 확실히 그래요. 더군다나 그 성질머리에 위험을 무릅쓰고 보호하려고 나설 정도로 아끼는 개가 그 꼴을 당했으니 분명 분풀이를 할 것 같은데……."

「다른 엉뚱한 여자가 죄를 뒤집어쓰고 처형당했다는 부분도 그래. 감히 그 첩자라고 해도 눈 감고 넘어가야 하는 부분이 있을 정도로 권력이 막강하다는 의미이기도 하니까.」

아, 그게 그렇게 해석될 수도 있겠구나.

단순히 다른 여자의 죽음을 호라의 잔인함과 비정함으로 이해했는데, 그것을 전혀 다른 방향으로 해석한 에카이트를 보고 역시 다르다는 생각이 들었다.

하기야 첩자의 성격상 호라가 저지른 일인 것을 알고도 호락호락 넘어갈 리 없는데, 그냥 지나갔다는 것은 그조차도 어떻게 못하는 부분이 있다는 것이 아닐까.

"그런 식으로는 생각해 보지 못했는데. 확실히 저 큰일 난 것 같네요. 말만 통하면 난 아무 욕심 없으니 너 다 하고 난 집에 보내 달라고 하고 싶은데……. 말이 영 늘지를 않아서 협상이고 뭐고 할 방법이 없어요.”

「그 첩자의 언어 선생이라는 자가 누군지 정말 궁금하군. 어떤 방향으로든 도움이 되기는 할 것 같은데 말이야.」

“당장 내일 만나 보는 것으로 되어있으니 내일이 지나면 윤곽이 나오지 않을까 싶어요. 아, 다름이 아니라 그 문제 때문에 할 말이 있어요.”

오늘 연락의 핵심 중 하나인 질문을 던지고자 잠시 분위기를 환기시키자 에카이트가 빠르게 회답했다.

「뭐지?」

“아무래도 무턱대고 도와 달라고 했다가 역효과가 난다든지 괜한 경계심만 자극할까 봐요. 분명 협조적이라면 큰 도움이 될 사람은 맞지만 그렇지 않을 경우엔 오히려 없느니만 못한 관계가 될 수도 있으니까…….”

「생각보다 논리적이군.」

에카이트의 말에 흐뭇하게 웃던 나는 그의 어투가 놀리는 것에 가깝다는 것을 눈치채고 발끈했다.

“뭡니까? 누굴 바보로 아는 것도 아니고…….”

「농담이니 너무 화내지는 말라고. 사실 서대륙 사람이 동대륙에서, 그것도 지배 계층에게 언어를 가르치고 왕래를 하며 지낸다는 것은 첩자와 친분이 두터운 관계이거나 우리 대륙에서 안 좋은 기억이 있어 동대륙으로 떠난 사람일 수도 있겠어.」

에카이트의 말이 끝나자 잠시 침묵이 흘렀다.

잔뜩 기대했던 스스로가 바보같이 느껴졌다. 허탈해진 나는 한숨을 쉬었다.

“내일 정말 말조심해야겠네요.”

「아직 실망하긴 이르니 너무 의기소침해하지 말고. 바로 속내를 드러내서 좋을 것은 없으니 일단 어떤 사람인지 잘 살펴보는 것이 좋겠군.」

"잘 할 수 있을까요? 오히려 실수해서 상황을 더 안 좋게 만들면……."

자신감을 잃은 내 말투에 잠시 말을 멈춘 에카이트가 확신에 찬 어조로 다시 입을 열었다.

「장담컨대 지금 상황보다 더 안 좋아질 순 없을 테니 너무 걱정 말도록.」

……그것참 대단히 위로가 되네.

허탈함에 잠시 영상석을 노려보던 나는 조용히 통화를 종료시키고 내일을 기다리며 눈을 감았다.

—지금 산책 괜찮으실까요?

말이 도통 늘지 않아 서로 답답해하며 끝난 언어 수업 직후 여자가 조용히 다가와 물었다.

도대체 언제 가자고 할까 노심초사하던 찰나라 반가운 마음에 고개를 크게 끄덕거렸다.

—야외 정원이라 볕이 셉니다. 채비를 할 테니 잠시만 기다려 주세요.

주섬주섬 물건을 챙기는 것 같아 가만히 기다렸다. 조금 지나자 다 챙겼는지 여자가 앞서 걸었다. 나는 그 뒤를 따라 방을 나섰다.

쥐 죽은 듯이 고요한 복도는 어쩐지 등골을 서늘하게 했지만 앞으로 만나게 될 사람에 대한 기대와 긴장으로 그 느낌은 금세 사라졌다.

"진짜 소름 돋을 정도로 조용하네."

이보다 이질적일 수 있을까. 정원이 가까워지는 것이 느껴졌지만 여전히 인기척은 하나도 없었다.

혼잣말을 중얼거린 나를 두고도 별다른 반응을 보이지 않은 여자가 앞장서 나가다가 갑자기 걸음을 멈췄다.

–곧 도착합니다. 그전에 당부드릴 말씀이 있어서요.

–네.

거의 유일하게 제대로 발음할 수 있는 이곳 말로 대답하자 그녀가 잠시 망설이다 입을 열었다.

–지금은 그저 답답한 마음에 평소와 다른 곳으로 산책을 나오신 겁니다. 거기에 누가 있을지, 그 사람이 어떤 사람인지는 모르시는 거고요.

혹시 내가 실수라도 할까 그러는 걸까. 신신당부하는 그녀의 모습에 웃음이 나왔다. 무슨 문제가 생겼을 때 빠져나갈 구멍을 만드는 것이 훤히 보였다.

하지만 앞서 첩자의 행동이나 호라를 비롯한 이곳 사람들의 행동으로 보아 충분히 이해할 수 있는 대목이어서 딱히 기분이 나쁘거나 괘씸하지는 않았다.

고개를 끄덕이자 여자가 비장한 표정을 지으며 다시 걸음을 옮겼다.

점점 흙냄새가 진해지는 것이, 머지않아 목적지에 도착할 것 같다.

멀지 않은 곳에서 낯선 목소리가 들렸다. 간드러지는 여자의 웃음소리였다.

누구지? 뭔가 익숙한 목소리인데.

고개를 갸웃거리며 잠시 걸음을 멈추고 이야기를 듣기 위해 귀를 쫑긋 세웠다.

–호호, 그러십니까? 당연히 그러시겠지요.

–세상에 당연한 것이 어디 있겠습니까.

—듣고 보니 그것도 그렇군요. 역시 지혜가 깊기도 하시지.

목소리의 주인공이 누구인지 확신하기까지 생각보다 제법 시간이 걸렸다.

목소리의 주인은 호라였다.

그간 내게 호의를 가지고 대한 적이 없던 사람인지라 간드러지는 음성만 듣고 바로 그녀를 연상할 수 없었다.

낭패다. 혹시 그녀와 떠들고 있는 대상이 내가 만나려는 사람은 아니겠지.

대충 들어도 호의적인 관계임이 분명한데, 내가 끼어든다고 얻을 수 있는 것이 있을까.

—……무슨 소리 못 들으셨습니까?

—소리 말입니까?

—인기척이 있었던 것 같아서요.

—누굴까요? 이 궁에서 저에게 인사 올리지 않는 자는 아라 님이 유일한데. 만약 지금 다른 누가 있는데 감히 인사를 하지 않았다? 하, 용기는 가상하지만 분명 대가를 치러야겠죠.

호라다. 확실하다.

사납고 거만한 성질머리를 드러내는 목소리에 그 주인이 호라임을 확신하고는 속으로 혀를 찼다.

나를 정원으로 데려온 여자는 시체와 비교해도 좋을 정도로 하얗게 질려서 벌벌 떨고 있었다.

굳이 호라와 마주쳐서 위험을 자초할 이유는 없었기에, 나는 조용히 그녀의 어깨를 두드리고 다른 곳으로 걸음을 옮겼다.

그러면서도 흐려진 마나를 최대한 응용하여 호라의 말소리와 기척에 집중했다.

기다림이 헛되지 않았던 것일까, 그녀는 오래지 않아 작별 인사와 함께 정원을 떠났다.

호라가 완전히 떠난 것을 확인한 나는 조용히 몸을 움직여 호라와 이야기를 나누던 남자의 기척이 움직이는 방향으로 걸음을 옮겼다.

"저 표독스러운 여자는 언제 봐도 불쾌하단 말이지."

순간 내가 한 말인가 싶어 몸을 굳힌 나는 능숙한 서대륙어로 투덜거리는 남자의 목소리에 숨을 죽였다.

"왕자가 왕위에 오르면 왕비가 될 것 같아서 두고 봤는데, 이번에 그 므네모쉬의 딸이 나타났다지. 일이 재미있게 돌아가겠어."

이 혼잣말을 내가 들었다는 것을 알게 되면 불쾌해할 것이 분명하다. 나는 그의 기척이 향하는 방향을 멀리 둘러 걷기 시작했다.

걸음을 조금 빨리해서 걸으면 아마 우연을 가장해 마주칠 수 있을 것이다.

가까워질 무렵엔 고의적으로 인기척을 내서 주의를 주면 되지 않을까.

나름대로의 계산을 마친 나는 아직도 겁에 질린 기색이 완전히 가시지 않은 여자를 손짓으로 떨궈 내고 걸음을 옮겼다.

역시 감이 녹슬지는 않았다.

정확하게 눈앞에 나타난 남자의 모습에 심장이 쿵쾅거리기 시작했다.

이질적인 동대륙 사람들과 달리 익숙한 서대륙의 외양. 만나고자 한 남자임이 확실했다.

–뭐지? 거기 누구시오.

남자는 인기척을 느끼고 당연하다는 듯 동대륙어로 말을 건넸다.

작전 시작이다.

마른침을 삼키며 대답하지 않고 조용히 길을 돌아 그와 정면으로 마주쳤다.

남자의 눈이 동그랗게 커졌다.

–뭐야……. 서대륙인? 왕자가 데려왔다는 그 여자인가?

"아펠리아 폰디체리입니다."

자연스럽게 서대륙어로 이름을 소개하자 그가 더욱 놀란 표정으로 나를 훑어보기 시작했다.

–폰디체리? 설마 그 폰디체리는 아니겠지. 아무리 미쳤다지만 그 정도로 미치진 않았을 거야. 제발…….

무언의 가능성에 대해 중얼거리는 남자를 두고 나는 속으로 조용히 중얼거렸다.

예, 그 폰디체리 맞습니다.

그 정도로 미치진 않았죠. 훨씬 더 미쳐 있어요.

첩자와 아직까지 좋은 관계를 유지하며 궁을 드나들다니……. 그만큼 처세술이 좋다는 반증이 아닐까.

중년 정도로 보이는 남자가 당황한 기색을 지우고 빠르게 태세를 정돈한 다음 서대륙어로 말을 걸었다.

"처음 뵙겠습니다. 이번에 아라 님이 서대륙에서 므네모쉬 님의 딸을 모셔왔다는 이야기는 들어서 알고 있었습니다만, 이렇게 마주칠 줄은 미처 몰랐군요."

"저도 처음 뵙겠습니다. 혹시나 했는데 정말 서대륙 출신이시군요. 사실 이곳에서 보지 못한 외모라 반가운 마음에 서대륙어로 말을 걸기는 했는데 서대륙어로 답을 해 주실 줄은 몰랐습니다."

호의적인 답에도 나를 면밀히 살핀 남자가 재 보듯이 다시 입을 열었다.

"그런데 폰디체리라고 하였는데, 정확히 어디 출신이신지요?"

"칼라한 제국입니다."

"그렇다면 혹시 그 폰디체리 공작가와는 어떻게……?"

그의 물음에 나는 살포시 미소를 지었다. 미소에서 답을 얻은 듯, 그가 '끙' 하고 앓는 소리를 했다.

"그가 일을 벌려도 너무 크게 벌렸군요. 칼라한 제국의, 그것도 폰디체리 공작가라니……. 칼바람을 피해 이 먼 동대륙까지 왔거늘, 제가 칼바람을 몰고 다니나 봅니다. 이곳도 곧 피 냄새가 나겠군요."

모종의 이유로 이 머나먼 동대륙으로 망명했군.

그의 말에서 확신을 얻었다. 그러나 별다른 반응은 내비치지 않고 조금 더 지켜보기로 했다.

그의 몸에 밴 말투나 행색을 보건대, 귀족 출신으로 보인다.

"이 먼 동대륙에서 서대륙 출신을 만날 줄은 몰랐습니다."

본론으로 들어가기 위해 슬쩍 운을 떼자 그가 잠시 멈칫하다가 태연하게 말을 받는다.

"네. 저도 이 땅에서 서대륙 출신을 본 것은 근 수십 년 만에 처음이니까요."

"그런데 어떻게 이 궁 안까지 들어오신 겁니까?"

직설적인 질문에 허를 찔린 듯, 그가 잠시 말을 멈췄다.

그가 첩자의 언어 스승임을 알고 있기에 이미 답은 알고 있었다.

그러나 이미 다 안다는 식의 태도가 혹시 발목을 잡을까 걱정돼 일단은 에카이트의 조언대로 모르는 척하기로 했다.

"뭐……. 서대륙을 떠나 이 동대륙까지도 왔는데, 궁 안에 들어오는 것이 뭐 대수겠습니까."

쳇, 빠져나가는군.

방어적인 태도에 굳이 더 캐묻지 않고 고개를 끄덕이고는 무난한 질문으로 말을 돌렸다.

"그나저나 동대륙어를 정말 잘하시던걸요. 저는 꾸준히 배워도 도무지 늘지 않아서 고민입니다."

"아무래도 주술을 통해 듣는 귀만 열린 상태라 더 더딜 수 있어요."

내 말에 그가 고개를 끄덕이며 자신의 생각을 말했다.

다음 질문은 최대한 무심한 척, 가볍게 던져야 한다.

심호흡으로 마음을 가라앉힌 나는 에카이트와 사전에 준비한 질문을 던졌다.

"그러고 보면 아라 왕자…… 라고 했던가요? 그는 우리 서대륙어에 대단히 능통한 것 같은데. 그는 대체 어떻게 배운 것일까요?"

"……워낙 총명한 사람이니 불가능한 것이 있겠습니까."

남자의 답변에 나는 무난하게 고개를 끄덕이며 머리를 굴렸다.

적극적으로 옹호하는 태세는 아니었지만 그렇다고 지극히 객관적인 태세도 아닌 것을 보아, 그를 통해 첩자에 대한 정보를 캐내는 것은 쉽지 않아 보였다.

-뮤사 님. 여기 계셨군요.

잠시 어색한 공기가 흐르려던 찰나, 귀신같은 타이밍에 나타난 여자가 겨우 나를 찾은 시늉을 한다.

그녀의 의도를 파악한 내가 어색한 웃음을 지으며 눈앞의 남자에게 상황을 설명했다.

"갑갑해서 잠시 산책하자고 꼬드겼는데, 너무 따라붙기에 조금 따돌렸거든요. 말이 통하지 않아서 몸짓으로 소통하느라 큰 고생했습니다.”

–르메스 님. 궁에서 오랜만에 뵙습니다.

–……호라 님이 부르시니 오지 않을 수가 있나.

호라가 불러서 왔다고?

그가 호라와 왜 그런 담소를 나누고 있었는지 의혹이 풀리는 대목이었다.

놀랐지만 애써 태연을 가장하며 가만히 두 사람의 대화가 끝나기만을 기다렸다.

–너무 오래 밖에 있었군. 난 이만 가 보지. 곧 문이 닫힐 시간이야.

–그렇군요. 조심히 들어가십시오.

그는 나를 데리러 온 여자에게 작별을 고한 뒤 나와 눈을 마주했다.

“다음에 또 보지요.”

“네. 부디 기회가 닿기를 바랄 따름입니다.”

그의 인사에 상냥한 답신을 하고는 멀어지는 그를 찬찬히 바라보았다.

–제가 괜한 타이밍에 끼어든 것이 아닌지 모르겠습니다. 직전까지 호라 님과 같이 계셨던 분인지라 혹여 두 분의 만남에 불순한 소문이라도 붙으면 또 무슨 사건이 생길지 몰라서…….

눈치 빠른 여자의 대응에 새삼 감탄한 나는 고개를 저으며 그녀의 어깨를 툭툭 두드려 주었다.

「까다롭게 되었군. 하필이면 그 여자랑 긴밀한 사이일 수도 있다

니 말이야.」

늦은 저녁 에카이트를 호출하여 오후의 상황을 설명하자 그가 혀를 찼다.

"포기하기엔 이르다고 생각해요. 일단 무슨 구실을 만들어서 자주 만날 상황을 만들어 놓고, 정보를 빼내는 것도 좋은 방법이 될 것인데……."

「무슨 생각으로 그런 계획을 세우려는지는 이해하지만 신중해야 할 거야.」

아쉬운 마음에 다른 방안을 제시하자 에카이트가 신중한 목소리로 입을 열어 답했다.

충분히 옳은 말이기에 나도 모르게 고개를 끄덕였다.

"역으로 조심하지 못하고 제 정보를 호라 쪽으로 흘릴 수도 있으니까 그런 것이죠?"

「그렇지. 일단 그는 보다 안전하고 그대보다 지위가 높은 호라에게 기대는 것을 더 안전하게 여길 거야. 목숨을 걸고 모험을 하기에는 그대의 입지가 아직까진 애매하거든.」

"불행인지 다행인지는 모르겠지만 일단은 그렇지요."

내 말에 잠시 침묵으로 긍정하던 에카이트가 다시 입을 열었다.

「일단 그에 대해 조사를 좀 더 해 봐야겠어.」

"어떤 위협 때문에 망명한 것처럼 이야기하던데…… 정확한 내용은 더 물어보지 못했어요."

아쉬움이 뚝뚝 떨어지는 내 말에 에카이트가 잘했다고 다독여 주었다.

「괜한 의심을 사는 것보단 일단 그가 먼저 그대에게 관심을 보이고 행동을 취하게 만드는 편이 안전하지.」

그가 나한테 관심을 보이게 하는 것이 더 힘든 일 아닐까.

문득 영 찜찜하고 꺼림칙하지만 나름대로 좋은 방법이 떠올라 조심스럽게 입을 열었다.

"……그간의 경험에 비추어 보건대, 여기는 특히나 권력에 대단히 민감하게 반응하더라고요."

「그렇지.」

"그리고 여기서 절대 권력자는 그 첩자로 보이고요."

「그래서?」

내 말에서 뭔가 불길한 기운을 읽은 것인지 에카이트의 목소리가 불안을 담는다.

"첩자와의 관계가 우호적이라는 것을 보여 주고, 제가 차기 왕비가 될 가능성에 대해서 보여 주면……."

「끔찍한 소리. 생각조차 하기 싫은 가정이니 다시는 입 밖으로 꺼내지 말도록.」

아니, 뭐 누군 좋아서 그런 계획을 생각했는 줄 알아?

거의 질색을 하며 말을 자르는 에카이트의 목소리가 흘러나오는 영상석을 불만스럽게 노려보다 다시 입을 열었다.

"다른 방법이 없지 않습니까? 괜히 사이가 안 좋다는 것을 드러내 봤자 고립되기만 할 것 같은데요. 이전엔 어디에도 얽히지 않는 것이 최선이었겠지만 호라가 얽힌 이상 다른 사람들과도 얽혀서 절 보호할 수단이 있어야 하지 않겠어요?"

그는 내 말에 딱히 반박하지 못하고 침묵했다.

"자존심은 상하지만 고분고분한 척 요구에 응하고, 따라가 주는 시늉을 하면 경계도 약해질 것이고 비호하는 세력도 생길 겁니다. 그 구출대가 올 때까지 버틸 구석은 있어야죠."

오랫동안 침묵을 지키던 에카이트가 이윽고 입을 열었다.

「……틀린 말은 아니지만 썩 내키는 말도 아니로군.」

틀린 말이 아니라는 그의 말에 내심 의기양양해진 나는 씩 웃음을 지었다.

"그러니까요. 제 위치에 대한 확신을 주지 못하면 아무도 절 도우려 들지 않을 겁니다. 지금 저에게 호의적으로 굴기 시작한 그 여자같이 목숨을 구해 주거나 극적인 상황에서 인연을 맺는 것은 위험부담도 너무 큰 데다 흔하지도 않고요."

「이론은 훌륭하군.」

에카이트의 칭찬에 양 볼을 씰룩거리며 웃음을 참던 나는 이어지는 그의 말에 침을 꼴깍 삼켰다.

「생각해 보면 그 작자와 친밀한 관계로 보인다고 해서 그들이 고수하는 절차들을 모두 생략하고 무엇인가를 진행할 리도 없어 보이고. 나쁘지 않은 선택이야.」

"현재 상황에서는 최선의 선택이죠."

기분이 더러워서 그렇지.

「기분이 더러워서 그렇지.」

소리 내서 말했었나?

순간 마음의 소리가 겉으로 들린 것 같은 착각에 잠시 움찔했으나 이내 에카이트가 한 말이라는 것을 눈치채고 픽 웃음을 터트렸다.

「왜 웃나?」

"하하, 아뇨. 제가 소리 내서 말한 줄 알았거든요."

「……조금만 버티고 있도록.」

"조금만……. 얼마만큼요?"

나도 모르게 투정 부리듯 툭 튀어나온 말에 놀라서 입을 앙다물었다.

앙탈을 부리다니, 어린 나이도 아니고…….

그렇게 생각하던 나는 문득 지금은 회귀한 다음이니 그래도 되는 나이라는 생각에 창피한 마음이 조금 가셨다.

「조금만……. 정말 조금만 말이야.」

"……무섭습니다. 답답해요."

달래는 듯, 지금껏 들어 본 적 없이 부드러운 에카이트의 목소리에 복받쳐 목소리에 물기가 뱄다.

속의 말을 내뱉고 나니 그 감정이 고스란히 느껴져 눈가가 뜨겁다.

「……그대 혼자 이런 상황을 견디게 해서 미안하군. 조는 모두 짰고 작전도 거의 마무리 단계야. 곧 데리러 갈 테니 그때까지 몸조심하고 있으라고.」

울음기 어린 목소리를 들킬까 잠시 대답을 미루자 에카이트가 다시 부드러운 목소리로 이어 말했다.

「만약 그 빌어먹을 작자가 허튼짓을 하거든 하나하나 다 기록해 두도록. 마주치는 순간 최소 두 배 이상으로 갚아 줄 테니까.」

부드러운 목소리와 어울리지 않는 살벌한 경고였지만 괜히 믿음직한 느낌에 점점 마음이 가라앉고 진정되었다.

"네. 만약에 허튼짓을 하려고 들면 이번엔 아주 목숨 걸고 쥐어뜯어 놓을 거니까 걱정 마세요."

「……그건 그거대로 걱정이로군. 몸조심하도록.」

에카이트와의 대화가 끝나고 결심을 다진 나는 첩자가 짧은 외유를 마치고 다시 궁에 돌아왔다는 소식을 전해 들었다.

첩자가 돌아왔다는 소식이 조금이나마 반가웠던 것은 이번이 처음이었다.

갑작스럽게 친한 척을 하려니 그간 모르는 사람이 없을 정도로 적대적인 태도를 취했던 것이 생각나 다소 민망했지만 별수 없었다.

목적이 생겼는데 좀 민망한 건 대수도 아니다.

나는 그렇게 다짐하며 자리에서 태연하게 일어나 여자를 바라보았다.

–뮤사 님? 아직 식사도 나오지 않았는데 어디로 가시려는 건가요? 혹시 어디 불편하신 곳이라도…….

–아니.

짧게 부정을 뜻하는 말을 하자 그녀가 잠시 생각하다 내 눈치를 보며 입을 열었다.

–혹시…… 왕자님께 가시려는 것인지요?

이야, 진짜 눈치 하나는 대단하다. 그간의 관계나 상황을 보면 쉽게 연상할 수 있는 것이 아닌데 단박에 짐작하는 것을 보면 말이다.

이미 단단히 마음을 먹은 나는 뻔뻔하게 고개를 끄덕였다.

내 동의에 놀란 여자가 눈을 크게 떴지만 이내 납득한 듯 고개를 끄덕였다.

–좋은 생각이세요. 지금부터라도 아침저녁으로 인사를 드리고 정을 붙이시다 보면 이곳에서 지내시기 훨씬 수월해질 거예요.

–네.

성의 없는 내 동의에도 한껏 기분이 고양된 여자가 바쁘게 아침 단장을 도왔다.

기껏해야 아침 인사 정도이니 크게 꾸미는 눈치는 아니었으나 신경 쓰는 것이 눈에 보일 정도였다.

너무 과하게 그러면 민망한데.

단장은 금방 끝났다. 화장은 과하지 않게, 머리는 깔끔하게 틀어올려 적당한 장신구로 마무리되었다.

나는 어색한 표정을 애써 감추며 여자를 따라 방을 나섰다.

첩자에게로 가는 길엔 기분이 한껏 고양된 여자가 평소와는 달리 제법 수다스럽게 입을 열었는데, 말하는 정보들이 제법 유용했다.

첫째, 첩자는 주기적으로 사냥 대회를 열어 지방 영주들에게 세를 과시한다.

둘째, 곧 그 사냥 대회가 다가온다.

셋째, 첩자는 보통 사냥에 나설 때 혼자 가는데 첩자 이전에는 모두 애첩이나 부인을 데려갔다고 한다.

나는 그 모든 것들을 머릿속에 입력하며 제법 구체적인 계획을 짜기 시작했다.

얼마나 걸었을까. 위엄 넘치고 화려한 방문이 눈에 들어왔다. 곧 첩자와의 대면이 시작될 거라 생각하니 저절로 몸이 긴장되었다.

-오늘은 해가 서쪽에서 떴나 보군. 아니면 뭔가 할 말이 있는 건가.

"……이곳에 왔으면 이곳의 법도를 따라야 한다는 생각이 들었을 뿐이니까."

갑작스럽게 말을 올려 공손하게 구는 것은 과한 것 같아 말끝을 얼버무리며 변명 같은 말로 답했다.

가늘게 뜬 눈으로 나를 살피는 것이 내 의도가 무엇인지 캐내려는 것처럼 보였다. 그 명백한 눈치에도 나는 모르는 척 태연하게 그 시선을 받아 냈다.

시간이 조금 흐르자 그는 뭐가 되었던 상관없다는 생각인지 아니면 두고 보겠다는 뜻인지 피식 웃으며 입을 열었다.

-그래, 뭐 그렇다면 칭찬해 마땅할 일이지. 뭐든 늦었다고 생각했을 때가 가장 빠른 법이니까 말이야.

그의 말에 반사적으로 반박하려다 입을 꾹 다문 나는 어색한 미소를 지었다.

"서로 좋은 게 좋다고, 언제까지 이곳에 있어야 할지도 모르는데 불편하게 지내서 좋을 건 없으니까."

"언제까지 이곳에 있어야 할지 모른다? 어떻게 아직도 모를 수 있단 말인가. 뮤사, 그대는 두 번 다시 이곳을 떠날 수 없다."

변명하듯 던진 내 말을 허투루 넘기지 않은 그가 아예 서대륙어를 사용해 위협적으로 말했다.

거참 살벌하기도 하지. 두 번 다시 이곳에 오고 싶지 않거든?

속으로 투덜거리면서도 생각이 입 밖으로 나가려는 것을 애써 참아 낸 나는 태연한 표정으로 딱히 긍정도 부정도 하지 않은 채 다시 대화를 이어 나갔다.

"그렇게까지 말씀하시니 답답한 마음입니다. 이렇게 갇혀만 있으니 더 나가고 싶은 것 아니겠습니까?"

억지로 말을 높이며 첩자를 도발하자 그가 내 의도를 알겠다는 표정으로 피식 웃는다.

워낙 두뇌 회전이 좋은 상대인지라 내 속 뜻 따윈 다 간파했겠지. 그렇게 생각하자 등골이 서늘해졌다.

자신감을 잃을 것 같은 스스로를 애써 다독이며 그를 당당하게 바라보자 그가 먼저 입을 열었다.

이번에도 서대륙어다.

"뭔가 바라는 것이 있어서 여기까지 온 것이라 짐작은 했는데. 그게 무엇인지 이제야 알 만하군."

"제가 무엇을 바란다고 생각하십니까?"

내 반문에 그가 재미있다는 표정을 짓더니 이내 웃음을 터뜨렸다.

"뻔하지. 외출하고 싶다, 바깥 구경을 하고 싶다. 말은 그렇게 하면서 몰래 탈출을 계획하려는 거겠지. 아닌가?"

……뭐, 비슷하네. 나는 이곳에 오면서 여자가 말한 사냥 대회를 떠올리며 짐짓 그런 것은 바라지도 않는다는 표정을 지었다.

아무리 머리가 나쁘다고 한들 이렇게 의심받고 감시당하는 상황에서 '홀로 외출하고 싶다.'는 부탁을 하겠냐고.

잠깐만. 그렇다면 대체 날 어떤 수준으로 놓고 생각한 거지.

저런 말도 안 되는 부탁을 하리라고 단정한 첩자를 다소 억울한 표정으로 바라봤다.

그러다가 차라리 아예 단순하고 가소롭게 여겨지는 편이 뒷일에 도움이 되리란 생각에 태연히 대화를 이어 나갔다.

"……그럴 수 있다면야 좋겠지만 들어주지도 않을 부탁을 하는 데에는 별 취미가 없어서요. 그런 의도로 찾아온 것은 아닙니다."

내 말에 그는 의외라는 표정을 지으면서도 진의를 파헤치려 여전히 눈을 가느다랗게 뜨고 있었다. 첩자는 계속해 보라는 듯 고개를 끄덕였다.

나는 최대한 아무렇지도 않은 표정으로 다시 입을 열었다.

"굳이 부탁을 한다면 연무장이나 작은 사냥터 같은 곳을 빌릴 수 있냐고 물었을 겁니다. 그간 너무 움직임 없이 방에만 있다 보니 둔해지는 것 같아서."

첩자는 내 말에 '흠' 하는 소리를 내더니 잠시 생각에 잠겼다. 그가 어떤 대답을 할지 몰라 긴장되었다.

이내 그가 다시 말을 시작했다.

"하기야 설치기로는 둘째가라면 서러운 기사 출신이었지. 쯧. 그러고 보면 사냥도 제법 했던가."

첩자의 입에서 직접적으로 사냥이라는 단어가 나오자 순간 등이 아려오는 것만 같았다.

첩자의 개입으로 거대한 그리즐리와 사투를 벌였던 사냥 대회가 떠오른 탓이었다.

하지만 화두가 사냥으로 맞춰진 만큼 좋은 기회라고 생각한 나는 애써 그런 기분을 떨치며 동의를 표했다.

"잘 아시겠지만 그날 우승은 제 차지였지요. 하지만 요즘같이 몸이 굳은 상황에서는 당장 사냥에 나서지는 못할 것이고……. 남들 사냥 갈 때 따라붙어서 감이나 되살리는 정도가 전부겠지요."

나는 초조해하지 않으려 애써 다잡고는 툭 던지듯 마지막 말을 얹었다.

"마나도 서대륙에 비해 많이 흐려져서 몸도 예전 같지 않고요. 토끼나 잡을 수 있으려나 모르겠군요."

"……엄살이 심하군."

"엄살이 절로 나올 만한 상황이지요."

내 말에 잠시 나를 뚫어져라 바라보던 첩자가 입을 열었다.

"……운이 좋다고 해야 할지. 마침 사냥 대회가 있다. 서대륙에서처럼 네가 참전하지는 못하겠지만 따라올 수는 있지."

미끼일까, 아니면 진짜로 의도한 것일까.

기다려 왔던 제안이지만 막상 제안을 받고 나니 망설여졌다. 혹시 간파당한 것은 아닌가 걱정이 되었다.

잠시 뜸을 들이던 나는 평소처럼 투덜거리듯 가볍게 말을 던졌다.

"……당신과 가야 하는 것이라면 썩 내키지 않는데요."

"뭐, 어찌 됐든 좋아. 어떻게 해야 하나 고민하던 것인데 이렇게 말 나온 김에 가는 것으로 하지."

이게 다 웬일이래?

순탄하게 풀리는 상황에 마음껏 기뻐하지도 못한 나는 미묘한 표정으로 그를 바라보았다.

그런 나를 웃기다는 표정으로 쳐다보던 첩자가 입을 연다.

"준비나 필요한 것들은 사람을 통해 전달하지. 식사 때인데 아직 먹지 않았다면 같이 먹는 게 어떤가."

헉. 그건 좀…… 절대 아니지.

그의 말에 화들짝 놀라 펄쩍 뛰다시피 반응한 나는 고개를 저으며 이만 나가 보겠다는 말을 전했다.

그는 그 이상 권하지 않고 순순히 나를 보내 주었다.

나는 방으로 돌아와 일단 일차적으로 계획한 '첩자와 친해 보이기' 작전이 성공적으로 끝났음을 자축하였다.

물론 그의 속내까지는 알 길이 없지만 일단 지금까지는 무탈하니까 말이다.

비록 동행이기는 하지만 바깥으로 나갈 수 있다. 이런 기회를 얻을 것이라고는 생각도 못했던 나로서는 의외의 소득이었다.

밖으로 나온 나는 문 앞에서 초조하게 기다리고 있는 여자를 보며 씩 웃음을 지었다.

그러고는 안에서 무슨 얘기가 오갔고 별다른 일이 있지는 않았나, 궁금증에 입을 달싹거리는 여자를 바라보며 조용히 걸음을 옮겼다.

역시 이곳은 소문이 빠르다.

첩자와 사냥 대회에 함께 가기로 한 이후, 몇 시간도 채 지나지 않아 손님이 찾아왔다. 누구보다 먼저 방을 찾은 손님은 예상대로 호라였다.

아무리 예상을 했다고 해도 갑작스럽게 문을 차고 들어와 있는 대로 소리를 지르는 꼴은 가관이었다.

-이, 이 천하의 간사한 계집! 아닌 척, 무관심한 척 아라 님을 멀리하는 시늉을 할 때부터 알아봤어야 했다. 이 요망한 계집!

네, 뭐 그러시다면 그런 것이겠죠. 누가 들으면 내가 밤중에 첩자의 침실로 들어가 그를 덮치기라도 한 줄 알겠다.

-감히, 감히 너 따위가 사냥 대회에 아라 님의 동행자로 이름을 올려?

"아니, 왜 나한테 난리야. 내가 여기서 나고 자랐나? 나 없는 동안은 안 따라가고 뭐 했대? 그렇게 억울하면 이번에 같이 따라오든가. 내가 막았나?"

그녀의 어이없는 분노를 순순히 받아 줄 생각도, 이해해 줄 생각도 없던 나는 콧방귀를 뀌며 그녀에게서 시선을 돌렸다.

그리고 그런 내 태도는 가뜩이나 분노한 호라를 아주 적절하게 자극했다.

-이, 이 고약한 계집! 내가 오늘 아주 너와 끝장을 보아야겠다.

"힘으로 한다면 매우 찬성이라는 걸 알아줬으면 좋겠네."

그녀의 악에 받힌 고함에 태연히 응답하던 나는 뒤늦게 방에 따라 뛰어 들어온 여자들이 그녀를 달래며 방을 나서는 것을 멀거니 구경했다.

-너! 내가 반드시 너 하나만은 끝장내고야 말 것이다! 각오하는 것이 좋을 거야.

아이고, 네. 그러시든가요.

교묘하고 사람의 신경을 벅벅 긁어내리는 데에 재주가 있던 리디아에게 시달린 덕분일까. 저렇게 대놓고 덤비는 호라의 태도는 나를 크게 자극하지 못했다.

나는 시큰둥하게 멀어지는 호라를 바라보다 눈앞에 앉아 넋이 나간 표정을 짓고 있는 예법 선생을 바라보았다.

—네.

—아, 네. 네, 그렇죠. 계속하겠습니다.

이 '네'라는 말이 참 편리하단 말이지.

높낮이를 조절해 다양하게 활용할 수 있는 '네'를 사용해 예법 선생의 정신을 깨우자 금방 수업이 이어졌다.

수업의 내용은 갑작스럽지만 사냥 대회와 거기에서 벌어질 법한 상황에 따른 예법에 대한 것으로 바뀌었다.

다들 유난스럽기도 하지.

나는 혀를 차며 지루한 예법 수업에 집중했다.

뜻밖의 사냥 대회에 참석하게 되었다는 소식에 기뻐할 줄 알았던 에카이트는 그야말로 온갖 짜증을 부리며 불만을 표출했다.

예상하지 못한 그의 불만 어린 반응에 당황하는 것도 잠시, 덩달아 짜증이 솟구친 나는 인상을 찌푸리고 날카롭게 응대했다.

나라고 그 사냥 대회가 재미있고 즐거울 것 같아서 따라나서겠냔 말이다.

나에게 잘 보여서 이득을 취하고 싶어 하는 무리가 있는가 하면 분명 그 반대의 무리도 존재할 것이다.

특히 이미 노선을 정한 무리의 경우 어떻게든 나를 저지하고 치워 버리려고 할 터.

이런 상황에서 본격적으로 무기를 들고 사냥터로 간다는 것은 위험 부담이 제법 큰일이기는 했다.

하지만 이런 것 저런 것 다 따지다가는 기회가 언제 또 올지 모르는 상황.

나름대로 큰 결심을 한 것인데 짜증만 내니 괜히 서운하다 못해 서러웠다.

"원래 그런 사람이었지, 뭐. 요즘 이상하게 살갑다 싶었는데, 원래 성격이 어딜 가나."

나는 홀로 어두운 침실에 누워 투덜거리다 눈을 감았다.

그다음 날.

어마어마하게 많은 사람들이 나를 만나기 위해 줄지어 섰다. 앞으로 이 많은 사람들을 상대할 걸 생각하니 피곤했지만 내 선택이 맞다는 것을 확인할 수 있었다.

"그런 식으로 말을 타는 것도 제법 잘 어울리는군."

"……칭찬으로 듣죠."

사냥터로 향하는 행렬의 선두에서 이동하던 중 갑작스러운 첩자의 말에 최대한 덤덤한 어조로 답변을 되돌렸다.

약간의 조롱이 담겨 있었지만, 일희일비하지 않겠다고 마음을 다스린 후라 덤덤한 어조로 답할 수 있었다.

그는 내 무덤덤한 반응에 김이 샌 듯 약간 콧소리를 내며 다시 앞을 바라본다.

공식 석상에 나가기 시작할 무렵부터 이미 기사로서 활동하고 있었기에 말을 타는 자리에선 대부분 바지를 입고 있었다.

그 덕분에 말을 지금처럼 옆으로 앉아 탄 것은 전생과 현생을 통틀어 처음이었다.

치마를 입은 상태이니 내가 아무리 용을 써도 제대로 말을 타는 것은 무리인지라 순순히 옆으로 앉아 가고 있는 상황이었지만 사실 첩자가 따로 자극하지 않는다고 해도 기분은 영 좋지 못했다.

거추장스러운 드레스 탓에 순순히 옆으로 앉아 갈 수밖에 없었다.

자세도 자세지만 불편한 옷 탓에 금방이라도 미끄러져 떨어질 것만 같아 불안했다.

나는 불편한 자세를 신경 쓰면서도 첩자를 흘긋 보는 것을 잊지 않았다.

첩자는 내가 아침저녁으로 인사를 가기 시작한 이후로 제법 관대한 모습을 보이고 있었다.

해괴한 주술로 이곳의 말을 이해하게 된 후부터 거의 서대륙어를 사용하지 않던 첩자가 요즘은 꼬박꼬박 서대륙어를 사용해 대화를 하는 것만 봐도 그랬다.

조용히 이동에만 집중하던 첩자가 다시 입을 열었다.

"호라와 제법 재미있는 사이더군?"

"글쎄요. 저는 딱히 재미를 느끼진 못했는데 말이죠."

"뭐, 그렇겠지. 하지만 포악한 만큼 단순해서 다루기도 쉽지."

지금 누가 누구한테 포악하다고 하는 거람……?

나는 호라를 두고 포악하다고 단순하게 정의하는 첩자를 잠시 어이없다는 표정으로 바라보다 이내 고개를 바로 하고 입을 다물었다.

따로 대화에 응하지 않았음에도 첩자는 떠드는 데 재미가 붙은 것인지 입을 멈추지 않았다.

말 타면서 저렇게 말을 많이 하면 혀 깨물기 쉬운데.

걱정보다는 기대에 찬 마음으로 그의 말에 귀를 기울였다.

"그야말로 야심찬 여자지. 과거의 내 어머니와 닮아 있어."

칭찬인가?

보통 남자들의 이상형이 자신의 어머니와 닮은 여자라고 했던가. 나는 그의 의외로운 취향에 잠시 입을 다물고 경의를 표했다.

하긴 성격 궁합은 잘 맞을 것 같다.

"……뭔가 엉뚱한 생각을 하는 눈치로군. 지금 내 어머니가 어디서 어떻게 계시는지 모를 리 없을 텐데?"

첩자의 말에 순간 병석에 누워 있다는 그의 어머니가 생각나 조용히 입을 다물었다.

반대로 끔찍하게 싫어한다는 말이 어울리는 관계일지도 모른다.

원래 사람은 자신과 닮은 사람을 싫어한다고도 하니까 말이다.

호라는 첩자가 조금 많이 어리숙하고 보다 다혈질이 되었을 때 이런 모습이지 않을까 싶을 정도이니 그가 딱히 좋아하지 않는 것도 이해는 갔다.

"……꽤 성격이 급하더군요, 호라라는 사람은."

"의외로 좋게 말하는군. 한마디로 멍청한 여자라고 부를 법하지. 아무리 욕심내어도 모든 것에 주인은 다 정해져 있는 법이건만."

"탐욕 또한 사람을 발전하게 하는 덕목이니 너무 비난할 일만은 아니지요."

내 말에 나를 유심히 바라보던 첩자가 우습다는 듯 너털웃음을 터트렸다.

"틀린 말은 아니지. 나 또한 내 아버지 이상의 탐욕으로 현실과 타협하지 않은 결과, 내 옆에 네가 있다."

……딱히 오래 있을 생각도 없고 자발적으로 있는 것도 아닌 데다

가 기회만 된다면 도망칠 건데.

그의 의기양양한 말에 어색한 미소를 지으며 시선을 피했다.

그도 내가 딱히 좋아서, 내 선택에 의해서 이곳에 있는 것이 아님을 알기 때문인지 그 이상 대화를 이어 나가지 않았다.

무슨 토벌이라도 가는 듯 긴 여정에 허리가 쑤셔 오는 것을 느끼던 나는 문득 뒤통수로 쏟아지는 시선을 느꼈다.

"야만적이지 않은 구석이 없네, 이곳은."

사냥이라고 하기에 제국의 사냥 대회처럼 검을 휘두르고 활을 쏘는 장면을 생각했던 나는 눈앞에 펼쳐진 광경을 역겹다는 표정으로 노려보았다.

이곳의 사냥 방식은 우리와 달라도 한참 달랐다.

첩자에게 충성하는 영주들이 사냥감을 몰고 들판으로 달려 나오면 첩자가 그 사냥감 중 가장 구미에 당기는 것을 잔인하게 학살한다.

거기서 그치지 않고 사냥감의 피를 돌아가며 마시는 그들의 행태에는 야만적이라는 말이 그야말로 딱 어울렸다.

이런, 눈 마주쳤다.

첩자가 고개를 돌려 주변을 살피는 눈치이기에 재빨리 시선을 돌리려던 찰나, 우연찮게 눈이 마주치고 말았다.

짐승같이 날카로운 눈빛에 금방 시선을 피하기는 했지만 말이다.

"……아무리 생각해도 친한 척하는 것만으로도 엄청 무리일 것 같단 말이지."

혼잣말을 내뱉은 나는 빨리 사냥을 마치고 모든 사람들이 모일 저녁 시간이 되기를 바랐다.

여자가 재잘거리며 알려 준 정보에 따르면 여기 따라온 사람들이 제법 중요한 위치에 있는 영주들과 귀족들이라고 했다.

나름대로 첩자와 우호적인 관계를 유지하고 있음을 어필하면 분위기가 지금과는 달라질 것이다.

앞다투어 내 방패막이가 되어 주기 위해 모여들겠지.

이 모든 것이 호라의 공격을 피하고 스스로를 방어하기 위한, 필살의 조치라고 생각하니 어쩐지 기분이 침울해진다.

멀리서 들려오는 뿔피리 소리에 조용히 말을 돌렸다.

아까와 같은 야만적인 장면을 또다시 정면으로 마주하고 싶지는 않았기 때문이다.

–이번엔 유독 사냥감이 많았던 것 같습니다.

–사냥감도 특별한 손님이 온 것을 느껴서가 아니겠습니까?

–일리가 있군요. 하하.

퍽이나 일리가 있겠다.

나는 지금 첩자의 바로 옆에 앉아 있었다.

그런 내 모습을 보고 계산을 마친 것인지, 사람들이 아부가 가득한 미소로 웃으며 첩자에게 말을 걸었다.

나와 첩자를 번갈아 바라보는 시선에는 첨예한 계산이 가득했다.

–특별한 손님이라. 정확하군. 그토록 먼 길을 돌아 제자리를 찾은 사람이니 말이야. 혹시나 이렇게도 힘들게 제자리를 찾은 사람이 못마땅하다고 떠드는 사람이 있을까 걱정했는데, 기우였군.

어색한 헛기침 소리와 그럴 리 있냐는 아부 가득한 웃음소리가 공간을 가득 채우기는 했지만 여전히 불편한 표정을 완전히 지우지 못한 사람들도 있었다.

호라의 측근일 수도 있겠군.

호라의 측근이든 아니면 다른 그 누구와 관계가 있는 사람이든 나에게 호의적이지 않은 사람들임에 틀림없다.

그들의 얼굴을 아닌 척 면밀히 살펴 기억에 남긴 나는 조용히 식사를 마무리했다.

대부분의 사람들이 더 이상 음식에 손을 대지 않은 지 오래되자 상을 물리기 위해 사람들이 들어왔다.

이제 오늘 일정은 다 끝난 건가? 의외로 깔끔하네.

슬슬 일어날 준비를 하던 나는 뒤이어 술병을 올린 새로운 상이 줄지어 들어오는 모습을 보고 저절로 튀어나오는 깊은 한숨을 애써 억눌렀다.

–오늘 사냥감이 풍성한 덕분에 술상도 호사롭군. 다들 수고가 많았다. 그대들의 충심이 닿은 탓이겠지.

–그렇게 말씀해 주시니 몸 둘 바를 모르겠습니다.

–훌륭한 지도자의 기세를 짐승들도 알아보고 경외를 표한 것은 아닐까요.

음, 아닐 것 같은데. 사냥터 밖으로 도망갔으면 갔지.

도를 지나치는 아부를 듣고 있자니 시큰둥해지는 표정을 다잡기도 힘들다.

여기서 무엇인가를 해야 좀 더 확실한 결과를 낼 텐데…….

말이 통하지 않으니 할 수 있는 것이 매우 한정적이다.

그렇다고 여우처럼 첩자에게 엉겨 붙어 아양을 떠는 것도 이상하고 말이다.

소외된 듯, 소외되지 않은 듯 어색하게 자리에 끼어서 술잔이 오가는 것을 보던 나는 문득 화려하지만 허술한 옷차림으로 남자들 사이를 누비며 술을 따르는 여자들을 발견했다.

저거다.

첩자의 곁으로 다가와 빈 술잔을 채워 주던 여자의 옷자락을 살짝 당기자 금방 내가 의도한 상황이 벌어졌다.

–어머나, 세상에! 죽을죄를 지었습니다. 이 일을, 이 일을 어쩌면 좋을지…….

–저, 저런! 왕자님, 괜찮으십니까?

술병을 기울이다 균형을 잃으면 당연히 술을 엎지를 수밖에.

첩자의 괴물 같은 반사 신경에 머리로 술을 뒤집어쓰는 일은 벌어지지 않았지만 그의 옷자락 끝은 이미 젖어 있었다.

소란스러운 와중 태연히 몸을 일으킨 나는 술에 젖은 첩자의 옷자락을 내 소맷자락으로 두드려 물기를 제거하기 시작했다.

다소 자존심은 상하지만 목적 달성을 위해서라면 못할 것도 없다.

갑작스러운 내 행동에 좌중이 잠시 침묵에 잠겼다.

어, 뭔가 실수하는 것은 아니겠지?

살짝 불안한 느낌은 있었지만 모른 척 옷자락의 물기를 계속해서 두드려 빼내려 하자 첩자가 큰소리로 웃음을 터트린다.

–하하하. 얌전하게 구는 법을 아는군. 마음에 든다. 마음에 들어!

–……하, 하하하! 이것 참, 그간 뮤사 님과 관련하여 이런저런 말들이 많았는데, 역시 소문이란 것은 부질없습니다.

–그, 그렇지요. 기가 세다는 둥, 여러 음해하는 소문이 오죽 많았습니까. 왕자님을 두고도 공경할 줄 모른다는 말도 안 되는 소문까지 돌았습니다만, 이 자리에서 모두 거짓인 것을 확인하게 되는군요.

정확한 사실이 소문으로 퍼질 수도 있다는 것에 내심 감탄하던 나는 따로 동요하지 않고 잔잔한 미소를 머금은 채 그의 옷자락을 수습했다.

이곳의 복식 특성상 소매가 넓어 무엇을 닦기에 좋겠다 싶었는데, 이렇게 쓰게 될 줄이야.

할 수 있는 선에서 최대한 수습하고는 원래 자리로 돌아가려던 때였다.

하지만 이내 허리를 잡아 끄는 억센 손길에 그대로 주저앉을 수밖에 없었다.

그 손길의 주인이 첩자임을 인식한 나는 소름이 돋아 몸을 부르르 털고 싶은 것을 애써 참아 냈다.

–그대로 있지. 오늘은 기분이 좋군. 이 밤이 저물 때까지 모두 즐기도록.

–영광입니다, 왕지님!

–경하드립니다. 므네모쉬 님처럼 도망치는 건 아닐까 걱정했습니다만 괜한 우려였군요.

–이 사람이……. 지금 그 얘기가 왜 나오나?

……이게 정말 잘한 짓인지 모르겠다.

나는 다시 형형색색의 음식들로 들어차는 상을 보면서 질린 표정으로 빨리 하루가 끝나기를 간절히 기도했다.

「소득이 없지는 않았군.」

“그렇기는 한데, 기분은 영 좋지 않아요.”

「그런 상황이 좋았다면 여기서 굳이 구출을 위한 조를 짤 필요도 없었겠지.」

뭔가 퉁명스러운 에카이트의 대답에 괜히 연락했나 싶은 기분이 들어 다음 말을 잇지 않고 침묵을 지켰다.

동이 틀 것처럼 멀리서 밝아 오는 하늘과 함께 자리가 끝났다.

첩자와 분리된 숙소로 돌아오자마자 제일 먼저 에카이트에게 연락을 취한 것인데.

「아펠리아? 듣고 있나?」

"……네, 뭐. 방금 말한 것 말고는 더 없어요. 그만 끊을게요."

「아펠리아. 잠깐만. 아펠리아?」

다급하게 나를 부르는 에카이트의 목소리를 뒤로하고 통신을 끝낸 나는 자리에서 돌아누웠다.

"누군 좋아서 이러고 있냐고. 누가 제일 싫을지 조금만 생각해 봐도 알 문제를……. 이도 저도 다 싫으면 빨리 구하러 오든가."

혼잣말로 서러운 마음을 투덜거리듯 내뱉다 보니 괜히 더 침울해졌다.

며칠이나 이 외유(外遊)를 즐기는 시늉을 해야 한다니, 진이 빠진 나는 침대에서 까무룩 잠이 들었다.

"아펠리아? 아펠리아!"

에카이트는 불이 꺼진 영상석을 흔들며 애타게 아펠리아를 불러 보았지만 이미 연결이 끊겨 영상석은 침묵을 지키고 있었다.

"……미치겠군."

아펠리아가 상황 때문이라고는 하지만 첩자와 긴밀한 관계로 발전할 여지가 있는 것처럼 행동하다니…… 잠깐 상상한 것으로도 기분이 바닥으로 가라앉았다.

“아펠리아의 기분을 이제야 좀 알 것 같나?”

때마침 저택을 방문했다가 아펠리아와의 통신을 그대로 들은 황태자가 약 올리듯 빈정거리는 어투로 말했다.

“아펠리아는 멀리 떨어진 곳에서 자네의 평판과는 하나도 상관없이, 사전에 계획을 공유하기라도 했지, 쯧.”

“……지금 제 탓을 하시는 겁니까?”

“누굴 탓할 필요가 있을까. 나 또한 유죄인 것을.”

황태자의 자조 어린 말에 에카이트가 입을 다물었다.

그가 그의 과오를 되돌리고자 얼마나 많은 고통을 겪었던가. 자세한 내막을 모르는 에카이트였지만 말투로 분위기는 짐작할 수 있었다.

얼마나 지났을까, 황태자가 다시 가볍게 입을 열었다.

“그냥……. 자네가 그간 아펠리아 경을 이해한 것 같지 않아서 하는 말이지. 단순히 약혼자로서 자존심이 상할 만한 상황이라 까칠하게 군 것이라고만 여기는 것 같아서.”

황태자의 말에 에카이트는 할 말을 잃고 입을 다물었다.

그간 아펠리아가 왜 자신에게 예민하게 반응하며 거리를 두고 적대적으로 굴었는지 영문을 알 수 없어 서운한 마음이었는데.

과거의 자신이 떠올라 절로 민망해졌다.

그렇게까지 반응할 일인가 싶었는데 그게 아니었다.

호감이 있는 상대가 다른 상대와 어떠한 이유로든 긴밀히 지내고 있다면, 누구든 그럴 것 같다.

잠깐, 호감이 있는 상대?

에카이트는 순간 뇌리를 스치는 생각에 눈을 크게 떴다.

그의 명석한 두뇌가 빠르게 상황을 파악하기 시작했다.

단순히 자존심이 상해서 나올 수 있는 행동과, 감정과 자존심이 상해서 나올 수 있는 행동.

그리고 그간 아펠리아가 보였던 어쩌면 유치할 정도의 투덜거림들.

아직 가정에 불과한 상황이었지만 혹시나 하는 희망을 발견한 에카이트의 얼굴이 전에 없이 붉어지기 시작했다.

그리고 그 모습을 관찰하듯 바라보던 황태자는 불만스러운 표정을 짓다가 더는 못 봐주겠다는 듯, 퉁명스럽게 입을 열었다.

"누가 보면 짝사랑하던 여자와 결혼이라도 앞둔 줄 알겠어."

"뭐, 딱히 틀린 말은 아니로군요."

에카이트의 태연하고 뻔뻔한 응대에 오히려 할 말을 잃은 황태자가 입을 벌리고 나지막이 혀를 찼다.

"앞으로가 아주 볼 만하겠어."

"기대하셔도 좋을 겁니다."

에카이트의 자신만만한 대답에 황태자가 코웃음을 치다가 이내 씁쓸한 표정으로 말했다.

"……알아서 잘 하겠지만 말이야. 잃은 후에는 아무것도 소용없어. 명심해."

"마치 잃어 보신 적이 있는 것처럼 말씀하시는군요."

에카이트가 알고 있는 황태자는 단 하나 놓치는 것 없이 모든 것을 양손 가득 쥐고 있는 영리한 권력자였다.

그렇기에 그의 이러한 태도는 도무지 이해할 수 없었다.

에카이트의 의구심을 아는지 모르는지 황태자는 애매한 태도를 유지했다.

"모든 것은 생각하기 나름이지. 조심해서 나쁠 것은 없지 않은가."

"……옳습니다."

"그러고 보니 출발하는 날이 멀지 않았군."

황태자의 말에 에카이트는 고개를 끄덕였다. 아마 아펠리아가 동대륙 첩자의 궁으로 돌아갈 무렵이면 제국의 구출대 또한 출발하지 않을까.

"그런데 자네가 가서 무슨 도움이 될지는 잘 모르겠군."

"전투력이나 병력으로 밀어붙이는 작전이 아니니까요. 철저한 계산과 두뇌 싸움을 통해 결과를 내야 하는 만큼 계획을 계속해서 수정하고 상황을 반영시켜 결정을 내릴 사람이 필요합니다."

"말은 그럴싸하군."

황태자의 말에 에카이트가 씩 웃음을 짓는다.

"그렇지요. 뭐, 좀 더 솔직히 말씀드리자면 불안해서요. 그리고 한시라도 빨리 제 눈으로 보고 싶습니다."

"무사 귀환을 기대하지. 특별히 자네까지 말이야."

"그것참 영광이군요."

황태자의 삐쭉한 말에도 변죽 좋게 웃어 보인 에카이트가 영상석을 꽉 움켜쥐었다.

그녀가 부디 자신과 만날 때까지 무사하기를 바라며.

참자. 참아야 한다.

나는 손에 쥔 양산을 접어 첩자의 뒤통수를 후려치고 싶은 마음을 애써 다잡으며 양산 손잡이를 꽉 움켜쥐었다.

사냥을 마친 다음 날의 일정은 영지 변두리를 시찰하는 것이었다.

변두리라고 해서 걱정했는데, 생각한 것보다 풍경이 훌륭해서 시찰이라기보다 관광처럼 느껴졌다.

이 산책 같은 시찰은 다 좋은데 대단한 불공평함을 감수해야 했다.

어제 일로 인해 나와 첩자의 관계가 나쁘지 않고, 특히 내가 그에게 공손하다는 것이 강조됐던 탓일까?

준비를 마치고 첩자와 다른 영주들이 있는 곳에 도착하기 무섭게 따라나선 중년의 여자가 내 손에 무엇인가를 쥐여 주었다.

모양새를 보아하니 양산인 것 같아 받았는데 무겁고 크다.

이걸 어쩌란 말인가. 잠시 망설이는데 여자가 그 양산을 펴는 것을 돕는다.

그리고 다시 내 손에 쥐여 주는 것이 아닌가.

펼쳐진 양산을 쥐고 멀뚱히 서 있는데 첩자가 자연스럽게, 아주 자연스럽게 들어왔다.

뭐, 뭐야? 이거 꼭 내가 양산을 받쳐 주는 시녀 같잖아?

기가 막히고 코도 막히는 상황이었지만 달리 뭔가를 할 수 있는 상황도 아니라 묵묵히 들고 걸을 수밖에 없었다. 아, 열 받아.

–역시 이곳이 가장 좋다.

–이 얼마나 훌륭한 풍경인지 모르겠습니다. 신록이 우거져 장관을 이루는 것은 언제 보아도 아름답지요.

–아니, 단순히 풍경 때문이 아니다.

첩자의 말에 아부하듯 살을 붙이던 남자가 그의 단호한 부정에 입을 다문다.

–이곳에선 내가 가져야 할 더 먼 곳의 영토들이 한눈에 들어온다.

첩자의 야욕이 드러나는 말이었다. 그의 눈동자를 따라 산림을 넘어 더 먼 곳으로 시선을 돌리자 푸른 평야가 보이는 것도 같다.

–지당하신 말씀이십니다.

–과연 저희들과는 보는 식견이 다르십니다.

피비린내 나는 전쟁을 암시하는 첩자의 말에 침을 꿀꺽 삼키면서도 아첨하는 소리를 멈추지 않는 영주들을 보니 어이가 없었다.

그들을 한심한 시선으로 바라보는데 갑자기 서대륙어가 들려 깜짝 놀라 고개를 들었다.

첩자였다.

"이미 우리 땅이어야 마땅한 곳이거늘. 므네모쉬가 모든 것을 다 망쳐 버리지만 않았어도 말이지."

"……그렇습니까?"

헛소리하지 말라는 말이 목구멍까지 올라왔지만 애써 꿀꺽 삼킨 내가 짧게 반문하듯 답했다.

그러자 그가 휙 나를 돌아봤다. 양산으로 그늘이 진 탓인지 어쩐지 음산해 보인다.

"네가 네 자리를 지킴으로써 나는 내 것이어야 했던 모든 것을 다 되찾을 것이다."

그러든가 말든가.

어차피 때가 오면 뒤도 안 돌아보고 도망갈 심산인지라 그냥 조용히 고개를 끄덕였다.

단순한 끄덕임이었지만 첩자는 만족한 눈치로 씩 웃어 보였다.

웃는 게 저렇게 소름 끼치는 사람이 또 있을까?

전형적인 악당의 미소를 짓는 첩자를 질린 표정으로 힐끗 바라본 나는 일행을 따라 걸음을 옮겼다.

방금 전까지 눈을 즐겁게 하던 신록과 수풀들이 더 이상 아름답게 보이지 않았다.

—잘 다녀오셨습니까?

—네.

며칠 되지 않는 외유였지만 정신적으로 지치다 못해 질리는 시간이었다.

그나마 익숙해진 방에 돌아와서일까. 반갑게 맞이하는 여자의 안부 인사에 기분 좋게 답할 수 있었다.

—나가 계시는 동안 새로운 소문이 돌았습니다. 거기서 일이 많으셨다고요.

여자의 말에 눈을 동그랗게 뜨고 그녀를 바라보았다.

말로 반나절은 넘게 나갔다 왔는데, 그사이 여기까지 소문으로 돌았다고?

그야말로 엄청난 곳이라는 말 말고는 할 말이 없었다.

내 행동 하나하나에 얼마나 많은 시선들이 들러붙었던 것인지를 생각해 보니 오소소 소름이 돋는다.

혹시 실수한 것은 없으려나.

괜히 찜찜한 마음에 기억을 되새겨 보려다 괜한 짓을 하는 것 같아 마음을 다잡았다. 그러고는 여자를 다시 바라보며 설명해 보라고 재촉했다.

그리자 눈치라면 남부럽지 않은 여자가 바로 입을 열었다.

—왕자님과 뮤사 님의 사이가 소문과는 달리 매우 화목하다는 것이 소문의 요지였습니다.

의도한 대로 소문이 잘 났네.

고개를 끄덕여 겉으로는 대수롭지 않게 응수했지만 내심 뿌듯한 마음이 들었다.

고생한 보람이 있다.

내 대수롭지 않은 반응에 무언가 억울한 눈치의 여자가 입을 열었다.

–이건 꽤 대단한 일입니다. 좀 더 기뻐하세요. 아마 오늘은 돌아오신 날이라 오는 사람들이 없겠지만 내일부터는 정말 쉴 새 없이 몰려올 것입니다.

지지층을 얻어 호라로부터 스스로를 보호하는 동시에 첩자를 조금이나마 안심시켜 경계를 낮추는 것이 당초의 목적이자 목표였기에 고개를 끄덕였다.

하지만 상상만으로도 피로감이 쌓이는 광경이라 낮은 한숨이 절로 나왔다.

내 한숨과는 별개로 여자는 말을 계속했다.

–호라 님은 의외로 조용하십니다만……. 그게 꼭 긍정적인 신호라고는 볼 수 없겠지요.

인정하는 바이다.

그런 성격이 하루아침에 얌전해질 리도 없고, 마음을 바꿔 먹었을 리도 없으니 말이다.

보나 마나 좀 더 치밀하고 큰일을 계획하느라 조용한 것이겠지. 안심하기보단 대비하는 편이 좋을 것 같다.

이미 음독을 통한 보복에는 실패했으니 다른 방법을 물색할 가능성이 높다.

하지만 어느 쪽이 되었던 방심할 수는 없다.

경계심을 최대치로 끌어 올리며 마음의 준비를 마친 나는 여자의 다음 말에 헛웃음을 지었다.

–아, 그리고 저번에 말씀드렸던 그 왕자님의 언어 선생님 말입니

다. 그분께서 내일 오전 일찍 잠시 찾아뵙고 싶다고 하셨어요. 도움이 될 만한 책이 있다고요.

아니, 다른 얘기 말고 그 얘기를 제일 먼저 했었어야지.

생각보다 쉽고 빠르게 신호를 보내는 목표물에 들뜨는 마음을 애써 가라앉힌 나는 다시 대수롭지 않다는 표정을 지어 보이며 고개를 끄덕였다.

결과를 봐야 알 일이지만 그래도 첩자에게 마음에도 없는 호의를 보인 보람이 있었다.

첩자의 서대륙어 선생이 만남을 청했다는 소식을 듣기 무섭게 에카이트에게 소식을 전했다.

「생각보다 수확이 좋다고 해야 하나…….」

"그냥 좋다 수준이 아니라 엄청 좋은 거 아닌가요? 저는 개인적으로 그 사람을 가장 염두에 두고 있었거든요."

「무슨 말인지는 안다만 너무 계획대로 흘러가니 오히려 이상해서 말이야.」

하지만 그는 예상과는 달리 좀 더 조심스러운 반응이었다.

나 또한 그의 조심스러운 반응에 동의하는 바이기는 했지만 고생했다는 말 한 마디도 해 주지 않다니, 괜히 섭섭한 마음이 들었다.

"저라고 마냥 안심하고 다행이라고 여기는 것은 아니니 걱정 마세요. 그 사람에 대한 새로운 정보 있나요?"

퉁명스럽게 되물어 보자 에카이트가 잠깐 조용해졌다가 입을 열었다.

「……아. 아직 확실한 것은 아니지만 짐작 가는 부분은 있더군.」

"어느 나라 사람인지 알아낸 건가요?"

그냥 한 번 해 본 말이었는데 정말로 뭔가를 알아냈나 보다. 나는 놀라 눈을 동그랗게 떴다.

「일단 우리 제국 쪽은 아니야. 서쪽 작은 나라 출신인 것 같아. 그근거는 전에 얘기해 줬던 생김새가 되겠군.」

양쪽 눈동자 색이 미묘하게 서로 다른 그 남자의 생김새를 일전에 에카이트에게 말했었는데 그게 단서가 되었던 모양이다.

하기야 그리 흔한 신체적 특징도 아니니 충분히 단서가 되었겠지.

"그 외에 다른 정보는 없나요? 대체 서대륙을 떠나 이 동대륙까지 온 이유는 뭐고요?"

「짐작한 대로 망명인 것 같아. 지방 백작 가문의 장남인데 생모가 너무 어릴 때에 죽었어. 직후 부친의 재혼으로 계모가 생겼는데, 불행히도 그 계모가 바로 아들을 임신했다더군.」

"……후계자 경쟁에서 이기기 힘든 구도네요. 존재 자체가 걸림돌이 되었을 테니까요."

「그렇지. 부친조차도 껄끄러운 상황이고, 그렇다고 아예 직위가 높아 다른 하급 직위라도 나눠 줄 만한 여건이 되는 것도 아니더군. 거기에 죽은 생모의 가문이 강해서 계모가 제 맘대로 어떻게 손을 댈 수준도 아니었고 말이야.」

고개를 끄덕인 나는 에카이트의 다음 말을 대신 이어서 말했다.

"남들 눈도 있겠다, 위치도 아직 불확실하겠다, 처음에는 기다렸겠죠. 그리고 위치가 확실해지고 태어난 아이가 건강하게 크는 것을 확인한 다음에 행동에 나섰을 것이고요."

「이제 제법 볼 줄 아는군. 어리더라도 자신을 향한 위협의 손길은 얼마든지 알아볼 수 있지. 그리고 이자가 생각보다 영리하게 굴었더군.」

에카이트의 말에 고개를 갸웃거린 나는 되물었다.

"영리하게 굴었다고요? 그런 사람이 왜 서대륙을 떠나 동대륙까지 왔는지 조금 이상합니다."

「결과만 놓고 보면 그렇지. 그 결과가 만들어진 과정을 보면 달라. 조사해 보니 갑자기 몸이 아프다고 계속 치료를 받았다고 하더군.」

저거 위험한 대처 아닌가?

그의 대응을 들으면서 살짝 걱정이 들었다.

저렇게 아픈 시늉을 하면 독살을 당했을 때, 원래 아팠던 사람이니 식중독으로 죽었다고 해도 아무도 의심하지 않을 것이다.

그를 위협하는 세력 또한 그 사실을 인식했을 터.

그들에게 공격점을 노출해 알려 줄 필요가 있을까.

저건 뭐 거의 이렇게 공격하세요, 라고 말하는 것과 다름없지 않은가.

이미 지난 일이라 떠오른 우려를 속으로 삼키자, 에카이트의 말이 이어졌다.

「그 당시 의원은 꾀병이거나 마음의 울화가 병으로 옮긴 것이라고 진단했어. 뭐, 그렇다 하더라도 귀족 자제가 아프다고 요양하겠다는데 누가 만류하겠어.」

에카이트의 말에 조용히 고개를 끄덕였다.

환자가 아프다는데 넌 매우 멀쩡하니 요양은 개뿔, 그냥 평소대로 지내라고 진단을 내리는 의원은 없을 것이다.

「의원이 요양하는 편이 좋겠다고 진단을 내린 후 바로 지방으로 옮겨갔더군. 바다가 가까운 지역이었지. 그리고 거기서 사라졌어.」

"사라졌다……. 살해당하고 그 흔적이 은폐된 것은 아니고요?"

내 적나라한 가정에 에카이트가 냉정한 답을 말했다.

「물론 조사할 때 그런 부분까지도 알아보았지. 하지만 만약 정말로 살해당한 것이라면 가문에선 그가 다른 무슨 지병으로 죽었다고 공언하는 편이 깔끔했을 텐데?」

"……그것도 그러네요. 굳이 여지를 남길 마무리를 하지 않았겠네요. 실종이라."

「그렇지. 깔끔하지 않잖아. 그리고 실종된 시기랑 그 작자가 동대륙에서 첩자의 언어 선생이 된 시기가 얼추 맞더군.」

……거의 확실하다는 말이다.

정황 증거만 놓고 보면 확정이라고 말해도 좋을 흐름이지만 조심스러운 지금의 상황 때문에 가정이라고 말한 눈치였다.

"그렇다면 이걸 어떤 식으로 써먹어야 도움이 될까요? 난 당신의 과거를 알고 있다?"

내 장난스러운 말에 에카이트가 거의 기겁해서 입을 열었다.

「농담으로도 그런 소리는 말도록. 아직 확실한 사실도 아닌 내용을 두고 잘못 입을 열었다간 괜한 경계심을 유발할 수 있어. 더욱이 그게 사실이라면 위험해질 수도 있고 말이야.」

"……장난이었어요. 설마 그렇게 생각이 없으려고요. 일단 그러면 넌지시 정보를 던져서 그 내용이 사실인지부터 확인해야겠군요."

「흠흠. 그리고 재미있는 사실이 하나 있네. 그 가문이 한미한 가문이기는 하지만 폰디체리 공작가와 거래가 있더군.」

"우리 공작가와요?"

금시초문이라 나는 목소리를 높여 되물었다.

뭘 거래했지?

「혹시 기억나나? 일전 그대가 우리 어머니께 차를 드린 적이 있었지. 약용 식물이라고 말이야. 그리고 넬슨 경의 아버지한테 보내고 있는 것도 그렇고.」

"네, 뭐……. 기억하고 있습니다."

그런데 그것들은 모두 우리 공작령에서 관리하는 땅에서 나오는 것인데 이것들이 그와 무슨 상관이 있는지 모르겠다.

연관 관계를 떠올리지 못해 떨떠름하게 동의하자 에카이트가 설명을 덧붙였다.

「폰디체리 공작가가 관리하는 약초밭, 차밭에 쓰이는 비료의 원료를 공급하는 곳이 바로 그 백작가야. 물론 몇 년 전부터는 다른 곳에서 공급받고 있지만 말이야.」

“아, 그랬습니까? 전혀 모르고 있었습니다. 대체 어떻게 그런 것까지 알아낸 겁니까?”

놀라서 반문하는 내 말에 에카이트는 웃음으로 대답을 대신했다.

「아무튼 중요한 것은 몇 년 전부터 다른 곳에서 공급받고 있다는 거야. 그 백작가의 가주인 백작과 그의 후계자가 사고로 사망했다더군.」

“……후계자와 백작이 동시에요?”

미심쩍어하는 내 목소리에 에카이트도 동의를 표했다.

「물론 정황상 수상하기는 했지만 지금까지 알아본 바로는 정말 사고인 것 같아. 두 사람 다 과음을 한 상태로 말을 몰다가 떨어져 사망했어.」

“……그렇다면 그 가문은 곧 유명무실 사라질 가문이 되겠군요.”

「그렇게 쉽지는 않아. 후계자의 여동생이 결혼한 상태라 남편이 승계할 수도 있거든. 하지만 장남의 신분이 실종 처리되어 완전히 말소된 것이 아니라는 게 문제야. 이런 경우 5년의 말미를 두고 기다렸다가 그때까지 그가 나타나지 않아야 승계가 이루어지지.」

“즉, 그에게 서대륙으로 돌아가 제 위치를 다시 찾을 가능성에 대해 흘려 보는 것이 도움이 될 수 있겠군요.”

내 명쾌한 정리에 에카이트가 동의를 표했다. 하지만 동시에 우려도 따라왔다.

「하지만 거듭 말하는 거지만, 확실한 내용은 아직 아니니 너무 확정적으로 놓고 일을 진행하지 말도록. 그 남자가 서대륙으로 다시 돌아오고 싶어 할지도 의문이야. 들어 보면 그곳에서의 삶도 제법 윤택하고 좋아 보여서 말이지.」

에카이트의 말에 침묵으로 동의도 부정도 표하지 않은 나는 조용히 침을 삼키며 다양한 가능성에 대해 생각해 보았다.

일단 직접 이야기를 나누어 보아야 윤곽이 잡힐 일이다.

그렇게 결론을 낸 나는 조용히 다시 입을 열었다.

"무슨 뜻인지는 잘 이해했습니다. 조심해서 진행해 보지요. 내일 저녁, 여유가 된다면 다시 연락하겠습니다."

「좋아. 아, 그리고 구조대가 내일이면 제국을 떠날 것이니 그렇게 알고 있도록. 항구에 도착하면 한 번 더 알려 주지.」

의외의 소식에 입을 떡 벌리고 잠시 굳어 있던 나는 버럭 소리를 지를 뻔한 것을 참고 겨우 목소리를 낮췄다.

아니, 이 사람들이 정말, 뭐가 더 중요한지를 모르는 건가?

저 말을 제일 먼저 했었어야지!

"지금 장난치시는 겁니까? 그 말을 제일 먼저 했어야죠!"

「……통신을 시작했을 땐 이미 그대가 너무 흥분해서 말을 시작하는 바람에 타이밍을 놓쳤지.」

에카이트의 말에 찔리는 바가 있었던 나는 조용히 입을 다물었다.

나의 침묵에 에카이트가 낮게 웃고는 말을 잇는다.

「금방 데리러 갈 것이니 조금만 더 기다리라고. 그때까지 방심하지 말고 몸조심하는 것도 잊지 말고.」

"……알겠어요."

「보고 싶군. 그럼 내일 또 연락하지.」

뭐, 뭐?

폭탄 같은 한마디를 툭 던지듯 말한 에카이트가 먼저 통신을 종료했다.

얼굴이 벌겋게 달아오른 나는 침대에서 발을 동동거렸다. 방금 내가 들은 말이……. 다시 생각해도 얼굴이 화끈하다.

나는 고개를 휘휘 저어 생각을 떨치고 내일을 위해 전략을 구상하기 시작했다.

–사냥터에 다녀오셨다고 들었는데, 어떠셨습니까?

"경치가 보통을 넘더군요. 서대륙에서는 보지 못했던 분위기라 색달랐습니다."

예정된 언어 수업을 다음 날로 미루고 그 시간에 찾아온 첩자의 언어 선생은 태연스럽게 동대륙어로 나에게 말을 걸고 있었다.

아마도 듣는 귀가 많아 굳이 소문을 만들 필요는 없으니 서대륙어로 대화하지 않는 것이리라.

–그렇겠지요. 왕자님께서 유독 좋아하시는 사냥터인지라 뮤사 님께서 그곳에 따라가신다는 얘기를 듣고 다들 놀랐습니다.

그건 또 몰랐네.

뭐, 첩자가 그 사냥터를 좋아하는 눈치이기는 했다.

풍경이나 그런 것들 때문이 아니라 멀리서 보이는 탐나는 영토 때문이기는 했지만 말이다.

"그렇습니까? 조금 더 감사해야 할 것을, 미처 몰랐군요. 저는 그저 그곳에 있던 넓은 밭들을 보며 칼라한 제국에 있던 폰디체리 공작령의 차밭을 떠올렸습니다."

미끼를 던지듯 툭 던지는 내 말에 그는 별달리 동요하지 않고 고개를 끄덕였다.

–하기야 타국에까지 유명하지요.

"기사 수련으로 다치는 일도 많다 보니 다도(茶道)나 약초에 관심이 많답니다. 다른 일은 몰라도 그 밭들을 관리하는 데에는 제법 관심을 두고 있지요."

입술에 침도 바르지 않고 거짓을 말하려니 양심의 가책이 느껴진다.

사실 있는지 없는지도 잘 모르게 잊고 살던 것들이라 더욱 그랬다.

하지만 최대한 뻔뻔한 표정으로 말을 이었다.

–그렇군요. 흥미롭습니다.

내 말에 다른 의도는 없는지 재 보는 듯, 남자는 크게 반응하지 않은 채 조용히 동의를 표하며 거리를 두고 있었다.

"사실 사냥터에서 그런 밭들을 보면서 조금 아쉽기는 했습니다. 상태가 아주 좋더라고요."

–워낙 관리를 잘하고 있을 테니 그럴 겁니다. 하지만 그곳의 밭들도 제법 관리가 잘 되고 있을 텐데요?

정확히 폰디체리령의 밭이라고 지칭하는 것을 피하면서 대화를 잇는 그의 조심성에 속으로 혀를 찼다.

이토록 예민하기 그지없는 동대륙에서 목숨을 부지하는 것에서 끝나지 않고 제법 공고한 직위를 꿰찬 것이 단순한 우연은 아닌 셈이다.

"그랬지요. 그랬는데 밭에 쓰이는 영양제라고 할까요? 비료의 원료를 거래하던 가문에 조금 문제가 생겨서 더 이상 거기서 공급을 받지 못하는 처지인지라……. 동일한 원료를 찾지 못해 고생 중입니다."

내 말에 남자의 눈동자가 잠시 흔들렸다.

나는 그 찰나의 움직임을 놓치지 않고 모른 척 말을 계속했다.

"백작과 그 후계가 사고로 죽었다고 하더군요. 두 사람이 동시에 그렇게 된 바람에 수출은 고사하고 가문의 유지도 어렵게 되었다지 뭡니까. 가장 큰 피해는 그 가문이 입었겠지만 저희도 알게 모르게 피해를 입고 있지요."

-……그것참 유감이로군요.

"유력한 후계자가 지금 실종 상태인지라, 그가 앞으로 몇 년간 나타나지 않는다면 아마 그 가문의 여식과 결혼한 사위가 가문을 잇고 다시 사업을 계속하지 않을까 합니다."

내 말에 남자가 고개를 끄덕이더니 조용히 입을 다물었다.

무엇인가 생각하는 눈치인지라 독촉하지도, 닦달하지도 않은 나는 앞에 놓인 찻잔을 들어 목을 축였다.

무엇인가 고민하던 남자는 이내 생각을 정리했는지 나를 보며 다시 입을 열었다.

-그런 일이 다 있었군요. 흥미롭습니다. 그런데 어차피 뮤사 님께서는 이곳에 남으실 분. 딱히 더 관심을 가질 만한 일은 아니겠군요.

그의 예리한 지적에 당황을 숨긴 나는 웃으며 고개를 끄덕였다.

"당연하죠. 굳이 더 신경 써야 할 일은 아닙니다만 워낙 닮은 그 모습에 자꾸만 떠올라서요."

내 능청스러운 응대에 그가 눈을 지그시 바라보다 고개를 끄덕였다.

괜한 이야기를 했나 등골이 서늘한 상태로 대화를 계속하던 중, 틈틈이 딴생각을 하는 남자를 발견하고는 조용히 미소를 삼켰다.

남자는 무언가 초조했는지 자리를 벗어나고 싶은 눈치였다. 그런 그에게 툭 던지듯 부탁 겸 제안의 말을 건넸다.

"혹시 제게도 이곳 말을 가르쳐 주실 여유가 있으실까요?"

—……선생님이 계신 것으로 알고 있습니다만.

"그렇기는 한데, 보다시피 영 늘지를 않아 걱정입니다."

내 말에 남자는 조용히 침묵을 지켰다.

나의 동대륙어 습득 상황은 수업을 시작한 이후로 진전이 전혀 없기 때문이다.

"이대로 가다간 몇 년이 지나도 해야 할 말도 제대로 못할 상황이니, 아라 님…… 께서도 걱정이 많으세요."

첩자를 높여 부르는 말이 목구멍에 턱 걸려 겨우 내뱉은 나는 남자의 눈치를 살폈다.

결정적인 미끼를 계속해서 던지고 있음에도 크게 동조하는 기색은 전혀 보이지 않았나. 나는 초조해지려는 마음을 애써 다잡으며 말을 이었다.

—이것 참……. 제가 지금 궁을 다시 들락거리며 뮤사 님의 공부를 봐 드리기엔 어려운 입장입니다.

곤란한 어조의 말에 문뜩 호라와 같이 있었던 그의 모습이 떠올랐다.

이전에 에카이트도 지적했던 문제였다.

이미 줄을 선 사람을 꾀어내는 것은 생각만큼 쉬운 일이 아니었다.

이럴 땐 차라리 정공법이 나을 수도 있다는 계산에 나는 빠르게 말을 받았다.

"아, 그것도 그렇겠군요. 죄송합니다. 듣자 하니 호라 님과 가까운 사이라고요. 들어서 아시겠지만 저와 호라 님의 관계는 썩 좋지 않으니 불편해하실 수 있지요."

—아, 딱히 그런 것 때문만은 아니라…….

"아닙니다, 이해합니다. 먼저 이어 온 관계가 있는 법이고, 또 그 관계를 계속함에 있어선 주의가 필요한 법이지요. 무리한 부탁을 드려 죄송합니다."

당신은 호라와 이미 친하게 지내고 있고, 또 계속 호라와 친하게 지낼 것이니 나와 친하게 지내기는 글렀다는 식으로 상황을 정리하자 당황한 쪽은 남자였다.

저번부터 눈치채고 있었지만, 그는 권력의 이동에 민감한 사람이었다.

정치판에 몸을 담고 있는 대다수의 사람들이 그렇겠지만 영원한 내 편은 없는 법이며 또 그에 따른 의리도 없는 법이다.

그는 아마 적당히 나와 호라 사이를 오가며 균형을 잡다가 어느 한쪽으로 기울기 시작하는 순간 몸을 움직일 가능성이 높았다.

그렇기에 오늘도 마치 인맥을 관리하듯 여지를 주는 것처럼 나를 만나러 온 것이 아니겠는가.

이미 안정적인 권력에 안착해 있는 만큼 위험한 투자를 감내할 이유가 없고 말이다.

하지만 지금처럼 내가 노골적으로 선택을 종용하고 있는 상황이라면 어떠한 형태로든 대답을 내야 하는 것이다.

딱 잘라 호라의 편에 서긴 힘들겠지.

망설이는 남자를 두고 잠시 시간을 준 나는 남은 차를 마저 마시며 그를 독촉하기로 했다.

"괜찮습니다. 이해합니다. 제가 오늘 눈치도 없이 너무 오래 잡아둔 것은 아닌가 모르겠네요. 워낙 소문에 민감한 곳인데, 엄한 소문으로 곤란해지시면 안 되지요."

―아, 아닙니다. 다른 것 때문이 아니라 제 일정이 될지 잠시 생각하느라 답이 늦었습니다. 오해하지 마세요.

반쯤 승낙을 암시하는 그의 말에 나는 올라가는 입꼬리를 애써 잡아 누르며 덤덤한 척 되물었다.

"일정이라고 하시면……?"

–수업 말입니다. 너무 갑작스럽게 말씀하신 것이라 제 일정을 생각해 보질 못해서요. 뮤사 님의 부탁이라면 당연히 응해야 하는 것이지만 왕자님의 지시로 정해진 일정도 있어서 그랬습니다.

저 정도면 거의 승낙이라고 봐야 한다.

나는 그의 말에 놀란 표정을 지으며 빠르게 입을 열었다.

"아, 그렇군요. 당연히 무리하게 부탁드릴 생각은 없습니다. 시간이야 제가 맞춰야지요. 혹시 도와주실 수 있다면 가능하신 시간을 알려 주세요."

–……일단 왕자님께 말씀은 드려 놓겠습니다. 혹시 또 다른 것을 염두에 두실 수도 있으니까요.

저런 절차는 예상했던 바였기에 흔쾌히 고개를 끄덕인 나는 이내 긴장된 표정으로 인사를 남기며 자리를 떠나는 그를 배웅했다.

그가 나가자 다시 조용해진 방에 홀로 남아 생각을 정리한 나는 씩 미소를 지었다.

"내가 서대륙으로 다시 도망칠 경우가 가장 큰 우려였을 텐데. 만에 하나 그렇게 될 경우, 자신에게도 서대륙에서 비빌 언덕이 생겼다고 생각한 걸까?"

혼잣말로 중얼거리던 나는 복잡한 생각을 그만두고 깊게 한숨을 내쉬었다.

"구조대가 오기까지 보름에서 한 달. 짧다면 짧은 시간인데……. 호라 그 성질머리로는 내일모레 당장 궁에 불을 지르고도 남아서 문제지."

아마도 자신의 인맥인 언어 선생이 나와도 긴밀한 교류를 시작한다는 소문을 듣고 눈에 불을 켜겠지. 호라의 그 모습을 상상하자 간담이 서늘해지는 것 같다.

"애초에 호라의 사람 중에 거물을 내 쪽으로 옮겨오게 해서 분위기를 잡는 것이 목적이기는 했지만……. 뒷일을 생각하니 영 찜찜하긴 하네."

빠르면 지금쯤 악을 쓰며 난리를 부리고 있을 호라를 떠올린 나는 조용히 눈을 감고 한숨을 쉬었다.

-내 언어 선생이었던 자를 네 선생으로 쓰고 싶다고 들었는데.

저녁 인사를 가자 어김없이 그 이야기를 꺼내 드는 첩자에 나는 조용히 고개를 끄덕였다.

"맞아요. 도무지 말이 늘지 않아 답답하던 찰나, 우연히 그런 사람이 있다는 얘기를 들어서 부탁 한 번 해 보았죠."

-……하긴, 끔찍할 정도로 말이 늘지 않더군. 일부러 안 배우는 것인가 의심이 들 지경이었는데 그건 또 아닌가 보지?

차라리 그런 거면 마음이라도 편하지.

배워 놓고 모르는 척 안 써먹으면 되는 것 아니냔 말이다.

하지만 현실은 정말로 배움에 큰 진척이 없는 상황이었다.

자존심은 상하지만 고개를 끄덕이며 태연자약하게 말을 이었다.

"말만 꺼낸 상황입니다. 아직 도와주겠단 확답은 듣지 못했습니다. 그가 도와준다면 정말 큰 도움이 될 것 같은데……."

-하기야 같은 언어를 공유하고 있으니 설명을 좀 더 빨리 이해할 수 있겠어.

"바로 그겁니다. 지금은 선생이 아예 동대륙어로 말을 하다 보니 이미 그 말이 이해가 된 상태로 들리거든요. 발음이나 이런 게 구분이 안 돼서…….”

내 적극적인 어필에 그가 고개를 끄덕인다.

–그럴 수도 있겠군. 시간을 내라고 내가 당부를 해 보겠네.

됐다.

원하는 대답을 얻은 나는 화사한 미소를 지으며 첩자를 바라보았다.

처음 보는 미소에 그가 다소 놀란 듯 말했다.

–그게 그리도 좋은가?

“좋습니다.”

담백한 내 대답에 더 할 말을 찾지 못한 그가 고개를 끄덕이며 말했다.

–……그렇군. 뭐, 좋나니 좋군. 늦었는데 이만 물러가지.

그의 말에 고개를 끄덕인 나는 가벼운 발걸음으로 그의 방을 나섰다.

그러나 곧 그 앞에 독기를 품고 서 있는 호라와 마주친 덕분에 놀라 거의 뒤로 펄쩍 뛸 뻔했다.

–아주 활개를 치고 돌아다니는구나. 아주, 참, 보기 좋아.

아, 저게 반어법이구나.

누가 봐도 싫어 죽겠다는 표정으로 살벌한 눈빛을 쏘며 좋다고 말하니 기가 막혔다. 하지만 말이 통하지 않으니 그냥 입을 꾹 다물었다.

–네가 언제까지 여기서 그렇게 활개를 칠 수 있을지, 내가 똑똑히 지켜볼 것이다. 각오하는 것이 좋을 거다.

–네.

알았다는 뜻으로 유일하게 제대로 발음할 수 있는 이곳의 말로 대답하자 호라의 얼굴이 벌겋게 달아오른다.

뭔가 큰 소리로 패악을 부릴 것만 같은 전조로 보여서 한 발 뒤로 물러서려던 찰나, 호라의 옆에 배행하고 선 여자들이 그녀를 만류했다.

나는 가볍게 목례를 건네고 몸을 돌려 내 방으로 발걸음을 옮겼다.

「생각보다 제법이군.」

"저도 기본은 합니다."

「확실히 그렇군. 일단 분위기는 조성했으니 한동안 어수선할 테지.」

에카이트의 말에 고개를 끄덕인 나는 그를 대신해 말을 이었다.

"분탕질을 쳐야 움직임이 생기는 법이니까요. 일단 처음이 어렵지, 먼저 자리를 옮기기 시작하는 사람이 생기면 좀 더 수월하지 않을까요?"

「맞는 말이야. 그래도 너무 경거망동하지는 말라고.」

"압니다. 조심해야죠. 저라고 목숨이 두 개는 아니니까요."

내 말에 에카이트가 가볍게 한숨을 쉬더니 입을 열어 화제를 전환한다.

「구조대는 출발했다. 서둘러 이동하고 있으니 아마 늦어도 닷새 정도면 항구에 닿을 것 같군.」

"닷새라. 알겠어요. 배가 출발하고 보름이라고 했던가요?"

「기상에 따라 달라진다곤 하지만 보통 지금 계절엔 그 정도 걸린다고 하는군.」

그의 말에 고개를 끄덕이던 나는 문뜩 첩자의 주술이 얼마나 강력한 것인지 새삼 감탄이 나왔다.

"그러고 보면 그는 주술 하나로 사람을 순식간에 옮긴 거네요. 정말이지 괴이한 기술입니다."

「안 그래도 계획을 세우던 중에 그 주술이라는 것이 변수로 작용할 수도 있을 것 같아서 그대에게 미리 부탁할 것을 생각해 뒀지.」

"그게 뭡니까?"

「주술을 사용할 수 있는 사람들은 얼마나 되는지, 그리고 어떤 분야에서 어떤 식으로 사용되는지. 일단 그것들을 알아봐 주면 좋겠어.」

에카이트의 말에 나는 동의를 표하며 고개를 끄덕였다.

확실히 첩자를 제외하고는 딱히 누군가가 주술을 쓰는 모습을 본 적이 없었다.

생각해 보면 이상했다. 주술이 익숙한 문화였다면 너 나 할 것 없이 모두 주술로 사냥을 했을 텐데, 다들 원시적인 방법으로 사냥을 했고 말이다.

내 동의에 에카이트가 다시 한번 당부의 말을 건네며 통신을 마무리한다.

「항구에 도착하면 다시 연락하지. 먼저 주기적으로 연락을 주면 좋겠어. 그럼 몸조심하도록.」

항구에 도착하면?

구조대가 항구에 도착하는 것이랑 에카이트가 다시 연락하는 것은 또 무슨 상관관계가 있는 거지.

출발하기 전에 한 번 더 연락을 주겠다는 건가?

석연찮은 그의 마지막 말을 금세 뇌리에서 떨친 나는 다음 날의 일정을 위해 조용히 눈을 감았다.

에카이트가 알아보라고 했던 주술과 관련된 내용을 머릿속으로 계속해서 되뇌었다.

그때 예전 언어 선생을 대신해 문을 열고 한 남자가 들어왔다. 첩자가 잘 이야기한 모양이었다. 나는 반가운 표정으로 그를 맞았다.

"아, 오셨습니까."

-이렇게 빨리 일정을 잡을 수 있을 줄 몰랐는데, 왕자님께서 밤늦

게 연락을 주셨습니다. 특별히 청하신 일인데 감히 미룰 수 없지요.

첩자의 급한 성질머리로 미루어 보아 충분히 그럴 만했다. 나는 어색하게 고개를 끄덕였다.

"갑작스럽게 일정을 바꿔야 해서 곤란하셨겠습니다. 본의 아니게 죄송하게 됐어요."

-아닙니다. 어차피 하게 될 것이라면 하루라도 빨리 시작하는 편이 도움이 되겠지요. 언제까지 지금 같은 상태로 계실 수도 없는 노릇이고요.

"……그렇죠. 좀 심각하긴 하죠."

남자의 말에 고개를 끄덕인 내가 어색한 미소를 지었다.

진전이 없다 못해 슬슬 창피해질 지경이었으니 말이다.

-그렇다면 일단 간단하게 실력을 확인해 보고 진행하지요.

남자의 말에 비장하게 고개를 끄덕였던 나는 30분도 되지 않아 깊은 한숨을 쉬며 처음부터 시작하자는 그의 결론에 머리를 긁적일 수밖에 없었다. 그렇게 한참을 수업했다.

"앞으로의 수업은 아예 서대륙어로 하지요. 서대륙어로 이곳 말을 가르치겠습니다."

"네, 알겠어요."

수업을 마무리한 남자가 간결하게 앞으로의 수업 방향을 제시하자 나는 아무런 반발 없이 고개를 끄덕였다.

벌써 가려고? 주섬주섬 갈 채비를 하는 남자를 보고 마음이 급해진 나는 도와주는 시늉을 하다 책과 필기구를 탁상 밑으로 쏟아부었다.

요란한 소리와 함께 널브러진 물건들을 어색하게 바라보며 몸을 숙이자 그가 의자에서 내려와 물건들을 수습하는 것을 도왔다.

-죄송합니다.

—제법 발음이 정확하시군요.

"짧은 말이니까요. 저…… 궁금한 것이 하나 있습니다."

—……뭡니까?

화제를 전환하는 나를 두고 잠시 멈칫한 남자가 무엇이냐고 되물었다.

나는 최대한 무심한 척 질문을 던졌다.

"주술 말입니다. 생각해 보면 제가 이곳의 말을 알아듣는 것도, 이곳까지 순식간에 이동한 것도, 모두 주술이라는 것 때문이 아니겠어요?"

—……그렇지요.

"그래서 생활에 주술이 녹아 있을 줄 알았는데, 이곳에 온 뒤 주술 비슷한 것을 보지를 못해서요."

내 말에 잠시 침묵을 지키던 선생이 낮게 헛기침을 하더니 입을 열었다.

"주술이라는 것은 애초에 선택된 자들만 행할 수 있는 신비한 힘입니다. 모두에게 허락된 힘이 아니지요."

선택된 자들? 신비한 힘?

낯선 이야기에 긴장으로 침을 꿀꺽 삼켰다.

역시 선생은 중요한 사람이었다. 아무나 알 수 없는, 소수만이 아는 비밀스러운 정보 같았다.

마음속으로 그렇게 결론을 낸 나는 처음 듣는 정보에 귀를 쫑긋하면서도 최대한 무덤덤하게 말했다.

"아무나 쓸 수 있는 것은 아니란 소리군요."

"제대로 이해하셨습니다. 기본적으로 주술을 사용하는 사람들이 현재의 집권층이지요."

"……잠깐만요. 주술을 사용하지 못하면 집권층에 들 수 없나요?

즉, 이곳의 귀족들은 모두 주술을 사용할 수 있다는 건가요?"

아리송한 그의 말에 인상을 찌푸렸다.

그런 것치고는 주술을 쓰는 귀족을 본 적이 없는데.

대표적인 집권층 귀족으로 호라를 꼽을 수 있다.

그 성격에 주술이라는 좋은 수단이 있다면 그것을 십분 활용했을 텐데, 아직까지 주술로 의심되는 공격을 받아 본 적이 없는 것으로 보아 그녀에게 그런 능력이 있다고 기대하긴 어려웠다.

내 질문에 잠시 고민하던 그가 간략하게 대답했다.

"수준이라는 것이 있으니까요. 대다수의 사람은 말 그대로 '쓸 수 있는' 수준입니다. 실제로 주술을 쓸 수 있는 사람이라곤 제사를 맡는 제사장이나 왕자님이 전부일 겁니다."

그러니까 실제로 주술이라는 건 상징적인 의미만 있다는 거네.

간결하게 상황을 정리한 나는 다음 질문을 던졌다.

말 나온 김에 궁금한 건 다 물어봐야지.

나중에 다시 질문할 기회가 올지도 의문이었다. 다음에는 의심을 살지도 모를 일이고.

"일상생활에서는 아예 안 쓰는 건가요? 조금 아깝다 싶어서요."

"주술은 기를 소모하는 행위입니다. 이곳에서 기를 모을 수 있는 몸은 선택받은 몸이라고 하지요. 그 기를 얼마나 모을 수 있는지, 또 어떻게 구현하는지는 개인의 역량 차이입니다."

"그럼…… 호라도 주술을 쓸 수는 있다는 말인가요?"

아예 직접적으로 묻자 무표정으로 바라보던 남자가 고개를 끄덕였다.

그녀도 주술을 쓸 수 있다니.

엄청난 복병이 될 수도 있는 사실에 얼굴의 핏기가 가셨다. 그러나 이어지는 설명에 절로 헛웃음이 나왔다.

"세 시간 정도 기를 집중에 운용하다 보면 찻물 정도는 덥힐 수 있는 수준이라고 할까요."

"그것참 대단하군요."

나도 모르게 비웃고 말았다.

그러자 남자가 태연하지만 날카로운 어조로 응수했다.

"어떻게 보면 사소하고 우스운 능력이지만, 그 능력이 있고 없고가 특권을 보장받는 삶을 살 수 있느냐 없느냐를 결정합니다."

"……아, 그런 의도는 아니었는데. 불편하게 한 것 같네요. 죄송해요."

그의 날 선 응대에 당황한 나는 어색한 웃음을 지으며 사과하자 그가 언제 그랬냐는 듯 고개를 저으며 평범한 어조로 말했다.

-아닙니다. 오늘 수업은 이 정도면 충분할 것 같은데, 이만 마무리하죠.

그는 그렇게 말하며 떨어진 필기구를 주워 건네주었다. 나는 그것을 받아 든 뒤 조용히 그를 배웅했다.

"그러니까 주술에 대해 크게 걱정하지 않아도 될 것 같아요. 첩자를 제외하고는 강력한 주술을 사용할 수 있는 사람도 없어 보이고요."

「확정적으로 말하기엔 조금 이르지만 그렇게 보이기는 하는군. 다만 걸리는 것은 그 종이에 쓴 주술이야.」

에카이트의 지적에 순간 몸을 움찔했다.

생각해 보면 첩자가 주술을 행할 땐 대부분 무엇인가 적혀 있는 종이를 매개로 사용했었다.

그리고 그 이유로 서대륙은 마나가 발달해 있어 그 반대되는 기운인 '기'를 사용하기 어려워서라고 했다.

약한 기를 활용해 사용하는 주술의 힘을 증폭하기 위해 종이에 주술을 써 둔다고 했던 것 같다.

"……확실히 그랬죠. 만약 그 종이가 주술을 미리 입력해 두고 필요한 순간 기를 사용해 작동시키는 거라면 충분히 위협적일 수 있겠어요."

「바로 그거야. 흠……. 그렇다면 그렇게 종이에 주술을 쓰는 것을 아무나 할 수 있는 일인지, 얼마나 흔하게 사용되는 것인지도 알아야겠군.」

"그러네요. 너무 쉽게 생각한 것 같아요. 경솔했어요."

단순히 주술을 제대로 사용할 수 있는 사람이 거의 없다는 말에 안심했던 스스로가 한심했다.

「아직 무슨 일이 생긴 것도 아닌데 그렇게까지 말할 필요는 없지. 실수를 줄이기 위해 이렇게 대화를 나누고 있는 거니까 당연한 과정이라고.」

"……그래서, 저를 도우러 오는 사람들은 누구인가요? 아직까지 조슈아 경을 제외하곤 제대로 듣지를 못했네요."

그의 따뜻한 목소리가 어색했던 나는 빠르게 화제를 전환했다.

출발 후에 제대로 알려 주겠다고 말한 뒤 감감무소식이었다.

「……아, 그렇군. 일단 조슈아 경은 그대로 일행에 포함되어 있네. 유감스럽게도 말이야.」

"유감스러울 것까지야. 부상에서 제대로 회복했는지도 모르겠네요. 괜히 저 때문에 무리하게 작전에 동원된 것은 아닌지…….

노골적으로 조슈아가 구출단에 포함된 것을 불만스러워하는 에카이트를 책망했다.

마지막 기억은 아직 병색이 남아 창백한 얼굴이었다. 조슈아가 걱정돼 그렇게 말하자 영상석 너머로 씩씩거리는 소리가 들리기 시작했다.

이 소리는 뭐지? 잘못 들은 건가…….

"……에카이트?"

「듣고 있어. 이런 아펠리아의 마음을 알고 그가 몸을 사리면 좋았을 것을.」

"조슈아 경 말고는 또 누가 있나요?"

조슈아 경을 언급한 이후 대화가 막히는 것 같다. 나는 질문을 통해 환기를 시도했다.

그러자 에카이트가 사람들의 이름을 불러 주었다.

「넬슨 경, 그리고 폰디체리 공작가의 기사단장과 부단장, 마지막으로 황태자가 붙여 준 웬 암살자 같은 녀석까지.」

에카이트의 말에 나는 눈을 동그랗게 떴다.

아니, 폰디체리 가문의 기사단장이랑 부단장이 다 오면 우리 가문은 누가 지켜?

그리고 암살자 같은 녀석은 또 뭐고.

"네? 그건 대체 무슨 조합입니까? 넬슨 경은 왜 또 거기서 나와요?"

「자원했지. 자신의 묵인 때문에 벌어진 일이라고 여기는 것 같더군. 원체 기사들 성향이…… 알잖나.」

기사들 특유의 책임을 중요시하는 성향을 언급하는 에카이트를 두고 딱히 반박할 말을 찾지 못한 나는 고개를 끄덕였다.

「뭐, 가문의 기사단장과 부단장이 모두 길을 나서는 것은 썩 좋은 구성은 아니지만, 어떤 분이 워낙 완고하게 주장을 하셔서. 두 사람 다 보낼 수 없다면 본인이 가겠다고 나서는데, 막을 사람이 있겠는가.」

……있을 리가요.

나는 조용히 한숨을 쉬었다.

어린 시절 바쁜 아버지를 대신해 내 수련을 돌봐 주던, 스승과도 같은 두 사람을 떠올리니 집 생각이 더 간절해진다.

「윌리엄 대공자가 따라나서는 것을 막은 것만 해도 내 역할을 다 했다고 보는데.」

"윌리엄이요?"

전투에 있어 '짐짝'이라는 딱 맞을 정도로 무력한 윌리엄까지 나서려 했다니.

「엄밀히 말해 칼라한 제국 출신이 아니니 애초에 무리한 요구였던 셈이긴 하지만……. 꽤 피곤했다고.」

"그랬겠어요. 워낙 고집이 있는 아이인데다 집요한 편이라."

「알아주니 고맙군.」

"아, 그 암살자 같다는 사람은 또 뭐죠?"

마지막에 언급된 암살자 같다는 사람에 대해 묻자 이번엔 영상석 너머로 콧방귀 소리가 들린다.

「음침하고 신분도 알 수 없는 사람인데 은신이나 추적, 기습 능력은 보통을 넘더군. 미심쩍기는 하지만 황태자가 신분을 보증하고 데려가길 강하게 원하는 탓에 별수 없이 인원에 넣었지.」

"정보 길드 사람일 수도 있어요."

내 말에 에카이트가 잠시 멈칫하는 것이 느껴졌다.

전생에 회귀하기 직전, 아주 우연히 이상한 기척을 느끼고 모른 척하고 있다가 갑자기 누군가의 기습을 받은 적이 있었다.

황태자가 수습해 준 덕에 유혈 사태까지 번지지는 않았다.

그때 그 일을 계기로 그가 정보 길드 사람을 가까이 두고 쓴다는 것을 알게 되었다. 게다가 그는 의뢰에 따라 암살도 수행하는 모양이었다.

지금의 삶을 기준으론 도무지 알 수 없는 사실이기에, 명확히 설명할 방법이 없었다. 그래서 나는 대충 얼버무리며 넘어가기로 했다.

"……뭐, 그런 사람들이 있다고 들었습니다. 짐작일 뿐이에요."

「일단 넘어가지. 여하튼 인원 구성은 이렇네. 머지않아 항구에 도착할 거니까 긴장을 풀지 말고 그대로 조금만 더 버텨 주면 좋겠군.」

"애써 볼게요."

「좋아. 그럼 다음 연락을 기다리지.」

에카이트의 말에 고개를 끄덕이고 있는데 영상석 너머에서 어쩐지 폰디체리 기사단장의 목소리가 들린 것 같았다.

설마, 아니겠지.

그들은 이미 출발했으니 에카이트와 한 공간에 있을 리 없다. 나는 고개를 저어 엉뚱한 가정을 털어 냈다.

다른 날과 마찬가지로 통신을 끝낸 나는 어두운 침대에 누워 잠을 청했다.

딱딱하기 그지없어 영영 적응하지 못하리라 생각했던 침대에도 이제는 제법 적응을 한 모양인지, 빠르게 잠에 빠져들었다.

—예법은 제법 잘 따라오시는군요.

예법은 제법 잘 따라온다니.

역시 내 언어 습득 능력이 끔찍하다는 것이 쫙 퍼진 것 같았다.

예법 선생의 말에 나는 어색한 미소를 지었다.

—그런가요.

—확실히 선생님이 바뀌고 나선 실력이 많이 느셨어요.

그동안 '네'만 하던 내가 다른 말을 하자 예법 선생이 눈을 동그랗게 뜨며 놀랐다.

말이 길어져 봐야 밑천이 드러날 게 뻔하니 웃음으로 그녀의 감탄을 받아 내며 조용히 그녀를 배웅했다.

"아, 주술에 대해 더 물어봐야 하는데……. 오늘은 정말 바늘 하나 안 들어갈 것같이 딱딱하게 굳어서 입도 못 열어 봤네."

언어 수업은 예법 수업 이전에 진행된다.

남자는 어제 대화에서 무언가 느낀 바가 있는지 다른 걸 물어볼 틈도 없이 빠른 속도로 진도를 빼기 시작했다.

정신없이 빨라진 수업 진도를 따라가다 보니 벌써 시간은 끝나 있었다.

다른 일정이 있다고 깔끔하게 자리를 털고 일어나는 남자를 붙잡을 구실이 없어 허무하게 그를 보낼 수밖에 없었다.

오후의 예법 수업까지 마치자 순간 허무해졌다.

아, 에카이트한테 뭐라고 하지.

별일이 없었으니 굳이 연락하지 않아도 되는 상황이었다. 하지만 괜히 연락을 거르기 싫다는 이상한 마음이 들기 시작했다.

타이밍이 맞지 않아 어제저녁 문안을 못했는데, 마침 오늘은 자리에 있다고 하니 일단 거기부터 가기로 했다.

–가지요.

–네, 뮤사 님.

이 시간에 내가 갈 만한 곳은 이미 정해져 있다고 생각하는 것일까, 가자는 말만 했는데 앞장서서 길을 안내하는 여자는 제법 위풍당당해 보인다.

복도 풍경은 조금 낯설었다. 처음과는 달리 그녀에게 고개 숙여 눈짓으로나마 인사하는 사람의 수가 늘어났다.

그러한 변화를 주의 깊게 살피고 있는데 금방 첩자의 방에 도착했다.

–왔는가.

–네.

"어제는 인사를 못 드렸습니다."

간단한 대답만 이곳의 말로 한 뒤 서대륙어로 나머지 말을 잇자 그가 고개를 끄덕이며 말했다.

–바빴다. 늘 그렇듯이 말이야.

"뭐가 그렇게 바쁩니까?"

지나가듯 툭 던지는 말에 그가 나를 지그시 응시했다.

혹시 뭐 하나라도 더 캐내려는 내 의도를 간파한 것은 아닐까, 괜히 찔리는 마음에 시선을 피하려다가 그게 더 이상해 보일 것 같아 애써 태연한 척을 했다.

그러자 그가 피식 웃으며 입을 연다.

–망각이란 건 참 무섭지. 적당히 겁을 주면 그 순간에는 몸을 사릴 줄 알지만 그 순간이 지나면 모두 잊어버리고 말아.

대충 뭘 하고 돌아다니는지 알 만하다.

주기적으로 지역을 순회하며 반발하거나 순응하지 않는 세력이 눈에 띄면 응징하고 억누르는 일을 하는 거겠지.

정말이지 강력한 주술의 힘과 공포 정치로 유지되는 나라다.

"혹시 그들의 기억을 되살리는 데 주술이 이용되기도 하나요? 당신의 그 특이한 힘 말입니다."

내 말에 잠시 동작을 멈춘 그가 크게 웃었다.

대체 어느 부분이 그렇게 웃긴 거지?

의아함을 억누르며 첩자의 가만히 기다리자 이내 웃음을 멈춘 그가 나를 바라보며 입을 열었다.

—내가 너에게 주술을 쉽게 쓴 탓일까. 그대는 너무 주술을 쉽게 생각하는군. 재미있었다. 아주 재미있는 상상이었어.

"……그렇습니까? 저는 이곳 사람이라면 모두 주술을 사용할 줄 알았는데요."

태연자약하게 아무것도 모르는 시늉을 하자 그가 재미있다는 듯 웃으며 말을 이었다.

그래, 잘한다! 그렇게 다 말해 버리는 거야.

새로운 정보를 캐낼 수 있다는 기대감에 빛나는 눈동자를 애써 감추며 그의 말에 집중했다.

—주술은 선택받은 자들의 것이지. 그리고 그 주술을 제대로 사용할 수 있는 자들은 선택받은 자들 중에서도 아주 극히 드물고 말이야.

이미 알고 있는 내용이다.

하지만 처음 듣는 것처럼 최대한 흥미로운 표정으로 그를 바라보자 첩자가 내 얼굴을 힐끗 바라보더니 말을 계속했다.

—내가 유례없이 강력한 주술을 사용할 수 없었다면 내 유일한 흠이자 결핍인 혈통 문제도 막혔을 테지.

딱히 혈통만 문제라고 생각하지 않는데.

그를 잠시 떨떠름한 표정으로 바라보던 나는 다음 질문을 위해 입을 열었다.

"하지만 일전에 이렇게 말하지 않았나요? '서대륙에서는 마나의 힘 때문에 기가 약해 주술을 사용하기 용이하지 않다. 그래서 주술을 제대로 사용하기 위해 종이를 매개로 써야 했다.'라고요."

내 말에 첩자가 제법이라는 표정으로 눈을 치켜뜬다.

—생각보다 기억력이 좋군.

……아니, 과대평가하지 않는 것은 좋지만 다들 나를 너무 부족하

게 보는 거 아냐?

의문의 후려치기에 황당하게 바라보자 그가 천천히 입을 열었다.

–종이를 매개로 쓴다는 것은, 종이에 주술력과 기를 새긴다는 뜻이지. 달리 말해 밖으로 기를 내보내고 주술을 주입할 능력이 없다면 시도도 할 수 없는 고등 기술이다.

나는 애써 평정심을 유지하며 고개를 끄덕였다.

간단히 말해 첩자쯤 돼야 쓸 수 있는 수법이라는 말이었다.

"할 수 있는 사람이 드물겠습니다."

–장담컨대 이 동대륙을 통틀어 오직 이 나만이 할 수 있는 일이지.

그것참 듣던 중 반가운 소리네.

주술에 대한 별도의 대비책을 세우지 않아도 된다는 것과 일맥상통하는 답변을 내놓고 오만한 표정을 짓고 있는 첩자를 두고 애써 대단하다는 표정을 지어 보였다.

그런 내 표정에 만족한 듯, 첩자가 씩 웃으며 말했다.

–네가 낳게 될 아들의 아버지가 얼마나 대단하고 엄청난 사람인지 기억해 두도록.

……잘 나가다가 웬 헛소리래.

전신에 소름이 돋을 것만 같은 극한의 상황을 애써 견뎌 낸 나는 간신히 고개를 끄덕였다.

내 순순한 태도에 만족한 듯, 첩자가 나가 보란 신호를 보냈다.

두말없이 방을 빠져나온 나는 그 앞에서 기다리는 여자의 들뜬 표정을 보고 한숨을 내쉬었다.

안에서 오가는 대화를 들은 것이 분명했다.

이곳에 올 때보다 빠른 걸음으로 방으로 돌아온 나는 첩자가 나에게 한 그 '아들 타령'이 얼마나 영광스러운 일인지에 대한 일장연설을 들을 수밖에 없었다.

「……그래서 연락이 늦었다는 말이군. 참으로 인상 깊은 일이야.」

“늦은 건 미안한데, 내가 고의로 그런 건 아니잖아요?”

빈정거리는 말투에 마찬가지로 기분이 상한 나는 참지 않고 그대로 받아쳤다.

어색한 침묵 끝에 먼저 입을 연 것은 에카이트였다.

「기분 나쁘게 말해서 미안하군. 내가 너무 예민하게 굴었어. 이게 출발 전 마지막 연락이라고 생각하니 말이야.」

“출발 전 마지막 연락이요?”

무엇에 대한 출발?

구출단이 항구에서 출발한다고 해도 그게 에카이트와 무슨 상관이 있다는 말이지?

상황을 이해하지 못해 되물어 보자 그 또한 이해할 수 없다는 말투로 되묻는다.

「계속 얘기하지 않았나? 곧 항구라고 말이야. 우린 곧 배에 타게 될 것이고, 바다 위는 통신이 안정적이지 않아서 연락이 불안정할 수 있거든.」

“잠깐, 잠깐만요. 우리?”

「지금껏 대체 뭘 들은 거지? 우리가 곧 배를 타고 그대를…….」

“그게 아니라, 그건 이해했어요. 지금 여기에…… 당신도 온다는 말이에요?”

내 말에 이제야 상황을 이해한 듯, ‘허허’ 웃은 에카이트가 대답했다.

「……정말이지. 나도 그 일원 중 하나인데. 무슨 문제 있나?」

“딱히 무력이 있는 것도 아닌데 이런 위험한 일에는…….”

「혹시 윌리엄 대공자를 떠올리면서 하는 말이라면 그만하지. 무력으로 이름을 올릴 만큼은 아니지만 그렇다고 아주 엉망은 아니니까. 소규모로 작전을 짜서 탈출을 도모하는 상황에서는 그런 계획을 짜고 결단을 내릴 사람이 중요하다고.」

에카이트의 단호한 어투와 따라오는 설명에 상황이 이해되는 한편 뭔가 불안하고 얼떨떨한 느낌이다.

"하지만 아무리 그래도……."

「그대가 뭐라 해도 나는 계획대로 갈 거야. 우리가 거기에 도착하기까지 제법 시간이 걸리는 것은 말해서 알고 있을 것이고. 그 시간 동안 최대한 많은 정보를 모아 두면 좋겠군.」

"물론 그렇게 할 거지만……. 에카이트, 이건 너무 무모한 것 같은데요."

에카이트의 지시에 고개를 끄덕이면서 염려를 드러냈지만 그는 전혀 듣는 기색이 아니었다.

「좋아. 흐음, 그리고 우리가 갈 때까지 무리하거나 무모한 짓은 하지 않는다고 약속해 줬으면 좋겠어.」

"네, 그건 말하지 않아도 당연히 그렇게 할 건데요. 에카이트, 잠깐만 내 말을 들어 봐요."

「그리고 통신 상태가 좋든 나쁘든 연락이 가능할 때엔 지금처럼 통신을 시도하는 편이 좋겠군. 연결이 될지도 모르니.」

나는 결국 하고 싶은 말을 할 기회를 놓쳤다.

에카이트의 잔소리 아닌 잔소리가 쉬지 않고 이어졌기 때문이었다.

그동안 저렇게 잔소리하고 싶어서 어떻게 참았는지 모르겠다.

「그쪽으로 갈수록 마나의 힘이 옅어진다고 했지?」

"뭐, 네."

갑작스러운 말에 동의를 표하자 그가 낮게 한숨을 쉬며 말을 계속했다.

「그렇다면 거기에 가까워질수록 통신이 더 나빠질 수도 있겠군. 어쩌면 최악의 경우 우리가 그 대륙에 상륙했을 때, 이 영상석이 아예 먹통이 될 수도 있고 말이야.」

……아. 그건 생각해 보지 못한 문제였다.

원체 작은 영상석인지라 이 영상석을 사용하는 데에는 아주 적은 양의 마나가 필요했다.

마나 컨트롤이 특기인 나로서는 이것을 사용하는 데 큰 불편을 느끼지 못했지만 육체파 기사인 네 사람과 마나 운용에는 문외한인 에카이트로서는 쉽지 않은 문제일 것이다.

어떤 사람인지도 모르는 암살자에게 기대를 할 수도 없고 말이다.

아니, 그러면 저들이 이곳에 왔는지 안 왔는지는 어떻게 알 수 있는 거지?

더 나아가서는 가장 대화가 많이 필요한 시점에 대화가 완전히 두절되는 상황이 올 수도 있다는 말이다.

예상하지 못한 이야기에 당황한 나는 입술을 달싹이며 반짝이는 작은 영상석을 바라보았다.

불현듯 불안감이 엄습했다.

"그럼 어떡하죠? 지금보다 상황이 더 안 좋아질 수도……."

「진정해. 절대 그런 일은 없을 거니까. 우리가 그곳에 도착하면 머지않아 그대도 알게 될 거야.」

나도 알게 된다고?

내가 알 정도면 얼마나 요란하게 등장해야 하는지는 알고 하는 소리일까.

그렇게 요란하게 등장하고 무사하길 바라는 것은 아니겠지.

심중을 알 수 없는 에카이트의 말에 불안해진 나는 급하게 입을 열었다.

"대체 무슨 생각으로……."

「이제 배에 타야겠군. 아펠리아, 곧 간다. 너무 걱정하지 마. 믿어 보라고.」

"에카이트? 잠깐, 잠깐만요!"

「또 연락하도록.」

불이 꺼진 영상석을 멍하게 바라보던 나는 밀려오는 새로운 정보와 상황에 넋이 나가 늦게 잠자리에 들 수밖에 없었다.

다음 날 언어 수업에서 창피하지만 반쯤 존 것은 어쩔 수 없는 일이었다.

요즘 들어 나를 만나고 싶어 하는 고위층 여자들이 깜짝 놀랄 만큼 많아졌다.

그중 들뜬 기색의 여자가 재주껏 같은 파벌로 날짜를 나누어 초대할 것을 제안했고, 나는 기꺼이 그 제안을 받아들였다.

그리고 그 결과, 지금과 같은 상황이 눈앞에 펼쳐졌다.

—세상에 예법을 정말 빨리도 익히셨군요. 제게 뮤사 님과 나이대가 비슷한 딸이 하나 있는데, 아직도 배울 것이 한참이랍니다.

—어머, 댁의 따님이라면 얌전하기로 소문이 자자하지요.

찻잔을 들었다 올린 것 정도로 저렇게까지 칭찬을 들을 일은 아닐 것 같은데.

아무리 봐도 아첨으로 듣기 좋은 말을 몇 마디 해 놓고 연줄을 만들기 위해 자신의 딸을 끼워 넣는 것으로밖에 보이지 않는다.

나는 수줍은 미소로 살짝 시선을 돌리면서 한숨을 삼켰다.

어디가 됐든 사교계는 정신적 피로도 축적에 큰 기여를 하는 것이 분명했다.

하지만 아마도 이 상황의 가장 큰 피해자는 내가 아니라 지금 내 언어 선생으로 수고하고 있는 저 남자일 것이다.

이 불편하고 인위적인 자리에 억지로 끼어서 내 말을 통역하기 위해 시간을 보내고 있으니 말이다.

이럴 줄 알았으면 굳이 저 여자들을 만나 보겠다고 나서지도 않았을 텐데 불편하게 되었다.

사건의 전말은 간단했다.

여자가 제안한 것을 받아들여 각각의 그룹을 초대하기 무섭게 첩자가 그 사실을 가지고 먼저 입을 열었다.

그러고는 제대로 된 대화를 위해선 선생이 통역으로 동석하는 편이 좋겠다고 제멋대로 결론을 내린 것이다.

물론 대화에 있어서 조금 더 편리하고 실질적인 소통이 가능해진 부분에서 충분히 만족할 만한 일이었다.

하지만 무표정으로 말을 옮기며 간간이 사교적인 미소를 짓는 남자는 역시 불편해 보였다.

가시방석에 앉은 느낌이랄까.

"기회가 된다면 따님과도 한번 자리를 마련하는 것도 좋겠네요. 이 자리에서 들은 것만 봐선 오히려 제가 배울 것이 많아 보이네요."

사람을 데려다 놓고 민망하다고 아예 모른 척 안 쓸 수도 없어 체면 차리는 말을 하자 남자가 그대로 내용을 옮겨 전달한다.

내 말에 볼까지 붉히며 좋아하는 여자를 보니 의외로 단순한 체계가 아닐까 싶기도 하다.

-그런데 듣자 하니 호라 님이 뮤사 님께 한 번도 아니고 여러 번

실수를 했다던데요.

–맞아요. 그런데도 성격이 너무 너그러우신 탓에 책임도 묻지 않고 넘어가셨다던데. 한두 번은 몰라도 그런 아량이 반복되면 상대가 주제를 모르게 될 수도 있답니다.

호라의 득세를 못마땅해하는 그룹이 분명했다.

노골적으로 나와 호라의 분란을 조성하려 들면서 과감하게 그녀의 행동을 비난하는 것을 보면 말이다.

그간 호라의 눈치를 보며 쥐 죽은 듯 굴던 사람들과는 사뭇 다른 언행이었다.

하기야 대충 보아도 독선적이고 과격한 호라의 행보는 여러 사람의 호감을 사기엔 어려웠을 것이다.

그리고 지금이야말로 호라의 권세가 작아지는 시점. 영영 사그라지게 할 수 있는 절호의 기회가 아닐까.

그녀들로서는 위험을 안고서라도 도전해 볼 만한 상황이었다.

"제 존재 자체가 그녀에게 썩 달가운 존재일 수는 없지요. 이해하는 바입니다."

그럼에도 중립적인 내 반응에 여자들이 웅성이며 입을 열었다.

이미 호라에 대한 불만 어린 입장을 입 밖으로 낸 이상 내 동조가 없으면 위험한 입장으로 내몰리는 것은 순식간이다.

그들의 태도가 조급해지는 것이 눈에 보였다.

–어쩜 이렇게 순하고 선하실까요. 이렇게 아량이 넓으시니 이 나라의 어머니가 될 덕목에 있어 부족함이 없다 할 만합니다. 하지만 그른 것을 눈감고 지나가시는 것을 옳다고 볼 순 없지요.

–바로 그겁니다. 위계질서를 바로잡지 못하고 위에서 올바른 본보기를 보여 주지 못한다면 모든 것이 엉망이 되는 것은 시간문제예요.

-저 또한 동의합니다. 호라 님이 그간 너무 방만하게 주어진 권력 이상의 것을 행하지 않았던가요? 그간 눈치를 보느라 그 행동들을 옳다고 말했을 뿐이지요.

……모두 다 너무 극단적인 가정이 아닐까 싶은데요.

흥분해서 언성을 높이는 여자들을 보고 조금 지친 나는 인자한 웃음을 두르고 그들을 바라보았다.

갈수록 느는 것은 이중성이요 연기력인 것 같다.

"꼭 힘의 논리로 짓누르는 것만이 정답이라고는 할 수 없지요."

솔직히는 호라를 권력이니 힘이니 그런 것들로 자극하고 공격하기엔 위험 부담이 너무 크다.

그녀 개인으로도 최소 수 년가량, 그리고 그녀의 가문까지 더하면 최소 수십 년간 쌓아 온 권력의 기반은 뿌리 깊은 나무에 빗대어도 부족함이 없을 것이다.

내가 정말 몇 년을 내다보고 이곳에서 기반을 잡아 살아갈 자신이 있는 상황이라면 또 모르겠지만 지금 상황에선 절대 아니었다.

괜히 싸움 붙이는 말에 홀랑 넘어가서 얼마 있지도 않을 이곳 생활을 위태롭게 만들 생각이라곤 단 한 톨도 없다.

나는 내 중립적인 말에 흥분해 앞다투어 입을 여는 여자들을 곤란한 표정으로 바라보았다.

-뮤사 님의 깊은 뜻은 충분히 이해하지만요……. 그것이 통하는 사람이 있고 그렇지 않은 사람이 있다는 것을 아셔야 합니다.

-맞아요. 초장에 버릇이 잘못 들어 버리면 나중에 고치기도 어렵고요.

-누가 봐도 왕자님의 정실이 되고 왕실의 후계자를 낳으실 분은 뮤사 님인데……. 이미 늦은 감은 있지만 서열을 바로 세우실 필요

가 있어요.

……하마터면 온몸에 소름이 쫙 돋을 뻔했네.

첩자의 입방정 이후로 내 앞에서 '후계자를 낳을 몸', '왕실의 대를 이을 몸'이라는 아부 섞인 말을 하는 사람들이 부쩍 늘기 시작했다.

물론 들을 때마다 소름이 돋고 적응하기 어려운 말이어서 속으로 곤욕을 치르고 있었지만 말이다.

내 난감한 기색에 그간 통역 기능만 있는 인형처럼 입만 벙끗거리던 남자가 자의로 입을 열었다.

–좋은 뜻으로 해 주신 말씀인 줄은 압니다만 무엇이든 과하면 좋지 못하다고 하지요. 곤란해하시는 눈치인데, 오늘은 이쯤 하시는 게 어떻겠습니까.

–어머, 흠흠. 죄송해요. 그럴 의도는 아니었는데……. 뮤사 님, 오해하시는 것은 아니지요?

앞다투어 변명 같은 말을 늘어놓는 여자들은 하나같이 남자를 힐끗거리고 있었다.

하기야 남자는 호라와 친분을 과시했던 전적이 있으니, 지금이야 내 옆에 앉아 있다고 해도 뒤로는 그녀와 내통을 할지 모를 일이다.

괜히 선동하는 말들을 입 밖에 냈다가 별다른 소득도 얻지 못한 채 끝나 버리면 손해가 클 것은 불 보듯 뻔한 일이다.

그들 스스로 말했듯, 호라는 무자비하고 과격했다.

호라가 그녀를 벌하라고 입을 놀린 여자들을 가만히 두길 기대하는 것보단 차라리 첩자가 여장을 하고 무도회장을 누비는 것을 기대하는 것이 빠를 것이다.

긴장감이 흐르는 분위기를 전환하고자 가볍게 기침을 한 나는 화사한 미소를 지으며 입을 열었다.

"제가 뭐 들은 것이 있어야 오해할 것도 있지 않겠습니까, 하하."

못 들은 것으로 하겠다는 내 말에 다들 눈에 띄게 안도한 표정이다.

내 태연한 말을 그대로 옮긴 남자가 다소 의외라는 표정으로 나를 바라보았지만 못 본 척했다.

상황이 일단락되자 안심한 듯, 여자들이 시간을 핑계로 자리에서 일어난다.

생각보다 오래 시간을 보내 딱히 더 할 말이 남은 것도 아닌지라 나 또한 그들을 적극적으로 배웅했다.

그들이 모두 나간 방에 남자와 단둘이 남은 나는 낮게 한숨을 쉬었다.

"휴…… 도와주셔서 감사했어요."

"……저 또한 여러 이해관계 속에 얽혀 있는 입장인지라."

짧게 대답한 남자가 이내 자리에서 일어나 인사를 건넸다.

내일 오전이면 통역 때문에 다시 보겠지만 일단 오늘의 일정은 이렇게 끝난 것이다.

남자마저 떠나자 방 안이 삽시간에 어색할 정도로 조용해졌다.

"……진짜 기가 빨린다는 말이 무슨 뜻인지 알 것 같네. 내일은 또 어떤 무리들이 오려나. 이번에는 친-호라파?"

나름대로의 가정을 펼치며 침대에 기대어 앉은 나는 에카이트에게 할 말들을 머릿속으로 정리하기 시작했다.

아마 계획대로 일이 진행되고 있다면 지금쯤 바다 한가운데에 있을 터. 부디 통신에 큰 지장이 없기를 바랄 뿐이다.

「……그래서 일단 그 여자들…… 해서 하는 편이 좋겠군.」

"에카이트. 말이 너무 끊겨요."

앞서 그가 경고했던 것이 괜한 말은 아니었는지, 통신 상태는 정말 끔찍할 정도였다.

「……했군. 아, 잘 안 들리나?」

“무슨 말을 하는지 전혀 안 들리는 정도예요.”

물어보는 말 빼곤 잘 들리는 말이 없다.

또박또박 잘 들리길 바라며 말하는 내 마음을 이해한 것일까, 에카이트가 말하는 속도를 늦췄다.

「일단 처신을 잘 했다는 말부터 다시 해야겠군.」

“중립을 고수했다는 부분 때문인가요?

「그것도 그렇고. 그 언어 선생이라는 자 앞에서 특정한 입장을 나타내지 않은 것도 말이야.」

호라와 적대적인 관계임은 맞다. 하지만 그것을 공공연하게 드러낼 수는 없는 법.

게다가 아직 이렇다 할 관계를 형성하기도 전에 호라의 귀에 말이 흘러 들어가는 것은 더 껄끄러운 상황을 만들 뿐이었다.

「운도 좀 따라 주는 것 같군. 그 언어 선생을 차 모임이라고 해야 할까? 그런 소규모 모임에서 통역으로 쓰게 되었다니.」

“……전 오히려 부담스럽던데요. 하나하나 다 감시당하는 느낌이에요. 말도 뜻대로 못하고 가려서 하게 되고요.”

「바로 그 점 때문이지. 그나마 그대가 불편하게 여기는 사람이 말을 전달한다고 염두에 두고 있으니 자정 능력도 더 올라갈 것이고. 또 그 조심한 결과가 호라라는 여자한테 전달되면 불필요하게 과장된 소문으로 그녀를 자극할 일도 줄지.」

……뭔가 썩 기분 좋은 얘기는 아닌데?

찜찜한 칭찬에 인상을 찌푸리는데 에카이트가 이어서 말했다.

「그 남자는 그대와 호라 사이에서 줄타기를 하고 있어. 아직까지는 그대와 시간을 보낸 후 어떤 일이 있었는지 그 여자에게 보고하겠지.」

"……어. 그렇다면 노골적으로 호라를 벌하고 따끔하게 혼내라고 종용한 그 여자들은 어떻게 되는 걸까요? 그 선생과 호라의 관계를 모르고 한 말은 아닌 것 같았는데요."

에카이트의 말을 듣다 보니 호라에게 노골적으로 적개심을 드러낸 여자들이 생각나 걱정스럽게 입을 열었다.

다음에 다시 보자고 작별 인사를 했는데, 이승에서 다시 볼 일이 없어지는 것은 아닌가 싶다.

「그 정도는 이미 알고 있겠지. 그 여자들이 자신과 반목하고 있고, 기회만 된다면 칼을 겨누리란 것을 말이야.」

"……아. 이미 좋지 못한 관계에 있는 상황이니 굳이 감춘다고 해서 달라지는 것이 없을 것이란 말인가요?"

「'그래, 이렇게 나온단 말이지.' 하는 정도겠지.」

하기야 이미 친해지기엔 너무 멀리 왔으니 굳이 잃어버린 신뢰를 회복하기 위한 노력은 하지 않을 테지.

"그 여자들 입장에선 반드시 제가 자신들 편에 서서 호라와 대립해야 타산이 맞겠군요."

「그렇지. 그래서 아마 도리어 싸움을 붙이고 싶어 안달이 났을 거야.」

에카이트의 말에 순간 등골이 서늘해지는 것을 느낀 나는 천천히 입을 열었다.

"……이건 순수한 가정인데요. 제가 계속 중립적인 입장을 고수하면 그 여자들 입장에선 썩 반갑지 않겠죠?"

「그렇겠지. 왜?」

“그렇다면 어떻게든 싸움이 붙어 편이 정확히 갈리는 상황을 만들려 들 것 같아서요. 예를 들어 호라가 한 척하면서 저한테…….”

「이제야 말이 좀 통하는군.」

“네?”

한숨처럼 답하는 에카이트의 말에 반문하자 그가 설명을 덧붙인다.

「어디가 되었든 필요에 의해 상황이 만들어지는 법이니까 말이야. 설사 무슨 일이 생긴다고 해서 너무 서둘러 단정 짓고 행동에 돌입하진 말았으면 좋겠군.」

“제가 그 정도로 사리 분별도 못할 것 같은가 보죠? 걱정 안 해도 됩니다.”

잠시 침묵을 지키던 에카이트가 다시 뭔가 말하려는 찰나, 다시 통신이 불안정해지기 시작했다.

「아무리…… 방심은, 하지. 그래도…… 조심…… 이겠군.」

“……안 들려요. 전혀 안 들린다니까요?”

「……다시 말하면 ……하고, 그때 ……하는 것으로……. 알겠나?」

“하아. 또 먹통이네. 에카이트 이 멍청이가 진짜. 누굴 바보로 아나? 엉덩이를 한 대 제대로 차 주면 소원이 없겠네.”

계속되는 통신 불량과 잡음에 짜증이 솟구친 나는 투덜거림과 함께 통신을 종료시켰다.

“……아펠리아? 아펠리아?”

에카이트가 불이 꺼진 영상석을 황당한 표정으로 내려다봤다.

통신 상태가 불량해지자 조급해진 마음에 목소리를 점점 크게 하다 보니 무슨 일인가 일이 났나 싶어 다른 사람들이 방으로 몰려왔다.

그들 또한 에카이트처럼 황당한 표정으로 잠시 침묵을 지켰다.

침묵 속에서 가장 먼저 입을 연 것은 조슈아였다.

"역시 아펠리아 경은 늘 옳은 소리만 하죠."

"푸흡."

"큭큭."

조슈아의 말을 시작으로 방이 웃음소리로 가득차기 시작했다.

통신 상황이 나빠지자 자신의 말도 잘 전달되지 않으리라 생각한 모양인지, 아펠리아가 투덜거리며 내뱉은 말이 아주 정확하게 전달된 탓이었다.

"멍청이라고 했죠?"

"아니, 얼간이라고도 했던 것 같은데?"

폰디체리 공작가의 기사단장과 부단장의 웃음기 어린 목소리와 조슈아의 비웃음 가득한 표정, 먼 곳으로 시선을 돌린 넬슨의 자세.

황태자가 붙인 남자 한 명을 제외한 모든 사람이 모여 있었다.

뭐 하나 마음에 드는 것이 없군.

에카이트는 황당한 표정이 가득한 얼굴을 두 손으로 마른세수를 하듯 거칠게 비볐다.

황당하고 창피하면서도 어쩐지 아펠리아와 조금 더 격 없이 가까워진 느낌이라 괜히 웃음이 났다.

이런 자신의 감정이 낯설어 더 황당해진 에카이트는 크게 웃음을 터트렸다.

물론 에카이트가 소리 내어 웃기 시작하자 오히려 이상한 표정이 된 사람들이 하나둘씩 자리를 떠나며 이 작은 소동은 빠르게 마무리

될 수 있었다.

–어머나, 역시 소문이 과장된 것이 맞나 봐요. 물론 시간이 부족하긴 했죠, 모든 것을 제대로 배우기에는요.

–죄송해요, 뮤사 님. 괜한 부담을 안겨 드린 것은 아닌가 모르겠네요.

전날 깊게 생각하지 않고 내던졌던 친–호라파의 방문이 현실로 다가오고 말았다.

자리가 시작되기 무섭게 내 행동 하나하나를 꼬투리 잡아 지적하며 통역을 돕는 남자에게 은근한 웃음을 보내는 여자들의 행동은 누가 봐도 적대적이었다.

친하게 지낼 목적이 아니라면 여기까지 시간을 내서 찾아온 이유는 뭘까.

나중을 생각해 발을 뺄 수 있을 정도로 은근한 적개심도 아니고 노골적인 적개심을 드러내는 여자들의 생각이 무엇인지 쉽게 이해할 수 없었다.

하지만 대놓고 같이 빈정거리며 싸우기엔 여건이 따르지 않는다.

한 대씩 쥐어박으면 3분 내로 이곳을 눈물바다로 만들 수 있을 텐데.

얄미운 표정을 짓는 여자들을 빤히 바라보던 나는 웃으며 입을 열었다.

"소문만큼 부질없는 것도 없는데, 이곳까지 헛걸음을 하신 것 같아 안타깝군요. 그리고 개인적으론 이곳의 예법이 제법 고상하고 익히기 어려운 축에 든다고 생각했었는데……."

말을 줄이며 그들을 향해 눈웃음을 지어 보였다.

남자는 나를 무감정한 시선으로 바라보며 말이 마무리되기를 기다리고 있는 눈치였다.

"그렇게 빨리, 쉽게 익힐 수 있다고 기대할 만한 수준인 줄은 미처 몰랐습니다. 부끄럽네요."

너무 도발한 건가?

바보같이 저자세로만 나가면 만만하게 여겨져 필요 이상의 괴롭힘까지 당할 수 있다는 생각에 가볍게 받아친 나는 식은땀이 고이는 손바닥을 조용히 옷자락에 문질렀다.

잠시 나를 바라보던 남자는 조용히 고개를 돌려 여자들을 향해 말을 옮기기 시작했다.

―소문이 부질없다는 것은 익히 알고 있어, 더 드릴 말이 없다고 합니다. 그리고 이곳의 예법은 제법 수준이 높은 편이라고 생각했는데 너무 쉽게 익힐 수 있는 것처럼 말씀들을 하시니 부끄럽다고 합니다.

정확하게 요점만 간추려 전달하는 남자의 통역 솜씨에 혀를 내두르면서 여자들의 반응을 살폈다.

미처 옮기지 않은 노골적인 내 의도를 눈치채고 분해 얼굴을 붉히는 여자도 있었고, 아예 다르게 이해한 모양인지 도리어 의기양양한 표정을 짓는 여자도 있었다.

―호라 님은 그야말로 완벽한 예법의 화신이십니다. 보다 분별력이 좋은 분이었다면 호라 님께 예의를 갖추고 제대로 예법을 배울 기회를 얻을 수 있었을 텐데요.

―그러게요. 안타깝기 그지없는 일입니다. 지금부터 그러기엔 이미 너무 늦었지요.

일단 그럴 기회가 앞으로 백번 더 온다고 해도 딱히 그럴 것 같지는 않은데.

여자들의 황당한 말에 차마 할 말을 찾지 못한 나는 그들을 그저 관람하듯 바라보았다.

–늦지 않았겠어요? 아무리 호라 님이 너그럽기로서니, 이런 상황까지 온 이상은 어렵죠.

누가 너그럽다고?

잘못 들은 것 같아 그 말을 내뱉은 여자를 뚫어져라 바라보았다.

그러자 자신도 자신의 말에 심각한 모순이 있다는 것을 인지했는지 얼굴을 붉히며 고개를 돌린다.

"궁금한 것이 하나 있는데…….

내가 먼저 입을 열자 저절로 시선이 내 쪽으로 쏠린다.

남자의 통역으로 내 말이 전달되자 여자들이 어디 해 보라는 표정이 되었다.

"제 앞에서 자꾸 호라 이야기를 하시는데…… 혹시 그녀를 욕보이시려는 의도인가요?"

내 말을 들은 남자가 잠시 주저하다 그대로 통역해 전했다.

그의 말이 끝나자 대체 무슨 말을 하는 것이냐며 거세게 반발했다.

–세상에, 저희가 언제 호라 님을 욕되게 하였단 말입니까?

–그러게 말이에요. 중상모략도 이런 중상모략이 없습니다!

"그게 아니라면 왜 이 자리에 있지도 않은 사람을 계속해서 들먹이는 건가요? 거기다 이곳의 예법을 익힌 지 얼마 되지도 않은 사람과 날 때부터 그 예법을 익혀 온 사람을 비교한다는 것은, 그 사람을 우습게 보고 있다는 말밖엔……."

평화로운 어조로 내뱉자 여자들의 시선이 언어 선생에게로 쏠린다.

잠시 한숨을 내쉰 선생이 기계적으로 말을 옮기자 일순간 여자들의 얼굴이 새빨갛게 달아올랐다.

부정하기 어려운 사실이었다. 내 말에 그들 중 가장 지위가 높아 보이는 여자가 몸을 파르르 떨며 입을 열었다.

-분명 곧 이날을 후회하는 날이 올 겁니다.

"하루하루가 후회가 아닐까 싶은데요."

진심을 담아 대답하는 내 말을 전해 들은 여자들이 나를 노려보다 자리를 떴다.

여자들이 삽시간에 자리를 비우자 남아 있던 남자가 조용히 입을 연다.

"제법 용감하시군요."

"……딱히 틀린 말은 없지 않나요?"

"뭐, 어찌 되었든 뮤사 님과 친하게 지낼 수 있는 입장이 아닌 것은 분명하니까요. 호라 님에게 잘 보이려 자신의 충성심을 증명할 장소로 이곳을 선택했던 것 같군요. 물론 성공적이진 못했고요."

남자의 말에 조용히 웃음으로 답을 대신하고는 그에게 물었다.

"호라가 이 소문을 들으면 어떻게 나올까요?"

"……썩 좋아할 것 같지는 않습니다만, 아마 섣불리 나서서 창피를 자처한 종전의 사람들에게로 분노가 집중되지 않을까 싶은데요."

"저는요?"

노골적인 질문에 피식 웃은 남자가 궁금하냐고 되묻는다.

"당연히 궁금하지 않겠어요?"

"궁금해하는 사람치고는 꽤 직설적이던데요."

남자의 대답에 어색한 웃음만 나왔다.

지금 당장 호라 앞에서 노예 서약을 한다고 해도 지금의 경직된 관계가 나아질 리 없는 것이 현실이다.

호라의 입장에선 그야말로 굴러온 돌이 박힌 돌을 있는 힘껏 튕겨

낸 상황이니까 말이다.

내 어색한 웃음을 바라보던 남자가 이내 정중하게 인사하며 방을 나갔다.

그날 저녁, 다시 궁을 비운 첩자 덕분에 나는 인사를 생략하고 방에 남아 잠자리에 들 준비를 할 수 있었다.

그때 잠자리 준비를 도와주러 들어온 여자가 의기양양한 태도로 웃음을 지으며 궁 안에 퍼진 소문을 재잘거리기 시작했다.

요점만 정리하면 이렇다.

오늘 있었던 일을 전해 들은 호라는 매우 화가 나 여자들을 하나하나 모두 불러들이라고 지시했단다.

아마 내일 아침부터 호라의 앞에 불려가 고초를 치를 것을 생각하면 벌써부터 식은땀이 나 안절부절못하고 있겠지.

지금 상황에 호라 또는 나. 둘 중 한 명에게 줄을 서야 하는데, 이미 오늘 일로 내게 줄을 서는 것은 요원해진 상황.

호라의 심기를 거슬러 내쳐지는 상황이라면 그야말로 줄 떨어진 연과 갈 곳 없는 처지가 된 것.

얄밉게 굴던 그들의 모습을 떠올리면 딱히 안타까운 마음이 들지는 않았다.

살짝 웃으며 고개를 끄덕이자 여자가 의미심장한 말 한마디를 남기고 방을 나갔다.

—같은 편으로 만들 수 없다면 그들이 내 반대편에도 속할 수 없게 만드는 것이 제일 좋은 방법이지요. 적의 수가 적으면 적을수록 유리한 법이니까요.

짧지만 강렬한 그녀의 말을 마음에 새기며 자리에 누웠다.

날이 밝으면 에카이트한테 연락을 해야겠다.

아침 일찍 일어나 짧게라도 통신을 해 보려던 어제의 계획은 평소보다 일찍 방문을 두드리는 여자로 인해 무산되었다.

여자는 다소 상기된 표정이었다.

–아침 일찍부터 죄송합니다. 결례라는 것은 알지만……. 왕자님께서 급히 찾으십니다.

"어차피 아침에 인사하러 갈 건데 뭐가 그렇게 급하다고 그러지."

말이 통하지 않는 바람에 여자에게 이유를 물어볼 수도 없었다.

혼잣말로 중얼거린 나는 평소보다 일찍 단장하고 방을 나섰다.

몇 번 가지도 않았는데, 나름대로 익숙해졌는지 금세 첩자의 방에 도착할 수 있었다.

첩자는 대체 언제부터 깨어 있었는지, 이른 아침임에도 불구하고 정복 차림으로 흐트러짐 없이 자리에 앉아 방으로 들어오는 나를 바라보고 있었다.

"깨어 있었나."

서대륙어로 말을 거는 그를 잠시 바라보다 대수롭지 않게 답했다.

"원래 일어나는 시간이 조금 이른 편이라서. 어차피 곧 아침 인사를 갈 참이었기에 서둘러 왔을 뿐입니다."

"그렇군. 제법 재미있는 일이 있어서 말이야."

"일이라고 하면……?"

찔리는 구석이 많았던 나는 최대한 그런 기색을 숨기며 되물었다.

내 눈을 뚫어져라 바라보던 첩자가 이내 입을 열어 아침 일찍부터 나를 부른 연유를 설명하기 시작했다.

"지난 밤중에 호라의 처소에 자객이 들었다더군."

헉.

상상도 못했던 전개에 절로 눈이 커졌다.

"자객이면……. 암살자요? 암살 시도가 있었다는 말인가요?"

"호라는 단호하게 배후 세력으로 뮤사, 널 지목했다."

……저요?

제대로 된 내 세력도 만들지 못했는데 무슨 암살 시도를 하겠느냔 말이다.

당황해 말을 잇지 못한 채 그를 가만히 바라보았다.

"그럴 줄 알았다. 뮤사, 네가 그 정도로 행동이 빠르지도, 수완이 좋지도 않은 것은 이미 알고 있는 사실이지. 문제는 한쪽에서 의혹을 제기하면 의혹을 받은 쪽에서 아닌 것을 증명해야 무죄가 성립된다는 이곳의 법이야."

"원래대로면 죄가 있는 것을 증명하기 전까지는 무죄 아닌가요?"

"서대륙은 그런가 보지?"

이럴 수가.

기본적인 법적 근거마저 이렇게 다를 줄이야. 황당한 상황에 입만 뻥긋거리자 첩자가 먼저 입을 연다.

"둘 중 하나겠지. 호라의 자작극 또는 네가 어제 궁지로 몰아넣은 여자들의 소행."

첩자는 그간 무슨 일이 있었는지 다 안다는 태도로 사건을 정리했다.

그의 말에 머리를 굴려 보던 나는 도무지 결론을 내릴 수 없어 짧게 한숨을 쉬었다.

"그녀의 성격을 생각하면 이런 일은 당하고도 남을 것 같기도 하고……. 자작극일 확률도 없지는 않은데, 뭐가 맞는지 모르겠네요."

"부정하지는 않겠다. 하지만 설령 자작극이라고 해도 호라가 쉽게 인정하지 않겠지."

나는 조용히 고개를 끄덕이며 말했다.

"다리가 부러진 것이 아니라면 아침부터 처소로 쳐들어오겠죠."

"안타깝게도 다친 곳 하나 없이 호라는 매우 멀쩡해. 습격이 있었던 직후 울며불며 처소로 찾아왔기에 확인했지."

"……그것참 성실하네요."

내 힘 빠진 말투에 잠시 웃은 그가 드디어 본론을 꺼냈다.

"호라가 아무리 그간 세력을 불려 왔다고는 하나 지금에서는 아무것도 소용이 없음을 깨달았을 거다. 이번 기회에 네 능력을 보여 줄 수만 있다면 승기는 네가 잡겠지."

굳이 그럴 필요까진 없는데…….

계속 여기서 지내기 위해 움직였다기보다 쉽게 이곳을 떠나기 위해 움직인 것이었기에 내 의도와는 전혀 다른 기회를 제시하는 첩자가 당황스러웠다.

하지만 티를 낼 수도 없는 상황이라 애써 비장한 표정으로 고개를 끄덕였다.

내 떨떠름한 기색을 긴장한 것으로 이해한 첩자가 피식 웃으며 잘해 보라는 말과 함께 그만 나가라고 했다.

방으로 돌아오는 길은 심란하기 그지없었다.

이른 아침부터 호라와 언쟁을 시작해야 한다니 기운이 날 턱이 없다.

예상대로 방에 돌아오기 무섭게 아침 식사보다 먼저 호라가 들이닥쳤다.

—이 뻔뻔하고 무도한 년.

"이제 하다하다 막말까지 하네."

욕까지 정확하게 번역되어 들리는 주술의 힘에 감탄하며 분노로 볼이 벌겋게 달아오른 호라를 바라보았다.

자작극이라고 생각하기엔 지나치게 분해하는 것이 이상했다.

정말로 저 호라를 상대로 칼을 겨눈 사람이 있다니.

시기가 일러도 너무 이르다.

이해할 수 없어 멍하니 바라보는데 호라가 손을 높이 쳐들었다.

이대로 맞을 순 없지. 반사적으로 손을 들어 막으려는데 나보다 먼저 여자가 움직였다.

–귀한 분이십니다. 아직 확인도 되지 않은 일에 책임을 물어 이런 식으로 막 대하실 순 없습니다.

–하! 기세등등한 꼴이 우습구나. 내 앞에선 감히 고개도 못 들던 게 어제 일 같은데, 우습군.

호라의 말대로 여자는 이전에 바닥에 납작 엎드려 덜덜 떠느라 고개도 들지 못했던 사람과 같은 사람이 맞나 싶을 정도로 당돌한 태도였다.

–모시는 분의 위엄을 지키는 것도 아랫사람의 도리입니다.

저렇게 나올 수 있는 건 앞으로 내가 보장받게 될 신분에 대한 믿음 때문일 것인데…… 내가 훌쩍 이곳을 떠나 버리면 낭패를 보게 되겠지.

"일단 진정하고 이야기를 먼저 나눠 보는 편이 좋지 않을까요?"

말로 수습할 수 없는 상황에 넋을 놓기 일보 직전, 노크 소리와 함께 언어 선생이 나타났다.

마치 그의 등 뒤로 후광이 비치는 것 같은 착각이 들 정도로 반가운 등장이었다.

–어쩐지 소란스럽다 싶었는데……. 호라 님, 이곳에 계셨군요.

–하, 당신도 이런 식이군. 그사이 이 여자에게도 다리를 걸치시는

건가요?

–그럴 리가요. 왕자님의 지시를 제가 무슨 수로 거절할 수 있겠습니까. 가뜩이나 바쁜 일들이 많아 스스로 지원할 상황이 못 된다는 건 아시지 않습니까.

호라의 표독스러운 표정을 대수롭지 않게 응수하다니, 남자도 역시 보통내기가 아니었다.

호라는 한결 진정한 표정으로 호흡을 가다듬고 남자에게 호소하기 시작했다.

–제가 간밤에 습격을 받았습니다. 이 시점에 저를 습격할 만한 사람이 누구겠습니까. 제가 잘못되어 가장 득이 될 사람은 또 누구고요?

……저렇게 말하면 범인은 나잖아?

꽤 논리적인 말에 순간 고개를 끄덕일 뻔했다. 긴장해 두 사람을 바라보고 있는데 남자가 인자한 표정으로 입을 열었다.

–왜 이렇게 성격이 급해지셨습니까. 오히려 누군가가 그 점을 염두에 두고 일을 벌인 것일 수도 있지 않습니까.

그렇지! 바로 저거다.

격하게 고개를 끄덕이며 남자의 의견에 동의하자 호라가 황당한 표정으로 나를 바라보았다.

“바로 그거예요. 제가 지금 여기서 무슨 힘이 있다고 암살자까지 고용해서 일을 벌이겠어요?”

남자는 통역하라는 호라의 눈치에도 나를 바라보며 말을 계속하라고 독촉했다.

“제가 무슨 수를 써서 암살자 하나를 수소문했다고 칩시다. 암살 대상이 호라라고 하면 아마 절 죽여서 호라에게 보여 주거나 거절하지 않을까요?”

남자가 내 말을 그대로 통역해 주자 호라가 씩씩거렸다.

아무리 분해도 이 정도 분별은 할 수 있겠지.

“전 솔직히 호라, 당신과 죽자고 싸워서 끝을 보고 싶지 않아요.”

언제 또 이렇게 셋이 모이겠는가.

지금 이 순간의 기회를 놓치지 말아야 한다.

여기서 최대한 입장을 정리해 그녀를 달래 놓을 필요가 있다고 판단한 나는 애써 미소 지으며 입을 열었다.

“아라 님을 얻으면 이 나라에서 최고의 자리를 얻게 된다는 것도 압니다. 하지만 전 그 자리가 크게 탐나지 않아요.”

남자는 잠시 나를 뚫어져라 바라보다가 말을 전했다.

그 말을 들은 호라가 웃기는 소리 하지 말라는 표정으로 바로 코웃음을 쳤다.

—웃기는 소리. 그 자리가 탐나지 않는다면 그간의 행동들은 다 뭐란 말이냐.

“저도 살아남아야 할 것 아닌가요. 당신은 나한테 적대적이고……. 살기 위해 그나마 말이 통하는 아라 님 쪽에 기댄 것뿐이지 다른 의도는 없었습니다.”

내 말에 호라의 눈동자가 흔들리는 것이 보였다. 차마 자신이 틀렸다는 것을 인정할 수 없겠지.

나는 단순한 그녀에게 먹히길 바라며 결정적인 말을 던졌다.

“그리고…… 사실 저는 아라 님의 신부로 올바른 사람이 아닌 것 같아요.”

“그건 또 무슨 말입니까?”

이번엔 남자가 되물었다.

폭탄 발언이기는 하다.

하지만 공격을 막고 그녀의 협조를 구할 수 있는 방법은 지금 이 방법이 가장 최선일 것이다.

만약 잘 풀리지 않는다고 해도 이미 그르친 사이, 더 나빠질 것도 없지 않은가.

나는 남자를 바라보며 천천히 입을 열었다.

"전 유부녀거든요."

정확히는 유부녀가 될 수도 있는, 약혼자만 있는 미혼자지만 말이다.

남자가 멍하니 있자 궁금증을 참지 못한 호라가 그의 몸을 흔들며 닦달했다.

—뭐라고 한 거죠? 대체 저 여자가 뭐라고 했길래 그러는 겁니까?

"말을 전해 주시는 편이 낫지 않겠어요?"

겨우 정신을 차린 남자가 조심스레 입을 열었다. 경황이 없는 와중에도 외부의 귀를 신경 쓰는 것이 감탄할 만한 태도다.

—뮤사 님은 기혼자……. 그러니까 이미 결혼한 몸이라고 합니다.

—뭐, 뭐라고요?

나는 태연하게 그녀를 바라보며 제대로 들었다는 뜻으로 고개를 끄덕였다.

—지, 지금 그러면 감히 그런 몸으로 아라 님과…….

"잘 아시겠지만 저는 납치당한걸요……. 솔직히 말해 지금은 향수병에 걸려 죽을 지경이에요."

과장을 섞어 호소하자 이번에는 남자의 시선이 흔들렸다.

믿어라. 제발 믿어라!

"기회만 된다면 다시 본국으로 돌아가고 싶지만 그러지 못하는 형편이고……."

내 말을 전해 들은 호라는 매우 혼란스러워 보였다. 화를 내려는 듯 인상을 찌푸리다 웃음을 짓는 등 난리도 아니다.

그러다 이내 무엇인가 깨우친 듯, 눈을 반짝이며 나를 바라보았다. 왠지 불길한 느낌에 소름이 돋았다.

호라의 시선을 피하지 않고 마주 보던 나는 그녀의 다음 말에 속으로 쾌재를 불렀다.

–돌아갈 수만 있다면 돌아가겠다, 이건가?

"저로서는 굳이 꼭 이곳에 남아야 할 필요는 없습니다. 남편……과 애틋한 사이는 아니지만 그래도 여기서 처녀 행세를 하며 지내기엔 양심에 찔리기도 하고요."

–흐음. 아라 님도 이 사실을 알고 계신 건가? 알고도 데려왔다고?

납득할 수 없다는 듯 호라가 인상을 찌푸렸다.

남자도 마찬가지로 나를 바라보며 설명을 구하고 있었다.

아무리 첩자가 제정신이 아니라고 해도 이미 결혼한 여자를 납치해 반려자로 삼는다는 건 상식을 벗어난 일.

그러니까 에카이트와 아직 약혼 상태인 지금 무리해서 납치를 감행한 것이겠지.

나는 조심스럽게 단어를 고르며 다시 입을 열었다.

"저도 사실 그 점이 좀 이해가 되지 않기는 합니다. 아, 제가 두 분께 이 말을 했다는 사실을 아라 님이 알게 되면……."

–왜요? 가만두지 않겠다고 하던가요?

눈을 반짝이는 호라를 보니 무슨 생각을 하는지 뻔히 보인다.

저기서 그렇다고 대답하면 이 방을 나서기 무섭게 서대륙에서 이미 결혼한 여자가 감히 이곳의 차기 왕비 자리를 노린다고 떠들고 다닐 것이 분명하다.

남자 역시 그녀의 단순한 반응에 어이가 없다는 표정을 지으며 나를 바라보았다.

생각보다 단순하군, 쯧쯧. 나는 호라를 향해 애써 곤란한 표정을 지으며 고개를 저었다.

"차라리 그랬으면 입을 열었겠지요. 물론 말이 통하지 않아 소용없었겠지만요. 눈치채셨을지 모르겠지만 저는 저로 인해 타인이 피해 보는 것을 수치스럽게 생각한답니다."

호라는 내 말을 전해 듣더니 입을 달싹이다 떠오르는 것이 있는지 조용히 입을 다물고 수긍하는 모습이었다.

하긴, 일전에 자신의 개가 고초를 치른 사건에서 내가 무리해서 여자를 빼냈던 사건을 기억한다면 동의할 수밖에 없으리라.

"이곳이 어떤 곳인지 아직은 잘 모르는 터라 어디에 비교해 설명해야 할지 잘 모르겠습니다만……. 저는 본국에서 기사입니다."

"기사라고요? 당신은 여자이고 또 폰디체리 공작가의 공녀가 아닙니까. 게다가 결혼도……."

나는 놀라 반문하는 남자에게 차분히 고개를 끄덕여 보였다.

남자가 서대륙을 떠났을 무렵이면 여기사의 존재를 알 리 만무했다.

더군다나 듣도 보도 못한 한미한 가문도 아니고 무려 제국의 폰디체리 공작가에서 태어난 공녀가 그런 험한 직업을 선택했다니.

흔하게 생각할 수 있는 일은 아니었다.

"과정이 쉽지는 않았습니다만 아버지의 지지가 큰 역할을 했습니다."

-뭐야, 무슨 말을 하는 건데? 왜 나한테 통역도 하지 않고 둘이서 대화를 하는 거죠?

소외됐다고 생각했는지 호라가 뾰족한 목소리로 말을 자르며 끼어들었다.

호라를 달래려는 듯, 남자가 빠르게 입을 열어 방금 나눈 대화의 내용을 간략히 전달했다.

호라의 눈이 더 이상 커질 수 없을 정도로 크게 떠졌다.

–특이하군. 그런데 뜬금없이 무슨 말이지? 네가 이미 결혼한 몸이란 것이 알려지는 것과 타인이 피해를 보게 되는 것이 무슨 상관이냔 말이야.

"그 사실을 알게 된 자들을 말살하겠다고 으름장을 놓았습니다."

내 거짓말을 들은 호라의 얼굴이 파랗게 질린다.

첩자의 평소 성향을 생각해 적당히 각색한 이야기가 제대로 먹힌 것 같았다.

그 성격을 봐서는 크게 틀린 말도 아닐 것 같고 말이다.

이내 자신의 생명이 위험해졌다는 사실을 알아챈 호라가 짜증 어린 목소리로 입을 열었다.

–그런데 그런 이야기를 마구잡이로 해? 나는 알고 싶지도 않았단 말이다!

"단순한 문제 아닌가요? 지금 여기 있는 나, 호라 님, 그리고 당신까지. 모두가 입을 다물면 누가 어떻게 알려고요."

–그렇다고 해도 찝찝하고 불쾌하단 말이다.

그녀의 짜증스러운 말에 순진한 표정을 지으며 말을 받아쳤다.

"그럼 아라 님께 말씀드릴까요? 제가 실수로 호라 님과 선생님께 그 사실을 말하고야 말았다고요. 제 실수이니 용서해 달라고 말씀드리죠."

–미쳤구나, 미쳤어. 이게 대체 다 무슨 난리란 말이냐. 므네모쉬이 고약한 계집 같으니라고.

어머니에 대한 비난의 말에 불쾌감이 스멀스멀 올라왔다. 나는 서늘하게 굳은 표정으로 호라를 바라보았다.

"아라 님이 그렇게 말하는 것은 이해가 되지만 당신은 그렇게 말해선 안 되지요. 만약 내 어머니가 도망치지 않았으면 당신은 감히 그 자리를 노릴 생각조차 못했을 것이니까요."

내 날카롭고 서늘한 목소리에 잠시 침묵이 흘렀다.

내 말을 이해했는지 호라는 인상을 찌푸리면서도 더 말을 잇진 않았다.

"아무튼 제가 굳이 이 모든 이야기를 한 이유는 호라 님과 불필요한 소모전을 피하고 싶어서입니다. 이곳을 떠날 방법이 없고, 저도 살아야 하니 행동을 취한 것일 뿐, 다른 뜻은 없어요."

—……결국 이곳에 남아 있는다면 결과는 하나 아니겠느냐. 나는 그 꼴은 두고 볼 생각이 없다.

"그렇다면 제가 돌아갈 방법이 있는지, 아니면 그런 기회가 생길 수도 있는지 알아보는 것을 도와주시는 것도 좋겠죠."

말을 전해 들은 호라는 잠시 고민하더니 씨익 웃으며 대답했다.

—좋다. 선택지는 두 개로군. 너를 죽여 없애든지 다시 돌려보내든지. 더 쉬운 쪽이 내 최종 선택이 되겠지.

"예, 좋습니다. 하지만 분명 두 번째 선택이 더 쉬운 선택일 겁니다."

내 말에 호라가 샐쭉 웃는다.

—그거야 너 할 따름이 아니겠느냐.

아, 네. 어련하시려고요.

호라의 얄미운 말에 나는 황당한 표정으로 그녀를 바라보다 굴하지 않고 한마디를 날렸다.

"뭐……. 지금처럼 노골적으로 당신이 저를 위협하신다면 혼자 넘어져 다쳐도 아라 님은 당신이 절 죽이려 들었다고 여길 겁니다."

나는 어쩐지 신나 보이는 호라의 표정이 삽시간에 일그러지는 것을 바라보며 피식 웃었다.

그리고 쐐기를 박았다.

"그러니 자제하는 편이 좋지 않을까요? 제 명예를 걸고 당신을 습격한 건 제가 아니에요. 제가 무슨 힘이 있어 그런 짓을 벌일까요. 이번 습격이 의미하는 것은 단순해요."

회유와 협박은 늘 함께 붙어 다니는 것 같다.

이 기세를 몰아 계속해서 말했다.

"당신과 내 사이가 극단적인 대립각을 이루고 있으니, 무슨 일이 생긴다면 서로를 의심할 게 분명하죠. 앞으로 이렇게 우리의 이름 뒤에 숨어 이간질하려는 세력은 늘어날 거예요."

—……그래서 어쩌자는 말이지?

"대외적으로 친한 척까지는 못 해도 이렇게 사이가 안 좋다는 걸 드러낼 필요는 없지 않겠냐는 말이에요."

내 말을 통역한 남자가 자신의 사견을 덧붙여 말했다.

—호라 님. 이것은 제 의견입니다만 당분간만이라도 서로 평화 협정을 맺어 화목한 상태인 것을 강조하는 행보도 괜찮을 것 같습니다.

—내가요? 어째서?

—이미 서로 아무것도 하지 않아도 좋지 않은 관계에 있지 않습니까. 특별한 행동을 취하지 않고 이렇게 계셨다간 괜히 오늘과 같은 불미스러운 일들에 휘말리기 쉬울 것 같습니다.

남자의 말에 나도 고개를 끄덕였다.

"엉뚱한 인물들 때문에 피해 볼 필요는 없잖아요?"

내 말에 호라가 아랫입술을 꾹 깨물었다.

—당장 결정할 수 있는 일은 없군. ……조만간 연락을 할 것이니 그런 줄 알고 기다리라고.

도도한 척 구는 모습에 피식 웃음이 나오려는 것을 참으며 방을 나서는 그녀를 배웅했다.

그러나 언어 선생은 그녀를 따라 나가지 않았다. 나는 애써 당황스러운 표정을 감추려 노력했다.

"도망칠 계획이로군요."

"……네?"

단도직입적으로 본론을 던지는 남자에 당황했지만 최대한 티를 내지 않으려 노력하며 되물었다.

그러자 남자가 기정사실임을 알아챈 듯 태연한 어조로 말했다.

"지금은 어떨지 몰라도 칼라한 제국의 폰디체리 공작가라……. 남부럽지 않게 자랐겠지요. 굳이 이런 불안정한 곳에서 인생을 다시 시작할 이유가 없는 생활을 하면서요."

남자의 말이 가슴을 콕콕 찔렀다. 객관적으로 부정할 수 없는 사실들이었기 때문이다.

"지금 본국에서 누군가 탈출을 돕기 위해 오고 있지 않나요? 당신은 이곳에 머물고 싶어 하는 사람이 아닙니다. 실수 없이 떠나기 위해 저를 떠보고 만난 것일 테죠. 제 말이 틀린가요?"

정확하다.

동대륙으로 넘어와 어떻게 저 자리까지 올랐으며 아직까지 건재하게 세를 과시할 수 있나 했더니 그럴 만한 통찰력이 있었다.

부정도 긍정도 하지 않은 채 그를 바라보자 그가 다시 말하기 시작했다.

"결론만 말하죠. 나는 돌아가지 않을 겁니다. 죽어도 이곳에서 죽을 생각이에요. 몰랐겠지만 저는 이곳에서 가정을 이뤄 딸린 가족만 넷입니다."

전혀 몰랐다.

이미 이곳에서 가정을 이루어 살고 있다면 서대륙에서 아무리 매력적인 조건이 기다리고 있다고 해도 무의미하겠지.

미처 파악하지 못했던 정보에 입 안이 다 씁쓸했다.

스스로 잘 해냈다고 생각했는데 내 속셈만 드러낸 것이 아닌가.

내 낭패 어린 표정을 바라보던 남자가 말을 계속한다.

"하지만 저는 당신이 서대륙으로 돌아가는 것이 옳다고 생각하는 사람입니다."

"어째서 그렇게 생각하는지 물어봐도 되겠습니까?"

예상치 못했던 발언에 놀라 그에게 다시 물었다.

"왕자는 당신을 이곳에 데려오면 어긋난 것이 맞아 다시 잘 돌아갈 거라고 생각하는 거 같은데, 저는 틀렸다고 봅니다."

"어째서 그렇게 생각하는지 물어도 되겠습니까."

"만약 지금의 왕이 도망친 공주, 므네모쉬를 다시 찾아와 그녀에게서 후사를 봤다면 조금은 돌이킬 수 있었겠죠."

"하지만 이미 너무 멀리 와 버렸습니다."

내 동의에 남자가 피식 웃는다.

"끝이 이미 정해진 길입니다. 다시 말하지만 저는 당신이 다시 서대륙으로 돌아가는 편이 낫다고 생각합니다. 폰디체리 공작가는 대대로 집요하고 식솔에 대한 애정이 남다른 것으로 유명한 가문이 아닙니까."

다른 사람의 입으로 우리 가문의 이야기를 들으니 색다른 기분이었다.

그의 말이 맞다. 이번 구출조에 가문의 기사단장과 부단장이 모두 포함된 것을 보면 말이다.

"제국에서 작정하고 전쟁을 불사하겠다고 나오면 곤란하지 않겠습니까. 가뜩이나 평화기가 길었던 서대륙인 만큼……. 전쟁을 기다리는 무리가 분명 있겠지요. 그들이 얽히기 시작하면 이곳에서의 위태로운 평화도 끝입니다."

"……부정하지 않겠어요."

남자의 이성적인 분석에 나는 차분히 고개를 끄덕였다. 구구절절 옳은 가정이고 판단이었기 때문이다.

그 역시 나의 귀환에 동의하고 있다.

이것은 좋은 징조였다.

"그렇다면 당신께도 부탁드리죠. 때가 되어 기회가 되고 힘이 닿는다면 도와주세요."

"……그런 것은 약속할 수 없습니다."

남자는 다시 방어적인 태도로 돌아갔다. 이럴 줄 알았다.

"하지만 최소 의도적으로 방해하진 않겠습니다."

덧붙이는 말에 그제야 웃음이 나왔다.

남자가 됐든 호라가 됐든 훼방만 놓지 않아도 일이 한결 쉬워질 것이니.

나는 고개를 끄덕이며 자리에서 일어서는 그를 배웅했다.

마나를 활용해 주변을 가볍게 탐색하니 호라가 도착했을 때와 같이 다른 인기척은 전혀 없었다.

에카이트와 통신을 해야겠다.

제법 큰 수확이라 가슴이 두근거렸다. 이 사실을 전해 주면 그도 기뻐할 테지.

아, 답답해 죽겠네.

문득 사람이 답답하면 죽을 수도 있겠다는 생각이 들었다.

"아, 진짜 왜 이렇게 사람 말을 못 알아먹는데? 답답해 죽겠네. 에카이트. 에카이트!"

할 말은 많은데 전달되는 말은 없다.

답답함에 불이 깜빡이는 영상석을 노려보다 인기척이 느껴져 급하게 통신을 종료시켰다.

슬슬 에카이트가 탄 배가 동대륙에 도착할 무렵이 아닐까 싶은데, 통신이 제대로 이루어지지 않은 탓에 정보 교환이 수월하지 않아 답답했다.

태연자약한 자세로 앉아 있자 이내 가벼운 노크 소리와 함께 여자가 방으로 들어왔다.

–의외로 호라 님의 표정이 나쁘지 않았습니다. 통역이 있었던 덕분에 오해를 푸셨던 걸까요?

표정이 좋았다고?

호라의 기분이 좋아 보였다고 하니 오히려 걱정이 앞선다.

여자의 말에 단순히 좋아할 수만은 없어서 어색한 웃음을 지으며 대답을 대신했다.

–그나저나 걱정입니다. 왕자님께서 조만간 또 궁을 비우실 일이 생길 것 같은데……. 워낙 살얼음판 같은 상황이 반복되다 보니 영 마음이 놓이지 않네요.

–왜죠?

내 짧은 질문에 잠시 멈칫한 여자가 무엇에 대한 질문인지를 확인했다.

–왜 마음이 놓이지 않는지를 물으시는 건가요, 아니면 왜 왕자님께서 궁을 비우시는지를 물으시는 건가요?

조용히 손가락 두 개를 펴 보이자 알았다는 듯 고개를 끄덕인 여자가 설명을 덧붙였다.

—아직 확실한 것은 아닙니다만……. 듣자 하니 동쪽 지역 해변에서 폭발이 일어났다고 하더라고요.

폭발? 뭔가 터졌다는 소리인가?

……누군가가 의도를 가지고 자행한 일일 가능성이 높다.

여자는 내 표정을 살피며 설명을 계속했다.

—단순 폭발 사건이면 왕자님께서 직접 가실 정도의 사안이 아니지만……. 그 지역이 어업을 생업으로 삼는 곳이라 지금 난리도 아니라고 하네요.

큰일은 큰일이겠네.

생업에 위협이 가해지면 이는 단번에 백성들의 가난과 궁핍으로 이어진다.

백성은 나라 재정의 기반인 세금의 원천인데, 그들이 가난해졌다고 세금을 면제해 주면 나라도 같이 가난해지기 십상이다.

어지간하면 모른 척하고 원래대로 세금을 걷는 것이 일반적인 방법이다.

물론 그 경우 작게는 경제적 어려움을 견디지 못한 백성들의 원성을 사게 될 것이고 크게는 국가 반역의 기틀이 되기도 한다.

그러니 첩자가 서둘러 사태를 종식시키고 싶어 할 것은 불 보듯 뻔했다.

내 계산을 아는지 모르는지, 여자는 말을 계속했다.

—아무도 바다로 나갈 엄두를 내지 못한다지요. 한동안 생선은 구경도 못하겠어요.

이런 때에 반찬 걱정이나 하다니.

너무 대수롭지 않게 말을 마무리하는 여자를 황당한 시선으로 바라보다 대충 고개를 끄덕였다.

에카이트의 짓이 틀림없다.

아마 일종의 기름과 같은 성분의 화학 약품을 이용해 바다 위에 불을 붙이고 폭발이 일어나게 한 것 같았다.

제국에서는 계절에 따라 무지막지한 식성으로 인근의 물고기 씨를 말리는 노란 고래가 해역에 들어오곤 했는데, 바다 위에 저런 화학 약품을 일부러 흘려 놓고 불을 질러 진입을 차단시키곤 했다. 일종의 울타리 역할인 셈이다.

바다 위의 폭발이라면 아마 저것을 뜻하는 것일 텐데.

문제는 대체 어떻게 했느냐는 거다.

폭발을 일으킨 것이 에카이트임은 확신했지만 그 방법에 대해서는 짐작도 가지 않았다.

설마 그쪽으로 잘못 도착한 것은 아니겠지.

불길한 상상을 애써 떨치며 안타깝다는 표정으로 여자를 바라보자 그녀가 만족한 표정을 짓는다.

–왕자님이 궁을 비우신 동안은 특히 더 조심하셔야 할 것인데……. 그래도 호라 님의 기분이 괜찮았던 것 같아서 다행입니다.

그게 사실이라면 정말 다행이지. 아예 말이 통하지 않는 상태로 분기탱천한 호라라면 지금보다 두 배는 더 골치가 아팠을 터였다.

그나저나 그 동쪽 해변이라는 곳은 여기서 얼마나 떨어진 곳이지?

순간 떠오른 의문에 그간 배운 말과 단어들을 총동원하여 그럴싸한 문장을 만들어 냈다.

–왕자님, 언제?

–출발은 아마 이르면 오늘, 늦어도 내일이지 않을까요? 돌아오시

는 것은……. 글쎄요. 가는 데만 해도 삼 일은 족히 걸릴 정도로 제법 먼 곳이라서 잘 모르겠네요.

고작 삼 일.

아예 열흘 정도 걸리는 먼 곳이면 좀 좋아.

에카이트와 구출단의 도착 예정일이 가까워지자 첩자의 부재가 간절해지고 있었다.

가까운 곳에서 지키고 서 있는 것보다는 먼 곳에 떨어져 있는 편이 행동하기 훨씬 편할 것이니까 말이다.

심란한 내 표정을 오해한 여자가 친절한 음성으로 달래 주었다.

–너무 상심 마세요. 설사 지켜 주실 왕자님이 곁에 계시지 않다고 해도 지금과 같은 입지의 뮤사 님을 함부로 대할 수 있는 사람은 이제 없다고 보셔도 좋을 거니까요.

과연 그럴까.

그녀의 말에 상당 부분 동의하면서도 변수가 가득한 이곳을 떠올린 나는 어색하게 웃어 보였다.

부디 호라가 내 의도를 제대로 이해했기를, 선생 또한 큰 걸림돌이 되지 않기를 바랄 뿐이다.

"……아펠리아. 도대체 왜……."

연달아 아펠리아에게 허심탄회한 반말과 구박을 들은 에카이트가 황당하고 상처받은 표정으로 불이 꺼진 영상석을 내려다보았다.

뭍에 가까워지면 통신이 나아지려나 싶었는데, 마나가 흐려진 탓일까 통신 상태가 영 좋지 못하다.

동대륙에 도착해 펼칠 작전이 계획대로 순탄히 진행된다면 아펠리아가 자신들이 동대륙에 도착했음을 쉽게 파악할 수 있겠지만 변수를 무시할 수 없다.

기왕이면 도착하기 전, 마지막으로 정보 교환 겸 목소리를 듣고 싶었는데 그것조차 여의치 않았다.

……물론 목소리를 듣기는 했지만 저런 말을 듣고 싶었던 것은 아니었기에 에카이트는 가볍게 목소리를 듣지 못한 것으로 쳤다.

선실에서 나온 에카이트는 갑판에 모인 사람들 사이로 파고들었다.

곧 동대륙에 도착한다.

다들 긴장을 곤두세우고 작전을 되짚어 보며 역할을 상기시키는 중이었다.

작전의 지휘관이나 다름없는 에카이트가 나타나자 모두의 시선이 그에게로 몰린다.

"자, 마지막으로 역할과 계획, 주의 사항을 점검하도록 하지요. 우리는 누구입니까?"

"서대륙에서 온 무역 상인."

"……호위를 위한 용병."

모두가 무역 상인이라고 자신의 역할을 설명할 때에 유일하게 호위 용병이라 스스로를 설명한 것은 폰디체리 기사단의 부단장이었다.

그의 침울한 음성에 다들 헛기침을 하며 웃음을 참아 냈다.

그는 얼굴에 깊은 흉터가 있는 데다가 인상도 험악하여 차라리 불량배가 어울릴 상이었다.

거기다 유독 두드러지게 발달한 근육에 큰 키는 그가 남들보다 최소 세 배는 거대해 보이게 했는데, 말주변마저 없는 터라 누가 봐도 상인일 수 없는 사람이었다.

그 덕분에 그 혼자 호위 용병이라는 역할을 맡아야 했는데, 그 점이 내내 못마땅한 모양이었다.

그가 그 결정에 반박했을 때 사실 위주로 조목조목 설명을 늘어놓아 의외로 섬세한 감성의 그에게 깊은 상처를 준 에카이트의 영향도 컸다.

"그리고 당신은 중개상 역인 겁니다."

황태자가 붙여 준 수상한 남자는 의외로 동대륙어와 서대륙어를 모두 구사할 수 있는 능력이 있었다.

그 능력이 상당히 유용함은 부정할 수 없었기에 그에게는 통역의 역할을 하는 중개상 역이 주어졌다.

에카이트의 말에 그가 조용히 고개를 끄덕였다.

"일단 제국 특산품 중 상급 정도의 물건을 저가에 팔면서 시선을 끌 겁니다. 동대륙인이 좋아할 법한, 하지만 이곳에선 구할 수 없는 물건들로 준비하였으니 분명 반응은 좋을 겁니다."

에카이트의 말에 다들 고개를 끄덕이며 동의를 표했다.

황실과 폰디체리 공작가, 그리고 베이야드 공작가의 합작으로 준비된 이번 작전은 서대륙에서 판매되어도 어마어마한 인기를 끌 것이 분명해 보이는 물건들로 준비되었다.

"궁에 있는 여자들은 궁 밖으로 나가지 못하지요. 그러나 그 누구보다도 물욕이 강하고, 또 그 물욕을 충족시킬 재력이 있습니다. 알아본 바로는 이런 식으로 괜찮은 물건을 파는 상인이 있다는 소문을 들으면 은밀하게 궁에 들어오게 한다더군요."

에카이트의 말에 다들 비장하게 고개를 끄덕였다.

"아마 호라라는 여자는 소문을 듣기 무섭게 우리를 불러들일 가능성이 높습니다. 그때를 노려 궁에 들어갈 겁니다."

"그런 다음 더더욱 진귀한 물건들로 혼을 빼놓는다?"

"바로 그겁니다. 저렴한 가격으로 그녀를 현혹한 다음, 그녀가 가장 눈독 들이는 것이 나오면 터무니없이 가격을 올릴 겁니다."

에카이트의 말에 조슈아가 고개를 갸웃거리며 반문했다.

"이해가 잘 가지 않는데요. 우린 여기에 정말로 장사를 하러 온 것이 아니지 않습니까. 높은 가격이 다 무슨 소용입니까?"

그 말에 반사적으로 에카이트의 입에서 빈정거리는 말이 나왔다.

다들 이러한 광경이 익숙한지, 별다른 반응 없이 상황을 관전한다.

"돈을 받고자 하는 것이 아닙니다. 아무리 큰 권력과 재력을 가지고 있다고 한들 금액이 터무니없이 커지면 마련하는 데에 시간이 걸릴 겁니다. 그때 다른 구매자가 있다고 그녀를 자극하면 아마 호라는 우리를 궁에 머물게 할 겁니다."

에카이트의 말에 기사단장이 고개를 끄덕이며 알겠다는 표정으로 대답했다.

"그렇겠군. 자신이 눈독 들이는 것을 남에게 뺏기긴 죽기보다 싫을 테니 말이야."

"그렇죠. 궁에 머무르며 아펠리아와 접촉을 시도하고, 빠져나가면서 그녀를 데리고 갑니다."

에카이트의 말이 끝나자 잠시 침묵이 흘렀다. 이때 조슈아가 입을 열었다.

"……부디 계획대로 순탄히 진행되길 바랄 따름입니다."

"다들 같은 마음이 아니겠습니까."

에카이트의 진지한 목소리에 다들 침묵으로 동의를 표했다.

무거운 분위기 끝에 넬슨이 입을 열어 화제를 전환했다.

"그나저나 조류의 흐름을 제대로 읽었는지 모르겠습니다. 제대로 갔다면 지금쯤 저기 어디 해안가에서 폭발이 일어났을 텐데 말이죠."

넬슨의 말을 조슈아가 받았다.

"부디 해안에서 최대한 가까운 곳에서 폭발이 일어났길 바랄 뿐입니다. 망망대해에서 터졌다면 다시 소란거리를 만드느라 시간을 소비해야 해서……."

"그렇게 되면 정말로 시간이 촉박해지겠죠. 작전에 드는 시간도 늘어날 것이고요."

이러한 일은 그야말로 치고 빠지는 속도가 관건이었기에 시간이 늘어날 것이란 관측은 결코 긍정적인 관측이 될 수 없었다.

부디 해변에서 폭발이 일어났기를 다들 조용하지만 간절히 기원하기 시작했다.

동대륙에서 본격적으로 장사를 시작하기 전에 가장 먼저 확인해야 하는 것이기도 했다.

폭발 작전의 성공 여부.

만일 성공했다면 첩자는 동대륙 성을 떠나 그곳으로 떠났을 것이다.

부디 시작이 순조롭기를.

눈을 감은 에카이트의 머릿속으로 퉁명스럽게 짜증을 부리던 아펠리아의 목소리가 떠올랐다.

제법 귀여웠지.

엉뚱한 생각이 툭 튀어나오자 스스로도 놀란 에카이트는 이내 피식 웃었다.

이것도 중증이다.

아마 자신이 그런 말들을 듣고 있다는 것을 알 리 없는 아펠리아는 그 사실을 알게 된 순간 부끄러움에 얼굴을 붉히고 어쩔 줄 몰라 하겠지.

아펠리아가 보고 싶다.

그녀와 대화하고 싶고, 만지고 싶다.

어쩌면 만나자마자 자제하지 못하고 달려가 껴안을지도 모르겠다.

아마 영문을 모르는 아펠리아는 얼떨떨한 표정으로 밀어내려 들지도 모르겠다.

상상 속의 아펠리아는 부끄럽게 뺨을 붉히며 그를 마주 안고 있었지만 냉정한 현실주의자인 에카이트는 그것이 정말 상상에 불과하다는 것을 애써 상기하며 마음을 진정시켰다.

그간 어떻게 견뎌 왔나 싶을 정도로 아펠리아와 관련된 일에서 평정을 찾기가 점점 어려워진다.

진정하자.

감정을 죽이자.

여기서 감정을 다스리지 못하면 공든 탑이 무너질 수도 있다.

에카이트는 눈을 깊게 감았다가 뜨며 갑판 위의 사람들을 바라보았다.

그들은 계획과 새로운 신분에 대해 서로에게 주지시키며 앞으로 닥칠 상황에 대비하고 있었다.

다시 떠진 에카이트의 눈동자는 전과 같이 차갑게 가라앉아 있었다.

저 멀리 동대륙이 보이기 시작했다. 이제 곧 도착이다.

며칠째 에카이트와 통신이 두절된 상태라 신경이 곤두선 나는 아침을 대충 먹고 옆에서 재잘거리는 여자의 말을 흘려 넘기고 있었다.

제법 조용한 편이라고 생각했던 여자는 근래 들어 점점 말이 늘고 있었다.

―……정말 좋은 물건들이 많다고 합니다. 신기한 물건들도 태반이고요.

사 달라는 건가?

수도의 시장에 좋은 물건들을 파는 상인이 있다고 흥분해서 떠드는 것을 들으며 여자가 말하는 의도가 무엇인가 심드렁하게 짐작해 보았다.

그래 봤자 나 돈도 별로 없는데.

첩자가 내탕금인지 뭔지 하는 명목으로 돈을 주고는 있지만 이곳의 화폐 가치에 무지한 탓에 그게 얼마나 되는지도 몰라 딱히 써 본 적이 없다.

그리고 밖에 나가야 뭘 사도 살 것인데 나갈 일이 있어야 말이지.

뭐가 있는지도 모르는 데다가 말도 잘 통하지 않아 시키기도 여의치 않다.

심드렁한 내 반응에 답답하다는 듯 여자의 목소리가 커졌다.

―정말 좋은 물건들이라고 해요. 흔하게 볼 수 있는 것들도 아닌데다 이국적이기까지 하다죠? 무려 이번에 서대륙과 새로 교역을 시작하면서 들어온 것들이라고요.

서대륙이라는 말로 내 흥미를 끌어내려는 여자의 시도는 성공적이었다.

서대륙의 물건이라고?

당장 내 표정이 달라진 것을 발견한 여자가 그것 보라는 표정으로 다시 목소리를 평소와 같이 낮추어 말했다.

―궁 밖이 지금 아주 난리라고 합니다. 그 상인들이 궁에도 왔으면 참 좋을 텐데 말이에요. 아, 모르시겠지만 드물게 상인들이 물건을 들고 궁 안에 들어오곤 한답니다. 왕자님께서 좋아하시지 않아서 계

실 때엔 그러지 못하지만 말이에요.

여자의 말에 귀가 쫑긋해진 나는 맹렬히 머리를 굴리기 시작했다.

내 짐작이 맞는다면 그 상인들은 에카이트를 포함한 구출단이 분명했다.

동대륙에 도착하면 내가 모르려야 모를 수 없을 것이라던 에카이트의 말이 이제야 이해되기 시작했다.

게다가 상인들을 궁에 들여 물건을 직접 구매하는 일도 제법 흔하게 있는 일이라고 하니, 일이 잘만 풀리면 궁 안으로 수월하게 들어올 수 있을 것이다.

기대에 부풀었던 나는 이내 내가 직접 그들을 초대할 수는 없다는 현실에 좌절할 수밖에 없었다.

하지만 이어지는 여자의 설명에 기대에 부푼 나는 높은 현실의 벽 앞에 좌절할 수밖에 없었다.

—늘 이런 일엔 호라 님이 앞장서셨는데 이번엔 어떻게 될지 모르겠네요. 아직 뮤사 님께서 상인들을 궁에 들게 하는 건 어려운 일이라…….

인정한다.

아직 이곳에서의 입지가 단단하지 않은 마당에 내가 직접 일을 주도해서 성사시키긴 어려울 것이다.

여자의 기대대로 호라가 나서서 상인을 궁으로 들인다면 또 모르지만 말이다.

나는 부디 에카이트 일행이 호라의 소유욕을 자극해 주길 기도할 수밖에 없었다.

"이 돈의 가치가 과연 얼마나 될까요?"

"……뭐, 이 물건의 원래 가치 절반이나 되면 다행이지 않겠습니까."

사람이 구름떼처럼 몰린 임시 가게 안쪽에서 물건들이 담긴 상자를 연신 풀던 넬슨과 조슈아가 그간 벌어들인 동대륙의 화폐를 살피며 대화를 나누고 있다.

장사를 벌인 지 며칠 되지 않아 입소문이 빠르게 퍼졌다.

또한 장사를 시작하기 전, 확인차 시장을 돌아보던 중 동쪽 먼 영토의 해안가에 폭발 사건이 일어나 어업이 어려워졌다는 이야기를 들었다.

이 일로 물고기 값이 올랐다며 슬퍼하는 상인의 말에 위로를 건네며 속으로는 쾌재를 불렀다.

첫 작전은 순조롭게 성공이다. 성공을 확인한 구출단은 마음 놓고 장사에 돌입했다.

첩자. 즉 왕자는 심각한 폭발 사건으로 인해 궁을 비우고 지방 영지 시찰에 나섰다고 한다.

그가 궁을 비웠다는 것은 좋은 소식이었지만 얼마 만에 다시 수도로 돌아올지 알 길이 없는 그들로서는 속전속결로 일을 풀어 낼 필요가 있었다.

계획보다 더욱 가격을 낮춰 판매를 시작하자, 서대륙의 고급품들은 빠른 속도로 소문을 타고 수도를 뒤흔들었다.

"가져온 물건들이 동나기 전에 빨리 궁에서 연락이 와야 할 것인데 걱정이군요."

"그러게요. 이렇게 미친 듯이 인파가 몰릴 줄은 또 몰랐습니다."

낯선 것에 대한 경계도 잠시, 다음 왕비가 서대륙 출신일 수도 있다는 소문 아래 서대륙에 대한 호기심이 하늘을 찌를 무렵이라 효과와 반향은 더욱 컸다.

한정적으로 물건을 풀고는 있었지만 이 기세로 가다가는 궁에 불려 가기 전에 물건이 동날 수도 있겠다는 생각이 들었다.

"이것 참……. 물건이 안 팔려 장사를 실패하는 바람에 작전이 잘못될까 걱정했던 과거의 제가 한심해질 지경이로군요."

"같은 심정입니다. 이렇게까지 호황이라니, 기사를 그만두고 무역상이나 해야 하나 싶은 마음까지 듭니다."

조슈아의 말에 넬슨이 진지하게 고개를 끄덕이다가 이내 말도 안 되게 낮은 가격으로 팔리는 상품들을 떠올리고 끄덕임을 멈췄다.

아마 저 가격으로 물건을 팔아야 하면 심각한 적자로 도산하게 될 것이다.

둘 다 같은 결론에 닿은 것인지, 조용해진 둘은 물건을 상자에서 꺼내 가게 진열대 쪽으로 옮기기 시작했다.

가게 밖에서 갈색 머리로 염색한 에카이트가 원래 상인이었던 것처럼 노련한 미소를 지으며 장사하는 모습을 본 두 사람은 시선을 교환했다.

천직이로군요.

황태자가 붙인 남자는 에카이트 옆에 바싹 붙어 언제 음침한 기운을 흘리고 다녔냐는 듯 아첨꾼처럼 굽신거리며 통역과 호객 행위를 하고 있었다.

-선물입니다.

어, 이게 왜 여기에 있지?

수업에 들어온 언어 선생이 대뜸 선물이라고 내민 것은 칼라한 제국 양식으로 만든 손거울이었다.

특유의 손잡이 장식은 오직 우리 제국에서만 사용하는 전매특허 기법으로 만들어지는 것이라 한눈에 알아볼 수 있었다.

놀라고 반가운 마음에 손거울을 덥석 받아 들고 이리저리 돌려 보았다.

역시 내가 알고 있는 그 물건이 맞았다.

에카이트가 동대륙에 와 있어!

묘한 안도와 흥분이 등골을 빠르게 훑고 지나갔다.

"서대륙에서 상인들이 도착했다는 소식은 이미 들으셨을 텐데요."

"네. 소식은 들었지만 나가서 확인할 방법은 없으니, 그냥 그런 줄 알고만 있었지요."

내 말에 선생이 고개를 끄덕이며 설명을 덧붙였다.

"물건들이 괜찮다고 해서 다들 사들이느라 바쁩니다. 저도 어제 퇴궐하는 길에 일부러 들렀는데, 제대로 된 것들을 팔고 있더군요. 게다가 값은 또 얼마나 싼지."

의미심장하게 들리는 그의 말을 애써 대수롭지 않게 받았다.

대체 얼마나 싸게 팔고 있기에 단박에 이상하다는 소리가 나오는 거지.

에카이트, 제대로 하고 있는 건 맞겠지?

"제가 이곳의 물가를 몰라 가격을 듣는다고 해도 그게 어느 정도 가치를 가지는 것인지를 알 길이 없어서……."

"그건 그렇지만, 제가 서대륙을 떠나올 때 물가보다도 더 낮은 가격으로 파는 것 같아서요. 그 정도면 분명 팔면 팔수록 적자를 보는 것일 텐데……."

"설마 적자를 봐 가면서 장사하려는 사람이 있으려고요."

말도 안 된다는 투로 가볍게 받아쳤지만 남자는 흔들리지 않고 말을 이었다.

"이 먼 곳까지 위험을 안고 물건을 싣고 왔으면 폭리를 취하는 것이 보통입니다. 그들의 목적이 금전적 수익에 있다면 말입니다. 하지만 다른 목적이 있다면 돈이 다 무슨 소용이겠습니까."

날카로운 남자의 지적에 속으로 움찔했지만 모른 척 시침을 뗐다.

"음……. 말 그대로 그들도 이곳 물가를 잘 몰라서 그런 것 아닐까요? 저도 이곳에서 제법 오래 지내고 있지만 물정도, 물가도 모르고 있는 것을요. 아마 적정 금액 이상으로 받고 있다고 착각하고 있을지도 모르지요."

"착각하고 있다……."

"네, 착각이요. 어쩌면 장사가 끝나고 이리저리 계산을 해 본 다음 망했다고 땅을 칠지 누가 아나요."

대수롭지 않게 툭 던진 나는 남자의 반응을 살피며 최대한 태연자약하게 말했다.

"만약 그렇다면 두 번 다시 이곳에 오지 않을 수도 있겠어요. 그렇게 되면 이번이 이곳에서 서대륙 물건을, 그것도 말도 안 되게 저렴한 가격으로 구할 수 있는 마지막 기회가 되려나요? 궁 밖을 나갈 수 없다는 것이 괜히 아쉽네요."

계속해서 석연치 않아 하는 남자의 말을 아무렇지 않게 넘기며 아쉽다는 듯 말하자 그는 더 이상 자신의 의심을 나에게 강요하거나 캐내려 들지 않았다.

어영부영 수업이 끝나 방을 나서는 남자를 배웅한 나는 그제야 강하게 고동치는 가슴을 부여잡고 자리에 쭈그려 앉았다.

"도대체 무슨 생각을 하는지 알 수가 있어야지. 불안해 죽겠네. 호라도 뭐 하는지 도통 모르겠고. 성격 같아서는 이미 백번도 더 불러 들였을 것 같은데……."

언제라도 곧 첩자가 궁에 돌아온다는 전갈이 날아들 것 같아 하루하루가 살얼음판 같았다. 의외로 굼뜨게 구는 모습이 답답하기 그지 없었다.

투덜거리며 호라를 원망하기도 잠시, 이어지는 예법 수업이 끝나기 무섭게 방에 들어온 여자가 새로운 소식을 알렸다.

상기된 표정을 보고 기대하고 있었는데 역시나다.

호라가 그 상인들을 마침내 궁으로 불렀다는 소식이었다.

아마 그들이 물건을 소개하는 자리에 초대받는 것은 무리겠지만 그래도 같은 공간 안에 있으면 어떻게든 접촉해 볼 수 있지 않을까.

희망에 찬 나는 눈을 반짝였다.

"도대체 왜 바로 들어가지 않는 겁니까?"

저녁 시간 장사를 마무리한 뒤 가게 뒤에 있는 공간에서 조슈아가 에카이트를 노려보며 항의했다.

"호라라는 여자로부터 초대를 받았다고 들었습니다. 그걸 노리고 이제껏 손해를 봐 가며 장사를 한 것인데, 왜 시간을 끄는 거죠?"

조슈아의 의문에 대체로 동조하는 분위기가 흐른다.

사람들의 시선이 에카이트에게로 모이자 그가 차분한 눈빛으로 사람들을 둘러보며 입을 열었다.

"성격이 급한 여자입니다. 몸이 달아야 보다 다루기 쉬운 타입이죠. 게다가 그녀가 가장 눈독 들일 물건에 경쟁자가 있다는 것을 증명하려면 하루 정도는 시간을 끄는 편이 낫습니다."

그 말에 하나둘씩 고개를 끄덕여 수긍하기 시작한다.

에카이트가 다시 사람들을 돌아보며 입을 열었다.

"그리고 초대받았다고 너무 덥석 궁에 들어가면 더 큰 의심을 사기 십상입니다."

"무슨 뜻입니까?"

에카이트의 말에 넬슨이 이해할 수 없다는 표정으로 되물었다.

그에 에카이트가 차분히 설명을 덧붙였다.

"우리는 이곳에서 파는 것만 해도 충분하다. 굳이 궁에 들어가지 않아도 된다. 이런 메시지를 주기 위한 것이지요."

"……알고는 있었지만 생각보다 더 철두철미하군. 나야 뭐 달리 이런 계획 쪽에 머리가 잘 굴러가는 사람도 아니니 무조건 그 의견에 따르겠네."

기사단장의 묵직한 한마디에 부단장 또한 동의한다는 표시로 고개를 끄덕였다.

다수의 동의를 받아 낸 에카이트가 사람들을 둘러보며 다음 계획에 대해 설명하기 시작했다.

"일단 최소 내일까진 평소와 같이 장사를 계속할 예정입니다. 오늘 왔던 호라 측 사람에게 장사가 너무 호황인지라 바로 접고 궁으로 들어가는 건 곤란하다고 전해 두었고요."

"그랬지요. 당황하던 모습이 기억에 남습니다."

당연히 화색을 띠고 당장에라도 궁에 들어가겠다고 할 줄 알았는데, 이 물정 모르는 서대륙 상인들이 정리를 좀 하고 들어가겠다고 하니 어찌 당황하지 않을 수 있겠는가.

거기에 시간이 지날수록 가지고 온 물건이 줄어드는 것은 당연한 일.

소유욕의 화신과 같을 호라가 납득하고 기다려 줄 만한 상황도 아닐 것이다.

기고만장하게 기회를 주는 것처럼 굴던 호라의 전령이 안절부절못하던 모습만 봐도 그랬다.

“분명 내일 중에 다시 사람이 올 것입니다. 그리고 정확히 언제쯤 궁에 들를 것인지를 물어보겠지요. 짐작하건대 첩자가 궁을 비웠을 때 편안히 우리를 들여 사치를 부리고 싶을 겁니다.”

“그게 사실이라면 그녀도 우리만큼 조급하겠군요.”

“그렇지요. 그녀를 만족시킬 물건은 충분합니다. 한꺼번에 이것저것 늘어놓으며 보여 주기보다는 하나하나 마치 보물을 보여 주듯 하며 애를 태울 겁니다.”

에카이트의 말에 다들 알았다는 표정을 지었다.

“그러니까 정말 가치 있는 것을 보여 준다는 인상을 주려고 한다, 이 말이지요?”

“바로 그겁니다. 장갑을 끼고 물건을 만지고, 입도 천으로 가린 상태로 물건을 취급할 겁니다.”

“……유난스럽군요.”

넬슨의 반응에 에카이트가 씩 웃으며 답했다.

“원래 유난을 떨어 줘야 반응이 오는 법이니까요.”

세세한 내용들을 공유하고 있자니 금세 밤이 깊어졌다. 이제부터 시작이다. 굳은 다짐을 하며 하나둘씩 잠자리에 들기 시작했다.

에카이트는 작동을 멈춘 영상석을 손으로 꽉 움켜쥐며 점점 선명해지는 아펠리아의 얼굴을 떠올린 채 눈을 감았다.

—신기하기도 해라. 어쩜 이런 물건이 다 있지요?

—그러게 말이에요. 야만인의 나라인 줄로만 알았는데, 제법 좋은 물건들을 만들 줄 아네요.

가게 앞은 문전성시를 이루다 못해, 옆으로 줄을 서가며 차례를 기다리고 있었다.

이해할 수 없는 동대륙어로 대화가 번잡하게 오갔지만 그 내용이 무엇인지는 사람들의 표정과 행동으로 익히 짐작할 수 있었다.

대개의 사람들은 한번 들었던 물건을 쉽게 내려놓지 못하고 이것 저것 더 집어 들기 바빴다.

"……의외로 형편이 괜찮은 나라인가 봅니다. 엄청 사들이네요."

"글쎄요. 모르긴 몰라도 현지에서 사용되는 유사한 물건보다 가격이 더 싼 것은 아닐까요? 오죽 저렴해야지요. 괜히 아깝다는 생각도 좀 들고요."

팔면 팔수록 적자인 장사를 애써 흥이 난다는 표정으로 계속해야 하는 구출단의 사람들이 뒤쪽에서 쓴웃음을 지었다.

에카이트는 여전히 매끄러운 웃음을 지으며 장사를 주도하고 있었다.

갈색으로 변한 머리카락과 어제부터 쓰기 시작한 희한한 외알 안경은 사람의 인상을 아예 바꿔 놓았다.

"아……. 에카이트 공은 문득 볼 때마다 깜짝깜짝 놀란다니까요."

"모르는 사람 같아서죠?"

"바로 그거죠. 표정까지 바뀌니까 아예 분위기가 달라져서 바로 알아보기 어렵군요."

다들 고개를 끄덕이며 동의한 다음 에카이트를 다시 힐끗거렸다.

아펠리아 경이 봐도 못 알아볼 가능성이 높은데요?

아펠리아 경은 원래부터 그렇게 썩…….

암묵적인 시선 교환을 계속하던 그들은 에카이트의 시선이 그들에게 닿자 화들짝 놀라 허겁지겁 가게 구석구석으로 흩어져 손짓 몸짓을 동원해 적극적으로 손님 응대에 열을 올렸다.

–요즘 내가 너무 우습게 보였나 싶네.

–아, 아닙니다. 호라 님, 절대 그런 것이 아니라…….

–그런 것이 아닌데 대체 왜 그런 서대륙의 장사치조차 내 마음대로 오라 가라도 못하는 거지? 어디 한번 설명이나 들어 보고 싶은데.

악을 쓰지 않고 서늘하게 빈정거리는 호라는 평소보다 더 위압감을 주고 있었다.

그 사나운 기세에 어쩔 줄을 몰라 하며 안절부절못하는 남자는 어제 에카이트에게 의기양양하게 다가가 궁으로 한번 들어오라는 제안을 했다가 별다른 소득을 얻지 못하고 돌아온 그 남자였다.

호라의 서늘한 분노 앞에서 여러 명의 시중드는 사람들 모두 숨을 죽일 수밖에 없었다.

여기서 침묵이 길어지면 당장에라도 목을 치라는 명령이 떨어질 것만 같았기에 남자가 허겁지겁 다시 입을 열었다.

–오, 오늘 다시 찾아가기로 했습니다. 워낙 장사가 잘되고 있는지라 물건을 좀 수습해야 움직일 수 있다고 해서요…….

–물건을 수습해서? 시장에서 어중이떠중이도 다 살 수 있는 물건을, 나는 구경조차 기다려야 할 수 있구나. 그리고 물건이 수습된 후면, 이미 팔려 없어진 것들은?

호라의 호령에 남자가 고양이 앞에 선 쥐처럼 벌벌 떨기 시작했다.

–딱 하루 더 주지. 내일까지 그들이 궁에 들어오거나, 아니면.

말을 멈춘 호라가 문 앞을 지키고 선 호위대의 검으로 시선을 고정하며 무언의 협박을 가한다.

호라의 시선을 따라 호위대의 검을 발견한 남자가 격하게 고개를 끄덕인다.

호라가 날카롭게 일갈한다.

−나가. 당장!

남자가 허겁지겁 방을 빠져나가자 호라가 이를 벅벅 갈면서 발을 동동 구른다.

−대체, 궁금해서 보기는 꼭 봐야겠고. 이게 무슨 자존심 상하는 꼴이람. 어디 내일도 안 들어오기만 해봐라. 아주 후회하게 만들겠어.

이러니저러니 해도 호라는 욕심도, 물욕도 상당한 성격이었다.

그녀의 그러한 성향이 스스로의 자존심보다 더 강했던 것이 에카이트 일행에게는 호조로 작용하고 있었다.

“아니, 도대체 소문만 무성하고 왜 궁에 들어온다는 말은 없는 거야? 호라가 불렀다면서.”

나는 소식 없는 에카이트에 애가 타 침대에 앉아 발을 동동 굴렀다.

분명 며칠 전, 예법 선생을 통해 에카이트 일행으로 추정되는 서대륙의 상인들을 궁으로 들이기로 했다고 들었는데.

호라의 성격상 불렀으면 그날이나 늦어도 그 다음 날 입궁하겠구나 싶었는데. 이게 웬걸, 아직도 소식이 없다.

늦은 밤, 괜히 초조하고 속이 타는 마음에 대답 없는 영상석을 켜고 혼잣말을 중얼거리기 시작했다.

“에카이트, 이 멍청이. 온다, 온다, 소문만 무성하고 코빼기도 안 보이는 건 대체 무슨 상황이래?”

이러다가 에카이트보다 첩자가 먼저 궁에 들어올 것만 같아서 괜히 등골이 서늘하다.

"푸흡. 흠흠."

다 같이 둘러앉아 결국 다음 날로 정해진 입궁에 대비해 회의가 한창이던 중, 에카이트의 품에서 영상석이 작은 소리를 내기 시작했다.

놀라서 영상석을 탁자 위로 올려놓고 나니 아펠리아의 목소리가 흘러나오기 시작했다.

에카이트에게 자연스럽게 반말을 하며 투덜거리는 아펠리아의 목소리에 다들 피식 웃었다가 에카이트의 눈치를 보기 시작했다.

하지만 에카이트는 혹시나 본인의 말도 전달될 수 있나, 애타게 영상석을 이리저리 굴리고 있었다.

결국 실패로 돌아간 통신에 조슈아가 웃음기를 애써 지우며 상황을 짐작했다.

"크흠. 아마 아펠리아 경은 마나를 능숙히 다루고 있어서 저희가 연락을 받는 데에 지장이 없는 상황인 듯합니다. 저희는 통신을 보낼 만큼 마나를 잘 다루지 못하고 있다는 것이고요."

명확한 설명에 가까운 추측에 에카이트가 낮은 한숨과 함께 고개를 끄덕여 동의를 표했다.

"……그런 것 같군요. 어차피 내일이면 궁에 들어가게 될 일이니, 하루만 더 견뎌 봅시다."

긴장감이 흐르기 시작한 사람들 사이로 다시 에카이트의 말이 이어진다.

하나도 놓치지 않겠다는 듯, 계획과 경우의 수에 대해 논하는 그의 목소리가 진지하기 그지없다.

—뮤사 님, 드디어 호라 님 쪽으로 상인들이 들었다고 해요!

여자의 흥분한 목소리에 이제나저제나 들어오려나, 기다리다 지쳐 가던 귀가 번쩍 뜨이는 기분이었다.

에카이트와 같은 공간 내에 있다.

정말로, 드디어 손 뻗으면 닿을 수 있는 공간에 있다니.

묘한 흥분과 안도감에 휩싸인 나는 괜히 이상한 기류를 들켜서 일을 그르칠까, 최대한 태연자약한 표정을 가장했다.

하지만 내 표정 변화를 읽은 것이 분명한 여자가 살짝 웃으며 알 만하다는 어투로 말을 잇는다.

-뮤사 님도 관심은 가시나 봐요. 하기야 다른 곳의 물건도 아니고 서대륙이니까 당연히 궁금하긴 하시겠군요.

미묘하게 다르기는 했지만 근본적으론 맞는 말이었기에 어색한 웃음을 지으며 고개를 끄덕였다.

내 긍정에 여자가 살짝 눈치를 보며 말을 계속한다.

-그런데 호라 님이 과연 뮤사 님을 청해 주실지를 잘 모르겠네요. 오늘 처음 입궁하는지라 다른 분들도 아직 초대를 받지 못했다고는 하는데…….

아, 그렇구나.

한껏 들떠 있던 나는 미처 생각하지 못했던 난관에 김이 빠질 수밖에 없었다.

호라가 초청을 했으면 그야말로 호라의 손님이다. 호라의 허락 없이는 궁 안의 그 누구도 만날 수 없음이 당연하다.

내가 왜 이 생각까진 못한 거지.

일단 궁 안에만 들어오면 모든 것이 일사천리로 다 끝날 줄로만 알고 너무 들떠 있었다.

잠깐 스스로의 단순함에 대하여 반성하며 여자를 바라보자 그녀가 골똘히 생각하는 표정을 짓는다.

-아마 첫날까지는 아무도 초대하지 않을 것 같아요. 괜찮고 마음에 드는 것을 어느 정도 성에 찰 정도로 손에 넣은 다음 측근부터 하나둘씩 초청하던 것이 전례이기는 한데…….

측근부터라고 하면 더 가망이 없는데.

시무룩해진 내 표정을 보고 안절부절못하던 여자가 나름의 묘안이라도 생긴 것인지 눈을 빛내며 은근한 목소리로 말했다.

가만히 보면 나 때문에가 아니라 스스로도 궁금해서인 것 같은데 말이야.

여자를 살짝 미심쩍은 표정으로 바라보며 그녀의 말에 귀를 기울이기 시작했다.

-이번에 호라 님이 들렀다 가실 때에 표정도 나쁘지 않으셨고……. 지난날 호라 님이 사고도 당하셨잖아요? 그러니 안부를 겸해서 찾아가 인사를 드려보는 것은 어떻겠어요? 그렇게 하루 한 번 정도 인사를 겸해서 가다 보면…….

-나름대로 머리를 쓴 것 같다만, 그것보다는 차라리 통역을 돕겠다고 나서는 편이 낫겠군.

살짝 열려 있던 문을 그대로 열고 들어온 언어 선생이 갑작스럽게 대화에 끼어들자 여자는 그야말로 선 자리에서 펄쩍 뛰면서 놀라워했다.

통역이라.

그런데 내가 우리말을 이곳 말로 통역할 수 있을 정도로 잘하지도 못하고…….

거기에 더 능숙한 언어 선생이 호라와 긴밀한 사이로 있는데, 굳이 나한테까지 순서가 올 리가 없지 않은가.

뻔히 알 만한 사실을 무슨 방법인 양 말하는 선생을 원망스럽게 바라보자 그가 가볍게 웃으며 입을 열었다.

—이런저런 사정 때문에 한 일주일가량 지방의 영지를 다녀올 계획인지라……. 제가 수도에 없을 것 같군요. 공교롭게도 수업 또한 그 기간만큼 빠지게 될 것 같아 양해를 구하고자 잠시 들렀습니다.

하기야 첩자도 길게 수도를 비우는 것이 명백한 시기인 만큼 길게 어딘가를 다녀오기엔 적당한 시기였다.

선생의 갑작스러운 휴가 통보에 조금 놀라기는 했지만 충분히 이해할 수 있는 상황이었기에 어렵지 않게 고개를 끄덕였다.

내 고갯짓을 본 선생이 가볍게 목례로 답례 인사를 대신하고 하던 말을 계속했다.

—그리고 통역 말입니다. 뮤사 님은 호라 님의 말을 이해하는 데에는 문제가 없지 않습니까. 이쪽에서 하고 싶어 하는 말을 서대륙어로 제대로 전달하는 것만 해도 도움이 되지요.

—아, 확실히 그것은 그렇겠네요. 어찌 되던 양쪽의 말을 완벽하게 이해하시긴 하는 거니까요.

여자의 맞장구에 나도 고개를 끄덕였다. 생각해 보면 이해 자체에는 아무 문제가 없었다.

—뮤사 님이 괜찮다면 제가 호라 님께 말을 전해 놓지요. 제가 공교롭게 자리를 비우게 되어서 통역에 도움을 드리지 못하니, 혹여 필요하시다면 뮤사 님께 청하면 되겠다고요.

"……네, 뭐. 기꺼이 도와드린다고 전해 주시면 감사하겠어요."

내 떨떠름하지만 긍정을 뜻하는 대답에 선생이 고개를 끄덕이더니 수도로 돌아오면 다시 인사하겠다며 짧은 작별을 고했다.

부디 선생이 돌아오기 전, 이 지긋지긋한 동대륙을 떠날 수 있기를 내심 바라면서 그의 인사를 받았다.

호라의 요청은 생각보다 늦게 도착했다. 자존심 때문인가 싶었는데 도착한 호라의 방에서 만난 에카이트와 그 구성원들을 보고서야 상황을 이해할 수 있었다.

"에카이트!"

"당신, 여기서 그 누구도 이름으로 불러선 안 돼."

호라의 방에 들어와 낯선 외알 안경에 갈색 머리를 한 에카이트를 발견하자 나도 모르게 그의 이름을 외치고야 말았다.

그러자 에카이트가 마치 정중한 인사말을 하듯 허리를 숙여 인사를 하며 용건을 빠르게 전달했다.

조슈아와 넬슨 그리고 기사단장과 부단장.

조금씩 변장을 가미하여 귀족 특유의 고풍스러운 위엄은 가려졌지만 그래도 아는 얼굴들이었다.

그들은 하나같이 정중한 표정을 하고 특별히 아는 척을 하지 않고 묵묵히 서 있었다.

그래, 맞다. 보는 눈이 많아도 너무 많은 곳이다.

에카이트의 말에 일행들의 묵묵한 표정을 바라보며 들뜬 기분과 흥분을 애써 가라앉혔다.

그리고 자연스럽게 이 자리에 나를 부른 호라의 뒤에 다가가 섰다.

이어지는 호라의 짧은 투덜거림으로 일련의 상황을 파악할 수 있었다.

–고향 사람을 보니 그렇게도 좋은가 보지? 통역을 할 수 있는 사람이 있다기에 좋아했는데, 말을 엉터리로 전하는 것이 절반은 되는 것 같단 말이지. 답답해서 원.

통역을 할 수 있는 사람이 있다고? 에카이트의 일행을 돌아보다 유일하게 낯선 얼굴로 시선이 고정되었다.

황태자가 붙인 사람이군.

동대륙어를 할 수 있는 줄은 또 몰랐네.

그가 가진 의외의 재능에 놀라기도 잠시, 왜 호라가 나를 바로 부르지 않았는지를 이해할 수 있었다.

아마 제대로 통역을 하다가 상황을 눈치채고 일부러 못하는 척을 해서 나를 이 자리에 끼우려 한 것 같았다.

대충 상황이 정리된 것으로 보이자 호라가 턱짓으로 에카이트와 일행들을 가리키며 입을 열었다.

-나는 이곳에선 구경도 하지 못할, 그러나 이곳 사람들 눈에도 귀하게 보일 진귀하고 값비싼 물건들을 먼저 보고 싶다.

어련하시겠어요.

호라의 말에 그럼 그렇지 라는 표정을 잠시 짓던 나는 그녀의 독촉 어린 시선에 통역을 위해 입을 열었다.

"여기서 찾아보지 못했을 물건인데 이곳 사람들 눈에도 좋아 보이는 비싼 물건부터 보여 달라네요. 다들 이 먼 곳까지 와 주시느라 고생이 많았습니다."

끝에 내가 하고 싶은 말을 덧붙여 말을 마무리했다.

호라는 당연히 전혀 눈치채지 못한 눈치였다.

"그것참 생긴 대로 바라는군요. 카이 님, 티아라를 꺼내 볼까요?"

카이?

에카이트를 카이라고 호칭하는 넬슨을 두고 잠시 의아한 표정을 짓던 나는 그것이 가명인 것을 알고 그들의 철저함에 내심 혀를 내둘렀다.

아무리 다른 언어라고 해도 반복되어 부르는 호칭은 이름으로 인식되기 쉬웠다.

아무래도 첩자가 이름을 알고 있는 상황에서 그 이름을 그대로 사용하다 보고라도 들어가면 좋지 않은 결과가 이어지는 것은 불 보듯 뻔했다.

"보아하니 붉은색을 좋아하는 눈치로군. 일단 옅은 주황색과 호박색 티아라 두 개를 먼저 꺼내 보지."

방 곳곳을 붉은색 장식으로 도배를 하다시피 한 호라의 알기 쉬운 취향을 정확히 간파한 에카이트가 입을 열어 지시를 내리자 부단장이 주섬주섬 짐을 열어 상자 두 개를 꺼내 놓았다.

저런 역할을 순순히 맡을 성격이 아닌데……. 별일이 다 있군.

의외의 면모를 보여 주는 부단장을 잠시 바라보던 나는 에카이트의 손에 의해 열리는 상자로 시선을 옮겼다.

–세상에……. 저건 대체 무슨 보석이란 말이냐. 내가 알지 못하는 보석도 있단 말이냐.

정교하고 화려하기 짝이 없는 티아라 두 쌍을 보며 호라의 입이 저절로 벌어졌다.

지나치게 화려하고 치장이 과한 티아라인지라 내 취향과는 달랐지만 물욕과 과시욕이 남다른 호라에겐 그야말로 제 취향과 딱 맞아떨어지는 물건임이 틀림없었다.

"엄청 마음에 든다고 하네요. 화려한 것을 좋아하는 성향인지라 좋아할 것 같이 생기긴 했군요."

사족을 덧붙이며 호라의 반응을 간단히 전달했다. 면장갑을 낀 에카이트가 조심스럽게 티아라를 들어 올리자 호라의 시선이 따라 움직인다.

보통 마음에 든 것이 아닌가 보다.

–그래, 그것은 어디에 쓰는 물건이라더냐?

아, 그리고 보면 이곳에선 티아라를 쓰는 모습을 본 적이 없네.

그럼 뭔지도 모르고 저렇게 좋아했다는 건가?

호라의 물욕에 새삼 감탄하며 짧게 그녀의 말을 통역했다.

"이곳에선 낯선 물건인가 봅니다. 어디에 쓰는 물건이냐고 물어보네요."

내 말에 에카이트가 티아라 하나를 들어 올려 가볍게 머리 위에 얹는 시늉을 했다.

그러자 호라의 눈이 엄청난 광채를 내며 반짝이기 시작했다.

–사겠다. 그 두 개 모두 다.

얼마인지 정도는 물어봐야 하는 것 아닌가?

덮어놓고 사겠다고 나오는 호라를 두고 잠시 황당한 표정을 짓던 나는 짧게 그녀의 말을 통역했다.

"엄청 마음에 들었네요. 둘 다 사겠답니다."

"가격은 안 물어봤습니까?"

"전혀요. 얼마로 부를 건가요?"

에카이트의 질문을 질문으로 돌려주자 그가 조용히 종이에 숫자를 쓰기 시작한다.

그리고 그 종이를 건네자 한 여자가 쪼르르 다가와 그 종이를 들고 호라에게 전달했다.

호라의 뒤에 서 있었던 덕에 종이에 쓰인 숫자가 정확히 읽혔다.

종이를 받아 본 호라의 입가가 씰룩인다.

싼 거야, 비싼 거야.

이곳의 물가를 전혀 알지 못하는 나는 숫자를 보고도 그것이 적정한 가격인지, 아니면 비싼 편인 것인지 가늠하지 못해 조용히 눈치만 살폈다.

–사겠다. 다른 것을 더 보고 싶다. 있는 대로 보여 달라고 해.

네, 네. 어련하시겠어요.

호라의 탐욕 어린 표정을 슬쩍 훔쳐본 나는 에카이트를 향해 시선을 옮겨 말을 전했다.

"마음에 들었나 보네요. 다른 것들을 더 보고 싶다고 하니, 보여 주시면 될 것 같아요."

"당연히 그렇겠지. 그런데 리아, 반말을 하기로 마음먹은 줄 알았더니 왜 다시 존대로 돌아간 것이지?"

태연한 표정으로 말을 마치고 물건을 건네받아 호라에게 새빨간 보석이 박힌 화려한 티아라를 선보이는 에카이트를 황당한 표정으로 바라보았다.

리아는 또 뭐고, 반말은 또 뭐야.

내 얼뜬 표정에 넬슨이 다른 물건을 꺼내 그 설명을 곁들이는 시늉을 하며 말을 꺼낸다.

"경의 애칭을 임시로 저렇게 하겠다고 하더군요. 그리고 죄송한 말이지만……. 배에서 통신 연결이 불안정하긴 했어도 경이 소리를 너무 크게 지르는 바람에 저희도 다 들었습니다."

다 들었다고?

대체 뭘 들었다는 거지?

알 수 없는 묘한 느낌에 어색한 웃음을 지은 나는 고개를 끄덕이며 알았다는 시늉을 했다.

호라는 에카이트가 연 상자에서 모습을 드러낸 붉은 보석의 티아라에서 눈을 떼지 못하고 있었다.

그야말로 호라를 닮은 보석은 그녀의 취향에 정확히 부합하는 모양이었다.

-……아름답구나. 이토록 마음에 들 수가 없다. 이것도 사겠다.

그래, 다 사라. 아주 가산을 탕진해 버리면 딱 좋겠다.

전생에 나는 차마 하지 못했던 미운 남편 가산 탕진하기를 절찬리에 행동으로 옮기는 호라를 보며 고개를 끄덕였다.

"사겠다는데요."

"그럴 줄 알았지. 반말 하라니까? 새삼 정 없이 존댓말은 무슨."

말미에 살짝 웃는 느낌으로 나를 놀리는 에카이트를 노려보며 그가 숫자를 적은 종이가 다시 호라에게 전달되는 것을 눈으로 따라갔다.

이번엔 호라의 눈이 크게 떠지며 놀란 기색이 역력하다.

얼핏 종이를 살피니 방금 전에 두 티아라의 가격을 썼던 것보다 '0'이 무려 두 개나 더 붙어 있었다.

잘못 쓴 것 아니야?

앞서 가격을 매긴 티아라들이 제아무리 헐값에 책정되었다 해도 백배나 금액이 다를 수가 있을까.

호라의 생각도 같았는지 종이의 숫자를 몇 번이고 다시 본 그녀가 입을 연다.

-터무니없다. 종전의 두 개가 가진 가치보다 백배나 비싸단 말이냐. 잘못 쓴 것은 아닌지 다시 물어보아야 할 것 같은데.

"잘못 썼냐는데요?"

"그럴 리가. 제대로 썼는데."

간결하게 고개를 젓는 에카이트를 보며 잠시 망설이던 나는 나를 바라보는 호라에게 고개를 끄덕였다.

-허! 가격이 지나치다!

"너무 비싸다고 하는데요?"

"우리도 강매하는 처지는 아니니 사기 싫다면 다시 가져가면 그뿐이지."

호라의 반응을 통역하자 에카이트가 미련 없이 고개를 끄덕이며 붉은 티아라가 담긴 상자를 닫는다.

그에 호라가 거의 자리를 박차고 일어나다시피 엉덩이를 들썩였다.

-자, 잠깐만! 내가 언제 사지 않겠다고 했다고? 이봐, 이곳의 물가를 모르는 모양인데 그런 가격이라면 어느 누구한테도 팔지 못할 것이야.

자존심을 잠시 내려놓고 다급히 에카이트를 설득하려 드는 호라를 살짝 바라본 나는 그녀의 말을 다시 통역하기 시작했다.

"포기할 생각은 없나 보네요. 그 가격이면 여기서 살 수 있는 사람은 아무도 없을 것이라고 하는데, 흥정을 할 요량인가 봅니다."

"살 사람이 있다고 해 두지."

에카이트의 단호한 답변에 호라가 시선을 나에게로 홱 돌린다.

저 말을 다 통역할 재량은 없고…….

나는 재주껏 핵심이 되는 단어를 연결해 내뱉었다.

-사람이 있습니다.

-있다고? 대체 누가!

호라의 즉각적인 반응에 에카이트는 통역도 필요 없다는 듯, 짧게 답을 한다.

"그 사람 때문에 입궁이 조금 미뤄졌다는 점 그리고 그 사람도 이것을 손에 넣고자 자금을 마련하는 중이라는 점을 알려주면 좋겠군. 우리야 먼저 돈이 구해지는 쪽에 팔면 그만이고 말이야."

대체 그 사람이 누구지?

통역할 엄두는 내지 못하고 에카이트가 한 말을 곱씹던 나는 호라의 엄청난 시선에 다시 단어를 나열하기 시작했다.

–사람 있습니다. 돈 준비 중.

–선착순.

내 허술한 단어 끝을 원래 일행에서 통역 역할을 하던 남자가 덧붙이며 마무리하자 호라의 얼굴에 초조함이 감돌기 시작했다.

–일단 알았으니 그 물건을 다시 넣지는 말고 옆으로 빼 두라고 해라. 아직 사지 않겠다고 한 것은 아니니까.

"일단 빼 두라네요. 생각을 좀 더 해 보겠다고요."

"어려운 일은 아니지."

내 말에 에카이트가 상자를 옆의 조슈아에게로 넘겼다.

그 후는 거의 비슷한 상황으로 이어졌다.

호라가 좋아할 법한 스타일에서 조금 아쉬운 형태의 것을 저렴한 가격에 매기고 호라의 취향에 아주 일치할 법한 것을 어마어마한 가격으로 내놓는 것이 에카이트들의 방법이었다.

호라도 그러한 패턴을 눈치챈 모양이었지만 속수무책이었다.

체면에 흥정을 할 수도 없었으며 마치 네가 사지 않는다면 다른 살 사람이 있으니 괜찮다는 에카이트의 태도는 정말로 그 물건들이 다른 사람에게 넘어갈 수도 있다는 위기감을 자극하는 것 같았다.

–……대체 어느 정신 나간 작자가 저 비싼 것들을 모두 사려고 든단 말이냐. 그래, 더 보여 줄 것들이 있느냐?

호라가 신음처럼 내뱉고는 다음 물건을 재촉한다.

아니, 지금 거의 반나절을 내내 이러고 있었는데 설사 물건이 더 있다고 해도 더 볼 체력이 남아 있다고?

"……물건이 더 있냐는 데요?"

"더 있기는 하다만 어지간하기도 하군."

"저도 지칩니다. 일단 더 있다는 거지요?"

"그렇지."

에카이트의 동의에 호라를 보며 고개를 끄덕였다.

호라의 벌겋게 충혈된 눈이 다시 탐욕으로 번들거리기 시작했다.

아마 호라가 다음 대 왕비가 된다면 이 나라의 재정쯤은 삼 년 안에 싸그리 다 털어 낼 수 있지 않을까.

신빙성 있는 가정에 스스로 고개를 끄덕이며 눈이 부신 물건들의 향연에 다시 시선을 돌렸다.

속으로 대체 얼마나 큰 배를 가져왔기에 저 많은 물건들을 다 챙겨 올 수 있었는지에 대한 감탄도 들었다.

"일단 가져온 것들은 이것이 전부라고 해도 좋겠군."

에카이트의 말이 떨어지자 나는 깊은 한숨을 내뱉었다.

저녁까지 거르며 물건 구경에 여념이 없는 호라 덕분에 다들 틈틈이 방에 들려오는 간식 접시로 요기를 대신할 수밖에 없었다.

허기는 둘째 치고 어느 순간부턴 뭐가 뭔지 별다른 감흥도 느끼지 못하는 나와는 달리 물건 하나하나에 전율하는 호라는 옆에 서 있는 것만으로도 피로를 느끼게 만들었다.

그나마 오늘 중으로 끝나서 다행이다.

여섯 개가량 옆으로 빠져 있는 상자들을 제외하곤 호라가 구매하기로 한 물건들이 작은 동산을 이루며 쌓여 있었다.

–끝입니다.

–이것이 전부라는 말이구나.

–네.

간략한 통역에 호라가 고개를 끄덕인다. 호라의 끄덕임에 에카이트가 일행들과 시선을 교환하고 입을 연다.

“구매가 결정된 것들에 대한 대금을 치러 주시면 물건을 놓고 퇴궐하지.”

“그렇게 어려운 말은 통역 못할 것 같은데요.”

에카이트의 말에 단호하게 고개를 젓자 원래 통역으로 역할을 하던 남자가 대신해서 입을 연다.

원래 어눌한 어투인 것인지, 아니면 일부러 소통이 어렵다는 것을 강조하려는 것인지 대화가 매끄럽진 않다.

–물건 돈 준다. 우리 간다.

–퇴궐하겠다는 것이냐?

그의 말에 호라가 날 선 목소리를 낸다.

“동대륙에 오래 머무를 것은 아닌지라 오늘로 퇴궐해서 내일 먼저 사겠다고 했던 사람을 다시 만나 보아야 해서.”

“정말 사겠다는 사람이 있습니까?”

“설마. 그럴 리가.”

내 질문에 에카이트가 단호하게 대답한다.

그럼 그렇지.

납득하면서도 왜 저런 심리전을 하는지 고개를 갸웃거리던 찰나, 남자가 짧은 통역을 계속한다.

–오늘 퇴궐, 내일 물건 사는 사람 방문.

–……시간이 늦었다. 그리고 이 시간이면 내 금고에서 돈을 꺼내기도 곤란한 시간이니 하루 궁에서 머물도록 해라.

호라의 파격적인 제안에 나는 입을 벌릴 수밖에 없었다.

어지간히도 욕심이 났던가 보다.

“늦었다고 궁에서 하루 머무르라고 하네요. 시간이 늦어 금고에서 돈을 꺼낼 수도 없다고요."

"별수 없군. 머무른다고 해야지."

목적한 바가 분명 이것이리라.

목적을 정확하게 달성했음에도 태연히 아닌 척을 하는 에카이트를 잠시 대단하다는 표정으로 바라보던 나는 호라에게 말을 전달했다.

호라가 그럴 줄 알았다는 표정으로 고개를 끄덕이며 자신의 시중을 들던 여자들에게 분주히 지시를 내리기 시작했다.

—내 방에서 가장 가까운 방에 저 상인들을 지내게 하도록 해라. 식사는 서운치 않게 챙겨 주고.

호라의 말이 떨어지기 무섭게 방을 벗어나는 여자들의 뒤통수를 잠시 바라보다가 에카이트와 시선이 마주쳤다.

정말 여기까지 왔다.

드디어 만났다.

정신없는 상황이 지나가자 비로소 찾아온 감정의 회오리에 눈가가 붉어질 뻔했지만 그래서는 안 되는 상황이었기에 스스로를 자제하며 호라에게 이만 물러가겠다는 인사를 건넸다.

호라는 볼일이 끝났다는 표정으로 대수롭지 않게 고개를 끄덕였다.

방을 나서려는 나를 두고 에카이트가 짧게 말을 건넨다.

"영상석 말인데. 나는 말을 전하지 못하지만 리아, 당신의 말은 들을 수 있더군."

—거기, 무슨 말을 하는 거지?

호라의 날카로운 개입에 나는 어색한 웃음을 지으며 임기응변으로 통역을 펼쳤다.

—감사합니다.

내 손가락이 자신을 가리키는 것을 보고 그 뜻을 이해한 호라가 알겠다는 표정으로 고개를 끄덕이며 다시 자리에 앉아 고심하는 표정을 짓는다.

그도 그렇겠지.

엄청난 가격의 물건들이 모두 마음에 들고야 말았는데, 그 물건들의 값을 치를 방법이 없으니 포기를 모르는 욕심과 물욕의 화신인 호라의 입장에선 고통스럽기 그지없는 시간일 것이다.

에카이트와 구출단의 사람들을 뒤로하고 떨어지지 않는 발걸음을 옮겨 방 밖으로 나섰다.

문이 닫히고 마지막으로 에카이트가 했던 말을 곱씹으며 방으로 돌아가던 중, 나는 그의 말이 의미하는 것을 깨닫고 얼굴을 시뻘겋게 붉힌 채 비명을 지를 수밖에 없었다.

내가 천방지축으로 반말하고 까불거린 것을 다 들었다는 말이잖아!

내일도 에카이트들을 만나게 될 것인데…….

하던 대로 반말하라는 뜻이 그 뜻이었냐!

나는 나를 이상하게 바라보는 여자의 시선에도 아랑곳하지 않고 발을 동동 구르며 창피함을 털어 내려 애썼지만 결국 실패하고야 말았다.

방으로 돌아와 겨우 진정한 나는 민망함에 영상석은 거들떠보지도 않고 잠에 들었다.

아침 시중을 들기 위해 방으로 들어온 여자가 어제 호라의 방에서 일어난 일이 궁금한지 이리저리 떠들기 시작했다.

–꺼내 놓은 물건들이 그렇게도 대단했다고 하던데, 정말 그런가요? 그 호라 님께서 정신을 못 차리고 밤늦게까지 물건을 보셨다던데…….

–맞아요.

짧게 동의를 표하며 고개를 끄덕이자 여자가 감탄을 뱉었다.

나는 호라가 그냥 욕심이 많은 사람이라 무엇을 보든 소유하려 하고 탐내는 것인 줄로만 이해했는데, 그렇지는 않은가 보다.

―세상에……. 정말 대단했나 보네요. 가격까지 괜찮게 내놓아서 호라 님이 단 하나도 놓치고 싶지 않아 했다지요.

하기야 호라가 즉각적으로 반응을 보이며 사겠다고 하고 받아 든 가격은 그녀를 점점 흥분하게 만들었다.

아마 스스로의 눈으로 매긴 물건의 가치에 비해 한참은 낮은 가격이라 그랬던 것이 아닐까 했는데, 역시나 옳았다.

그렇다면 그녀가 단념했던 물건은…… 대체 값을 얼마나 비싸게 부른 거야?

내 혼란스러운 표정을 보지 못한 것인지 여자가 계속해서 말했다.

―그중에선 호라 님이 바로 사겠다고 말하지 못했을 정도로 비싼 것도 있었다면서요?

그래, 그랬지.

호라의 흔들리는 눈동자와 대체 누가 저런 가격을 듣고도 사겠다고 나섰는지 궁금해하는 표정은 정말 압권이었다.

―듣자 하니 웬 붉은 보석이 박힌 팔찌는 수도의 한해 예산에 맞먹는다고 하던데…….

"제정신이 아니네."

여자의 말에 나도 모르게 입 밖으로 말이 툭 튀어나왔다.

그 정도 금액이면 보통 고민하기보다는 듣기 무섭게 포기하게 되지 않나.

대체 얼마나 하기에 호라가 망설이는 건가 싶었는데, 팔찌 하나가 무려 한해 예산에 맞먹는 가격이라니.

나머지 것들과 함께 구매한다고 치면 분명 나라의 한 해 예산을 훌쩍 넘어서고도 남을 것이다.

"미쳤군. 폭군에 악처라……. 나라 말아먹기엔 최고의 조합이긴 하네."

새삼 첩자와 호라의 궁합이 안 좋은 쪽으로는 최상이라는 생각을 하면서 허탈하게 중얼거렸다.

그런 가격을 듣고도 상인들을 눌러앉힌 것을 보면 어떻게든 돈을 마련해 보겠다는 계산이 어느 정도 깔려 있는 것 같은데…….

진짜 대단하네.

이러다 첩자가 돌아올 때까지 붙들려서 나가지도 못하고 있는 건 아닌가 모르겠다.

–호라 님의 성격이라면 눈에 든 것들 중 단 하나라도 쉽게 포기할 리 없습니다만…… 그만한 금액을 충당하실 수 있을지 모르겠네요.

여자의 말에 고개를 끄덕이며 동의를 표했다.

좀 깎아 주라고 해야 하나?

포기를 모르는 호라와 쉽게 마련할 수 없는 높은 액수는 결코 좋은 조합이 아니다.

나는 혀를 차며 다시 호라를 만나기 위한 준비를 시작했다.

–흠흠. 그대가 어제 그 상인들과 얘기를 좀 나누어 봤으면 좋겠는데……. 그들이 어쩌면 이곳의 물가를 잘 모른다는 생각이 들어서 말이지.

한참 뜸을 들이며 시선을 이리저리 돌리던 호라가 마침내 입을 열었다.

요점만 말하자면 상인들에게 그들이 부른 가격이 얼마나 터무니없는 가격이며, 어느 정도의 가격이 적정한 수준인지 말을 흘려 달라는 것이었다.

평소 그녀의 자존심을 생각하면 저런 말을 꺼내리라고는 상상도 하지 못했는데, 오죽 애가 닳았나 보다.

나는 멀뚱히 그녀를 바라보았다. 그러자 내내 시선을 피하던 호라가 애가 탔는지 평소의 성질대로 울컥해서 소리를 질렀다.

—못 알아들은 것도 아닐 텐데, 왜 대답을! 흠흠, 아무튼 그렇게 어려운 일도 아닐 테고, 간만에 서대륙 사람들을 보는 것이 아닌가. 이런저런 이야기를 나누며 향수병을 달랠 좋은 기회라고 생각되는데.

내가 향수병이 있었나?

호라는 성질을 부리려다 그런 상황이 아니라는 것을 깨우쳤는지 갑작스럽게 누그러진 목소리로 말했다.

거기에 없는 병명도 마구잡이로 지어 붙이며 내가 그들과 대화를 나누는 것이 좋다고 말하는 것이 기가 막힐 지경이다.

내 입장에서는 호라가 나서서 이런 상황을 만들어 주니 도리어 반가웠다.

물론 에카이트를 어떤 얼굴로 좋을지 아직 마음의 준비가 충분히 되지 않은 상황이기는 했지만 말이다.

여전히 어정쩡한 표정으로 대답을 미루자 호라가 참지 못하고 성질을 부리기 시작했다.

—아니, 알아들은 거야, 뭐야. 대답은 해야 할 것 아니야.

—좋습니다.

더 성질을 부리는 꼴을 굳이 볼 이유는 없었기에 짧게 알았다고 답하자 호라의 표정이 전에 없이 너그러워진다.

정말 다루기 쉬운 사람이다.

—그래, 서로에게 좋은 것 아니겠어? 그들이 있는 방으로 바로 안

내하도록 하지. 아, 혹시 이곳의 물가에 대해서 좀 알고 있는가?

이제는 아예 노골적으로 물가를 언급하며 제 속내를 드러내고 있었다.

가볍게 고개를 젓자 호라가 다급한 어조로 줄줄 말을 내뱉었다.

—어제 그 붉은 보석이 박혀 있던 팔찌를 기억하는가?

—네.

고개를 끄덕이며 대답하자 호라가 작게 헛기침을 하더니 흥분된 어조로 그 팔찌의 가격이 얼마나 터무니없으며 비싼지를 토로하기 시작했다.

—대체 어느 정신 나간 작자가 그 물건들을 구매하려 돈을 마련 중인지는 모르겠다만……. 그 팔찌의 가격으로 말할 것 같으면, 이 수도에서 걷는 한 해 세금보다도 많다.

아침에 여자가 한 말이 맞았다.

기가 막힐 정도로 엄청난 금액에 입을 벌리고 혀를 차자 호라가 더욱 흥분한 표정으로 말을 덧붙였다.

—물건값이야 부르는 사람 마음이지. 가격이 비쌀 수는 있다만 터무니없이 과하지 않은가. 그리고 신원 미상의 누군가와 거래를 하느니, 신원이 확실한 사람과 거래를 하는 편이 낫지 않겠어?

신원이 확실한, 그것은 자신을 가리키는 것이겠지.

속이 뻔히 보이는 말에 애써 웃음을 참은 나는 알아들었다는 뜻으로 고개를 끄덕였다.

내 끄덕임에 호라의 표정이 더할 나위 없이 밝아졌다.

—그래, 말을 알아들은 것 같아 좋구나. 바로 가 보게. 시간이 많지 않으니까 말이야. 아라 님께서 오시기 전에 해결이 나야 할 것을…….

중얼거리듯 흘린 뒷말을 주의 깊게 들으며 호라가 붙여 준 사람을 따라 잠시 걷자니 금방 방문 하나가 눈앞에 나타났다.

흐릿한 마나의 느낌을 보건대, 안에 그들이 있는 것이 분명했다.

"저기, 잠깐만……."

마음의 준비도 하기 전에 대뜸 문부터 두드리는 것을 저지하려 했지만 그의 행동이 더 빨랐다.

아, 에카이트며 다른 사람들 얼굴을 어떻게 봐야 하지.

민망함에 저절로 숙여지는 머리를 애써 꼿꼿이 세운 나는 방 안으로 들어갔다.

"오, 이게 누구십니까. 우리 사고뭉치 공녀님이 아니십니까?"

뒤로 조용히 문이 닫히자 익숙한 얼굴의 기사단장이 장난스러운 어투로 나를 맞이했다.

그의 인사에 나도 모르게 마음이 풀어져 다소 칭얼거리는 어투로 말을 받았다.

"너무하시는 것 아닙니까? 제가 사고뭉치라니요."

"아니라고 부정하기엔 지금까지 공녀님께서 친 사고 중에 가장 화려하지 않습니까."

"부단장님 말에 동의합니다. 아펠리아 경 덕분에 제가 살아생전 동대륙 땅을 다 밟아 봅니다."

부단장의 말에 덧붙여 나를 놀리는 조슈아를 잠시 흘겨보았다.

거기에 넬슨도 질 수 없다는 듯, 한마디 더 덧붙였다.

"게다가 이렇게 장사까지 하고 있지 않습니까. 그것도 아주 잘나가는 가게에서요."

"아무튼 아펠리아 경, 무사한 모습을 보니 안심이 됩니다."

조슈아의 따뜻한 말에 뭔가 울컥하는 느낌이 들어 잠시 시선을 돌렸다.

갑자기 저런 말을 하면 반칙 아니야?

잠시 감정을 가라앉히려 시선을 돌린 내 주의를 끈 것은 에카이트의 익숙한 저음이었다.

"아펠리아. 보고 싶었어."

"……못 들은 것으로 하지. 흠흠."

에카이트의 낯간지러운 소리에 잠시 침묵이 감돌았다. 침묵을 깬 것은 기사단장의 딱딱한 말이었다.

나는 그의 변화에 적응할 수 없어 얼음처럼 굳어 있을 수밖에 없었다.

"혹시 너무 늦을까 봐, 간발의 차이로 그대를 잃을까 봐 얼마나 마음을 졸여 왔는지 그대는 모르겠지."

"어……. 걱정을 끼쳐서 미안합니다?"

괜히 사과를 해야 할 것 같은 분위기에 의문형으로 사과를 건넸지만 에카이트는 내 사과 따위엔 아랑곳하지 않고 자기 할 말만 계속했다.

"어제 그렇게 눈앞에서 그대가 멀어지는 것을 보고 손을 뻗어 잡지 않기 위해 안간힘을 썼다. 그간 어떻게 참았는지 모를 정도로 그대를 본 순간 그리움이……."

"거기까지. 듣는 사람 귀도 생각해 줘야지. 제발 다 같이 있는 자리에서 이러지 말자고. 사랑 고백은 나중에 서대륙에 돌아가서 해도 늦지 않으니, 여기서는 좀 더 생산적인 이야기를 하는 것이 어떤가."

안 그래도 에카이트의 뜬금없는 말 폭탄에 얼굴이 벌겋게 상기되어 이러지도 저러지도 못하던 나는 기사단장의 시기적절한 제지에 전폭적으로 지지를 표했다.

동대륙으로 넘어오는 과정에서 머리라도 맞은 걸까?

그것 말고는 에카이트의 폭탄 발언을 도무지 설명할 수 없었다.

일단 상황이 어느 정도 정리되자 나는 어쩌다 내가 이 방으로 보내졌는지부터 설명하기 시작했다.

설명이 끝나자 다들 알 만하다는 표정으로 고개를 끄덕이며 헛웃음을 지었다.

특히 사치와는 지극히 거리가 멀어 보이는 넬슨의 반응이 가장 두드러졌다.

"저희 생각보다 재력이 엄청나서 너무 쉽게 다 사 버린다고 할까봐 일부러 가격을 높게 책정한 것인데……."

질린다는 표정의 넬슨이 말꼬리를 흐리자 그 뒤를 조슈아가 받는다.

"그렇죠. 팔찌 하나가 수도에서 걷는 한 해 세금보다 더 비싼데도 단념하지 않다니 정말 보통이 아니네요."

"내가 그 물건들을 다시 갈무리해서 집어넣을 때의 표정을 봤었어야 했네. 상자에 같이 따라 들어갈 기세였다고."

나는 부단장의 말에 작게 웃음을 터트리고야 말았다.

"그랬죠. 그 말이 맞아요. 그 시선이 어찌나 집요하던지……. 무서울 지경이었죠."

"뭐, 덕분에 우리에겐 아주 이상적인 상황이 되었지만 말이야. 계획보다 더 순탄하게 진행되는군."

에카이트의 말에 다들 고개를 끄덕여 동의를 표했다.

그의 말에 잊고 있던 최악의 가정이 떠올라 급하게 입을 열었다.

"어, 그런데 이게 과연 좋기만 할까요? 호라는 쉽게 포기하지 않을 것이고……. 이러다가 기약 없이 궁에 잡혀 있을 것 같은데. 궁을 비운 첩자가 언제 돌아올지는 그녀도 모른단 말이죠."

"그것도 그렇군. 느닷없이 헐값에 주겠다고 내던지는 것도 이상하겠고……. 그렇다고 이렇게 하릴없이 시간을 보내다간 갑작스럽게 첩자와 맞닥뜨릴 수 있겠지."

내 말에 고개를 끄덕이며 기사단장이 동의를 표했다.

조슈아도 같은 의견을 제시했다.

"더군다나 그자는 제 얼굴도, 에카이트 공의 얼굴도 알고 있습니다. 아마 넬슨 경의 얼굴도 숙지하고 있을 것이고요. 이곳에 있는 거의 모든 사람에 대해서 알고 있을 겁니다."

하기야 이 일행들의 얼굴과 진짜 신분을 모두 알고 있는 첩자가 돌아오면 사달이 나는 것은 시간문제였다.

성격이 급하고 잔인한 첩자의 평소 성향을 생각해 보면, 결코 평화로운 결과로 치닫지는 않으리라.

"동의하는 바입니다. 더군다나 그녀의 말대로 팔찌의 가격이 한 해 세금보다 비싸다면, 그녀는 절대로 모든 물건의 대금을 마련할 수 없을 겁니다. 첩자가 돌아오기 전까지 시간이 얼마 없으니까요."

"좋아요, 상황 파악은 끝난 거네요. 그럼 어떻게 할 생각인가요? 가격 할인?"

내 성급한 결론에 에카이트가 단호하게 고개를 저었다.

"살 사람이 있다고 호라를 안달하게 해서 궁에 머무르기까지 하고 있는 상황에서 가격을 깎는 것은 우리가 거짓말을 했다는 반증이 되지 않겠나."

"그럼 어떻게 하겠단 말이죠?"

내 말에 모두의 시선이 에카이트에게 향했다.

나뿐만 아니라 다들 그의 심중에 어떤 계획이 있는 것인지 잘 이해하지 못한 눈치였다.

"곧 서대륙에서 온 상인들은 현지 풍토병을 앓아 모두 아플 예정입니다."

저건 또 무슨 소리야.

아플 예정이라고?

황당한 표정으로 에카이트를 바라보고 있는데, 뭔가 알아챘는지 조슈아가 입을 열어 부연하기 시작했다.

"아픈 사람은 궁에 있을 수 없다……. 그 일가가 아니면 궁에서는 아무도 죽을 수 없다. 그것이로군요."

조슈아의 말에 에카이트가 고개를 끄덕이며 일행을 둘러보았다.

"물욕도 결국엔 생존 본능 뒤에 있는 욕구가 아니겠습니까. 병든 서대륙의 상인들을 억지로 궁에 잡아 두다 일을 치르게 되면 아무리 호라라고 해도 무사할 수 없을 것입니다."

에카이트의 말에 일행들이 짧은 감탄사를 흘리며 고개를 끄덕였다.

더할 나위 없이 깔끔한 퇴장 방법이었다.

그런데 나는 어떻게 나가는 거지? 내 행로에 대한 부연 설명이 없어 물어보려 했는데, 에카이트가 입을 여는 것이 더 빨랐다.

"그리고 아펠리아. 그대는 우리가 싸 들고 온 상품들 사이에 숨어 함께 나갈 거야. 알아보니 전염병을 앓고 있는 환자를 궁 밖으로 내보낼 때에는 그 환자들의 소지품을 온전히 싸서 열어 보지 않고 내보낸다고 하더군."

그런 것도 있단 말이야?

나는 착착 짜여 있는 계획에 감탄하며 고개를 끄덕였다.

"그녀가 탐내던 물건들을 모두 그녀에게 부탁한다면, 호라는 아마 빨리 나갔으면 하는 마음에 우리가 나가는 것을 열심히 돕겠지."

"……그렇겠군요. 계획이 이대로 진행된다면 아주 완벽합니다."

에카이트의 말이 끝나자 모두 고개를 끄덕이며 동의를 표했다.

이제 관건은 타이밍이다.

의심을 사지 않을 타이밍에 아프기 시작해야 하며, 첩자가 돌아오기 전에 모든 것을 끝내야 한다.

일행들을 돌아본 에카이트가 '전염병 작전'을 세세하게 설명하며 구체적인 계획을 논의하기 시작했다.

어쩐지 넓어 보이는 그의 등을 잠시 바라보던 나는 이내 그 대화에 동참했다.

하지만 대화는 식사가 준비되었다는 노크 소리로 인해 이내 잠시 멈출 수밖에 없었다.

여러 사람이 큰 상을 들고 들어오는 것은 아무리 봐도 익숙해지지 않는 것이었다.

상에서 눈을 떼지 못하는 모습을 보니, 아마도 이게 이곳에서 제대로 먹는 첫 식사인 것 같다.

상을 내려놓고 사람들이 모두 나가자 다들 나를 바라보며 웅성거렸다.

"이게 대체 뭐랍니까? 이게 이곳 방식의 식사입니까?"

"이런 상이 여러 번 들어오는 것은 아닐 테고……. 모든 코스 요리를 한 번에 상에 올리는 건가요?"

"포크는? 나이프는?"

쏟아지는 질문에 대답할 수 있는 선에서 하나하나 대답하며 식사를 시작했다.

침묵 속에서 식사가 마무리되자 금방 사람들이 들어와 상을 치운다.

그러면서 나에게 짧게 호라의 전갈을 전했다.

–뮤사 님, 호라 님께서 오늘 볼일이 끝나셨으면 잠시 들르라고 하

셨습니다.

—네. 잠깐만.

이제 그만 얘기하고 나와서 어떻게 되어 가고 있는지 말해 달라는 뜻이로군.

고개를 끄덕거리고 잠시 기다리라는 말을 전한 후 일행을 바라보며 상황을 설명했다.

"호라가 마음이 급한가 봅니다. 오늘은 그만 가 봐야 할 것 같습니다. 그녀에게 가야 해요."

"……내일 다시 볼 수 있기를 바라지. 다음에 올 땐 그전처럼 반말로 말해 달라고. 기대하지."

저, 저!

에카이트의 놀리는 말에 얼굴이 확 붉어질 뻔했다.

얼굴을 씰룩거리며 애써 표정을 관리한 나는 기다리는 사람을 따라 방을 나섰다.

—그래, 뭐라더냐?

선심 쓰듯 보낼 땐 언제고, 마치 아랫사람 부리는 듯한 호라의 태도에 절로 헛웃음이 나왔다.

—몰랐습니다.

그녀의 말대로 그들은 이곳 물가를 잘 몰라 그런 터무니없는 가격을 불렀다, 라고 말하고 싶었지만 길게 말할 수 없어 그렇게 짧게 말했다.

잠시 그 뜻을 파악하던 호라가 금세 이해했는지 눈을 반짝거렸다.

—그래, 그래. 그랬겠지. 알고서는 그런 가격을 부르지는 못했을 것이다. 이제 며칠만 더 지나면 분명…….

혼자 중얼거리는 호라는 앞으로의 계획을 속으로 계산하는 눈치였다.

멀뚱히 그런 그녀를 바라보고 있는데 이내 정신이 들었는지 호라가 화들짝 놀라 급하게 입을 열었다.

–아, 그대가 있었지. 즐거운 시간이 되었기를 바랄 따름이네. 그대가 원하면 내일도 그들을 만나게 해 줄 수 있는데 말이야.

말 한번 희한하게 하네.

호라의 제안을 거절할 생각은 일절 없었던 나는 흔쾌히 고개를 끄덕였다.

내 동의에 호라의 표정이 밝아진다.

–좋아. 피곤할 텐데 이만 돌아가서 쉬게. 내일은 그 방으로 바로 찾아가면 될 것이야.

–네.

나는 곧 본격적인 꾀병을 부릴 그들을 떠올리며 기대하는 마음으로 조용히 내 방을 향해 걸음을 옮겼다.

"……너무 급하게 죽어 가는 것 아닌가요?"

다음 날, 호라의 말대로 아침부터 에카이트의 방으로 간 내 입에서 인사도 건네기 전에 먼저 그런 말이 튀어나왔다.

조슈아와 부단장은 벌겋게 달아오른 얼굴을 한 채 나란히 누워 있었고, 에카이트와 넬슨을 제외한 나머지는 얼굴 군데군데 열꽃으로 보이는 붉은 반점이 올라온 형상이었다.

황당해하는 내게 답한 것은 에카이트였다.

"우리 사정이 급하니 어쩔 수 없지."

"그런데 어떻게 한 겁니까? 정말로 아파 보여요."

호기심 어린 물음에 답변을 준 것은 에카이트가 아니라 조슈아였다.

"별것 없습니다. 정말 아프면 아파 보일 수 있는 법이지요."

……아무리 계획이라고는 하지만 생사람을 잡을 줄이야.

기가 막혀 에카이트를 바라보자 그가 천연덕스럽게 대답했다.

"예방 접종을 위한 균을 적정량의 두 배 정도로 늘린 것이지. 증상만 나타나는 것일 뿐, 실제로 몸 상태는 평소와 크게 다르지 않아."

"……그렇게 확신하면 본인부터 맞지 그랬나."

얼굴이 벌겋게 달아오른 기사단장이 퉁명스럽게 면박을 줬지만 에카이트는 태연하게 반박했다.

"뭐, 제가 안 맞은 것은 아니지 않습니까. 저나 넬슨 경이나 둘 다 이미 내성이 강해 듣지 않는 것을요. 그러게 평소에 독뿐만 아니라 질병 쪽 내성도 꾸준히 쌓으셨어야죠."

독은 몰라도 질병에 대한 내성까지 쌓는 사람이 있는 줄은 몰랐네.

황당한 표정으로 에카이트와 넬슨을 번갈아 보자 넬슨이 손사래를 치며 자신은 에카이트와 상황이 다름을 어필했다.

"저는 어렸을 때 잔병치레를 워낙 심하게 해서요. 어지간한 병에는 면역이 생기고 말았지 뭡니까."

에카이트에게로 시선을 돌리자 그는 태연자약하게 무시한다.

그래, 원래 저런 성격이었지.

단념한 나는 그들을 둘러보며 걱정 어린 목소리로 안부를 묻기 시작했다.

계획한 것이라고는 하나 정말 아파 보여 걱정을 안 할 수가 없었다.

"괜찮은 것은 맞습니까? 다들 너무 안 좋아 보이는데요. 조슈아 경. 정말 괜찮아요?"

마지막으로 기억하는 조슈아의 모습은 간신히 죽음에서 살아 돌아온 듯한 몰골이었다.

언데드의 공격으로 내장이 썩어 들어가는 고통을 감내한 직후였으니 건강한 모습을 하고 있는 것이 더 이상하긴 했지만 말이다.

내 걱정 어린 시선에 조슈아가 피식 웃으며 고개를 저었다.

"아픕니다. 얼굴이 뜨끈뜨끈하군요."

"이런……. 어디 한번 봐요. 아무리 예방 접종 같은 개념이라고는 해도 이렇게 열이 나면 좋을 것이 없을 것 같은데."

조슈아에게로 다가가 벌겋게 달아오른 그의 이마에 손을 얹었다.

제법 뜨거운데?

정말로 뜨끈한 열기가 느껴진 탓에 걱정은 배가 되었다.

"정말 이거 괜찮은 것 맞아요? 열이 제법 심한데."

벌겋게 달아오른 뺨이라도 조금 식혀 줄까 싶어서 손을 뻗는데 갑자기 몸이 뒤로 확 당겨졌다.

에카이트였다.

"기사가 저 정도로 죽는다면 나라 망신이야."

"……말 한번 곱게 잘 하십니다."

조슈아의 빈정거리는 말을 뒤로하고 에카이트가 진득하니 내 눈을 바라보며 입을 연다.

괜한 긴장감에 손이 축축해지는 기분이다.

"다른 남자한테 함부로 손대지 않는 편이 좋겠군. 호라가 상인들의 건강이 이상하다는 것을 최대한 빨리 알아야 할 텐데……. 곧 식사가 들어올 시간이니 자연스럽게 그들이 보고 말을 전하면 좋겠군."

에카이트의 말에 고개를 끄덕여 동의를 표하며 말을 덧붙였다. 어색한 분위기에서 한시라도 빨리 벗어나고 싶었다.

"워낙 소문이 빠른 곳이니까요. 자연스러워 보이기 위해 저는 이만 가 보겠습니다."

"그렇군. 와서 보니 상인들의 상태가 심각했고, 전염병 같아 한시바삐 자리를 피했다. 이런 흐름이 정상적으로 보일 테니까."

"그렇죠. 그럼 오늘은 이만 물러나겠습니다. 다들 몸조리 잘 하며 계세요."

방을 나서기 전에 사람들을 둘러보며 인사를 건네자 다들 고개를 끄덕이며 손을 흔든다.

호라는 어떤 식으로 반응할까.

부디 계획대로 흘러가기를 바라며 조용히 나왔다.

그리고 나는 그날 저녁, 여자를 통해 상인들 모두가 심각한 전염병에 걸린 것으로 보이며, 그로 인해 경과를 지켜보기는 하겠지만, 곧 그들을 내보내야 할 것 같다는 이야기를 들었다.

원칙대로라면 당장 그들을 내보내도 이상할 것이 없었지만, 단순한 감기일 수도 있다는 호라의 주장에 미뤄졌다고 했다.

역시 호라는 호라다.

조용히 고개를 끄덕인 나는 때가 가까워졌음을 직감하며 긴장으로 몸을 떨었다.

–대체 이게 무슨 말도 안 되는 경우란 말이냐.

혼잣말로 신세 한탄을 할 생각이었으면 나는 대체 왜 부른 거지.

부른 것으로도 모자라 혼잣말이나 하다니, 슬슬 짜증이 나기 시작했다.

대화는 요점만 간단히.

그게 기본 중에 기본 아니야?

표정에 그러한 짜증이 그대로 드러났는지, 이내 호라가 헛기침을 하며 주변을 환기시켰다.

—……흠흠. 뭐, 그대를 부른 것은 대금 계산 때문이네. 저들이 갑자기 저렇게 되어서 이 물건들은 또 어떻게 해야 좋을지…….

호라가 그들의 안위를 걱정하거나 건강을 신경 쓰리라곤 전혀 생각하지 않았기 때문에 그녀의 말은 그다지 놀랍지 않았다.

그럼 그렇지. 그럴 줄 알았다.

내가 고개를 끄덕이는 모습에 호라가 본격적으로 입을 열었다.

—알겠지만 아라 님께서 언제 오실지 모르지 않더냐. 너나 나나 저자들이 궁에 오래 남아 이야깃거리를 만들어 좋을 것이 없는데…….

아니, 내가 불러들였나?

갑자기 왜 멀쩡히 있던 나한테 책임을 전가하려 드는지 모르겠네.

마치 에카이트들을 적극적으로 초청해 궁에 들인 자신과 내가 공범인 것처럼 대화를 전개하는 모습에 기가 막혀 그녀를 노려보았지만, 그녀는 눈썹 하나 까딱하지 않고 말을 계속했다.

—소식통에 의하면 아라 님께서 수도에 서대륙 상인들이 왔다는 것을 아셨다고 한다. 이러다 갑자기 올라오시기라도 하면 낭패가 따로 없는 일인 것을.

첩자가 그들의 존재를 알았다.

순간 심장이 철렁할 정도로 놀란 나는 호라가 눈치채지 못하게 마른침을 삼키며 진정하려 애썼다.

단순히 서대륙에서 상인들이 왔다는 사실만으로 나와 엮기엔 부족한 부분이 많다.

만약 첩자가 수도에 있어서 얼굴을 확인한 후라면 이야기가 달라지겠지만 말이다.

눈치가 빠른 그가 이 소식을 접한 이상 그가 수도로 귀환하는 것은 시간문제일 것이다.

거기서 여기까지 오는 데 얼마나 걸리지…….

긴장감으로 바싹바싹 마르는 입술에 침을 적시며 호라를 태연하게 바라보았다.

호라는 자신의 상황에 빠져 내 변화엔 무관심했다.

—아라 님이 움직인다면 성에 도착하기까지 사나흘. 그전에 저들에게 물건을 사서 내보내려면……. 늦어도 내일까지는 모두 정리해야겠군. 궁 안에 어수선하게 구는 입들을 단속할 시간도 필요하고 말이야.

저 입에서 도움되는 말이 나올 줄이야.

필요한 정보를 딱딱 짚어서 앞으로 무사 탈출을 위해 전개되어야 하는 상황까지 정리한 호라의 말에 묵묵히 고개를 끄덕이며 동의를 표했다.

그런데 저 얘기를 왜 나를 불러서 하지? 나보고 뭘 어쩌라고?

의도를 알 수 없어 그녀를 멀뚱히 바라보자 답답해 죽을 것 같다는 표정을 지으며 본론으로 들어갔다.

—도무지 눈치라고는……. 그대가 서대륙 상인들이랑 이야기를 해서 최대한 흥정을 잘 끝내라는 소리지 않은가. 몸 상태가 저렇게 되었는데, 다른 누구한테 뭐를 더 팔 상황이나 되겠냔 말이야.

아, 그 뜻이구나.

네가 나서서 물건값을 좀 깎아 보라는 말을 하고 싶었지만 체면상 빙빙 돌려 말한 셈이다.

드디어 명쾌해진 상황에 이해했다는 표정으로 고개를 끄덕이자 호라가 씩씩거리던 숨을 진정하고 다시 말을 이었다.

–단순히 나만 좋으려고 하는 말이 아니다. 저렇게 다 팔지도 못하고 병만 얻어서 돌아가면 속이 꽤 쓰리지 않겠느냐.

입에 침이나 바르고 하지.

태연자약하게 상인들을 생각하고 위해 주는 척하는 호라를 가소로운 표정으로 바라보았다.

호라는 아랑곳하지 않고 계속해서 말했다.

–뭐, 그들이 가져온 물건들이 다 필요한 건 아니지만. 사정이 딱하니 어느 정도 값은 쳐 줄 생각이네. 그러니 가서…… 가진 물건을 모두 사는 데 얼마 정도 생각하는지 물어보고 오면 좋겠군.

그러니까 직접 하기엔 민망하니 위해 주는 척 나보고 흥정을 하란 말이구나.

계획했던 것과 거의 일치하는 상황이라, 나는 망설임 없이 고개를 끄덕였다.

너무 수월하게 동의하자 미심쩍었는지 호라가 재차 당부했다.

–음, 하지만 이번에도 터무니없는 가격을 이야기하진 않았으면 좋겠구나. 협상할 시간도 없으니 이번에는 도와주기 힘든 상황이라는 것을 그들이 이해했으면 좋겠는데.

많이 깎아 오라는 뜻이구나.

나는 이번에도 고개를 가만히 끄덕이기만 했다.

호라는 여전히 못 미더운 표정이었으나 이내 단념한 듯, 고개를 절레절레 저으며 나가 보라고 손짓했다.

—시간도 없는데, 어서 그들에게 가 보도록. 그중 우두머리로 보이는 사내는 아직 멀쩡하다고 하니 격리된 공간에서 그와 대화하면 될 것이야.

에카이트를 말하는 거군.

우두머리라는 지칭에 에카이트가 겹쳐진다.

조용히 방을 빠져나온 나는 구출단이 있는 방으로 발걸음을 옮겼다.

"그럴 줄 알았지."

에카이트를 만나 상황을 설명하기 위해 한 세 마디쯤 말했을까, 대충 알겠다는 표정의 에카이트가 말을 자르며 고개를 끄덕였다.

"요점만 말하자만 왕창 깎아서 다 팔고 나가는 게 어떻겠냐는 말이죠."

"다들 이렇게 병이 난 상태에서 궁 밖으로 나가 제대로 장사할 수도 없을 테고……. 그녀가 먼저 말하지 않으면 우리가 제안했을 텐데, 이렇게 먼저 제안해 주니 고맙군."

"그렇군요. 아무튼 계획대로 진행되는 셈이니 다행이에요."

에카이트는 잠시 얼마로 책정하면 좋을지 생각에 빠졌다.

방 입구 쪽에 커튼을 쳐 놓은 분리된 공간에서 대화를 나누느라 안쪽의 사람들은 아직 보지 못했는데, 커튼 너머로 익숙한 조슈아의 목소리가 들려왔다.

"일단 금액부터 정해야겠네요."

"지금 계산 중입니다. 조용히 쉬고 계시면 알아서 정리하죠."

에카이트가 조슈아의 말에 조금 신경질적으로 답하며 탁자를 손가락으로 톡톡 두드리기 시작했다.

아, 그러고 보니 그 말을 안 했네.

너무 빨리 에카이트가 요점을 이해하는 바람에 깜빡 잊고 있었다.

"아, 첩자에게 서대륙에서 온 상인들의 소식이 흘러들어 갔다고 하네요. 호라의 말론 오는 데 사나흘 걸리는 거리라고 합니다."

내 말에 커튼 너머의 사람들이 동요하는 것이 느껴졌다.

"눈치는 더럽게 빠른 놈이니 십중팔구 아펠리아 경이랑 연관된 사람들이란 것 정도는 이미 짐작했겠군."

"우리 중에 그자와 안면이 있는 사람들도 있으니 신체적 특징을 변장으로 가린 것은 잘한 일이라지만……. 시간 끌기일 뿐이지."

"당연한 소리 아니겠습니까. 마주치는 순간 끝입니다."

묘한 긴장감과 흥분으로 달아오르기 시작한 방 안은 에카이트의 말 한마디로 깔끔하게 정리되었다.

"당황할 필요도, 긴장할 필요도 없습니다. 바뀌는 것은 아무것도 없습니다. 모든 상황이 계획대로 흘러가고 있지 않습니까."

"……누가 당황하고 긴장했단 말인지. 계획대로 잘 흘러가게 빨리 흥정할 가격이나 쓰지."

커튼 너머로 익숙한 기사단장의 목소리가 들린다.

침착한 에카이트의 목소리가 사람들의 이성을 깨운 것 같았다.

……동시에 그들의 자존심도 건드리고 말이다.

종이 위에 이런저런 숫자와 수식을 적으며 계산하던 에카이트가 이내 어떤 금액을 적은 뒤 거기에 밑줄을 쳤다.

"이게 가치가 얼마나 되는 건가요? 많이 저렴한 가격인 건가요?"

내 순수한 물음에 에카이트가 피식 웃으며 대답했다.

"뭐, 그렇다면 그런 금액이지. 처음의 반이기는 하나, 그 반값도 이쪽 물가로 보면 사실 어마어마한 수준이거든."

"그래도 반으로 떨어진 가격이라면 상대적으로 엄청나게 싸 보이는 효과는 있겠어요."

"분명 가격을 보고 크게 흔들릴 거야. 더 깎고 싶겠지만 체면상 그럴 수 없고, 더더욱 포기할 수 없겠지."

에카이트의 말에 고개를 끄덕이며 동의했다. 호라의 성격상 백 프로다.

"……호라가 가산을 탕진하는 꼴을 볼 수 있겠군요."

"이래서 집안에 사람이 잘 들어와야 한다고 하지. 저런 여자는 하나만 있어도 국고를 다 털어먹는 법이라고."

"고리타분한 소리는 그만하시고 환자답게 조용히 누워나 계십시오."

부단장의 고지식한 타박을 단호하게 잘라 낸 에카이트가 방을 나설 채비를 하는 나를 붙잡는다.

"무슨 일이죠?"

"아펠리아. 제국으로 돌아가면 할 말이 있는데."

할 말? 굳이 제국에 도착해서야?

의아한 마음에 고개를 갸웃거리며 되물었다.

"지금 하시죠, 말 나온 김에. 굳이 제국까지 가서……."

"정식으로, 제대로 해야 할 말이라서. 미리 마음의 준비를 해 두라고 하는 말이야."

에카이트의 말에 살짝 인상을 찌푸리던 나는 커튼 너머로 들려오는 부단장의 퉁명스러운 목소리에 얼굴이 확 붉어졌다.

"얼씨구, 잘한다. 가서 청혼이라도 할 기세로군. 뒤늦게 왜 저러는지 모르겠다니까. 진작 좀……."

"아무것도 아닐세. 쓸데없는 말을."

부단장의 말을 틀어막는 단장의 말이 아주 먼 곳에서 들리는 것 같다.

잠시 당황한 표정으로 머리를 긁적이던 에카이트가 이내 다시 진지한 표정으로 돌아와 나와 눈을 마주했다.

"아펠리아. 마지막 순간까지 긴장을 풀어서는 안 돼. 집중하자고. 거의 다 끝났어. 집에 가지. 다 같이 말이야."

집에 가자, 다 같이.

순간 울컥하고 올라오는 감정에 눈가가 붉어지자 에카이트가 손을 뻗어 눈물을 닦아 주었다. 순식간에 일어난 일이었다.

"어떻게든 무사히 돌아가게 될 거니까 조금만 참도록."

눈가를 훑는 손에 당황하여 찡하니 얼어 있는 내 이마로 가볍게 키스를 남긴 에카이트가 휙 몸을 돌려 커튼 너머로 사라진다.

그의 귀 또한 벌겋게 달아오른 건 내 착각일까?

나는 애써 당황으로 붉어지려는 얼굴을 진정시키며 아무 일 없었다는 듯, 방을 나서 호라에게로 향했다.

에카이트가 적어 준 숫자를 보여 주자 단박에 이해한 호라가 입맛을 다시며 눈을 빛내기 시작했다.

–전부 다 합해 이 가격이란 말이지……. 내 말을 아주 잘 전달한 것 같군. 이제는 망설일 필요가 없겠어.

그러면 하나만 사든가.

호라의 고민이 크게 와 닿지 않는 나로서는 별다른 공감 없이 그녀를 멀뚱히 바라보고 있을 뿐이었다.

–그나저나 돈을 어떻게 마련한다. 친정에서 있는 대로 다 긁어 온다고 해도 절반이 한계일 텐데. 이번 달 내탕금은 벌써 반이나 썼고. 그걸 더한다 해도 한참 부족한데…….

그냥 내 내탕금인지 뭔지를 빌려준다고 해 볼까?

—내 돈, 드립니다.

빌려준다는 표현이 떠오르지 않아 그냥 주겠다고 말하자 호라가 기가 막힌 표정으로 나를 바라보았다.

—그대가 돈이 어디 있다고?

여자의 말대로라면 내탕금이 제법 큰 것 같았는데.

뭐라고 더 설명할 방법이 없어 입을 다물고 우물거리고 있는데 하루 종일 한 발 뒤에서 조용히 따라만 다니던 여자가 처음으로 입을 열어 말을 거들기 시작했다.

전염병이 무서웠던 모양인지 조금 전까지 멀찍이 떨어져 있었는데, 호라는 전염병만큼은 무섭지는 않았나 보다.

—뮤사 님의 내탕금이라면 꽤 도움이 될 것 같습니다.

—……그렇단 말이냐? 대체 얼마를 할당받고 있기에 도움이 된다는 소리를 하는 것이지?

괜히 도와준다고 했나?

호라가 표독스럽게 말했다. 계획이 틀어지는 것은 아닌가 걱정돼 침을 꼴깍 삼키는데 여자는 의외로 고개를 빳빳하게 들고 태연히 금액을 이야기했다.

금액을 듣자 자지러진 것은 호라였다.

—뭐, 뭐야? 다시 말해 보거라. 내탕금을 그렇게 많이 받는다고?

—예. 매달 그렇게 받으십니다. 이제껏 두 번 받으셨는데 전혀 사용을 안 하셔서 그대로 있습니다.

여자는 마치 자신이 모시는 대상이 더 우위에 있는 것을 과시하려는 것처럼 호라를 자극하고 있었다.

제발 그만두라고 여자를 말리고 싶었지만 이미 엎질러진 물이었다.

호라는 이제 거의 씩씩거리고 있었다.

—어떻게 감히 내 내탕금의 두 배나 되는 금액을……!

—그건 왕자님께서 정하신 일이라…….

여자가 얄밉게 말끝을 흐리며 답했다.

지나치게 흥분한 호라를 진정시키기 위해 그녀의 옆에 있던 여자가 입을 열었다.

—호라 님, 당장 중요한 것부터 해결을 하시지요. 저 금액이 사실이라면 얼추 값을 치를 수 있지 않겠습니까.

—……그야 그렇지만.

—일단 저 장사치들을 궁 밖으로 내보내는 것이 우선입니다.

그럴듯한 설득에 호라가 잠시 입술을 꽉 깨물었다가 고개를 끄덕이며 말했다.

—……그렇다면 일단 빌리도록 하지.

그렇게 해서 호라는 물건값을 마련할 수 있게 되었다.

이제 탈출에 집중하면 되겠군.

드디어 동대륙 탈출이다.

순조롭게 진행되는 계획에 가슴이 두근거리기 시작했다.

첩자가 펼쳤던 서신을 있는 힘껏 구겨 버리며 사나운 표정을 지었다.

그 사나운 기세에 주변에 서 있던 다른 남자들이 바짝 얼어붙어 눈치만 살피고 있는데, 한 사람이 용기 있게 입을 열어 물었다.

—와, 왕자님. 무슨 소식입니까?

—아주 신경을 거스르는…… 반가운 소식이야.

서로 상충되는 표현을 써 가며 노골적으로 분노를 드러내는 첩자의 기세에 말을 멈출 법도 했지만 여기서 멈추면 오히려 역풍을 맞을 수도 있다.

남자는 괜히 먼저 입을 연 죄로 다른 사람들의 시선에 떠밀려 다시 질문을 꺼냈다.

–어, 어떤 소식 말씀이신지…….

–이 황당하기 그지없는 불바다가 누구의 소행인지 드디어 알 것 같은 희소식이지.

첩자의 말에 남자들이 웅성거리기 시작했다.

첩자가 사람들을 거느리고 급하게 수도에서 떨어진 먼 바닷가 영지까지 나간 이유는 바다 위로 번진 불 때문이었다.

어업을 생업으로 삼는 이 지역에 치명적인 재해였기에 몸소 이 먼 곳까지 온 것이었는데.

도대체 전례 없는 이런 황당한 재해가 왜 일어난 것인가 고민하기도 잠시, 서신이 담은 내용은 그 인과를 익히 짐작하게 만들고 있었다.

[……수도에 서대륙에서 왔다는 상인들이 장사를 시작하였습니다. 그런데 가격이 터무니없어 어마어마한 인파가 몰렸는데, 조금 수상합니다. 소문을 들은 호라가 궁으로 그들을 불러들인 것으로 추정…….]

놈들이다.

동물적인 본능과 매서운 상황 판단 능력으로 그들이 칼라한 제국에서 온 인물들이라는 것을 쉽게 짐작했다.

–서대륙에서 장사치들이 수도에 왔다고 하는군. 터무니없는 가격에 물건을 팔아 주목을 받고 있고 말이야.

–……그야 이번에 무역 교류를 새로 시작했으니 불가능한 일도 아니지 않습니까?

—아둔하기 그지없구나.

뭐가 문제냐는 식으로 무신경하게 물어보는 남자를 경멸의 시선으로 바라보던 첩자가 날카롭게 그를 비난했다.

말을 꺼낸 남자의 얼굴이 순간 벌겋게 달아올랐다.

—그럼 내가 무슨 이유로 입을 열겠나.

—지당하신 말씀입니다. 혹시 뮤사 님과 관련된 놈들일까요?

상황 판단이 그보다 빠른 남자 하나가 첩자의 말에 아첨하듯 동의하며 조심스럽게 자신의 추측을 입 밖으로 내었다.

그는 전부터 호라의 환심을 사려고 지대한 공을 들이던 사람으로, 호라의 입지를 흔드는 뮤사의 존재를 내심 탐탁지 않게 여기고 있었다.

그의 말에 주변이 성난 벌 떼처럼 웅성거리기 시작했다.

—아니, 고작 몇 명 안 되는 상인들이 무슨 일을 벌이겠습니까.

—맞습니다. 뮤사 님이 계시는 곳은 그야말로 궁의 가장 깊은 곳이 아닙니까. 군대가 쳐들어온다 해도 담벼락도 못 넘을 것입니다.

뮤사와 호라를 지지하는 두 세력이 첨예하게 대립각을 세웠다.

—서대륙에서 이런 시점에 아무 생각 없이 장사꾼들을 보내겠습니까?

—장사꾼들은 원래 돈이 되겠다 싶으면 생각 없이 움직이는 족속들이 아닙니까!

—맞습니다. 차라리 일확천금을 노린 멍청한 장사꾼들이 무리하게 장사판을 벌였다는 가정이 훨씬 설득력 있겠습니다.

—그렇지요. 몇 명 되지도 않을 머릿수로 궁의 담벼락을 타넘는 것으로도 모자라 뮤사 님을 납치해 다시 서대륙으로 돌아간다고요? 정신 차리시지요.

서대륙의 장사꾼들이 사실은 뮤사 즉, 아펠리아를 노리고 서대륙에서 넘어온 첩자라는 가설을 내뱉은 남자가 쏟아지는 맹공에 할 말을 잃고 입을 다물었다.

그러나 그들 또한 첩자의 말에 입을 다물 수밖에 없었다.

-내 생각은 다르다. 난 놈들이 뮤사를 노리고 온 놈들이라고 생각한다.

-하지만…….

-그냥 내 직감이 그렇게 말하고 있다.

별다른 논리는 없었지만 직감을 논하며 사납게 눈을 번뜩이는 첩자는 살기등등하기 그지없었다.

그의 사나운 모습에 호라를 지지하는 남자들이 다시 기세등등해져 입을 열기 시작했다.

-그럴 줄 알았습니다. 그 피는 어디 가지 않는다고, 겉으론 요조숙녀처럼 얌전한 척 굴더니 뒤로는 딴 생각을 한 것이 아닙니까? 천하의 발칙하기 그지없는…….

-다물라.

-예, 예?

사납게 일갈한 첩자가 어금니를 꽉 깨문 채로 다시 입을 열었다.

-빌어먹을 호라가 적에게 문을 열어 준 셈이니까 말이다.

-그, 그게 무슨 말씀이십니까? 호라 님께서 대체 왜 그들을 궁 안으로 들이겠습니까.

-터무니없이 싼 가격, 좋은 물건, 입소문. 허영에 사치라면 누구에게도 지지 않을 그녀가 괜찮은 물건을 파는 상인이 들어왔을 때 무슨 짓을 했는지 잊었나 보군.

첩자의 말에 좌중에 침묵이 흘렀다.

모르는 것은 아니었으나 굳이 그런 사소한 것까지 하나하나 다 짚어 내어 시비를 가리기 귀찮아 내버려 두었건만.

결국 그 정도를 모르는 행동이 사고를 일으키고 말았다.

첩자는 지금, 과거 호라를 단속하지 않은 자신에게 분노하는 중이었다.

–만약 그 상인들이 정말 뮤사 님을 노린 서대륙의 첩자들이라면…….

–아둔한 것들. 그 먼 길을 목숨 걸고 넘어온 작자들이 진짜 상인이라고 믿는 것이냐.

첩자는 이미 확신을 가지고 이 사태에 대한 대책을 머릿속으로 맹렬히 계산하는 중이었다.

다른 남자들 또한 첩자의 말에 판단이 선 듯, 각각 다른 표정으로 서로를 바라보고 있었다.

뮤사를 지지하는 입장에선 그녀가 도망을 계획한 셈이 되었으니 난감한 상황이었다.

반대로 호라를 지지하던 입장에선 그녀가 뮤사의 도망에 크게 기여한 셈이니 난감한 상황이었다.

더군다나 그간 쉬쉬하며 덮어 두었던 그녀의 탐욕스러운 일면이 드러나게 생겼으니 단순히 넘어갈 일이 아니게 되었다.

숨 막히는 침묵도 잠시, 첩자가 자리를 박차고 일어나자 모두의 시선이 그를 따라간다.

–수도로 돌아간다. 그들 모두 그 대가를 치르게 될 것이다.

살기등등한 첩자의 말에 모두들 입도 뻥긋하지 못한 채 허겁지겁 자리에서 일어나 그 뒤를 따랐다.

그 무렵 수도에서는 호라가 마침내 자금을 마련할 방법을 찾아 물건값을 치를 돈을 모으고 있었다.

"에카이트. 내가 호라에게 돈을 빌려주기로 했어요. 그게 무슨 돈이냐면……."

에카이트가 궁에 들어온 이후 처음으로 하는 통신이었다.

여전히 마나 운용이 미숙해 대답할 수 없는 에카이트의 상황을 고려해 혼잣말을 해야 하는 이 상황이 어색하기 그지없었다.

"저에게 매달 주어지는 돈이 있나 봐요. 금액이 제법 큰 것 같아요. 벌써 두 달분이 모였다고 하는데, 사실 있는 줄도 몰랐어요."

내 말을 에카이트가 잘 이해하고 있는지 조용히 영상석을 바라보던 나는 확인할 방법이 없어 말을 계속했다.

"그래서 그 돈도 보태 주겠다고 말했거든요. 예산으로 정해진 금액을 듣고 호라가 좀 난리를 피우기는 했지만 그래도 그 돈이 있으면 물건값을 치를 수 있나 보더라고요."

난리를 피우기 직전이었던 호라의 사납고 질투가 가득한 표정을 떠올리며 몸을 부르르 떤 나는 작게 헛기침을 해서 목을 가다듬었다.

"친정에서도 돈을 모은다고 하고요. 금액이 금액인지라 다 모으려면 시간이 좀 걸릴 것 같아요. 아마 빨라 봐야 내일 저녁. 아니면 그 다음 날 아침이 될 것 같던데……."

조용히 돈이 마련될 만한 시기를 계산해 말하던 나는 우려되는 상황을 덧붙였다.

"돈 문제가 해결되면 그녀가 더는 절 필요로 하지 않을 것 같아 걱정이에요."

내 말대로 호라는 그간 고생이 많았다는 형식적인 말을 끝으로 내가 더 이상 상인들과 만나지 못하게 만들었다.

가장 중요한 탈출과 관련된 소통이 이어져야 하는 시점에 대화가 단절된 셈이니 마음이 초조함으로 가득했다.

"혼잣말을 하려니 이게 도움이 되는지 아닌지도 모르겠어서 답답하네요. 차라리 내가 이야기를 듣는 편이었다면 좋았을 텐데."

어쩐지 혼자 말하려니 조금 편한 느낌도 들었다. 그래서 괜한 말까지 내뱉고 말았다.

"보고…… 싶은 것 같기도 해요. 근처에 있는데 보지를 못해서 그런 것 같기도 하고. 잘 모르겠어요. 사실 내가 당신을 엄청 좋아했었는데, 그랬었는데……. 지금은 잘 모르겠네요. 좋아했던 만큼 원망하는 마음이 크기도 했고……."

두서없는 말은 쉼 없이 이어졌다.

"배신당한 기분을 느끼는 것은 한 번으로 족해요. 다시는 그 감정을 느끼고 싶지 않아요. 아이참, 무슨 말을 하는 거람. 안 듣고 있죠? 그런 줄 알게요."

대답 없는 영상석의 통신을 획 종료시킨 나는 영상석을 다시 귀걸이처럼 끼고 침대에 누워 잠을 청했다.

"꼴사나우니 그냥 자죠. 그렇게 히죽거리는 표정으로 영상석을 계속 보고 있으면 영상석이 토할지도 모릅니다."

조슈아의 사나운 비난에도 에카이트는 불 꺼진 영상석을 한참 바라보며 누가 봐도 사랑에 빠져 얼이 나간 것 같은 바보 같은 표정을 짓고 있었다.

첩자에게 내탕금인지 뭔지를 받았다는 말에 제법 사나웠던 표정이 어떻게 저렇게 바보같이 변했는지.

그 꼴이 영 눈에 거슬린 조슈아가 다시 입을 열어 에카이트를 공격했다.

더러운 소문에 휩쓸려 고생하던 아펠리아를 안타깝게 생각하던 그로서는 지금의 에카이트가 얄밉기 그지없었다.

"아펠리아 경 말을 못 알아들은 것 아닙니까? 당신이 그간 이리저리 상처 주고 실망시킨 덕분에 더는 싫다고 그만하는 편이 낫다지 않습니까."

"앞으로 그녀를 배신할 일도, 실망시킬 일도 없을 테니 상관없는 이야기네."

에카이트의 말에 조슈아가 코웃음을 치며 입을 닫았다.

무슨 말을 해도 통할 것 같지 않았다.

에카이트의 히죽거리는 표정을 구경하듯 힐끗거리던 남자들은 지독히도 어울리지 않는 그 표정에 인상을 쓰며 고개를 돌려 잠을 청했다.

어찌 됐든 돈이 마련되었다고 하니 탈출하는 날도 머지않았다.

잠을 청하려 누운 사람들 사이로 묘한 긴장감이 흐르고 있었다.

탈출 계획은 생각보다 순조롭지 못했다. 일단 에카이트와 뭐라도 이야기를 나눠야 결정되는 것이 있을 텐데, 대화를 할 기회가 마땅치 않았다.

이러지도 저러지도 못하고 애만 끓이는 와중, 생각보다 일찍 수도로 돌아온 언어 선생이 점심이 지난 직후 나를 찾아왔다.

반가운 마음에 그를 맞이하는데 선생은 대뜸 본론부터 바로 꺼냈다.

"떠나실 거라면 어서 떠나시죠."

"그게 무슨……."

어떻게 알았는지 모르겠다. 말끝을 흐리며 그를 바라보자 그가 단호한 눈빛으로 입을 열었다.

"지금 궁에 있는 자들. 아마 당신을 데리고 서대륙으로 돌아가기 위해 그 먼 곳을 목숨 걸고 넘어온 사람들이겠죠."

정확한 그의 판단에 섣불리 부정하지 못하고 일단 침묵을 지키자 그가 계속해서 말했다.

"그들이 이곳에 헐값으로 팔았던 물건들을 제대로 살펴보았지요. 어마어마하더군요. 당신의 구출을 위한 배경에는 최소 제국의 황실이 있겠다는 판단이 섰습니다."

"그래서요?"

"만약 이번에 실패한다면 이렇게 결론을 내겠지요. '아. 조용히 데리고 돌아오는 방법은 통하지 않는구나.'라고요. 그런데 과연 거기서 끝날지 의문이 들더군요."

선생의 말에 아무런 대꾸도 하지 않고 그를 물끄러미 바라보자 그가 자조 어린 웃음을 지으며 말을 이었다.

"제국의 자존심이 걸린 문제가 아닙니까. 제가 아는 칼라한 제국이라면 가볍게 시도해 보고 안 되면 접어 버릴 심산으로 일을 벌이지는 않았을 겁니다."

"……제대로 알고 계시는군요. 그런데 그런 상황을 두고 제가 떠나야 한다고 말씀하신 이유는 뭡니까."

이미 상황 판단을 마치고 결론을 내린 선생에게 더 이상 모른 척할 순 없었다.

"왕자는 이성을 잃었습니다. 터무니없는 것에 집착하고 있는 셈이지요. 마치 당신이 이 모든 혼란을 해결할 방법이자 유일무이한 해결책으로 덮어놓고 생각하고 있는 것 같더군요."

"그런 것 같다는 생각은 하고 있었어요. 짧게나마 이곳의 상황을 지켜본 입장에선 이런저런 문제들도 많은데 저를 여기에 묶어 두는 것으로 생기는 문제들이……."

"정확합니다. 당장 호라 님을 주축으로 세를 불리던 파벌과 새롭게 생겨나는 파벌로 어수선해지기 시작했습니다. 가뜩이나 상황이 좋지 않은데 말이죠."

주거니 받거니 말을 나누다 보니 결론은 이미 나온 셈이었다.

내가 이곳에 계속 있음으로써 뚜렷하게 좋아질 것은 없으나 나빠질 것들은 명확하다는 것을 말이다.

서로 잠시 침묵을 지키던 중, 선생이 먼저 입을 열었다.

"……저는 더 오랜 시간 전, 목숨을 걸고 서대륙에서 동대륙으로 넘어왔습니다. 정말 죽을지도 모른다고 생각하면서도 길을 떠났던 것은 오직 평화로운 삶을 위해서였지요."

그랬겠지. 천하의 에카이트도 다 말하진 않았지만 제법 험난한 길을 통해 이곳까지 왔는데, 도망치는 수준으로 이곳을 향했다면 그 고난의 정도는 상상을 초월하지 않을까.

내 자그마한 끄덕임에 선생이 자조 섞인 웃음을 지으며 한숨 쉬듯 말했다.

"이곳에 정착하고 가정을 일구면서 제가 유일하게 욕심내고 지키려 안달했던 것은 부도 명예도 아닙니다. 그저 평화와 안녕이었죠."

"동의하는 바입니다."

그의 말에 담백하게 동의를 표했다. 부와 명예는 평화와 안녕이 사라지는 순간 그 의미를 잃을 뿐이다.

평화와 안녕이 없는 곳에서의 부는 그저 갈증만 돋울 뿐이며 명예는 빈 수레와 같이 공허할 뿐이다.

쉽게 동의하는 나를 빤히 바라보던 그가 피식 웃으며 말했다.

"사랑받고 자란 줄로만 알았는데 나름대로 상처가 되는 경험이 있었나 봅니다. 곱게 자란 공녀가 쉽게 동의할 말은 아니었는데 말이죠. 아무튼, 저는 당신이 이곳을 빨리 떠나 주셨으면 합니다."

"분란의 씨앗처럼 느껴지는 거로군요."

"바로 그렇습니다. 이번에 가족들과 잠시 시간을 보내며 확신했죠. 당신은 떠나야 합니다."

"말리지만 않는다면 기꺼이요. 말린다고 해도 어떤 방법을 써서라도요."

그의 말에 단호하게 내 의사를 표현하자 그가 내 눈을 뚫어지게 바라보다가 비장하게 고개를 끄덕였다.

"당신과 그 무리들이 알아서 계획을 성사시켜 제가 수도에 없을 때 달아나기를 바랐습니다. 그래서 저와는 일절 연관된 것 없이 일이 끝나기를 기대했죠. 이렇게 나서고 싶지 않았습니다."

"하지만 누군가의 도움 없이는 쉽지 않을 일입니다."

내 말에 그가 고개를 끄덕였다.

"그래서 위험을 감수하고서라도 개입해야겠단 생각에 지금 이 자리까지 온 것이죠."

"그래서 어떻게 도와주실 겁니까?"

단도직입적으로 물어보는 나를 별다른 동요 없이 바라보던 그가 무덤덤한 어조로 입을 열었다.

"일단 오늘 그들은 대금을 정산 받을 겁니다."

오늘? 벌써 오후 시간인데 오늘이라고?

그렇게나 빨리 그 큰돈이 마련될 수 있다는 것은 둘째 치고 이러다 구출대만 쫓겨나듯 궁을 나서 버리면 수습하기 어려운 상황이 벌어질 것이다.

나를 구출하러 온 구출단이, 나를 두고 나가게 될 수도 있다는 말인데…….

사태의 심각성을 단박에 이해한 나는 그를 쳐다보며 다음 말을 재촉했다.

"놀라신 눈치로군요. 대금은 오늘 저녁 식사 이후 모두 받아 갈 예정이라고 합니다. 그런 다음 더 늦은 밤에 조용히 궁에서 내보낸다고 합니다."

"밤이라……. 늦은 밤."

늦은 밤이라면 충분히 가능성이 있다. 일말의 가능성을 확인한 내가 의지를 담은 눈으로 그를 바라보자 그가 고개를 끄덕인다.

"늦은 밤이면 방문이 모두 잠길 겁니다."

"문이 잠긴다고요?"

그간 늦은 밤에 나다닐 생각 자체를 않았던 터라 문이 잠긴다는 것은 아예 생각도 해 보지 못한 일이었다.

문을 여는 것 따위는 큰 문제가 아니었으나 연 다음 벌어질 소란이나 에카이트의 방까지 이동하면서 생길 일들이 문제였다.

당황한 내 표정을 보고 그가 천천히 자신의 계획을 말하기 시작했다.

"일단 저는 호라 님을 이 일에 동참시킬 생각입니다."

호라 님? 그 호라?

이 일에 개입될 수 있는 사람 중 첩자 다음으로 가장 회의적인 대상이 호라였다.

근래의 일들로 나에 대한 적개심이 많이 누그러져 있는 상황이기는 했어도 누군가를 크게 믿지도, 너그럽지도 않은 호라는 변덕스럽고 욱하는 성미가 있었다.

그야말로 다루기 힘든 시한폭탄이라고 할 수 있는 존재다.

내 떨떠름한 표정에 그가 무슨 생각을 하는지 알 것 같다는 표정으로 고개를 끄덕이며 말을 계속했다.

"압니다. 하지만 호라 님만큼 당신이 여기서 사라지기를 간절히 바라는 사람이 또 있을까요?"

"없죠."

그의 말에 일말의 망설임도 없이 답했다.

아마 오늘 저녁쯤 내가 갑자기 죽었다는 소식이 들린다면 호라는 분명 잔치를 열 만큼 좋아할 것이 분명하다.

내 단호한 동의에 선생이 잠시 웃다가 말을 계속했다.

"호라 님에게 이렇게 말할 겁니다. '뮤사 님이 서대륙 상인들을 보니 유독 고향 생각이 많이 나는 눈치다. 할 수만 있다면 그들을 따라 서대륙으로 돌아가고 싶은 것 같다.'라고요."

"오늘 저녁, 그들이 나갈 때 짐에 섞여서 나갈 수 있다면, 그렇게라도 떠나고 싶다고 덧붙여 주면 좋겠군요."

내 말에 선생이 고개를 저으며 다른 방법을 제안했다.

"그건 너무 노골적입니다. 짐에 섞여 나가려면 일찍이 방을 비워야 해서 위험하기도 하고요. 사전 검사가 있을 수도 있고."

다른 방법이 떠오르지 않아 순간 막막해져 있는데, 선생이 말했다.

"차라리 그들과 조금 더 대화를 나눌 수 있게 시간을 달라고 말한 뒤, 궁을 나갈 때 배웅할 수 있게 해 달라고 하는 편이 나을 겁니다."

"하지만 그러면 공개적으로 제가 그 자리에 나서는 셈이라 빠져나갈 수가……."

"성문을 넘기 직전, 제가 호라 님의 시선을 잠시 돌리겠습니다. 당신은 아무것도 모르는 척, 그냥 그들을 따라 걸어 성문을 넘으십시오. 아마 호라 님이라면 당신이 성문을 넘는 것을 알고도 모른 척할 겁니다."

"모른 척할 것이라고요?"

내 미심쩍어 하는 표정에 선생이 확신에 찬 표정으로 고개를 끄덕였다.

"공식적으로 당신은 그 자리에 있을 수 없는 사람입니다. 당신이 그 자리까지 따라갈 수 있게 하려면 호라 님은 당신의 신분을 잠시 위장시키겠지요."

그렇구나. 신분을 위장해야만 갈 수 있는 자리.

호라의 협조가 반드시 필요하다는 결론이었다.

나는 묵묵히 선생의 말에 귀를 기울였다.

동대륙의 세세한 사정을 알지 못하는 나로서는 그의 그러한 설명들이 더할 나위 없이 소중하고 귀했다.

"그런데 당신을 그 자리까지 동행시켰다? 그 말은 혹시 당신이 도망을 시도해도 호라 님은 모르는 일이라고 눈감아 줄 아량이 있다는 뜻입니다. 아니, 오히려 그러길 기대하고 있다고 하는 편이 더 정확하겠지요."

호라가 나를 저녁 시간, 그 장소로 대동한다면 결론은 이미 나 있다는 뜻이었다.

상황 파악이 끝난 나는 선생을 좀 더 비장한 시선으로 바라보았다.

내 표정을 보고 자신의 의도가 전달되었음을 확인한 선생이 마무리를 지었다.

"설사 당신이 거기서 그들을 따라 궁을 나간다고 해도 들키지만 않는다면 그녀에게 큰 문제는 없을 겁니다. 특히 수년간 궁 안에서 입과 귀를 틀어쥐고 있었던 그녀라면 그 정도는 일도 아니겠죠."

"……부탁드리겠습니다."

"잠시 후 저녁에 뵐 수 있기를 기대하겠습니다."

그가 자리에서 일어나 문으로 걸음을 옮기며 뱉은 말에 나는 따로 입을 열어 대답하지 않고 고개를 끄덕여 답을 대신했다.

창문 너머로 보이는 햇살이 청명하다.

나는 그 밝은 빛이 서둘러 사그라지고 어둠이 찾아오기를 초조하게 기다렸다.

오지 않을 것 같던 저녁 시간이 다가왔지만 호라가 나를 찾는다는 소식은 아직이었다.

초조함에 입술을 물어뜯던 나는 문을 넘어 들어온 여자를 보고 눈을 빛냈다.

여자는 난감한 표정을 지으며 다가와 입을 열었다.

—뮤사 님, 호라 님께서 저녁 다과를 함께하고 싶다고 하셨습니다. 죄송합니다만 호라 님께서 시키신 일 때문에 저는 함께 동행할 수가 없습니다.

호라가 신호를 보냈다.

나는 내 눈치를 보며 난감해하는 여자를 잠시 바라보다 짧은 동대륙어로 답했다.

—좋아요.

탈출이 정말 코앞으로 다가온 기분이었다.

대수롭지 않게 동의를 표하는 나를 살짝 걱정 어린 시선으로 바라보던 여자가 고개를 숙이며 방을 나섰다.

익숙해졌지만 딱히 정이 가지는 않는 방을 둘러본 나는 인기척이 없는 것을 확인한 뒤, 급하게 영상석에 마나를 불어넣고 에카이트에게 상황을 알리기 위한 통신을 시도했다.

여전히 일방적인 상황이라 불편했지만, 어쨌든 영상석에 대략적으로 상황을 설명한 뒤 방을 빠져나왔다.

호라의 방으로 걸음을 옮기는 동안 간간이 힐끗거리는 시선들이 따라왔지만, 제지하는 사람은 단 한 사람도 없었다.

호라의 방이 가까워진다는 것은 달리 말해 에카이트와 가까워진다는 의미이기도 했기에 가슴이 점점 두근거리기 시작했다.

물론 다른 감정이 아니라 긴장 때문에 두근거리는 것이겠지만 말이다.

―……거냐! 분명 오늘까지 준비할 수 있다고 하지 않았더냐! 이렇게 갑자기, 그것도 지금 와서 부족하다니. 허, 목숨이 여러 개라도 되는 모양이지?

호라의 분노에 찬 목소리가 복도를 쩌렁쩌렁 울렸다. 불안했다. 뭔가 잘못되기라도 한 건 아니겠지.

뭐지? 뭘까.

급하게 걸음을 옮기면서 들은 내용은 상황에 결코 도움이 될 내용이 아니었다.

호라가 자금 마련에 실패했다.

상황을 파악하자 머릿속이 복잡하게 굴러갔다.

사실 에카이트나 나나 그 돈이 정말로 필요한 것은 아니었다. 솔직한 말로 동대륙의 돈을 받아 봐야 서대륙에서 환전이나 할 수 있을까.

그야말로 아무 소용이 없는 것이었다.

하지만 적은 금액도 아니고 흥정을 위해 며칠 궁에 머무르기까지 했는데 이제 와서 흥정한 금액보다도 한참 낮은 가격도 괜찮으니 그냥 그것만 달라고 하고 간다면?

누가 봐도 이상하기 그지없는 상황이 될 것이다.

괜한 의심은 장애물이 되어 일을 그르치게 할 수 있는 법.

언어 선생의 말대로 호라는 달아나리란 기대 하나로 나를 부른 것일 터.

그렇다면 호라는 가급적 본인이 의심을 살 만한 모든 정황에서 자유로워지려고 할 것인데…….

좋지 않다.

나는 한숨을 들이켜며 호라의 방문을 두드렸다.

평소처럼 문 앞을 지키던 여자들이 보이지 않는 것은 문 안에서 물건을 던지며 난리가 난 호라 때문일 것이다.

–뮤사일 것이다. 들어오라고 해라. 그리고 너! 당장 어떻게든 내일 저녁까지 나머지를 마련해.

–하지만 호라 님, 도무지 무리입니다. 땅문서를 저당 잡히고 급한 대로 노예까지 팔았습니다만 이 이상 돈을 마련할 방법이…….

–시끄럽다. 내일 저녁까지 마련하지 못하면 죽은 목숨인 줄 알아!

분노한 호라를 앞에 두고 안 된다고 말하는 걸 보니 정말로 안 되는 것 같은데.

나는 방문을 넘어서며 울상이 된 표정으로 옆을 지나쳐 나가는 남자를 잠시 동정 어린 시선으로 바라보았다.

나를 본 호라가 조금 전까지 화를 내던 것을 감추고 난감한 표정을 지어 보였다.

–아마 밖에서 들어서 알겠지만 돈을 마련하는 데에 조금 문제가 생겼다. 오늘 저녁에 저들에게 돈을 치르고 내보내려고 했는데…….

……절대 불가능한 것을 엄청난 닦달과 협박을 통해 억지로 가능

하게 만들어 왔다는 생각은 못하는 걸까.

–반드시, 반드시 마련해야 해. 그렇지 않으면…… 아니, 마련하지 못할 리가 없어.

호라의 신경질적인 투정에 속으로 투덜거린 나는 어색한 웃음을 지으며 말을 아꼈다.

애초에 나에게서 뭔가 대답을 바란 것은 아니었는지, 호라는 대답을 기다리지 않고 할 말을 계속했다.

–그래서 말인데, 저들을 잠시 만나 얘기를 좀 전해 줘야겠다. 절차상의 문제가 있어서 오늘이 아닌 내일 저녁에 나가야 할 것 같다고 말이다.

절차상의 문제 좋아하시네.

유독 강세를 두어 말한 절차상의 문제라는 부분을 두고 피식 새어 나올 뻔한 웃음을 참으며 고개를 끄덕였다.

어차피 제대로 탈출을 진행하기 전에 에카이트를 만나는 편이 더 안전했다.

방을 나서는 내 뒤통수에 호라의 한숨 같은 혼잣말이 박혀 들었다.

–아이참……. 아라 님께서 수도로 돌아오고 계시다고 하는데 걱정이네. 저자들을 빨리 내보내고 어수선한 분위기를 수습할 시간이 있어야 할 것인데. 멍청한 놈들 때문에 일이 꼬이겠어.

……벌써 돌아오고 있다고?

수도를 향해 맹렬한 기세로 말을 모는 첩자의 모습이 순간 눈앞을 스쳐 지나갔다.

눈치챈 것이 분명했다.

시간이 없다.

호라의 혼잣말을 듣지 못한 척, 방 밖으로 걸음을 옮기며 두근거리기 시작한 가슴을 애써 진정시켰다.

에카이트와 구출대가 있는 방으로 들어가자 사람들이 묘한 분위기로 나를 반긴다.

뭐지? 대체 왜들 저러는 거야.

어리둥절한 표정으로 사람들의 시선을 느끼던 나는 그 사이에서 에카이트를 발견하고 급하게 입을 열었다.

"에카이트, 첩자가 수도로 올라오고 있답니다. 이미 출발한 지는 조금 된 것 같은데, 언제 도착할지는 몰라요. 호라의 말대로라면 며칠 시간이 있을 것 같기는 한데 그걸로 충분할지 모르겠어요."

"지금 궁을 나가서 항구로 향한다면 크게 촉박하지는 않을 것 같은데. 진정하지. 그렇게까지 당황해서 흥분할 일은 아닌 것 같군."

에카이트의 태평한 말에 병색이 완연한 다른 사람들까지 고개를 끄덕였다.

나는 말을 전하는 순서가 잘못되었음을 깨닫고 다시 입을 열었다.

"문제는 오늘 저녁에 나갈 수 없게 되었다는 것이죠."

"어째서? 그대가 나갈 수 없다는 건가, 아니면 우리 모두가 나갈 수 없다는 건가?"

당황하는 에카이트는 처음 보는 것 같다. 오히려 그 모습에 마음이 차분해진 나는 사람들을 둘러보며 상황을 설명하기 시작했다.

"호라가 자금 마련에 실패했어요. 원래대로라면 제가 여기까지 올 일도 없었겠지만 '절차상의 문제'로 내일 저녁에 대금을 치를 수 있으니 하루 더 기다리라고 하더군요."

"어쩐지 불안하더라니……. 그 큰돈이 하루아침에 마련될 리가 없지. 어떡합니까? 어떻게든 궁에서는 나갈 수 있겠지만, 이러다가 동대륙을 떠나기 전에 마주칠 수도 있겠는데요."

조슈아의 말에 일동 모두 침묵을 고수했다.

이 침묵을 깬 건 에카이트였다.

"어쩔 수 없는 일입니다. 여기서 호라에게 잔금은 됐고 있는 대로만 받겠다고 나서는 것도 이상하지 않습니까."

"저도 그렇게 생각했어요. 거기에 상황이……."

어제 통신을 통해 일방적으로 전달한 내용이 얼마나 잘 전달되었는지 알 길이 없어 말을 흐리자 에카이트가 힘 있는 목소리로 내 말을 이어받았다.

"그 말이 맞습니다. 호라도 아펠리아가 탈출하길 바라고 있겠죠. 그러니까 이렇게 나오는 것 아니겠습니까. 내일까지는 그녀가 반드시 돈을 마련하기를 바라는 수밖에요."

"만약 내일도 마련하지 못하면요? 그 가치를 환산한 금액으로 생각한다면 정말 어마어마하게 큰 금액입니다. 단기간에 마련하는 것이 거의 불가능한 금액이라고요."

조슈아의 반박에 다들 끙 하고 신음 소리를 냈다.

과연 고작 하루 더 지난다고 그 돈을 마련할 수 있을까.

하지만 그렇다고 별다른 방법이 있는 상황도 아니니 다들 입만 다물고 침묵을 지킬 뿐이었다.

침묵 속에 다시 입을 연 것은 에카이트였다.

"호라가 돈을 마련하든 하지 못하든 우리는 늦어도 내일 저녁에 나가게 될 것입니다."

"어째서요?"

"어떻게 말입니까?"

나와 넬슨의 질문에 에카이트가 차분히 설명을 시작했다.

"첩자가 수도로 귀환하고 있다고 하지 않았습니까. 호라도 그 사실을 잘 알고 있고요."

"아. 그러네요. 그렇다면 아무리 호라가 욕심을 부린다고 해도 반드시 우리들을 내보내려고 할 테지요?"

"바로 그겁니다. 설사 돈이 마련되지 않아서 물건을 다 사지 못한다고 해도 그녀가 버틸 수 있는 시간은 한정적입니다. 아마 몇 개를 포기하고서라도 우리를 내보내려 들 겁니다."

에카이트의 말에 당황으로 웅성거리던 사람들이 모두 안정을 찾은 듯 서로를 바라보며 고개를 끄덕이기 시작했다.

"음…… 확실히 그렇겠지요. 문제는 그 욕심보가 덕지덕지 붙은 여자가 최후의 최후까지 시간을 끌까 봐 걱정이네요."

조슈아의 말에 다들 살짝 인상을 찌푸리며 고개를 끄덕였다.

"배를 정박시켜 둔 항구까지 가는 데에 하루는 걸릴 거다."

항구까지 하루……. 생각보다 멀리 떨어져 있다. 마음이 조급해지기 시작했다.

"항해사는 따로 데려오지 않으신 거죠?"

내 질문에 먼저 이야기를 꺼낸 기사단장이 고개를 끄덕였다.

"괜히 인원을 늘려 봐야 골치만 아프니……. 저 친구가 항해술에 제법 식견이 밝아 그 역할을 대신했지."

기사단장의 턱짓에 얼굴에 열꽃이 오른 황태자가 붙인 남자가 고개를 끄덕이며 동의했다.

아무튼 배에 도착해도 바로 출발할 수 있다는 소리는 아니군.

항로를 잡고 배의 시동을 걸고…….

자세히는 몰라도 출항에 필요한 절차는 그리 간단하지 않았다.

촉박한 시간을 체감하며 초조해지는 마음을 애써 가다듬었다.

“일단 저는 별일이 없다면 내일, 호라와 함께 나올 겁니다. 그다음에 어떻게 할지 어서 논의해 보죠. 지금 말고는 서로 이야기를 나눌 시간이 없으니까요.”

내 말에 에카이트가 고개를 끄덕이며 설명을 시작했다.

일련의 설명을 듣고 방을 나선 나는 조용한 복도를 걸으며 서대륙을 떠올렸다.

가장 먼저 떠오르는 것은 아버지였다.

혼내실까? 아니면 우실지도 모른다.

갖은 상상을 하며 나를 반겨 줄 아버지를 떠올리다 보니 지독한 그리움이 울컥 올라온다.

금방이라도 이 지긋지긋한 곳을 떠날 수 있을 것 같았는데…….

무거운 걸음을 옮겨 방에 도착하자 여자가 나를 반긴다.

–뮤사 님! 상인들이 나가는 날이 하루 밀렸다지요? 중간에서 이게 무슨 고생이신지…….

여자의 편 드는 목소리에 나는 힘없이 웃음을 지어 보였다.

–애초에 그 금액 자체가 무리였지요. 내일은 마련이 되어야 저들이 궁 밖으로 나갈 것인데…… 참 재미있게 됐습니다.

재미있게 됐다니? 무슨 소리지?

이어지는 말에 잠시 멈칫하자 여자가 눈치껏 말했다.

–듣자 하니 왕자님께서 밤잠을 줄여 가며 수도로 돌아오고 계시다고 하거든요. 이러다 정말 궁에서 마주치는 것은 아닌지 몰라요?

끔찍한 소리를 하면서 웃는 여자를 놀란 표정으로 바라보자 여자가 민망한 웃음을 짓는다.

–제가 너무 경박했나요? 그렇지만 말이죠. 왕자님과 상인들이 마

주치면 이번에야말로 암암리에 외부인을 궁에 들이던 호라 님을 질책하지 않고는 넘어가지 못할 것이라고요.

당연한 이야기다.

첩자 성격에 버젓이 보고도 눈앞에서 놓아줄 리 없다.

여자의 불길한 기대에 괜히 마음이 뒤숭숭해진 나는 피곤한 표정을 지으며 침대로 향했다. 여자는 황급히 나를 거들어 잠자리를 정돈해 주고 방에서 물러났다.

삽시간에 침묵으로 가득 찬 방에서 조용히 눈을 감고 스스로에게 최면을 걸듯이 중얼거렸다.

"아무 일 없을 거야. 아슬아슬하기는 해도, 박진감 넘치게. 그렇게 탈출할 수 있을 거야."

스르륵 잠에 빠져든 나는 간만에 꿈을 꾸었다.

꿈속에서 나는 거대한 호박 파이와 결혼식을 올리고 있었다.

모두 우리의 결혼을 축복하고 있었는데 에카이트가 뜬금없이 결혼식장에 난입해 호박 파이를 아주 박살을 내 버리고야 말았다.

그런 황당한 개꿈에 시달리다 아침이 되어 겨우 눈을 뜬 나는 지독한 피로감을 느끼며 침대에 기대 한숨을 쉬었다.

동대륙에서 보낸 시간 중 긴 하루가 될 것 같은 예감에서였다.

초조함은 엉뚱한 꿈까지 꾸게 만들어서 밤잠을 설치고 말았다.

조금 멍한 정신으로 하루를 시작한 나는 언어 선생이 평소처럼 오전 수업을 위해 방으로 들어오는 것을 바라보았다.

"제대로 못 주무셨군요."

"네……. 그렇게 됐네요."

선생의 말에 별다른 말없이 고개를 끄덕여 동의했다.

아침 시중을 드는 여자 또한 호들갑을 떨며 안색이 좋지 않다고 난리를 피웠었다.

내 담백한 동의에 선생이 의례적으로 책을 펼치며 마치 수업을 진행하는 어조로 말문을 열었다.

"생각처럼 일이 진행되지 않아 심란하겠지요. 호라 님도 저렇게 난리를 피우시니……."

"아니라곤 못하겠습니다. 그가 어디까지 와 있는지도 제대로 모르는 상황에서 이렇게 있자니 불안해서 견딜 수가 있나요."

"……오늘 저녁에 떠나지 않으면 그와 만날지도 모른다는 것만 알려드리지요."

선생의 말에 눈을 휘둥그레 뜬 나는 그를 바라보며 말을 재촉했다.

지금 대체 얼마나 가까이 왔다는 거지?

그의 말에 등골이 서늘해지고 식은땀이 절로 흐르는 것 같았다.

"얼마나 가까운 곳까지 온 거죠?"

"수업은 안 하실 겁니까?"

"어차피 떠날 텐데, 수업에 무슨 의미가 있죠?"

수업으로 말을 돌리려는 선생을 단호하게 자르며 바라보자 시선을 외면하던 그가 결국 나지막한 한숨을 쉬며 나를 바라보았다.

"결국 저를 끝까지 개입하게 만드시는군요."

"아무것도 감수하지 않고 원하는 것을 얻기엔 세상이 그리 녹록하지는 않지요."

"제법 많은 것을 감수했다고 생각했는데, 부족하다고 여기신 모양입니다."

한숨처럼 말하는 그의 말에 더 대꾸하지 않고 바로 본론으로 치고 들어갔다.

"그래서 그가 어디까지 왔다는 거죠?"

"정확한 위치는 아마 그 누구도 알 수 없을 겁니다. 다만 소식통에 의하면 밤에도 잠을 자지 않고 말을 달려 온다고 하니, 우리가 예상하는 시간보다 훨씬 빨리 도착할 것이 분명합니다."

오늘 저녁에 궁을 빠져나온다고 해도 시간이 충분할까?

궁을 빠져나오기 무섭게 첩자와 마주치기라도 하면?

이곳에서의 전투는 절대로 불리하다.

비전투 인력인 에카이트까지 껴 있는 데다가 전염병으로 위장해 탈출하려는 중이라 다들 컨디션도 좋지 못하다.

게다가 이곳은 첩자의 본진이다.

이 인원을 가지고는 도망치는 것 외에 할 수 있는 것이 없다.

생각보다 비관적인 상황에 나는 감았던 눈을 뜨며 선생을 바라보았다.

"호라 님도 이 상황을 알고 있나요? 그자가 엄청난 속도로 수도를 향하고 있다는 것을요."

"제가 알고 있는데 그녀라고 모를까요. 이곳에서 그녀보다 많이 보고 들을 수 있는 사람은 단언컨대 아라 님 말고는 없을 겁니다."

"그렇다면 도대체 무슨 배짱으로 상인들을 잡아 두는 거죠? 왕자와 우리가 마주치는 건, 본인에게도 좋은 일이 아닐 텐데요."

내 말에 선생이 아직도 호라를 모르냐는 표정으로 씁쓸하게 웃으며 나를 바라보았다.

"원래 이성과 감정의 구분이 명확하지 않은 분이십니다. 그간 그런 것을 신경 쓰지 않아도 무사히 넘어갔었고요."

하기야 도망간 마지막 공주인 므네모쉬의 딸이 다시 이 대륙에 돌아올 줄은 아무도 몰랐겠지.

모두가 다음 대의 왕비이자 대를 이을 왕자를 생산할 몸으로 호라를 꼽았을 테지.

거기에 그녀의 뒤에 가문까지 막강하게 버티고 있다면 무서울 것이 있었을까.

납득이 가는 배경에 고개를 끄덕였다.

하지만 납득이 가는 것과는 별개로 지금 상황은 심각하기 그지없었다.

"오늘 저녁에는 반드시 나가야 합니다. 지금 당장 나갈 수도 없고……."

내 말에 선생이 고개를 끄덕였다.

오늘 저녁, 반드시 나가기 위해선 호라의 결정이 필요하다.

자금이 마련되었거나 포기할 마음이 들었거나.

혹시 그가 그와 관련해 아는 것이 있을까 하는 마음에 질문을 던졌다.

"혹시 호라 님의 자금은……. 어떻게 된 것 같나요?"

"……절대 불가능할 겁니다. 아무리 억지를 쓰고 식솔들을 들볶는다고 해도 마련하기 힘든 금액이지요."

망했군.

물욕의 화신인 호라가 포기를 한다? 과연 그게 가능한 일일까.

상황을 재고 있는데 선생이 다시 입을 열었다.

"가격을 더 낮추는 건 어렵습니까? 사실 당신들에게는 그게 얼마에 팔리는지가 중요한 문제는 아니지 않습니까."

"맞는 말입니다만……. 이미 가격을 많이 낮춘 상태에서 더 가격을 낮추었다가 괜한 의심을 사게 되는 것은 아닐까 해서요."

내 우려에 첩자가 단호하게 고개를 저었다.

"제가 아는 호라 님은 쉽게 포기할 사람이 아닙니다. 차라리 괜한 의심을 사는 편이 더 안전할 겁니다."

"하지만 그럴 상황도 안 되고, 그자가 언제 도착할지도 모르는데……."

말을 흐리며 선생을 바라보자 그가 단호하게 말을 잘랐다.

"오늘 저녁에는 반드시 떠나야 한다고 말씀드렸지만, 아무리 서둘러도 내일 저녁까지 수도로 돌아오진 못할 겁니다. 이 사실은 호라 님도 알고 있는 사실이지요. 매우 불안하기는 해도 하루 더 미룰 수 있겠죠."

"이러다가 하루를 더 끌게 되면……."

"궁 안에서 마주치지는 않더라도 수도 한복판에서 마주칠 수도 있다는 뜻입니다."

상상하기도 싫은 끔찍한 광경이었다.

내 찡그린 표정과 몸서리치는 모습을 본 선생이 무덤덤한 말투로 덧붙였다.

"호라 님은 어떻게든 화를 피할 수 있다고 해도 당신들은 다를 겁니다. 아, 물론 당신을 죽이지는 못하겠죠. 하지만 다른 사람들은 차라리 죽는 편이 낫다고 여길 정도로 가혹한 처분을 받을 겁니다."

"……절대로 피해야 하는 상황이군요."

첩자의 잔혹함과 무자비함을 몸소 경험한 나로서는 그의 말이 허투루 들리지 않았다.

그리고 그의 말대로 첩자는 결코 나를 죽이지 못할 것이다. 본인의 입지를 위해선 반드시 필요한 대상이니까.

그의 잔인한 성정으로 보아, 두 번 다시 탈출을 꿈꿀 수 없게 만들지도 모르지.

나는 무서운 예감에 침을 꿀꺽 삼켰다.

"당신이 도와줘야 해요."

"제가 무엇을 더 어떻게 말입니까?"

간절한 부탁에도 선생은 도무지 속을 알 수 없는 무표정한 얼굴로 나를 바라보며 반문했다.

그런 그의 태도에 속이 타들어 갔지만 애써 이성의 끈을 놓지 않고 그를 설득했다.

"호라. 그녀를 만나 주세요. 그리고 물건 중 일부를 포기하거나 저를 통해 더 가격을 낮추도록 시도하라고 설득해 주면……."

"제가 부담해야 하는 위험이 너무 크다는 생각은 안 하십니까?"

선생의 말에 멍하니 그를 바라보았다. 그러자 그가 매정한 표정으로 말을 이었다.

"이만큼의 위험까지 부담한 이유는 서대륙이 동대륙을 침략해 다시 평화를 잃는 것이 싫어서였죠."

"맞아요, 그러니까……."

황급히 동의하며 뒷말을 계속하려던 나는 그의 이어지는 말에 입을 다물 수밖에 없었다.

"제가 그 정도로 개입한다면 설사 서대륙이 동대륙을 침략하지 않더라도 이곳에서의 제 입지는 반드시 위험해질 겁니다."

잠시 침묵이 흘렀다.

그를 어떻게 설득해야 하나 생각을 거듭하던 나는 결국 다시 이어지는 그의 말을 속수무책으로 들을 수밖에 없었다.

"호라 님은 어찌 됐든 그들이 왕자님과 마주치기 전에 내보낼 겁니다."

"이미 결론이 나 있는 일인데, 왜 앞뒤 상황을 전달해 준 거죠? 당신도 뭔가 생각하는 것이 있어서 그런 것 아닌가요?"

간절하게 그를 바라보며 애원하자 잠시 흔들리는 눈동자로 나를 바라보던 그가 천천히 입을 열었다.

"제가 통역의 역할 정도는 한 번 더 해 드릴 수 있을 것 같군요."

선생의 말에 나는 비장하게 고개를 끄덕이며 자리에서 일어났다.

더 이상 낭비할 시간이 없다.

단호한 표정으로 자리에서 일어나 그를 바라보자 그가 펼쳤던 책을 닫고 낮은 한숨을 쉬었다.

"……잘하는 짓인지 모르겠군요."

"제대로 도와주셔야 합니다. 여차해서 모든 것이 실패로 돌아가면 왕자에게 당신의 꼬임에 빠져 탈출을 생각했노라 말할 거예요."

내 협박에 선생이 너털웃음을 터트렸다.

내 말이 아무리 터무니없는 주장이라고 해도 분풀이할 곳이 필요한 첩자라면 앞뒤 가리지 않고 선생과 그 식솔을 박살 내고도 남을 것이다.

"이런 분인 줄 알았으면 좀 더 조심할 것을요. 설사 실패하더라도 그렇게 말씀하지 않으시리라 믿겠습니다."

그의 말에 일부러 대답을 삼가며 먼저 방을 나섰다.

호라는 예상대로 매우 초조하고 불안한 상태로 방을 서성거리고 있었다.

그러다 나와 선생이 방으로 들어서자 거의 몸을 튕기다시피 자리에서 일어났다.

-어쩐 일이지?

-인사를 겸해서 왔습니다. 뮤사 님께서 통역을 부탁하기도 했고요.

-그렇군. 일단 자리에 앉지.

나 역시 그녀만큼 다급하고 초조했기에 망설임 없이 그녀가 권하는 자리에 앉았다.

-그래, 무슨 일이기에 통역까지 부탁해서 이곳에 온 거지?

평범하게 오가는 몇 마디 안부 인사마저 생략한 호라가 서둘러 입을 열었다.

-듣자 하니 아라 님이 수도로 급히 돌아오고 계신다더군요.

선생의 통역에 호라의 안색이 초조함으로 물들기 시작했다.

"이르면 내일 저녁, 늦어도 그다음 날 오전에는 수도에 오시겠던데요."

불확실한 내용을 마치 확실한 정보통을 통해 들은 기정사실인 양 과장되게 말하자 호라의 안색이 파리하게 질렸다.

-안 돼. 그렇게 돼서는……. 이 멍청한 것들은 왜 아직도 그깟 푼돈조차 마련하지 못해서 시간을 끄는 거야.

혼잣말처럼 초조하게 중얼거리며 손톱을 물어뜯기 시작한 호라를 보며 이대로 달래듯 몰아붙이면 승산이 있으리라는 계산이 섰다.

그나저나 그깟 푼돈이라니…….

이기적인 그녀의 말에 속으로 혀를 찰 수밖에 없었다.

나중에 아이를 키울 일이 생긴다면 검소한 소비 습관을 들여 놔야겠다는 생각이 뇌리를 스쳤다.

"저들이 오늘 저녁에는 나가야 하지 않겠습니까. 사실 오늘 저녁도 늦었다고 생각되는데…… 자금은 다 마련하신 거죠?"

모른 척 물어보자 호라의 표정이 일그러진다.

나에게 돈까지 빌렸으니, 그 돈이 모자란다고 말하기엔 분명 자존심이 상할 것이다.

하지만 여기서 자존심을 세우는 호라를 모른 척 넘어가기엔 시간이 촉박해도 너무 촉박하다.

나는 놀란 표정으로 그녀를 바라보며 입을 열었다.

"세상에……. 제가 이곳 화폐 가치를 잘 알지는 못합니다만, 고작 저런 보석 박힌 수입품 몇 개 사는 것도 버거워하실 줄은 미처 몰랐습니다."

도발적인 내 말에 잠시 망설이던 선생이 그대로 말을 전했다.

그러자 호라의 얼굴이 분노와 창피로 얼룩지며 씰룩거리기 시작했다.

그녀가 소리를 질러 모든 상황을 끝장내 버리기 전에 입을 열어 본론으로 들어갔다.

"만약 정말로 버거운 것이 맞는다면, 저들이 터무니없는 가격을 책정했다는 것이 아니겠습니까? 고작 장신구 몇 개입니다."

순간 움찔한 호라가 이내 내 의도를 파악한 듯, 분한 목소리로 동의했다.

–바로 그것이다. 아무리 서대륙에서 건너와 희귀한 것이라고 해도, 그 가격들은 그대 말대로 터무니없어. 산다고 약속한 말이 있어 그 신의를 지키고자 돈을 구하고는 있지만 시간이 부족하구나.

시간이 넉넉하면 마련할 수는 있고?

호라의 말에 잠시 입꼬리를 씰룩거리던 나는 그녀의 말이 모두 맞다는 표정으로 고개를 끄덕이며 그녀가 솔깃할 수밖에 없는 제안을 꺼냈다.

"그래서 제가 그들과 다시 얘기를 해 보려고 합니다. 가격을 좀 더 조정하는 편이 맞겠다고요. 싫다면 아무것도 사지 않고 내보내겠다고 하지요."

–아, 아무것도 사지 않고 내보낸다고?

내 말에 물건들이 떠오른 모양인지 호라가 당황과 아쉬움이 가득한 표정으로 급하게 되물었다.

그녀의 욕심 어린 표정에 애써 웃음을 참은 나는 태연자약하게 고개를 끄덕이며 그 이유를 설명했다.

"바보도 아니고, 속임수를 알고도 거래를 할 수는 없지요. 만약 이런 상황에서 그들 뜻대로 거래를 성사시키면 모두에게 바보 취급당할 것이 분명합니다."

호라가 혼란스러운 와중 동의한다는 뜻으로 고개를 끄덕이며 답했다.

–어떻게 해야 좋단 말이냐. 이렇게까지 시간을 끌었는데 아무것도 사지 않고 내보내는 것은…….

그렇게 가지고 싶을까.

무슨 이유를 붙여서라도 구매를 합리화하고 싶어 하는 그녀를 한심하다는 눈으로 바라보며 대단한 계획이라도 공유하는 듯 목소리를 낮춰 말했다.

목소리가 낮아지자 호라가 몸을 기울이더니 조용히 내 다음 말을 기다렸다.

"어차피 전염병에 걸린 사람들. 내보내는 것이 빠르면 빠를수록 좋지 않겠습니까."

내 말 뜻을 이해했는지 호라의 표정이 갑자기 밝아지기 시작했다.

그녀의 표정 변화를 곁눈질로 지켜보며 태연히 말을 계속했다.

"그들 입장에서는 궁을 나서서 딱히 장사를 계속할 수도 없을 것인데. 지금 팔고 나가는 것이 그들의 마지막 수익이 될 것이 분명합니다.”

—그렇지. 그렇다면…….

“얼마에 팔고 나가든 파는 쪽이 이득이라는 말이지요.”

—가격을 더 낮추게 만들 수 있단 말이로구나.

내 말에 흥분해서 답하는 호라를 두고 역시 단순해서 편하다는 생각을 하며 낮게 한숨을 들이켰다.

“제가 그들을 한 번 더 만나 보지요.”

내가 선심 쓰듯 제안하자 호라는 망설임 없이 고개를 끄덕이려다가 이내 체면 때문인지 잠시 멈칫한다.

그에 그간 가만히 있던 선생이 자발적으로 입을 연다.

—제가 갑자기 끼어들면 호라 님께서 흥정을 해 보라고 시켰다는 것을 눈치챌지 모릅니다.

그렇지. 선생의 지원 사격에 작게 고개를 끄덕이며 압박하듯 호라를 바라보았다.

선생이 말을 계속했다.

—하지만 뮤사 님과는 그간 몇 번 대화를 해 보았을 테니 그렇게 이상하게 보이지는 않을 것 같습니다. 지금 상황에서는 선택지가 많지 않지요.

현실적인 그의 말에 호라가 결심을 내린 듯 나를 바라본다.

제발…… 제발!

간절함이 담긴 기원이었지만 들켜서는 안 될 기원이기도 했다.

—……그렇다면 다과를 준비해 줄 테니 마지막으로 저들이 이 궁을 떠나기 전 이야기를 나눠 보지 않겠는가.

“어려울 것이 뭐 있겠어요?”

냉큼 대답한 나는 호라를 바라보며 생긋 웃었다.

아직 결론이 난 것은 아니다. 마냥 좋아할 순 없지만 높아진 가능성에 호라가 살짝 웃어 보였다.

"임기응변이 제법 좋다고 해야 할지……."

방에 들어와 상황 설명을 들은 에카이트가 혀를 차며 나를 반겼다.

그와 말장난을 할 시간이 없었기에 나는 단호하게 본론으로 치고 들어갔다.

"전에 말해서 알고 있겠지만, 수도로 올라온다는 첩자가 밤에 잠도 자지 않고 말을 달린다고 해요. 이르면 내일 저녁에 도착할 수 있다더군요."

내 말에 다들 심각한 표정이 되어 끙, 하고 앓는 소리를 냈다.

시간이 지나 병이 나은 모양인지, 다들 상태가 전보다 나아 보였다. 얼굴은 여전히 벌겋게 달아올라 있었지만.

한시라도 빨리 이곳을 나가야 한다. 다급한 마음에 나는 에카이트를 다시 닦달했다.

"절대 그녀가 먼저 물건을 포기하는 일은 없을 겁니다. 이쪽에서 먼저 가격을 낮추죠."

"얼마나 낮춰야 하는 거지, 그렇다면? 가격을 낮추는 것에는 동의해. 하지만 만약 낮춘 가격도 맞출 수 없다면? 그러면 상황은 더 복잡해져."

"그건……."

에카이트의 말에 말끝을 흐리며 난감한 표정을 지었다.

물어봐도 순순히 답해 줄 것 같지 않아 굳이 물어보지 않았던 것인데, 결국 가격을 다시 정하는 데에 있어 걸림돌이 되고 있었다.

"지금 부른 가격의 반으로 부르지."

"단장님!"

기사단장의 말에 부단장이 놀라서 그를 불렀다.

다들 기사단장에게로 시선을 돌리자 그가 침착한 어투로 말을 이었다.

"설명대로라면 우리는 가격이 얼마가 됐든 물건을 최대한 많이 팔고 가는 편이 이득인 사람들이지 않은가. 이 꼴로 더 장사를 하는 것도 무리고."

"맞는 말이군요. 우리가 아무리 헐값을 제시해도 이상하단 생각은 하지 않을 겁니다."

넬슨의 동의에 다들 고개를 끄덕이기 시작했다.

에카이트도 천천히 고개를 끄덕였다. 하기야 호라도 필요한 자금의 반도 마련하지 못했다면 굳이 이렇게까지 위험을 감수해 가며 미련 떨지는 않을 것이다.

어느 정도 결론이 나자 다들 시선을 교환하다가 낮게 웃음 짓기 시작했다.

"이것 참……. 엉뚱한 여자만 덕을 보는군요."

"제가 탈출에 성공한다면 무사하지 못할 사람들 중 한 명이 될 텐데 부러울 게 뭐 있습니까."

조슈아의 말에 담백하게 반박하자 다들 긴장을 잊으려는 듯 과장된 웃음소리를 낸다.

아무튼 가격을 다시 반으로 낮추는 것이 결정된 상황.

나는 두근거리는 심장을 안고 다시 호라의 방으로 걸음을 옮겼다.

두드린 문 안쪽에는 나를 기다리느라 아직 방에 남아 있던 선생과 반색하며 나를 돌아보는 호라가 있었다.

그 모든 물건들을 무려 반값에, 처음 불렀던 가격을 생각하면 반도 되지 않는 가격으로 흥정한 나를 바라보는 호라의 시선은 전에 없이 따사로웠다.

이렇게 호의적일 수도 있는 사람이구나…… 하는 생각까지 들 정도였다.

호라의 말에 의하면 오히려 돈이 남는 것 같았다. 당연히 만족스럽겠지.

흥분해서 사람을 불러 일을 진행시키는 호라를 얌전히 기다리자니 금방 일을 마무리한 그녀가 앞에 엉덩이를 붙이고 앉았다.

–그래, 이제 보니 제법 유능한 인재였구나. 가뜩이나 고향이 그리울 텐데 오늘 저녁이면 안녕일 것을……. 특별히 내가 모른 척해 줄 테니, 저녁까지 그들과 함께 시간을 보내는 것은 어떤가?

호라의 호의 가득한 제안에 잠시 망설이던 나는 고개를 끄덕였다.

그녀가 반드시 제안해 주어야 하는 마지막 한 가지가 더 있었기 때문이다.

다음 말을 기다리는 표정으로 호라를 바라보자 잠시 의아한 표정이던 그녀가 뭔가 기억이 났다는 듯 덧붙여 입을 열었다.

–그리고 오늘 그대의 시중을 드는 여자에게 바깥심부름을 좀 부탁해야겠는데, 괜찮은가?

–네.

기다렸던 말이다.

지체 없이 고개를 끄덕여 동의하는 나를 두고 호라가 진하게 웃었다.

나 또한 그녀를 마주 바라보며 웃음을 되돌렸다.

부디 서로가 서로를 보는 일은 오늘이 끝이었으면, 그 누구보다도 간절히 바라면서 자리에서 일어났다.

통역의 역할이 끝난 선생 또한 나를 따라 자리에서 일어났다.

복도로 나와 걸음을 옮기기 시작한 순간, 그는 망설임 없이 등을 돌려 나와 반대 방향으로 걸어가기 시작했다.

이 이상 나와 엮이지 않겠다는 단호한 의지 표현으로 이해한 나는 따로 인사를 덧붙이지 않고 다시 구출단이 있는 방으로 걸음을 옮겼다.

–죽여 버릴 것이다.

–헉, 헉. 왕, 왕자님. 너무 무리해서 이동하고 계십니다.

–반드시 죽여 버릴 것이다!

밤낮없이 말을 달린 지 꼬박 하루가 지나고 있었다.

영문도 모른 채 머리끝까지 분노한 그를 감당하는 것도 벅찬데, 살인적인 일정을 감당하며 이동까지. 남자는 이러다 정말 죽을지도 모른다는 생각이 들었다.

주군을 걱정하는 척 말을 꺼냈던 남자는 분노하는 첩자의 모습에 조용히 입을 다물 수밖에 없었다.

–감히, 감히 내 계획을 방해하려 들어? 이번에야말로 도둑질이 나쁘다는 것을 제대로 보여 주겠어.

……뮤사 님과 관련된 일이구나.

그가 이렇게 흥분하는 일은 뮤사와 관련된 일밖에 없다.

도대체 어떤 일을 벌였기에 그가 이토록 분노한단 말인가.

그들은 그녀가 도망쳤을 거라고는 전혀 생각하지 못하는 눈치였다.

-사랑스러운 뮤사. 정말로 도망칠 생각을 한 것이라면…… 나는 아버지와 다르다는 것을 알려 주는 수밖에.

살벌하기 그지없는 첩자의 중얼거림에 바로 옆에서 그의 말을 들은 가신이 몸을 부르르 떨었다.

-므네모쉬가 결국 도망칠 수 있었던 것은 그녀에게 도망칠 다리를 남겨 두었던 탓이었다. 나는, 나는 아버지와 달라.

첩자는 고삐를 당겨 말을 더욱 빨리 달렸다.

명마로 유명한 그의 말조차 강행군에 지쳐 입에서 거품을 뿜었지만, 그는 전혀 신경 쓰지 않고 수도로 향할 뿐이었다.

이 기세로 말을 달리면 수도까지 이틀이면 도착할 것이다.

고된 일정에, 처음 출발한 인원의 절반도 못 미치는 인원만이 남았다.

중간에 날씨까지 따라 주지 않아 사람이고 말이고 모두 지쳐 나가떨어진 탓이었다.

남은 인원들은 무관 출신으로, 정신과 체력 모두 이러한 강행군을 소화할 수 있는 사람들이었다.

수도와 궁 안에서 벌어지는 정보를 전달하러 달려오는 자가 가까이까지 왔다.

만약 아펠리아가 이미 궁에서 벗어났다면. 이대로 궁까지 가지 않고 그녀가 간 곳으로 바로 이동하리라.

상인이라고 주장하는 서대륙 사람들은 다 해도 열 명 미만.

감축된 인원에 지치기까지. 자신 있는 상황은 아니었지만 원군을 요청한다면 지금 이 인원으로도 괜찮을 것이다.

면밀하게 계산을 마친 첩자가 서늘한 눈으로 남은 인원을 다시 살핀 후 말을 출발시켰다.

그리고 이 무렵, 아펠리아는 성공적으로 협상을 마무리했다.

그런 뒤 구출단 사람들과 함께 마지막으로 계획을 점검했다. 아펠리아는 문득 이유를 알 수 없는 서늘함에 몸을 부르르 떨어야 했다.

그런 아펠리아를 에카이트가 다정한 손길로 어르는 모습에 사람들의 항의 어린 아우성이 울려 퍼졌다.

밤이 어두워도 보석들의 영롱함을 모두 가릴 수는 없었다.

그간은 구출대가 가져온 물건들에 대한 호라의 욕심을 전혀 이해하지 못했었는데 지금 보니 조금은 이해할 수 있을 것 같았다.

어둠 속에서도 빛을 잃지 않고 찬란하게 자태를 드러낸 보석들을 마지막으로 확인한 호라가 겨우 정신을 차리고 대금을 건네주라고 고갯짓을 했다.

—……어쩜 이렇게 아름다운 것들이 있을까. 아름답고 또 아름답다.

홀린 듯이 중얼거리는 호라를 곁눈질로 살피며 대금을 받고 그 금액을 확인하는 에카이트 쪽으로 슬금슬금 걸음을 옮겼다.

극소수의 사람들만이 나와 있는 어두운 공간에서 평소 내 시중을 드는 여자의 옷차림을 흉내 낸 나는 별다른 주목을 끌지 못하고 있었다.

처음부터 내 존재를 염두에 둔 선생만이 묘한 표정으로 나를 힐끗거리는 것을 빼면 말이다.

물건을 보고 감탄하느라 정신이 없는 호라나 쓸데없이 대금을 확인하는 에카이트나 속이 터지기는 매한가지였다.

그냥 빨리 가면 어디가 덧나나.

한시라도 빨리 움직여서 조금이라도 멀리 떨어지는 것이 안전하다.

나는 실수인 것처럼 에카이트의 옆구리를 팔꿈치로 슬쩍 찔렀다.

움찔하지도 않는 에카이트를 보고 혹시 못 느낀 것인가 싶어 조금 더 세게 후려쳐 볼까 생각하던 중에 그가 먼저 입을 열었다.

"금액은 확실한 것 같군요. 일행들의 상태가 전에 비해 나아지기는 했으나 여전히 환자는 환자입니다. 언제 어떻게 될지 모르니 최대한 빨리 궁에서 나갈 수 있게 배려해 주시길 부탁드리겠습니다."

대체 어떻게 안 건지 에카이트는 정확하게 언어 선생을 바라보며 통역을 요청했다.

그에 호라가 불에 덴 듯 화들짝 몸을 떨며 현실로 돌아왔다.

-그래, 그렇지. 주어진 시간도 많지 않은데 괜한 곳에서 허비할 뻔했구나. 좋다. 이만들 가 보아라.

호라의 말에 문을 지키던 자들이 일사불란하게 걸쇠를 풀고 문을 밀기 시작했다.

가장 작은 출입문으로 나가는 것이라곤 하지만 그래도 제법 묵직한 문이 스르륵 열리기 시작하자 심장이 건잡을 수 없을 정도로 빠르게 뛰기 시작했다.

드디어, 드디어 이 갑갑한 곳을 떠날 수 있다.

곁에 서서 문이 완전히 열리길 기다리는 구출단 또한 긴장한 기색이 느껴지고 있었다.

마침내 완전히 열린 문을 바라보며 이제 나가도 되는 것인가 망설이던 찰나, 성질이 급한 호라가 신경질적으로 말했다.

-어서 가지 않고 뭐 하는 거지? 이곳을 나간 이후 그대들은 이곳에 온 적도, 나를 만난 적도 없는 것이다.

호라의 당부를 전하는 선생의 목소리를 뒤로하고 에카이트와 일행들이 걸음을 옮기기 시작했다.

그들을 따라 나도 망토를 뒤집어썼다.

당장에라도 내 어깨를 낚아채고 어디를 가냐며, 너는 남아야 한다고 붙잡는 손길이 있을 것 같아, 괜히 긴장으로 머리카락이 쭈뼛 곤추서는 느낌이 들었다.

이내 일행과 짐들이 모두 궁을 빠져나오자 뒤에서 묵직한 소리와 함께 문이 닫히는 소리가 들렸다.

조심해야 한다는 것도 잊고 몸을 휙 돌려 뒤를 보자 굳게 닫힌 문이 눈에 들어왔다.

"저……. 저, 궁 밖으로 나온 건가요? 정말로요?"

"아펠리아, 진정해. 그대는 이제 밖으로 나왔고, 곧 서대륙으로 돌아갈 거야. 그리고 곧 폰디체리 공작가에 도착해 공작에게 유례없이 긴 잔소리를 들을 거니 너무 걱정 말라고."

……아. 갑작스럽게 아버지와 대면할 것을 생각하니 몸 둘 바를 모르겠다.

어색한 웃음을 지으며 흥분한 마음을 애써 가라앉혔다.

지금부터가 진정한 시작이다.

첩자가 어디까지 왔는지는 아무도 모를 일.

배를 정박시켜 둔 곳까지는 꼬박 하루가 걸린다고 했다.

그리고 그 배를 출발시키는 데에 걸리는 시간까지 계산하면…….

첩자가 궁에 도착해 상황을 파악하고 우리의 행적을 추적해 항구로 이동한다고 계산하면 조금은 여유가 있어 보이지만, 기대하기 어려운 일이기도 했다.

그간 경험한 그의 동물적인 본능을 생각하면 말이다.

단순히 서대륙에서 상인들이 들어왔다는 얘기만으로도 미친 듯이 말을 달려 수도로 향하고 있는데…….

분명 지금쯤이면 우리가 궁을 나서서 수도를 가로지르고 있으리라 짐작하고 거기에 맞춰 추격 방향을 틀지 않았을까.

섬뜩하지만 제법 신빙성 있는 가정에 몸을 부르르 떤 나는 에카이트를 바라보았다.

"서둘러 가야 해요."

"……말을 구했다면 좋았겠지만 어쩔 수 없군. 다들 좀 뛰는 것이 좋겠어."

기사단장의 말에 다들 묵묵히 고개를 끄덕이고 달릴 수 있도록 매무새를 정돈했다.

아직까지 병색이 드러나는 얼굴들을 보자니 걱정과 미안함이 솟아오른다.

"다들 괜찮으시겠어요?"

"아펠리아 경, 안 괜찮다고 그냥 앉아서 쉴 상황이 아니란 것은 모두 알고 있습니다. 신경 쓰지 마십시오."

단호하게 상황을 정리하는 넬슨의 말에 더 할 말이 없어진 나는 묵묵히 고개를 끄덕이며 옷차림을 마지막으로 정리했다.

지난 몇 주, 어쩌면 몇 달.

그 기간 동안 수련과 담을 쌓고 살다시피 한 몸이라 자칫 잘못하면 짐이 될 수도 있다는 생각에 남 걱정 대신 내 걱정을 하기로 결심했다.

"그럼 움직입시다."

"……제가 앞장서지요."

황태자가 붙인 남자가 그림자처럼 앞으로 미끄러져 나오더니 달리기 시작했다.

그의 움직임을 빠르게 쫓는 일행들 사이에서 같이 몸을 움직이기 시작했다.

"헉, 헉. 흐아……."

"아펠리아, 괜…… 찮은가."

성에서 제법 멀어지기는 했지만 항구와의 거리를 생각하면 아직 성에 더 가까울 것이 분명했다.

해가 뜨고 사람들이 다니기 전에 최소한 외곽으로는 빠져나가야 움직임에 제약이 없을 텐데…….

이상할 정도로 빨리 지치는 몸에 이를 악물고 달렸지만 거칠어지기 시작한 숨소리를 들은 일행들이 결국 멈추어 섰다.

내 안부를 물어보는 에카이트조차 나보다는 지친 기색이 덜했기 때문에 괜히 자존심이 상한 나는 괜찮냐는 질문에 억지로 고개를 끄덕였다.

하지만 에카이트를 제외하고는 모두 몸을 쓰는 사람들이었기에 내 거짓말은 쉽고 빠르게 간파당하고 말았다.

"아펠리아, 대체 뭐가 문제인 거지? 분명 이 정도 거리면 지친 기색 없이 충분히 따라오고도 남았을 건데 말이야."

어린 시절부터 많은 시간 아버지를 대신하여 내 수련을 봐 주었던 기사단장이 걱정스러운 표정으로 헉헉거리는 나를 살폈다.

그에 숨을 고른 조슈아가 앞으로 나섰다.

"아마 마나 때문이 아닐까 싶은데요. 우리야 모두 마나에 특화된 기사들이 아니니 체력에 의존해서 훈련해왔지만 아펠리아 경의 경우는……."

"그렇지. 애초에 체력적으로는 남들보다 백배 노력한다고 해도 앞지를 수 없는 부분이라 마나로 부족한 체력을 커버하는 방향으로 훈련을 해 왔지."

빠르게 상황을 납득한 기사단장이 말을 마치기 무섭게 신음소리를 냈다.

나 또한 당황스럽기는 마찬가지였다. 마나가 완전히 배제된 상태로 체력을 끝까지 끌어 올려야 하는 경우는 이번이 거의 처음이었다.

내 순수한 체력이 겨우 이 정도라니.

스스로에게 실망스러운 것은 둘째 치고 다른 누구도 아닌 바로 나 때문에 일정이 지연된다고 생각하니 차마 고개를 들 수 없었다.

고개를 푹 숙이고 호흡을 가다듬으며 최대한 빨리 컨디션을 회복하려고 애쓰고 있는데 어깨로 따뜻한 온기가 느껴졌다.

"아펠리아. 긴장 풀지. 괜찮을 거니까."

"맞습니다. 아직 해가 뜨려면 몇 시간은 더 남아 있지 않습니까. 늘어질 필요도 없지만 너무 조급해할 필요도 없습니다."

에카이트와 조슈아의 위로에 애써 흔들리는 마음을 가다듬은 나는 고개를 들어 결연한 표정을 지었다.

"얼마나 온 것 같습니까?"

"……사 분의 일. 혹은 그보다 조금 덜 온 것으로 보이는군요."

앞장서던 남자의 말에 나는 입 밖으로 튀어나오려는 탄식을 애써 꿀꺽 삼켰다.

할 수 있다.

해야만 한다.

고개를 끄덕인 나는 금방이라도 다시 달릴 것처럼 옷차림을 정리하고 몸을 푸는 시늉을 했다.

내 무언의 움직임에 다들 거칠어진 숨을 정돈하고 다시 달릴 준비를 했다.

밤하늘에 뜬 보름달이 구름에 완전히 가려지는 순간, 우리들은 다시 달리기 시작했다.

"그래도 생각했던 만큼은 이동한 것 같군요."

멀리서 동이 트기 시작하면서 하나둘씩 거리로 나오는 사람들 덕분에 속도를 줄일 수밖에 없었다.

앞장섰던 남자의 깔끔한 상황 정리에 모두들 조용히 고개를 끄덕여 동의했다.

거리나 지리에 대해선 잘 알지 못하는 나만이 그저 얌전히 침묵을 지킬 뿐이었다.

"말을 사는 것은 어떻습니까?"

"그렇군요. 체력을 아낄 수 있을 때에 아끼는 편이 좋지 않겠습니까."

기사단장을 바라보며 제안한 부단장의 말에 대답한 것은 조슈아였다.

하기야 말만 있어도 이동 속도는 급격히 올라갈 것이다.

황태자가 붙인 남자의 동대륙어 실력도 제법 그럴싸하니 가지고 있는 돈과 그의 언어 능력을 생각해 보면 말 몇 마리쯤 사 오는 것은 일도 아닐 터.

모두가 희망찬 표정으로 에카이트를 바라보며 그의 의견을 기다리고 있었다.

……가만히 보면 이 무리의 실세는 결국 에카이트란 말이지.

묘한 표정으로 에카이트를 바라보고 있자니 그가 입을 열었다.

"모르긴 몰라도 어디든 말은 귀한 가축입니다. 마 시장이 있는 곳이거나 뭔가 특수성을 지닌 곳이 아니라면 모두가 탈 만한 말을 구하지는 못할 겁니다."

"그의 말이 맞다. 설사 살 수 있다고 해도 한꺼번에 그렇게 큰 금액을 지출했다간 이목을 끌 수밖에 없어."

기사단장의 덧붙이는 말에 다들 잠시 침묵을 지켰다.

침묵을 깬 것은 에카이트였다.

"말 이전에 무기상을 잠시 들르는 것이 좋겠군요. 다들 변변찮은 무기도, 방어구도 없지 않습니까."

하기야, 상인으로 위장해서 궁으로 들어가는 마당에 무장을 할 수는 없었을 테니까.

궁을 나설 때 호위 무사로 소개됐다는 부단장만이 그의 무기를 돌려받을 수 있었던 것으로 보아 다른 이들은 변변찮은 무기가 없는 것이 분명했다.

"쓸 일이 없다면 다행이겠지만……. 상황을 보아하니 재수가 없으면 쓸 일이 있을 수도 있겠어. 너무 과하지 않은 선에서 구해 보도록 하지."

부단장의 말에 다들 고개를 끄덕이며 잠시 몸을 감추었던 골목길에서 시장 쪽을 바라보며 무기상을 눈대중으로 찾아보기 시작했다.

"……가시죠."

역시나 이번에도 앞장서기 시작한 남자들을 따라 걸음을 옮기며 다시 초조해지는 마음을 애써 가라앉혔다.

순식간에 각자 무기를 골라낸 우리는 주인이 부르는 대로 별다른 흥정 없이 값을 치렀다.

일부러 눈에 띄게 좋은 무기도, 특이한 무기도 아닌 것들을 고른 덕분인지 주인은 크게 신경 쓰지 않는 눈치였다.

각자 무기를 갈무리한 상태로 말들이 묶인 가게로 걸음을 옮긴 우리는 주인의 말에 절망할 수밖에 없었다.

섣불리 서대륙어를 사용해 통역을 할 수도 없는 상황인지라 나와 남자를 제외하고는 모두 상황을 모른 채 멀뚱히 서 있는 중이었다.

유일하게 동대륙어로 대화가 가능한 남자가 임기응변으로 상황에 대응하고 있었다.

–우리는 짐을 나르는 말밖에 없는데. 달리는 용도로 쓰는 말을 찾는다는 말인가? 그런 것은 귀족가나 왕궁에서 찾는 것인데…….

–……우리가 유랑 목축을 하고 있어서 말이오.

–아하. 그럴 줄 알았네. 소수 민족인가 보군. 그런데 어쩌나. 그런 말을 사려면 좀 더 변두리로 나가야 해.

의심스러운 표정을 짓던 상인이 남자의 설명에 알겠다는 표정을 짓다가 이내 안됐다는 표정을 지으며 고개를 저었다.

짐말이라도 있는 편이 백번 낫다.

상인이 등을 돌리려 하자 나도 모르게 몸을 움찔거렸다.

소모품이 아닌 용도에도 맞지 않는 고가의 가축을 선뜻 산다는 것은 상식적인 행동이 아니다.

일행들 역시 상황이 안 좋다는 것을 느꼈는지 서로 시선을 교환하다 나를 흘긋 바라보았다.

별다른 방법이 없는 나 또한 남자만을 바라보고 있는데 다행히도 그의 임기응변은 다시 빛을 발했다.

—그렇다면 짐말로 네 마리만 삽시다.

—짐말을? 이보시오, 알겠지만 용도가 달라서…….

—유랑 목축을 하다 보니 이동이 잦아서 짐을 줄이고는 있지만 제법 많소. 짐말도 필요하오.

—아, 그렇다면야. 튼튼한 놈들이 제법 있으니 구경해 보시오.

남자의 능숙한 대처에 에카이트와 눈빛을 교환한 나는 한 걸음 뒤로 물러섰다.

남은 일행 중에서는 나를 제외하고 동대륙어를 이해할 수 있는 사람이 없었기 때문에 일제히 내 행동을 따라 한다.

아마 둘이서 한 마리씩 타고 가려는 계산에서 네 마리를 말한 것 같았다.

인원수대로 짐말을 사는 것도 이상했고 또 너무 많았으니 당연한 결정이었겠지만…….

인원이 나를 포함해서 일곱 명이니 한 명만 말을 혼자 타고 가겠네.

자연스럽게 그 한 명이 나라고 생각했던 나는 남자가 골라서 값을 치른 말 등에 나누어 올라타는 사람들을 보다가 황당함에 입을 벌렸다.

설마 에카이트와 같이……?

엉겁결에 에카이트와 말을 같이 타게 된 나는 등 뒤로 느껴지는 에카이트의 온기에 애써 몸을 앞으로 기울였다.

마을을 벗어나 시선들에서 자유로워진 우리는 다시 입을 열기 시작했다.

"아니, 제가 왜 에카이트와 같이 타는 거죠?"

"그럼 부단장의 말에 두 명을 태우란 말인가?"

"아펠리아 경. 싫겠지만 별수 있겠습니까. 거기에는 샌드위치만 더 실어도 말 허리가 두 동강이 날 겁니다. 아니면 저랑 같이 타시겠습니까?"

기사단장의 단호한 말과 조슈아의 얄미운 덧붙임에 에카이트와 부단장이 인상을 찌푸렸다.

차라리 조슈아랑 같이 타는 편이 덜 민망하지 않을까 싶어 입을 열려는데 에카이트가 더 빨랐다.

"약혼자를 두고 아펠리아가 대체 왜? 헛소리하지 말고 속도나 올리지."

"약혼자도 약혼자 나름……."

"맞습니다. 서둘러야죠. 갑시다."

빈정거리는 조슈아의 말을 잘라 낸 넬슨이 분위기를 환기시켰다.

그의 말에 정신이 번쩍 들었다.

여기서 이렇게 노닥거리며 지체할 시간은 없다.

서로 눈빛을 교환한 우리는 말을 재촉해 서둘러 달리기 시작했다.

한시라도 빨리 파도 소리가 들리기를 기대하면서 말이다.

우리는 말 위에서 언제 준비해 뒀던 것인지 모를 육포를 나눠 먹으며 달리기를 멈추지 않았다.

날은 멀리서 해가 지면서 점점 어두워지고 있었다.

대략 하루가 걸린다고 했던 거리이니 거의 도착해 간다는 소리이기도 했기에 나는 육포를 삼키고 에카이트에게 질문을 던졌다.

제법 오랜 시간을 달리다 보니 허리를 곧추세우고 있는 것도 고역인지라 조금 달린 이후부터는 아예 에카이트의 가슴에 기대어 가고 있었다.

그 때문에 작은 소리로도 그를 부를 수 있었다.

"거의 다 온 거죠?"

"그렇다고 봐야겠군. 단장님, 곧 도착합니까?"

에카이트가 확인을 위해 질문을 던지자 남자가 단장을 대신해 답한다.

"말을 탔다고 해도 그렇게 속력이 올라간 것도 아닌 데다 길을 돌아서 이동한 탓에 아직 조금 남았습니다."

"구체적으로 얼마나 남은 겁니까."

다급한 목소리로 물어보자 그가 잠시 시간과 거리를 가늠하는 듯 침묵을 지키다 다시 입을 열었다.

"해가 완전히 지고 자정에 가까울 무렵이면 항구가 보일 것 같습니다."

"……서두르지."

기사단장의 말에 다들 조용히 말의 이동 속도를 올렸다.

짐말인지라 속도는 그저 그랬지만 지구력이 좋은 탓에 쉬지 않고 이동하는 강행군에도 제법 잘 버티고 있었다.

"아펠리아."

"네?"

흔들리는 에카이트의 가슴팍에 편안하게 기대 있던 나는 나지막이 이름을 부르는 에카이트의 목소리에 반사적으로 대답하며 그의 얼굴을 올려다봤다.

환한 달빛 아래 그의 얼굴이 생각보다 가까이에 있어 급히 고개를 돌렸다.

와, 깜짝 놀랐네.

"보고 싶었다. 정말로 많이."

……갑자기 왜 저러는 거야.

괜히 에카이트와 닿은 등이 불편하게 느껴져 몸을 살짝 틀었다.

하지만 내 움직임은 뒤에서 안아 오는 에카이트의 커다란 손에 의해 저지되었다.

"아펠리아. 그대는 내가 그대를 두고 얼마나 많은 감정과 생각에 휩싸이는지 모를 테지."

딱히 그렇게 보이지는 않았는데.

나는 뭐라고 답할 말이 없어 침묵을 지키는 쪽을 선택했다.

달리는 말 위인지라 목소리가 조금 떨리고는 있었지만 그의 감정은 생각보다 분명하고 정확하게 드러나고 있었다.

"앞서 있었던 일들이나……. 내 행동들 때문에 그대가 내 감정을 쉽게 수긍할 수 없다는 것도 잘 알고 있지만 말이야. 너무 부정하려고만 하는 걸 보면 기분이 이상하군."

대체 왜 또 이런 소리를 하는 거야.

가뜩이나 이런 상황에서.

당황으로 붉어진 얼굴을 숙이려다 괜히 티를 내는 꼴이 될까 봐 애써 당당하게 고개를 들었다.

하지만 그런 내 행동을 간파한 것일까, 뒤에서 작은 웃음소리가 들린다.

에카이트의 웃음소리에 괜히 민망한 마음이 들었지만 동시에 묘한 위안이 찾아왔다.

정말로 곧 이런 일상 속으로 돌아갈 것만 같다는, 그런 희망 말이다.

-와, 왕자님. 허억, 허억. 잠시 쉬셔야 합니다. 말이 너무 지쳐,

이대로 가다간 낙마하실지도 모릅니다.

―……모두 잠시 휴식한다.

수도 외곽에 도착한 첩자와 몇 남지 않은 그의 일행들이 구르듯 말 등에서 내려왔다.

첩자 또한 말의 상태가 좋지 않다는 것을 느꼈기에 잠시 쉬어야 한다는 제안에 어쩔 수 없이 수긍하고야 말았다.

며칠을 밤낮없이 달려온 결과, 사람도 사람이지만 사람을 태운 말들이 거의 쓰러지기 일보 직전이었다.

앞서 수도의 동문으로 갈아탈 말을 준비해 대기하라 전보를 날렸는데, 아직 눈에 띄는 것이 없는 것으로 보아 전달이 늦어진 것이 분명했다.

정신력에 의지해 이동한 것이나 다름없었기에 잠시 휴식을 취하자 순식간에 긴장이 풀어진 몸이 그간 잊고 있던 피로와 통증을 호소하기 시작했다.

―왕자님, 궁으로 돌아가실 생각이십니까?

―……아니. 가야 할 곳이 있다. 빌어먹을 놈들. 갈아탈 말을 준비하라고 일렀거늘 왜 아직도 소식이 없느냔 말이다.

―말이라면 거의 도착한 것 같습니다. 제법 가까운 곳에서 말 울음소리가 들리고 있습니다.

첩자의 사나운 말에 말을 걸었던 남자가 재빠르게 한쪽을 가리키며 대답했다.

그의 말대로 말발굽 소리가 점점 가깝게 들리기 시작하더니 서둘러 달려온 기색이 완연한 남자가 말들을 몰고 나타났다.

―왕자님, 늦어져서 죄송합니다. 서신을 확인하고 부랴부랴 온 것인데…….

–됐다. 모두 일어나라. 출발할 것이다.

다리는 여전히 후들거리고, 입에 쓴 물이 올라왔지만 첩자의 명령에 일어설 수밖에 없었다.

몸이 견디기 힘들다고 조금 더 쉬려고 들었다간 여기서 삶이 끝날지도 모른다는 공포 때문이었다.

–우리는 항구로 갈 것이다.

–항구 말씀이십니까?

여전히 첩자의 말은 알아들을 수 없었지만 감히 되물을 생각은 들지 않았다.

남자들은 선두에서 말을 모는 그의 뒤를 따라 하나둘씩 말을 출발시켰다.

느려질 수도 있는 그들의 걸음을 독촉한 것은 첩자의 살벌한 경고와 같은 말 때문이었다.

–반드시 피를 보고야 말 것이다. 놈들에게서든, 다른 누구에게서든.

어떻게든 솟구친 분노를 풀어내리란 그의 살기 어린 목소리는 결코 농담처럼 들리지 않았다.

그의 잔혹한 전적들을 떠올린 남자들은 이를 악물고 전속력으로 달리기 시작했다.

같은 시각, 아펠리아는 멀리서 철벅거리는 파도를 보며 들뜬 목소리로 환호성을 질렀다.

드디어 항구다. 파도가 넘실거리는 밤바다에 묶여 있는 배 중 제법 큰 배를 향해 걸음을 옮기는 일행을 따라 걸었다.

“배가 제법 큽니다. 상상보다도 더요.”

“보름 가까이 항해를 견뎌야 하는 배가 아닙니까. 아무리 타는 사람 수가 적다고 해도 이 정도 크기는 돼야죠."

내 말에 조슈아가 친절히 설명을 덧붙였다.

배를 제대로 타 본 것은 전생과 현생을 통틀어 거의 처음이나 다름없었다.

괜한 들뜸에 배를 올라타기 위해 준비 작업을 하는 사람들 주변을 서성이며 애써 진정하려 애썼다.

"사실 더 큰 편이 안정적이기는 한데……. 배도 말과 마찬가지로 자동이 아니라서 움직이는 데에는 힘이 필요합니다."

"그렇기는 하겠네요. 지금 인원이라면 이 정도 배는 별 무리 없이 움직이게 할 수 있는 건가요?"

내 순수한 호기심에서 비롯된 질문에 조슈아가 어깨를 으쓱거리며 그가 아는 선에서 대답하기 시작했다.

"가능했기에 여기까지 온 것 아니겠습니까. 따로 항해를 돕는 사람들을 데리고 이동할 여유가 있는 상황이 아니라서 대충 저희끼리 역할을 나누어서 배를 운행했습니다."

"……딱히 이상적인 인원도, 숙련자도 아니었지만 별다른 방법이 없는 데다 다들 몸을 쓰는 사람들이어서 어찌어찌 올 수 있었습니다."

밧줄을 타고 먼저 배에 올라탄 넬슨이 줄사다리를 내려 주었다.

"다들 타시죠. 배를 움직이게 하려면 해야 할 일들이 제법 많습니다."

남자의 독촉에 서둘러 배에 탑승한 나는 일사불란하게 움직이는 사람들 틈에 서서 할 일을 찾지 못한 채 멍하게 있을 수밖에 없었다.

그런 나를 보다 못한 기사단장이 툭 던지듯 역할을 나눠 주었다.

"아펠리아. 지금 자네에게 역할을 분담시키기엔 설명할 시간이 없군. 일단 지금 마나를 얼마나 사용할 수 있는지 확인해 볼 수 있겠나?"

그의 지시에 눈을 감고 몸에 남은 마나와 주변의 마나를 탐색하기 시작했다.

한동안 마나와 완전히 차단된 삶을 살았던 터라 조금 어색하기는 했지만 금방 익숙하게 마나를 느낄 수 있었다.

"수도의 궁 안에 있을 때보다는 그래도 농도가 조금 짙은 것 같아요. 서대륙에 비하면 반의반도 안 될 정도이긴 해도요."

내 대답에 그가 일사불란하게 움직이며 나에게 다음 지시를 내렸다.

"그렇다면 최대한 마나를 낭비하지 않는 선에서 보초를 섰으면 하는데. 첩자가 다가오고 있는지 정도면 충분할 것 같군."

"아주 먼 곳까지는 어렵지만 그래도 육안으로 보이는 것보다는 조금 더 멀리 살필 수 있을 것 같아요. 해 볼게요."

그의 말에 긍정한 나는 눈을 감고 흐릿한 마나를 알뜰하게 운용하여 주변의 기척에 신경을 집중했다.

부디 출발할 때까지 그의 소름 끼치는 기척이 느껴지지 않기를 기원하면서 말이다.

기척을 잡아내는 것은 생각보다 어려운 일이었다.

아무리 마나를 섬세하게 다뤄서 남들보다 적은 양의 마나로 기척을 읽을 수 있다고 해도 이곳의 마나 분포는 정말이지 답답할 정도로 낮았다.

마치 물속에 갇힌 기분이라고 해야 할까.

신경을 곤두세우고 마나를 운용하다 보니 별별 생각이 다 든다.

배나 항해에 대해서는 전혀 알지 못하기 때문에 에카이트나 다른 사람들이 배 위에서 일사불란하게 움직이는 것을 신기하게 쳐다보다 보니 조금 진정되었다.

배는 항구에 정박되어 닻을 내린 상태였지만 출렁이는 파도에 일정한 간격으로 흔들리고 있었다.

뭔가 속이 울렁거리는 느낌이 든다.

멀미 같기도 하고?

"바람의 방향이 자꾸 바뀌는데, 이거 괜찮겠습니까?"

"차라리 계속 바뀌는 편이 낫습니다. 현재 계절풍의 방향이 동대륙 쪽입니다. 올 때에 그토록 순항을 했으니……."

"예상보다 며칠 일찍 도착해서 뭔가 이상하다 했더니 그런 것이었습니까?"

"동대륙 방향으로의 항해 기록이 거의 없다시피 해서 잘 몰랐는데, 그렇더군요. 그런데 계속 바람의 방향이 이렇게 바뀌는 것은……."

항해를 지휘하는 남자와 조슈아의 대화를 들으며 조용히 바람을 느껴보려 노력했다.

확실히 우리가 말을 달려온 방향으로 머리카락이 휘날리는 것이, 가야 하는 방향과 반대로 바람이 불고 있었다.

분주히 움직이는 사람들에게서 시선을 돌리고 동대륙 방향으로 다시 마나를 집중해 기척을 느끼려 노력했다.

첩자가 가진 특유의 기운은 스치기만 해도 모를 수가 없을 것이다.

제발 아무것도 느껴지지 않기를 간절히 바라면서 다시 눈을 감으려던 찰나, 옆에서 에카이트의 목소리가 들렸다.

"아펠리아. 비 냄새가 나지 않나?"

"비…… 말입니까?"

뜬금없는 에카이트의 말에 잠시 숨을 깊게 들이쉬고 내쉬는 것을 반복하며 주변 공기를 느껴 보려 애썼다.

"그러네요. 머지않아 비가 오겠어요. 공기가 축축하네요."

내 동의에 에카이트가 고개를 끄덕이며 등을 돌려 출항 준비가 한

창인 사람들을 향해 걸어간다.

다시 집중을 거듭하던 나는 순간 느껴진 익숙한 기운에 소스라치게 놀라 무리임을 알면서도 탐색의 거리를 늘렸다.

아니야. 이렇게 빠르게 쫓아올 수는 없어.

터질 듯이 두근거리는 심장을 애써 진정시키며 더 먼 거리까지 탐색하려 노력했다.

주변의 마나를 활용하는 수준을 넘어 몸에 축적시켜 두었던 마나까지 이용하기 시작하자 그동안 느꼈던 익숙한 기운이 멀리서지만 선명하게 느껴지기 시작했다.

첩자다.

아주 가까운 거리는 아니지만 금방이라도 들이닥칠 것만 같은 거리에 그가 있다.

긴장으로 바싹 마르기 시작한 입술을 꾹 깨물었다.

나는 정확한 방향과 대략적인 거리, 이동 속도를 확인하기 위해 눈을 감고 다시 한번 집중했다.

잘못 느낀 것이기를 바라면서 정밀하게 탐색해 보았지만 결과는 달라지지 않았다.

그가 오고 있다.

등을 돌려 뒤편을 바라보자 배 위에서 일사불란하게 출항 준비를 위해 움직이는 사람들이 보였다.

뭐부터 어떻게 말해야 하지.

혼란스러운 감정과 두려움에 멍하니 서서 그들을 바라만 보았다.

이런 내 상태를 가장 먼저 눈치챈 것은 에카이트였다.

하얗게 질린 나를 보고 급하게 다가오는 그를 멍하니 바라보았다.

"아펠리아. 무슨 일이지? 갑자기 안색이……. 놈이, 오고 있군."

에카이트의 낮은 목소리에 사람들이 하던 일을 멈추고 나를 돌아보기 시작했다.

겁에 질린 내 표정을 본 기사단장이 단박에 상황을 파악한 듯, 날 선 눈빛으로 내 뒤를 살폈다.

그의 말에 삽시간에 날카로운 분위기로 돌변한 사람들이 허리춤에 찬 각자의 무기로 손을 올리기 시작했다.

작은 정보지만 공유해야겠지. 바싹 마른 목으로 애써 침을 삼키며 입을 열었다.

"맞아요. 그가 오고 있습니다. 우리가 왔던 방향에서 오고 있어요. 벌써 근거리에 도착했어요. 기운을 숨기지 않은 탓에 일찍 알아챌 수 있었죠."

"얼마나 가깝게 와 있습니까. 도착까지 예정 시간은?"

급박한 상황을 전달했으나 남자는 냉정하게 필요한 정보를 되물었다.

그 말에 침착해진 나는 면밀히 시산을 계산해 보았다.

"지금 속도라면……. 반나절도 걸리지 않을 겁니다. 이동 속도가 상당히 빨라요."

"……이런. 그전에 서둘러 출항할 수 없을 텐데. 일단 부단장님과 저는 잠시 인근 시장에 다녀와야겠습니다."

한시가 급한 시점에 시장은 또 웬 말인가.

이해할 수 없다는 표정으로 그를 바라보며 다시 입을 열었다.

내 말을 제대로 이해하지 못한 것은 아닐까 하는 짜증 섞인 노파심도 함께였다.

"첩자가 언제 들이닥칠지 모른다고 말씀드리지 않았습니까. 제 말 뜻을 다 알아듣지 못하신 겁니까?"

"길게는 보름도 걸릴 수 있는 항해입니다. 아무리 정상적으로 운항하고 있다고 해도 배 위에서 식량, 특히 식수가 떨어지면 다 죽습니다."

미처 생각하지 못했던 문제에 대해 단호하고 간결하게 설명하는 남자를 두고 민망해진 나는 조용히 고개를 끄덕여 수긍했다.

"……죄송해요. 전혀 생각도 못했어요. 시장은 가깝나요? 시간이 너무 촉박할 것 같아서요."

내 말에 남자가 잠시 계산을 하는 눈치로 말을 멈추었다.

순간 침묵이 흘렀다.

지금 이 순간에도 첩자는 사나운 기세로 말을 달려 이곳을 향해 달려오고 있을 것이다.

그러한 상황에서 오는 초조함에 그를 독촉하려던 찰나, 그가 먼저 입을 열었다.

"……뛰어야 할 것 같군요. 부단장님, 부탁 좀 드리겠습니다."

"짐꾼 신세로군."

짧게 투덜거린 부단장이 그를 따라 급하게 배를 떠났다.

잠시 침묵이 흐르던 중, 에카이트가 먼저 입을 열었다.

"그동안 어떻게든 시간을 벌어야겠군."

"무슨 좋은 수라도 있습니까?"

에카이트의 말에 조슈아가 살짝 인상을 찌푸리며 되물었다.

그에 에카이트가 배 꼭대기에 매달린 깃발을 가리키며 계획을 말하기 시작했다. 돌발 상황임에도 미리 다 계산했다는 듯 막힘이 없었다.

"저것은 배의 신분을 나타내는 이름표 같은 것입니다. 다른 배에도 모두 달려 있지요. 일종의 약속 같은 것이지요."

그의 말을 따라 다른 배의 꼭대기에 달린 깃발들을 시선으로 살폈다.

설명대로 눈에 띄게 구분할 수 있는 표식들이 깃발에 새겨져 있었다.

"듣자 하니 이곳에선 무역선인지, 어업을 위한 배인지, 용도에 따라 색도 달리한다고 합니다."

"……바꾸면 되겠군요."

"의외로 이해가 빠르군요."

에카이트의 말에 조슈아가 단박에 제안을 던졌다.

약 올리듯 그의 의견에 동조한 에카이트가 잠시 실내로 들어갔다가 손에 깃발로 보이는 몇 개의 천을 들고 나왔다.

"조금 큰 배의 깃발을 이걸로 갈아 치우고 그들의 깃발 중 하나를 우리 배에 달아 두죠. 잠시지만 시간을 벌 수 있을 겁니다."

에카이트의 말에 넬슨이 고개를 끄덕이며 손을 뻗어 깃발을 하나 받아 들었다.

기사단장과 조슈아가 각각 한 장씩 깃발을 가져가 배에서 내려 우리 배와 최대한 떨어진 곳에 위치한 큰 배들을 향해 달리기 시작했다.

멍하게 그들의 뒷모습을 바라보던 나는 다시 눈을 감았다.

빠르게 이동 중이군. 하지만 생각만큼 아주 가깝지는 않아.

극도로 분노했는지, 멀리 떨어져 있음에도 그의 기운이 선명하게 느껴졌다. 기운을 감출 생각이 아예 없는 것 같았다. 눈치채라는 듯이.

눈을 감고 마나를 운용해 그의 이동을 읽고 있는 도중 등 뒤로 따뜻한 기운이 닿았다.

"괜찮을 거야. 반드시 제국으로 돌아가게 될 것이니 너무 긴장하지 말도록."

뒤에서 안아 오며 귓가에 나지막하게 속삭이는 에카이트에 놀라 몸을 움찔했다.

불쾌해야 하는데…….

소스라치게 놀라서 그를 밀어내야 하는데…….

알 수 없는 어떠한 감정에 뭉클해지며 나도 모르게 몸을 그에게 기댔다.

이번에는 에카이트의 몸이 움찔하는 것이 느껴졌다.

놀라 그를 돌아본 나는 벌겋게 달아올라 시선을 피하는 에카이트를 보고 덩달아 얼굴이 달아올랐다.

괜히 사람 부끄럽게 만들고 말이야.

엄한 그를 탓하며 몸을 떼려고 하자 처음엔 가볍게 허리를 감싼 에카이트의 팔이 단단하게 내 몸을 감싸며 더욱 몸을 붙여 왔다.

온몸을 감싸는 두근거림이 나에게서 오는 것인지 그에게서 오는 것인지 분간할 수 없을 지경이었다.

어찌해야 할지 몰라 머뭇거리는데 빠르게 일을 마친 조슈아가 이 어색한 침묵을 깨 주었다.

가볍게 배 위로 뛰어 올라온 그가 마치 한 몸처럼 붙어 있는 나와 에카이트를 발견하고 인상을 찌푸린 채 혀를 찼다.

"제가 눈치 없이 너무 빨리 다녀왔나요? 한 군데 더 다녀올까요?"

그의 놀림 섞인 빈정거림에도 전혀 동요하지 않은 듯, 에카이트는 태연히 몸을 떨어트리며 대화를 이어 갔다.

갑자기 멀어지는 온기에 이상한 감정이 드는 것은 왜일까.

나는 그 감정을 애써 떨쳐 내려 노력하며 다시 눈을 감고 첩자의 위치를 파악하기 시작했다.

바다까지 그리 멀지 않았다. 불어오는 바람에 소금기가 섞여 있었다.

첩자가 빠른 속도로 말을 몰면서 몸에 부딪혀 오는 바람을 읽었다.

–태풍이 오고 있다.

–태풍 말입니까?

첩자의 말에 죽기 직전의 상태로 그를 따라 말을 몰고 달리던 남자 중 하나가 헉헉거리며 되물었다.

헉헉거리는 그의 말에도 속도를 줄이지 않는 첩자가 오히려 여상한 목소리로 말을 이었다.

–그렇다. 바람의 방향이 수시로 바뀌고 있고 바다 냄새와는 다른 물 냄새가 느껴져.

–……그렇다면 그들의 발도 자연 항구에 묶일 수밖에 없겠군요.

–서둘러야 한다.

남자의 희망적인 발언에도 전혀 동요하지 않은 첩자가 말에 박차를 가했다.

이미 한계에 다다른 말은 속도를 더 올리지 못했다.

그를 인지한 첩자가 이를 앙다물고 더욱 사나운 기세를 내뿜기 시작했다.

숨 막히는 공포와 육체적인 피로 사이에서 거의 정신력으로 버티며 따라가고 있는 남자들은 부디 그들의 주인 말대로 태풍이 서대륙에서 온 첩자들과 뮤사의 발을 묶어 두기를 기원할 수밖에 없었다.

첩자가 말을 달려오는 그 순간, 아펠리아는 빠르게 가까워지는 첩자의 기운에 초조해하고 있었다.

마침내 시장으로 떠난 두 사람의 기운이 다시 항구 쪽으로 다가오기 시작했다.

숨 막히는 시간 싸움이 시작된 것이다.

다행히도 거대한 오크 통을 지고 헉헉거리며 부단장이 먼저 모습을 드러냈다.

"헉, 헉. 젠장, 무거워 죽는 줄 알았습니다."

"짐말이라 그나마 다행이었다고 생각해."

짐말에 한가득 식수와 식량을 싣고 돌아온 부단장은 매우 지쳐 보였다.

그도 그럴 것이, 시간이 충분하지 않아 짐말을 여럿 몰고 다녀올 수도 없었다.

필요한 짐은 많지만 수레도 없고, 그나마 있는 것은 짐말뿐. 게다가 시간에 쫓겨 제대로 고정하지도 못해 힘으로 간신히 들고 온 모양이었다.

그야말로 서커스를 하듯 나타난 그들을 도와 짐을 배 위로 옮기고 다른 배에서 가져온 깃발 중 하나를 우리 배 꼭대기에 달려 있던 깃발과 바꿔 걸었다.

"……발상은 확실히 참신하군요. 그런데 다른 배에는 사람이 없었습니까?"

남자의 물음에 직접 다녀왔던 사람 중 하나인 기사단장이 고개를 끄덕이며 답했다.

"그렇더군. 혹시나 했는데 개미 새끼 한 마리도 없어서 수월했지."

"저도 마찬가지였습니다. 아무도 없더군요."

조슈아의 동의까지 들은 그가 침음에 잠겨 머리를 짚었다.

대체 뭐가 문제인지 이해하지 못한 나는 가만히 눈치만 살폈다.

다들 찡그린 인상으로 알 수 없다는 표정을 짓는 것을 보고 나만 이해하지 못한 것이 아니라는 확신을 얻을 수 있었다.

"……태풍이 오고 있는 것이 확실하군요. 당장 떠나야만 합니다."

"하지만 아직 풍향이나 항로를 제대로 읽지도 못했는데 무턱대고 육지를 떠나 출발하는 것은……."

남자의 말에 에카이트가 현실적인 어려움들을 거론하며 반박했다.

하지만 천하의 에카이트도 모르는 것이 있었던 걸까, 남자의 이어지는 말에 조용히 입을 다물 수밖에 없었다.

"보통 이런 항구에는 배를 관리하고 지키는 사람들이 있습니다. 그런데 그런 사람들도 보이지 않고, 보통 큰 배라면 있을 법한 관리인도 없다. 어떻게 생각하십니까?"

"……그럴 수밖에 없는 어떤 강력한 이유가 있다고밖에는 설명할 수 없겠군. 제법 위협적인 태풍이라는 것인가."

기사단장의 말에 모두 침묵을 지켰다.

"배를 일터로 삼는 사람들이니 어지간한 수준이 아니면 나왔을 텐데. 이렇게 아무도 없다는 것은……."

"정말 규모가 큰 태풍일 가능성이 큽니다."

"그래서 지금이라도 가야 한다고 하는 겁니다."

남자가 단호하게 방향을 제시하자 모두의 시선이 그에게로 쏠렸다.

"태풍이 상륙하면 아예 출항도 어렵습니다. 먼바다에서 내륙으로 들어오고 있는 태풍이라면, 위험하더라도 그 태풍이 상륙하기 전에 뚫고 지나가는 편이 빠르고 더 안전할 것 같습니다만."

"……썩 구미가 당기는 계획은 아니지만 방법이 없군요. 대략적인 방향이라도 잡아야 할 것인데, 혹시?"

조슈아의 말에 남자가 신중하게 고개를 끄덕인다.

"보통이라면 조금 더 시간을 들여서 바람의 방향이나 이상적인 출항 시간을 따지겠지만 지금은 우선 출발이 더 중요합니다."

"모두 각자 위치로!"

남자의 최종 결정에 기사단장이 굵고 강한 목소리로 외쳤다.

그러자 적은 인원이지만 모두가 일사불란하게 맡은 위치로 이동하기 시작했다.

별다른 역할을 분배받지 못한 나는 멀뚱히 서서 움직이는 사람들을 바라보며 두근거리는 심장을 애써 진정시키려 노력했다.

"방향은 파악해 두었으니 먼저 키를 잡은 다음 닻을 올리도록 하지요. 가 봅시다."

닻을 올리느라 끙끙거리는 소리를 들으며 나는 다시 눈을 감았다.

첩자가 가까워지고 있었다.

곧, 정말 머지않아 서로를 육안으로 확인할 수 있는 거리에 도착할 것이다.

해가 차츰차츰 지고 있었다.

어떻게 하면 시간을 더 벌 수 있지.

갑작스럽게 뇌리를 스치는 생각에 눈을 번쩍 뜬 나는 무작정 항구의 선착장으로 뛰어내렸다.

갑작스러운 내 움직임에 놀란 것인지 뒤에서 나를 부르는 목소리들이 울려 퍼진다.

하지만 나는 주저 없이 시장에서 비상용으로 마련한 검을 꺼내 들고 정박된 배 사이사이를 누볐다.

내가 지나간 뒤로 잘린 밧줄들이 널브러지기 시작했다.

배를 정박시키는 것은 닻과 밧줄이다.

닻과 이어지는 밧줄, 선착장 고정대에 이어진 밧줄을 모두 잘라 버리자 배들이 파도를 타고 차츰차츰 선착장에서 멀어져 갔다.

이해할 수 없다는 표정으로 애타게 내 이름을 부르던 사람들은 이내 선착장에서 멀어지는 배들을 보고 내 계획을 이해한 것 같았다.

드문드문 큰 배들이나 우리 배와 규모가 비슷한 배, 또는 아까 깃발을 바꿔 둔 배들을 대상으로 빠르게 검을 놀리자 삽시간에 선착장 주변 해역이 어수선해졌다.

빠르게 배로 돌아와 갑판 위로 올라서자 남아 있던 사람들의 칭찬이 이어졌다.

"대단합니다, 아펠리아 경. 생각도 못했던 방법입니다."

"잘하셨습니다. 깃발만 바꿔 단다면 수색해서 아니라는 것을 확인하기까지 너무 짧은 시간만 확보할 수 있지 않습니까."

"맞습니다. 선착장을 떠난 배라면, 확인하는 데에 시간이 몇 배로 걸리겠군요. 그리고 혹시 놈들이 따라왔다고 해도, 타고 쫓아올 만한 배가 없다면 도망칠 시간도 충분해지겠죠."

과분한 칭찬에 쑥스러운 나머지 잠시 시선을 피했다.

닻을 올리고 본격적으로 선착장을 벗어나는 배의 움직임을 느끼며 조용히 눈을 감았다.

빼앗겼던 검이나 어머니의 유일한 유품이었던 보석은 결국 되찾지 못했다.

이렇게 조악한 검으로 이 배와 험난할 바다 위에서 얼마나 버틸 수 있을까.

모두가 각자의 자리에 선 모양인지 조슈아가 큰 목소리로 나를 부른다.

"아펠리아 경! 이제 자르면 됩니다!"

마지막으로 항구에 묶인 끈을 자르라는 그의 지시에 빠르게 검을 놀렸다.

툭.

두꺼운 밧줄이 끊어지며 동대륙과 이 배를 이어 주던 마지막 연결선이 잘려 나갔다.

정말로 태풍이 오고 있는 모양인지 심상치 않은 강한 바람이 등을 떠밀 듯 몰아치기 시작한다.

불안하게 흔들리는 배에 겨우 난간을 붙잡은 나는 나도 모르게 에카이트에게로 시선을 돌렸다.

그는 어디에 있지?

단번에 눈에 띄지 않는 에카이트를 찾느라 분주히 시선을 돌리자 근처에서 돛대에 붙어 돛을 조절하는 밧줄과 씨름하던 넬슨과 부단장이 툭 던지듯 정보를 전달한다.

"에카이트 공이라면 남자와 조타실에 있을 겁니다. 아펠리아 경도 거기에 들어가 있으면 될 것 같습니다."

조타실. 조타실이라.

낯선 호칭의 장소를 반복해서 입에 담은 나는 비틀거리며 걸음을 옮겼다.

문을 열고 들어간 공간에는 큰 탁상 위에 펼쳐진 지도와 키를 잡은 남자, 지도를 살피는 에카이트가 보였다.

방으로 들어간 나를 힐끗 바라본 남자가 고개를 끄덕이며 잘 찾아왔다는 시늉을 한다.

"잘 오셨습니다. 일단 방향은 제가 계속 키로 조정할 겁니다. 에카이트 님은 항로를 계속해서 기록하는 일을 할 것이고……."

"저는 뭘 하면 되겠습니까?"

"간간이 제가 갑판 위, 그리고 아래로 지시를 전달할 일이 있을 겁니다. 그때 전달하는 역할을 해 주시면 되겠군요."

그의 말에 고개를 끄덕여 동의한 나는 구석에 서서 다시 눈을 감고 집중하기 시작했다.

어디까지 왔을까.

천천히 마나를 움직이고 차츰차츰 먼 거리까지로 탐색의 범위를 넓히자 아까보다 가까운 곳에서 첩자의 기색이 느껴지기 시작했다.

헉. 곧 숲길이 끝나는 곳에 도착하겠는데?

우리가 지나온 길은 말이 달리기 편한 숲길이었는데, 그 길이 끝나는 곳은 갑작스럽게 탁 트이면서 항구와 마주 보게 되어 있었다.

배는 아직 출항도 하지 못했다. 그들이 그곳까지 도착하면 우리를 발견하는 것도 금방일 터.

숨 막히는 긴장감에 그들의 이동 속도와 위치를 계속해서 추적하기 시작했다.

그리고 상황을 알리기 위해 떨리는 목소리로 입을 열었다.

"그들이 왔습니다. 숲길 끝에 곧 도착할 겁니다."

"……미쳤군. 하늘을 날아서 온다고 해도 이보다 빠르지는 않겠어."

에카이트가 넌덜머리를 내는데도 남자는 묵묵히 입을 다물고 전방을 응시한다.

이리저리 키를 살짝살짝 돌리기를 잠시.

배가 아까와는 달리 더 강하게 출렁이기 시작하며 움직이는 느낌이 들기 시작했다.

"출항합니다. 돛을 관리하는 두 사람에겐 최대한 몸을 숙여 밖으로 모습을 드러내지 않는 편이 좋겠다고 말을 전해 주세요."

그의 의도를 파악한 나는 두말하지 않고 방을 나섰다.

거의 다 왔다, 다 왔어!

첩자는 숨이 턱 끝까지 차올라 스스로도 이 이상은 한계라는 것을 인정했지만, 항구가 지척으로 다가와 있음에 흥분을 가라앉히지 못하고 더욱 말을 달리게 했다.

따라오던 남자들과는 차츰 거리가 벌어졌지만 신경 쓰지 않았다.

거기에 있어야 한다.

아직 이 대륙을 떠나서는 안 된다.

어떻게 되찾은 것인데, 이렇게 쉽게 빼앗길 수는 없다.

그의 사나운 집념은 육체적 고통도 잊게 해 주는 것 같았다.

말과 스치는 허벅지 안쪽이 타는 듯이 뜨거웠지만 속도를 늦출 순 없었다.

멀리서 지는 석양이 보인다.

곧 이 길의 끝에 닿는다는 뜻이기도 했다.

더 빠르게 말을 독촉한 첩자는 항구가 보이기 시작하자 잠시 말을 멈추고 빠르게 항구를 훑어보았다.

–으아아악! 안 된다! 이럴 수는 없어! 모두 서둘러라!

첩자의 비명과도 같은 외침에 뒤처져 말을 달리던 남자들의 정신을 일깨웠다.

그들은 마지막 남은 힘을 쥐어짜 말을 달렸다.

항구는 이미 선착장에서 멀어지기 시작한 여러 배들로 어수선했다.

어느 배에 놈들이 타고 있는 것인지도 확신할 수 없는 상황에 동시다발적으로 출항하는 배들이 저렇게 많다니.

시간이 촉박하다.

첩자는 비상용으로 품에 보관하던 주술이 적힌 종이 중, 폭발과 관련된 종이 석 장을 찾아 움켜쥐고 선착장으로 말을 몰았다.

그와 일행들이 선착장으로 도착했을 무렵엔 몇몇의 작은 배들을 제외하곤 모든 배들이 선착장에서 멀어져 먼바다에 자리한 상황.

눈치를 살피며 숨소리를 최대한 죽이던 남자는 선착장에 남은 배 중 그나마 큰 배에 올라타려는 첩자를 보고 펄쩍 뛸 듯이 경악했다.

–와, 왕자님. 곧 태풍이 온다고 하지 않으셨습니까. 그런 배로는 출항하실 수 없습니다.

–맞습니다. 그리고 아무 준비도 없이 바로 출항하는 것은 너무 위험합니다.

–……따라오기 싫은 놈들은 똑바로 말해라.

살기 어린 첩자의 목소리에 반박을 포기한 남자들이 일제히 배에 올라타기 시작했다.

마지막으로 올라탄 남자가 닻을 올리고 선착장과 이어진 밧줄을 자르자 배가 움직이기 시작했다.

돛을 펴던 남자들이 향해야 하는 방향을 찾지 못해 눈치를 살피고 있는데 첩자가 정확하게 어떤 배를 노려보며 손가락으로 가리켰다.

–저 배를 따라간다.

–하지만 왕자님, 깃발이……. 저건 우리 왕국의 상단 표식입니다.

남자의 조심스러운 반박에도 시선 하나 흔들리지 않은 첩자가 다시 한번 더 단호한 목소리로 입을 열었다.

–저 배다. 저기에 뮤사가 있다.

그의 단언에 더 할 말을 찾지 못한 남자들이 그가 가리킨 배를 추적하기 위해 배의 방향을 잡고 일사불란하게 움직이기 시작했다.

그가 지목한 것은 아펠리아가 탄 배가 맞았다.

첩자가 한 번에 배를 지목해 따라붙는 것도 모른 채, 아펠리아는 남자의 명령을 갑판에 전달한 뒤 눈을 감고 다시 첩자의 기운을 탐색하고 있었다.

바다 위에서 마나를 사용해 본 것은 처음이었기에 적응이 빠르지는 않았다.

발을 디디고 서 있는 곳이 흔들리는 것은 난생처음 겪는 기이한 느낌이었다.

수차례 시도한 끝에 제대로 집중해 마나로 첩자의 기척을 읽어 내던 나는 화들짝 놀라 감았던 두 눈을 부릅떴다.

뭐, 뭐야?

가까워도 너무 가깝다.

혹시 내 감지가 잘못된 것은 아닐까 노심초사하며 다시 한번 기척을 읽어 낸 나는 황급히 에카이트를 향해 고개를 돌렸다.

마나를 통해 다시 확인해 본 결과 첩자의 기척이 점점 더 가까워지고 있었다.

"에, 에카이트!"

"아펠리아. 배가 좀 흔들리기는 하지만 곧 괜찮아질 것이니 조금만……."

"그게 아니에요. 그자가 왔어요."

내 말에 해도를 바라보던 에카이트가 고개를 들어 나를 바라보았다.

그는 놀랄 정도로 침착한 태도였다.

이런 때에도 이렇게 침착할 수 있다니. 에카이트의 태도에 잠시 당황했지만 금방 정신을 다잡았다.

"얼마나 가깝지?"

"꽤 가까워요. 멀게 보면 항구, 가까이 보면 같은 해상에 있다고 볼 수 있겠어요."

내 말에 눈빛이 매섭게 변한 에카이트는 여전히 당황한 기색 없이 얼굴이 하얗게 질린 나에게 몇몇 질문을 던져 추가적인 정보를 확인했다.

"방향이랑 거리, 그리고 인원은 몇 명이나 되는지 알 수 있을까?"

"……북동쪽, 이 백 보 거리쯤 될 것 같은데 파도로 인해 추적하는 대상이나 제가 계속 흔들리고 있어 장담할 순 없어요."

"인원수는?"

"대략 열 명은 안 될 것 같은데, 이것 또한 확실하지 않아요. 이쪽 사람들은 마나가 거의 없다 보니 익숙한 기운이 아니면 감지가 불안정해요."

내 대답에 고개를 끄덕인 에카이트가 키를 잡고 묵묵히 서서 항해에 집중하는 남자를 불렀다.

"그렇다는데, 따돌릴 수 있겠나?"

"불가능합니다. 풍향도 제멋대로에 거리도 너무 가깝습니다. 그리고 이 배에 탄 사람 중 제대로 항해술을 익힌 사람도 없지 않습니까. 이 날씨에 목적지로 제대로 이동하는 것만 해도 최선인 상황입니다."

정확한 남자의 진단에 나와 에카이트가 입을 다물었다.

짧은 침묵이 흐른 후 에카이트가 자리에서 일어났다.

"에카이트, 어쩌려고요?"

"그대는 이곳에서 나오지 않는 편이 좋겠어."

갑작스러운 그의 말에 눈을 크게 뜨고 그를 바라보았다.

그야말로 최소한의 인원으로 구성된 구출단이었다.

남자가 여기서 키를 잡고 항해를 계속해야 하는 상황인 데다 에카이트는 비전투 인력이 아니던가.

나를 제외하면 전투를 치를 수 있는 사람은 고작 네 명이 전부.

백 명과 백 한 명에는 큰 차이가 없을지라도 네 명과 다섯 명은 그 차이가 클 것이 분명했다.

단호하게 자리에서 일어나는 나를 바라보던 에카이트가 빠르게 몸을 돌려 밖으로 나갔다.

그의 등 뒤로 닫히는 문을 급하게 밀어 열려던 나는 둔탁하게 부딪히는 소리와 함께 뒤로 튕겨 나가고 말았다.

"아야. 이거, 문 고장 난 건 아니겠죠?"

밀어도 열리지 않는 문에 당황한 나는 손잡이를 흔들며 안쪽에 있는 잠금장치가 풀려 있는 것을 재차 확인했다.

대체 왜 안 열리는 거야.

그때 당황한 내 목소리와는 상반되는 무뚝뚝한 남자의 답변이 돌아왔다.

"밖에서 잠근 것 같은데요."

"문이 밖에서도 잠겨요?"

기가 막혀 되물어 보는 내 말에 남자가 그것도 몰랐냐는 투로 나를 돌아보았다.

"해적을 만난다거나, 때론 감금이 필요한 경우도 있기 때문에 어지간한 문들은 다 안팎으로 잠글 수 있도록 되어 있습니다만."

"그럼 지금 이 문이 안 열리는 건……."

"밖에서 잠갔다고 봐야겠군요."

남자의 말에 혹시나 싶어서 문을 흔들어 보던 나는 확실히 잠긴 것을 확인하고 주먹으로 문을 두드리기 시작했다.

"에카이트! 문 열어요! 문 열란 말이야!"

아니, 저 멍청이가 뭘 믿고 문을 잠가?

계속해서 문을 두드리며 발을 동동 구르는 나를 무신경한 시선으로 바라보던 남자가 툭 내뱉듯 한마디를 덧붙였다.

"이 구출단의 목적은 당신을 무사히 서대륙으로, 정확히는 칼라한 제국령으로 귀환시키는 것입니다. 그런데 이런 전투에 당신을 끼워 넣었다가 다시 빼앗기기라도 한다면?"

"하지만 한 명 한 명이 중요한 때가 아닌가요? 제가 빠지면 전력에 손해가 있다는 것은 너무나도 분명한 사실이라고요."

내 반박에 남자가 더욱 차분한 어조로 반문했다.

"차라리 전력에 손해가 있는 편이 낫지요. 그간 쏟았던 모든 노력이 수포로 돌아갈 수도 있는 위험을 감수하느니 말입니다."

"하지만 그러다 밖의 사람들이 모두 잘못되기라도 하면 그다음 차례는 이곳이 아니겠어요?"

내 날카로운 반박에도 남자는 동요하지 않고 고요한 어투로 답했다.

"아닐 겁니다. 그들이 배에 불을 지른다는 최악의 가정을 한번 해보죠. 혹시 당신이 죽지는 않을까 쉽게 그런 방법을 택하진 않을 겁니다."

이곳을 나갈 방법을 같이 모색하기는커녕 비협조적으로 나오는 그를 노려보고 있는데 그가 한마디 더 덧붙였다.

"그러니 혹시 모르는 상황에 대비해 안에서도 문을 잠그는 편이 낫겠군요."

"……그것참 대단히 유용하고 쓸모 있는 조언이네요."

내 빈정거림에 아랑곳하지 않은 남자가 시선으로 나를 독촉하는 것이 느껴졌지만 무시했다.

그리고 눈을 감은 채 마나를 활용하여 바깥 상황을 최대한 읽어내기 위해 흩어진 집중력을 끌어모았다.

저 배다.

본능적으로 아펠리아가 타고 있는 배를 감지해 낸 첩자가 사람들을 이끌고 작은 배에 몸을 실은 채 위태롭게 추적에 나섰다.

폭풍전야처럼 잠잠했던 바다가 심상치 않은 기색을 보였다.

멀리에서 몰려오는 검은 구름을 보니 당장 태풍이 온다 해도 이상하지 않아 보였다.

목표를 사납게 노려보느라 주변을 살피지 않는 첩자와는 달리 심상치 않게 흔들리는 바다와 용도에 맞지 않는 협소한 배를 번갈아 바라보는 남자들의 표정은 심각했다.

해상 전투는 고사하고 추격 중에 침몰하지나 않으면 다행이다.

그나마 부두와 멀어지기 전에는 지금이라도 마음을 바꾸면, 또는 지금이라도 헤엄쳐 돌아간다면 하고 생각했었다.

그런 막연한 기대와 희망이 남아 있었지만…… 지금은 뒤로 돌아가기엔 너무 늦었다.

멀어지는 항구를 바라보며 노를 젓던 남자들의 표정이 결연하게 바뀌기 시작했다.

여기까지 온 이상, 저 배를 탈취하는 것 말고는 방법이 없다.

저 배를 빼앗지 못하면 문제의 뮤사를 되찾기도 전에 모두 수장되고야 말 것이다.

그 사실을 인지한 모두의 표정이 한층 더 비장해졌다.

–잡아서 모두 죽일 것이다. 차라리 죽여 달라고 빌 지경으로 만든 후에, 내가 아는 모든 방법을 동원해서 가장 잔인하게 죽일 것이다.

분노로 날이 선 첩자가 뱉어 낸 말은 살벌하기 그지없었다.

온몸에 소름이 돋아 더욱 집중해 노를 젓기 시작했다.

워낙 거리가 있었던 데다가 흔들리기까지 해서 정말 뮤사 일행이 탄 배가 맞나 긴가민가하던 남자들은 가까워지는 거리 덕분에 보이는 갑판 위의 얼굴들을 보고 혀를 내두를 수밖에 없었다.

그들이 알고 있는 서대륙인의 특징을 찾을 순 없었지만, 명백히 동대륙인과 다르게 생긴 남자들이 분주히 돌아다니고 있었다.

서대륙인들이 타고 있는, 그들이 찾고 있는 그 배가 분명했다.

몇 번이고 시력을 집중해 그들의 정체를 확인한 남자 중 하나가 흥분한 목소리로 외쳤다.

–왕자님! 맞는 것 같습니다. 저기에 서대륙인들이 타고 있습니다!

–놓치면 모두 죽는다. 반드시 잡아야 한다. 뮤사를 제외한 나머지는 죽여도 상관없다.

주군의 단호하고 살벌한 지시에 잠시 굳어 있던 남자들이 일제히 경직에서 깨어난 듯, 전보다 더 신속한 손길로 노를 젓기 시작했다.

–나는 오늘 반드시 그들에게 도둑질을 한 대가가 얼마나 무서운지 제대로 가르쳐 줄 것이다. 뮤사, 이 사랑스러운 아가씨를 어떻게 길들여야 좋을까.

첩자의 살벌한 음성이 향한 대상은 그들이 아니었지만 그들은 마치 그들의 목에 칼이 들이밀어진 것처럼 느껴져 순간 헛숨을 들이켰다.

그들의 배가 뮤사, 즉 아펠리아가 탄 배를 향해 빠르게 전진하기 시작했다.

에카이트는 등 뒤로 들리는 아펠리아의 목소리와 주먹으로 문을 두드리는 소리를 듣고 어금니를 꽉 깨물었다.

절대적으로 전력이 부족한 상황이었다.

자신은 문관에 속하는 비전투 인력인지라 이런 식으로 나서 봤자 큰 도움이 되지 않는다는 것도 잘 알고 있었다.

하지만 힘들게 되찾은 아펠리아를 다시 위험으로 몰아넣을 수는 없었다.

최악의 경우 선상 전투로 어수선한 배 위에서 아펠리아를 빼앗기기라도 한다면…….

그간 감수해 온 모든 위험이 무용지물이 되고 만다.

아펠리아를 전투에서 배제시킬 수 있는 합리적인 사유가 있는 지금, 굳이 그녀를 전투 인력으로 활용할 이유는 없다.

머릿속으로 상황을 정리한 에카이트는 간만에 큰 소리를 내어 갑판 위를 정신없이 뛰어다니며 각자 주어진 역할을 수행하는 구출단들의 주의를 끌었다.

"뭡니까? 무슨 문제라도 있습니까?"

"젠장, 놈들이 따라오기라도 한 건가? 이 바다까지?"

조슈아의 말 뒤로 날카롭게 물어오는 부단장의 말에 에카이트가 잠시 그를 묵묵히 바라보았다.

그리고 조용히 고개를 끄덕이자 모여들었던 사람들 사이에서 낮은 신음이 울려 퍼졌다.

"놀랄 만큼 집요한 놈들이로군. 하기야 한 나라의 공녀를 오랜 시간 공을 들여 납치까지 할 정도면 보통은 넘은 놈들이지."

"……안 따라오는 게 이상한 일이죠. 상대편 인원이 얼마나 되는지는 확인한 겁니까?"

"어느 배지?"

기사단장, 넬슨, 그리고 부단장의 이어지는 질문에 에카이트가 조용히 뒤를 돌아보며 바다 위에 떠 있는 배들을 살폈다.

그들이 출항 전, 절반에 가까운 배의 밧줄을 끊은 덕에 바다 위를 표류하는 배들이 제법 많았다.

첩자의 추격을 따돌리기 위해 한 것이 도리어 첩자의 추격을 감춰주는 역할을 하고 있었다.

"당장 특정할 수는 없습니다. 다만 북동쪽, 이백 걸음 정도 떨어진 거리에 열 명 정도 된다는 것만 대략적으로 확인할 수 있었죠."

"……열 명이라. 모두 전투 인력이겠군."

가라앉은 목소리로 상황을 정리하는 기사단장의 말에 모두 침묵을 지켰다.

이곳까지 첩자를 따라 추격해 온 사람들이다.

전투 능력이 없고서는 이렇게까지 추격해 올 수 없었을 테지.

구출단의 두 배도 넘는 인력이다.

전투 인원도 아닌 에카이트를 제외하면 실질적으로 이쪽의 전투 인력은 네 명.

전투 인력이 부족한 상황임에도 아무도 아펠리아를 찾지는 않았다.

"할 수 있습니다. 일단 배에 올라타지 못하게 계속 견제하면서 공격하고 이동을 멈추지 않으면 승산은 충분합니다."

에카이트의 말에 기사단장이 고개를 끄덕였다.

“저들의 목적은 아펠리아의 탈환. 그러기 위해서는 이 배를 점령하는 것이 필수겠지. 공성전으로 치면 우리가 성안의 사람들이란 말이군.”

“……해볼 만하겠군요.”

기사단장의 말에 신중한 눈빛으로 고개를 끄덕이며 동의를 표하는 넬슨을 뒤로 모두가 무기를 다시 정돈하며 다가오는 전투에 대비했다.

에카이트도 허리춤에 매단 검에 한 손을 올리고 주변에 떠다니는 배들을 하나하나 주의 깊게 살피기 시작했다.

에카이트를 비롯한 구출단의 시선을 끈 것은 엄청난 속도로 달려오는 작은 배였다.

고만고만한 배들이 떠 있는 상태에서는 쉽게 식별할 수 없었지만, 엄청난 속도로 이 배를 향해 다가오는 작은 배는 누가 보아도 사람에 의해 운항되고 있는 배였다.

“원래 배가 저렇게 빨리 움직일 수도 있습니까?”

“독한 놈. 이 파도에 저런 통통배를 타고 바다 위까지 쫓아올 줄이야.”

“활이라도 챙겼으면 좋았을 뻔했습니다.”

거친 파도와는 별개로 빠르게 물살을 가르며 다가오는 배를 보고 질린 표정으로 물어보는 조슈아의 질문에 답을 내놓는 사람은 아무도 없었다.

제각각 첩자며 현 상황에 대한 말을 한마디씩 내뱉으며 몸을 긴장시키기 시작했다.

기사로서의 관록이 깊은 기사단장이나 부단장도 해상 전투 경험은 거의 없다고 했다.

관록이 깊은 그들도 그러한데 조슈아나 넬슨에게 그런 경험이 있을 리 만무했다. 그들은 그저 이론으로 익힌 정도에 불과했다.

조슈아는 언데드들을 상대하던 악몽 같던 그날 밤을 떠올리며 애써 마음을 진정하려 애썼다.

최소 저들은 우리와 같이 붉은 피를 흘리는 사람들이다.

조타실에서 남자가 제법 열심히 배를 조작하고 있는 것인지, 그들이 타고 있는 배 또한 빠른 속도로 이동하고 있었지만 첩자의 항해술이 더 뛰어난 것인지, 거리는 점점 가까워지고 있었다.

"곧 전투로군요."

"긴장됩니까?"

"아니라고 할 수는 없겠군요."

"그다지 도움이 될 것 같지도 않은데, 차라리 아펠리아 경과 조타실을 지키는 편이 어떻겠습니까?"

조슈아의 빈정거리는, 하지만 내심 걱정이 섞여 있는 말에 에카이트가 피식 웃으며 고개를 저었다.

"고양이 손이라도 빌리고 싶은 상황인 거 다 압니다."

"고양이만도 못할 것 같아서 하는 말입니다."

"글쎄요. 일단 한번 보고 말씀하시는 편이 어떨지요."

두 사람의 대화가 신경에 거슬렸는지 부단장이 인상을 찌푸리며 버럭 소리를 질렀다.

"둘 다 시끄러우니까 그만 좀 조용히 해. 사내들이 무슨 입이 그렇게 가벼워?"

"다들 진정하지. 놈들도 우리를 본 것 같으니까 말이야."

기사단장이 한 손을 들어 올려 그들을 조용히 시키며 따라붙은 작은 배 위에서 흉흉한 눈빛으로 그들을 노려보는 첩자를 바라보았다.

이제는 정말 끝을 볼 때였다.

“생각보다 수월하군요.”

“그래도 방심하지는 말죠.”

조슈아가 작은 배에서 갈고리가 달린 밧줄을 던져 난간에 걸친 후 날아오르다시피 높게 뛰어올라 배 위로 착륙하려는 동대륙의 남자를 검으로 베어 낸 후 발로 돌려 찼다.

남자가 붉은 피를 뿜으며 갑판 끝으로 밀려났다.

그다음 배 위에 올라오는 데 성공하여 넬슨과 검투를 벌이는 남자를 뒤에서 압박하며 의외로 수월하게 풀리는 상황에 한숨을 내뱉었다.

방심하지 말라는 넬슨의 말에 당연한 말을 한다는 표정으로 고개를 끄덕이던 그는 어느 사이엔가 배 위로 올라오는 것에 성공한 또 다른 남자를 막고자 몸을 돌렸다.

“의외로 짐이 되지는 않는군요.”

막 배 위로 올라온 남자가 휘두르는 검을 요령껏 막아 낸 에카이트를 뒤로 밀며 대신 전투를 치르기 시작한 조슈아가 칭찬인지 빈정거림인지 알 수 없는 말을 던지며 사납게 검을 휘둘렀다.

“……남들 다 하는 호신술이지요. 이제 절반쯤 해결된 것 같군요.”

에카이트의 말에 조슈아가 묵묵히 고개를 끄덕이며 빠르게 검을 놀렸다.

지친 기색이 완연한 동대륙의 남자들이 퍼붓는 공격은 제법 날카로운 기백이 있었으나 거기까지였다.

그들이 원래의 실력대로 검을 휘둘렀다면 일격도 막지 못하고 나동그라졌겠지. 에카이트에겐 오히려 다행인 상황이었다.

“절반이 아니라 이제 곧 시작이라고 봐야겠지. 놈은 아직이다.”

기사단장의 묵직한 한마디에 전투 중이던 구조단 사람들이 다시 심기일전해 정신을 집중하기 시작했다.

실상 그들이 가장 경계해야 하는 대상은 첩자였다.

알 수 없는 주술을 사용할 수 있고, 또 그 무력 또한 상당히 수준급이다.

광기 어린 첩자의 모습을 떠올리며 에카이트는 입을 꾹 다물었다.

그리고 조금 떨어진 곳에 보이는 조타실의 잠긴 문으로 시선을 돌렸다.

어떻게든 아펠리아를 데리고 돌아갈 것이다.

털끝 하나 다치게 하지 않을 것이다.

굳은 각오를 마치자 어깨가 한층 더 무거워진 기분이었다.

―으아아악!

―흐억!

배 위로 뛰어 올라간 남자들의 비명은 처참했다.

눈으로 보지 않아도 충분히 연상할 수 있는 건너편 배 위의 상황에 아직 진입 전인 남자들의 표정에 긴장감이 흘렀다.

―왕자님. 아무래도 상황이…….

회의적인 표정으로 머뭇거리던 남자 하나가 등을 돌려 첩자를 바라보며 입을 연 순간.

무엇인가 번뜩하는가 싶더니 비명도 없이 입을 열었던 남자가 순식간에 앞으로 고꾸라졌다.

―여기서 죽으면 내 뜻에 반한 반역도로 죽는 것이고 저 위에서 죽으면 내 뜻에 따라 움직이다 죽은 용사로 기억될 것이다.

꿀꺽.

다른 선택지는 존재하지 않았다.

잠시나마 멈칫거리던 남자들이 함성과 함께 동시다발적으로 갈고리를 던져 올리며 배 위로 뛰어 오르기 시작했다.

흔들리는 배 위에 서늘한 기색으로 서 있는 첩자는 놀라울 정도로 동요하지 않았다.

-곧 지원군이 도착할 것이다. 그때까지. 딱 그때까지만 잡아 둘 수 있다면 모든 것이 끝난다.

그의 혼잣말은 그가 무엇을 믿고 이토록 무의미한 소모전을 하고 있는지를 알 수 있게 했다.

갑판 위에서 먼저 튀어 올라간 남자들의 비명이 다시 울려 퍼지기 시작했다.

그러다 이내 첩자의 귀에 익숙한 남자의 신음이 잡혔다.

그놈이로군.

상황에 어울리지 않을 정도로 깊은 미소가 그의 얼굴에 떠오르기 시작했다.

"크윽."

어느 사이엔가 쏟아지기 시작한 비 덕분에 소란스러워진 갑판 위에서 익숙한 목소리의 고통 섞인 신음이 구출단의 귓속을 파고들었다.

"괜찮습니까, 에카이트 공!"

"빌어먹을. 왜 이 상황에 비까지……."

"배는 왜 이렇게 흔들리는 건지. 에카이트 공, 다친 겁니까?"

혼잡한 상황에서 신음의 주인인 에카이트의 안부를 물어보는 목소리가 여기저기서 울려 퍼졌다.

필사적으로 달려드는 남자 하나를 겨우 베어 낸 넬슨이 잠시 고개를 돌려 신음이 터진 방향을 바라보자 에카이트가 기우뚱하게 서 있는 모습이 보였다.

한 손으로는 어설프게 검을 놓지 않고 있었으나 다른 한 손은 옆구리에 대고 있는 모습을 보아하니 부상이다.

"에카이트 공이 부상을 입었습니다! 엄호 부탁합니다!"

"엄호는 불가합니다! 지금 이 상황을 감당하는 것도 버겁단 말입니다!"

등을 보이고 에카이트에게 달려가는 넬슨을 향해 달려드는 다른 남자를 검으로 쳐 낸 조슈아가 악을 쓰며 외쳤다.

기사단장과 부단장이 거뜬히 둘을 맡아 처리하고 있기는 했지만 그 이상은 무리였다.

익숙하지 않은 공격 패턴과 악천후, 흔들리는 바닥.

본래의 실력을 발휘하기 어려운 상황이었다.

하지만 어쩔 수 없다는 것을 누구보다도 잘 알고 있는 조슈아였기에 악을 쓰며 불평을 하면서도 충실히 자신의 역할을 다하려 애썼다.

넬슨이 빠르게 에카이트에게 다가가 그의 부상을 확인했다.

"……깊습니다."

"아니요, 스친 정도일 겁니다."

"아닙니다. 깊게 들어갔어요. 더 움직이면 안 됩니다. 구석으로 빠져서 지혈하십시오. 하필 비가 이렇게 와서 지혈이 될지 모르겠습니다."

부상의 정도가 심각하다고 진단한 넬슨을 두고 그렇지 않다고 부정하는 에카이트였지만 사실은 그렇지 못했다.

빗물과 함께 바닥으로 뚝뚝 흐르기 시작하는 피는 그 양이 제법 심상치 않아 보였다.

기사라면 혼자서 수습할 만한 상처였지만 전투에 익숙하지 않은 에카이트에게 그런 것을 기대하기는 어려워 보였다.

에카이트가 구석에서 공격을 피하며 지혈하는 사이 최대한 빨리 전투를 수습하고 그를 돌보는 것이 최선의 선택인 상황인데.

넬슨은 제발 그때까지 그가 버텨 주기를 바라면서 에카이트를 조타실 방향으로 밀친 뒤 다시 전투로 돌아갔다.

누가 다쳤다는 거야.

조타실 안에서 귀를 곤두세우고 밖의 소리에 집중하던 나는 누군가가 다쳤다는 소리에 본능적으로 에카이트의 얼굴을 떠올렸다.

초조함에 빗소리와 섞여 잘 들리지도 않는 바깥 소리를 더 들어보고자 문에 귀를 더 가깝게 가져다 댔다.

"……에카이트. 그가 다쳤답니다. 나가 봐야겠어요. 도와줘요."

"제가 나갈 수 있는 방법을 알고 있다면 이러고 있겠습니까. 저도 똑같이 갇힌 입장이니까요."

무감정한 그의 말에 입술을 꽉 깨문 나는 마나를 끌어모아 문을 걷어찼다.

쾅!

문이 제법 강하게 흔들렸지만 눈에 띄게 망가진 부분은 없었다.

묵직하게 느껴진 문의 무게감에 당황한 나를 본 남자가 차분하게 말했다.

"괜한 짓을……. 그 정도 마나로는 안 부서집니다. 나중에 무슨 일이 생길지 모르니 마나는 아껴 두는 편이 좋을 겁니다."

"지금 에카이트가 다쳤다니까! 밖에 우리 편이 다쳐서 쓰러져 있다고!"

"……단순히 우리 편이 다쳐서 쓰러진 점이 걱정돼서 그러시는 건 아닌 것 같군요. 하지만 공과 사는 구분해야 하는 법이지요."

냉정하기 그지없는 그를 보니 도와줄 의지가 전혀 없어 보였다. 아니, 오히려 내가 이 조타실을 벗어나 갑판으로 나가는 상황이 일어나지 않길 바라는 것 같았다.

쾅!

나는 다시 몸을 돌려 종전보다 강한 힘과 마나를 실어 문을 세게 찼다.

묵직한 문은 여전히 부서진 구석 하나 없이 단단하게 제자리를 지키고 있었다.

종전의 충격을 위해 제법 많은 마나를 사용했던 나는 별달리 망가진 구석도 없어 보이는 문을 보며 절망적인 표정을 지었다.

서대륙과는 달리 사용한 마나의 양에 비해 모이는 마나의 양이 적어도 너무 적었다.

이 기세로는 마나를 모두 끌어 써도 문을 열지 못할 판이었다.

하지만 밖의 상황조차 제대로 확인할 수 없는 곳에 무력하게 갇혀 있을 수만은 없었다.

집중해 최후의 일격을 날릴 생각으로 마나를 모으던 중, 문 앞에서 에카이트의 나지막한 목소리가 들려오기 시작했다.

"……아펠리아. 괜한 곳에 힘 낭비하지 말지."

"에카이트? 에카이트! 다쳤다고 들었습니다. 어디를 얼마나 다친 거죠? 피, 그러니까 출혈은 또 얼마나……."

허둥지둥 질문을 던지는 내 목소리를 끊은 에카이트가 침착한 음성으로 말을 이었다.

"그냥 조금 긁힌 정도인데 다들 너무 과장이 심하군. 거기서 얌전히 기다리면 다 끝나 있을 거니까 너무 걱정하지 말지."

“얼마나, 얼마나 긁힌 건데요? 그 사람들 평소 성격을 내가 모르는 줄 알아요? 호들갑 떠는 사람들이 아닌데 그렇게까지…….”

“오늘은 호들갑이 좀 떨고 싶었나 보지. 그래도 그렇고 말이야. 안에서 쉬고 있으라고.”

다쳤다.

분명히 많이 다쳤어.

묘하게 힘겨운 기색이 느껴지는 에카이트의 목소리를 통해 그의 부상을 확신한 나였지만 그가 기대어 앉은 문을 더는 찰 수 없었다.

이러지도 저러지도 못한 채 발만 동동 구르고 있는데 그 두꺼운 문과 무거운 빗소리를 뚫고 소름 돋을 정도로 반갑지 않은 목소리가 들려왔다.

–반갑구나, 서대륙의 개들아.

첩자의 목소리를 정확하게 알아들은 나는 어찌할 바를 모르고 몸을 떨었다.

애써 초연하려 노력해 보았으나 이 동대륙에 홀로 떨어져 견딘 악몽과도 같은 시간이 떠올라 불안했다.

갑작스럽게 터무니없는 방법으로 납치를 당한 것도 혼란스러운 와중, 납치를 당해 갇힌 곳이 말도 통하지 않는 바다 너머의 땅이라니 그 아득함은 다시 떠올리기도 싫다.

납치된 이후 내내 조마조마하기는 했어도 결국 탈출할 수 있다는, 그리고 마침내 드디어 이곳을 떠난다는 일념하에 버티던 정신력이 무너질 것만 같았다.

밖의 사람들이 내가 나설 필요 없이 그 이전에 첩자를 끝장내 버리기를 바라는 비겁하고 비현실적인 마음이 문득 샘솟았다.

물론 그러한 현실 도피는 길게 이어지지 못했다.

"최악이군요. 가장 상대하기 싫었던 상대였는데……. 밖에 몇 명이나 있는지 확인할 수 있겠습니까?"

키를 잡고 묵묵히 배를 움직이는 데에 온 정신을 집중하고 있던 남자의 말에 화들짝 놀란 나는 눈을 감고 정신을 집중했다.

익숙한 에카이트와 다른 구출단 사람들의 기운을 제외하고 이질감이 느껴지는 작은 기운까지 면밀히 추적하기를 잠시.

내가 잘못 들은 것이 아니라는 것을 증명하듯 첩자의 기운이 선명하고 가깝게 느껴졌다.

"……첩자의 기운이 너무 강해서 다른 동대륙 사람들의 기운을 제대로 읽을 수가 없어요."

"곤란하군요. 일단 밖에 있는 몇 명이나 전투 가능한 상태인지, 우리 일행은 어떤 상태인지 정도는 알아야 할 것인데요."

"아무래도 제가 나가 봐야 할 것 같아요."

내 말에 또 시작이냐는 듯, 남자가 지친 목소리로 말을 받는다.

"나갈 수 있는 상황이 아니라고 몇 번을 말합니까. 나가고 싶어도 밖에서 잠겼습니다. 못 나간다고요."

"에카이트. 들려요?"

그의 말을 무시하고 문에 바짝 다가앉은 나는 에카이트를 부르기 시작했다.

문 앞에서 미약한 인기척이 느껴지더니 그의 목소리가 가깝게 들리기 시작했다.

숨길 수 없는 긴장감과 더 흐려진 목소리를 보건대, 밖의 상황이나 그의 상황 모두 나빠지고 있는 것이 분명했다.

"……들리는군. 아펠리아, 안쪽에서도 문을 잠그는 것이 좋을 것 같아."

"무슨 헛소리를 하는 거예요? 문 열라고 부른 건데."

에카이트의 어이없는 말에 기가 막혀 헛웃음을 내뱉은 나는 그의 말에 반박했다.

약이 오를 대로 오른 첩자는 그야말로 시한폭탄보다도 더 위험한 존재다.

그 사실을 그 누구보다 잘 알고 있기에, 밖의 인원으로는 그를 감당하기 쉽지 않으리란 판단이 섰다.

첩자 혼자도 아니고, 제법 많은 수의 부하들과 함께라면 더욱 그랬다.

심지어 아무리 일부러 걸린 병이라고는 해도 전염병에서 완전히 회복되지도 않은 사람들이다.

그들에게 모든 것을 맡겨 놓을 만큼 상황이 그리 좋지는 않다.

다시 이성적으로 상황을 정리해 최종 판단을 내린 나는 묵묵부답인 에카이트가 기대앉은 문을 바라보았다.

아니, 사람이 말을 했으면 대답이라도 해야 하는 거 아니야?

"에카이트! 들려요? 문 열어요!"

여전히 대답이 없는 에카이트가 앉아 있을 법한 자리를 노려보던 나는 문득 그가 부상으로 정신을 잃은 것은 아닌가 하는 생각이 들었다.

"에카이트! 괜찮은 것 맞아요? 정신 차려요!"

"……걱정해 주는 건 고맙지만 정신을 잃을 정도는 아니니 그렇게 걱정할 필요는 없을 것 같군."

에카이트의 말에 안심하기도 잠시, 괜히 사람을 걱정시키는 그의 태도에 화가 울컥 치밀어 올랐다.

"지금 장난쳐요? 바깥 상황은 어떻죠? 첩자는 지금 뭘 하고 있나요? 빨리 문 좀 열어 봐요!"

"조금 긁힌 정도라고 몇 번을 더 말해야 믿을까. 그리고 첩자는……. 그 더러운 성질머리를 마음껏 뽐내고 있다고 보면 되겠군."

에카이트의 말에 벌겋게 달아오른 눈으로 칼부림을 하고 있을 첩자를 떠올린 나는 장난으로도 같이 웃을 수 없었다.

최대한 가벼운 말투로 상황을 설명하며 걱정을 덜어 주려는 눈치였지만 첩자를 겪어 본 나로서는 걱정이 가중될 뿐이었다.

"……그야말로 미쳐서 날뛰고 있다는 거 아닌가요? 일단 문 좀 열어 볼래요? 그 정도로 미쳐서 난리가 났으면 밖에 있는 구출단 인원으로는 역부족일 것 같은데요."

"문은 그냥 고장 났다고 생각하고 잊어버리지."

"장난쳐요? 당장 못 열어요?"

에카이트의 단호한 거절에 황당하다 못해 화가 나기 시작한 나는 조금 모여든 마나를 발에 집중에 다시 한번 문을 찼다.

"윽. 아무리 조금 긁힌 상처라도 그렇게 진동을 주는 건 딱히 좋은 생각이 아닌 것 같은데."

에카이트의 신음에 움찔했지만 나는 티 내지 않고 태연하게 그를 닦달했다.

"그러니까 열어요. 어차피 안에서 안 잠그면 똑같잖아요."

"잠그면 되지 않나. 말 좀 들어!"

이렇게 신경질적인 목소리를 내는 그는 처음 본다. 나는 당황한 마음을 숨긴 채 묵묵히 문을 노려보았다.

문밖에서 들리는 소음들이 점점 더 커지기 시작했다. 그 소리에 몸이 저절로 긴장이 되었다.

"두 분 말다툼 중에 죄송합니다만, 곧 태풍 영향권으로 접어들 것 같습니다.”

남자의 간략한 안내가 끝나기 무섭게 배가 좌우로 크게 흔들렸다.

부단장의 불만 어린 목소리가 두꺼운 문과 거센 빗소리를 뚫고 들려왔다.

“빌어먹을! 단장님! 뱃멀미 날 것 같은데요!

“뱃멀미 날 시간도 있고 여유가 있군! 잔챙이들부터 빨리 치워 내자고.”

그 둘의 대화로 봐서는 당장 크게 밀리는 것 같지는 않았다.

다소 안심해도 될 것 같다고 생각하던 찰나, 첩자의 목소리가 귀를 파고들었다.

–제법 싸울 줄 아는 놈들이로군. 좋다. 재미있구나. 잘 보았다.

유리한 상황이 아님에도 첩자의 말은 조금 이상했다.

뭔가 꿍꿍이가 있어 보이는데…….

순간 머릿속에 첩자의 주술이 떠올라 다급히 입을 열어 외쳤다.

“가벼운 잔술수는 언제든 쓸 수 있는 작자입니다! 다들 조심하셔야 합니다!”

내 외침이 끝나기 무섭게 엄청난 폭발 소리와 함께 배가 크게 요동치기 시작했다.

어정쩡하게 서 있던 나는 그야말로 바닥에 나동그라져 반대편 벽 끝까지 데굴데굴 굴러갔다.

균형을 잡을 새도 없이 순식간에 벌어진 일이라 어디가 앞이고 뒤인지도 구분이 가지 않을 지경이었다.

“으……. 뭐죠? 뭐에 부딪힌 건가요?”

몸도 제대로 일으키지 못한 상태로 키를 잡고 반쯤 넘어져 있는 남자를 향해 질문을 던졌다.

남자도 흔들림의 충격에서 완전히 벗어나지 못한 건지 잠시 고개를 좌우로 흔들다가 입을 열었다.

"가벼운 잔술수라고 하기엔 파급력이 제법 크군요."

남자의 말에 할 말이 없어진 나는 입을 꾹 다물 수밖에 없었다.

딱히 대답을 바라고 했던 말은 아니었는지 남자가 차분히 상황을 분석했다.

"이미 먼바다 위라 암초나 그런 것이 있을 수 없죠. 정말 우연의 일치를 생각해서 고래나 다른 해상 동물과 충돌했다는 가정도 해 볼 수 있겠지만……."

"그 동물들이 이 날씨에 해수면 위를 돌아다니면서 지나다니는 배랑 박치기를 할 가능성은 희박해 보이네요."

내 간략한 설명에 남자가 고개를 끄덕여 동의를 표했다.

"아무래도 폭약이나 다른 화약을 이용한 폭발이 있었던 것 같습니다. 배의 어디가 타격을 받은 건지는 잘 모르겠군요."

"원체 흔들리고 있어서 저도 전혀 모르겠어요. 안이 이 정도면……. 밖은 괜찮을까요?"

내 걱정 어린 말에 남자가 잠시 침묵을 지키다가 고개를 끄덕여 동의를 표했다.

"피해를 확인할 방법이 없군요. 혹시 선체에 폭탄을 맞은 것이라면 배가 침몰할 수도 있는 문제인데……. 아무래도 지금은 정말 나가 봐야 할 것 같습니다."

결국 키를 놓은 남자가 방향을 고정시킨 후 몸을 일으켰다.

그를 보고 화들짝 따라 몸을 일으키던 나는 나도 모르게 앓는 소리를 내며 바닥에 주저앉았다.

"최악이군요. 다치셨습니까?"

"……아니요."

내 부정에 여전히 흔들리는 바닥을 균형감 있게 디디며 다가온 남자가 내 발목을 뚫어져라 내려다보았다.

강렬한 통증 때문에 나도 모르게 부여잡았던 발목에서 뒤늦게 손을 떼었지만 이미 사태를 짐작한 남자가 깊은 한숨을 쉬고 있었다.

"이런 상황이면 안에 있는 편이 났겠습니다."

그의 말에 고개를 저으며 강력하게 부정한 나는 급한 대로 바닥에 굴러다니는 나무 받침대를 부러트려 다친 발목에 부목을 댔다.

묵묵히 발목을 고정하는 나를 내려다보던 남자가 가볍게 한숨을 쉬고 그의 품에서 손수건을 꺼내 부목을 고정하는데 손을 보탰다.

"무기 잘 들고 버텨 보십시오. 여차하면 조타실로 피하시고요."

"알겠어요. 근데 문, 열 줄 알았던 거예요?"

절대 안에서 열 수 없다고 우기던 남자가 괘씸해진 나는 그를 살짝 흘겨보며 물어보았다.

그러자 그가 가볍게 고개를 젓더니 문 앞으로 직행했다.

아니, 뭘 어쩌려고?

기가 막혀 그를 바라보다 문 쪽으로 따라 걸어가던 나는 갑작스럽게 도약해 문으로 몸을 날리는 남자를 보고 놀라서 걸음을 멈췄다.

그가 허공에서 몸을 틀면서 회전을 주더니 뒤에 선 나한테까지 그 위력이 느껴질 정도의 발차기를 날렸다.

체술을 특기로 사용하는 사람이구나.

그의 움직임을 보고 결론을 내린 나는 손쉽게 열린 문을 보고 혀를 찼다.

제국으로 돌아가면 마나 사용을 제한하고 체력 단련에 좀 더 집중해야겠다.

틈이 생긴 문을 흔들어 완전히 연 남자가 앞장서서 조타실을 나섰다.
시큰거리는 발목을 조심하며 문밖으로 걸음을 옮기던 나는 매캐하게 올라오는 연기와 탄 냄새에 인상을 찌푸렸다
폭발이 있었던 것이 분명하다.
그리고 첩자의 마지막 말에 비추어 보아, 이 폭발을 일으킨 것은 그가 분명해 보였다.
"에카이트? 에카이트. 어디 있습니까. 다들 괜찮은 겁니까?"
자욱한 연기 위로 쏟아지는 폭우가 시야를 더욱 혼란스럽게 했다.
남자의 말대로 태풍의 영향권에 든 것인지, 배가 요동치는 정도도 심상치 않았다.
정신을 집중해 마나를 사용할 여건도 되지 않는 상황이라 기감만 예민하게 세워 에카이트를 찾았다.
원래대로라면 문 앞에 기대 앉아있어야 하지만 사람이 데굴데굴 굴러갈 정도로 큰 폭발과 흔들림이 있었던 직후다.
다친 상태로 버티고 있을 수도 없었을 것이니 어디론가 굴러가 박혀 있다는 소리인데…….
주변을 급히 살펴보았으나 그의 모습은 보이지 않았다.
혹시 배 밖으로 떨어진 것은 아닐까 더럭 겁이 났다.
"에카이트! 대답해요. 에카이트!"
검에 올리고 있던 손을 내리고 빗줄기 사이를 누비며 에카이트를 불렀다.
폭발의 충격 때문인지 배 위의 전투는 잠시 소강상태였다.
쏟아지는 빗소리와 흔들리는 배, 사방에서 희미하게 들려오는 앓는 소리들, 자욱한 안개 같은 연기.
조급해지는 마음에 급하게 걸음을 내딛다가 다친 발목에서 찌르

는 것 같은 통증이 느껴져 잠시 걸음을 멈췄다.

빗줄기 너머로 비틀거리는 사람 하나가 내 쪽으로 걸어온다.

제법 큰 키의 남자.

눈으로 들어오는 빗물을 거칠게 닦아 내며 그 앞으로 한 걸음 다가갔다.

"에카이트? 괜찮아요?"

앞으로 주춤주춤 다가서던 나는 뭔가 이질감이 느껴져 걸음을 멈췄다.

"에카이트?"

물어보는 목소리에 돌아온 답은 서늘하고 광기 어린 동대륙의 말소리였다.

—찾았다.

그는 에카이트가 아니었다.

첩자였다.

빗줄기 속에서 마주친 첩자는 얼핏 보기에도 썩 상태가 좋아 보이지 않았다.

빗물에도 뚜렷하게 보이는 얼굴의 핏자국이며 그 아래 갑판 위로 흐르는 핏물까지.

비스듬하게 서 있는 자세도 그다지 안정적으로 보이진 않았다.

하지만 그간의 행적을 보건대 그가 부상을 당했다곤 하나 그렇다고 쉽게 방심해도 좋을 상대는 아니었다.

"지독히도 따라왔군."

그를 노려보며 그간의 앙금을 담아 씹어 내듯 내뱉자 그가 씩 웃는다.

—당연한 것 아니겠는가.

그의 광기 어린 답변에 나는 새삼스러운 표정으로 그를 바라보았다.

전생에서부터 지금까지, 악연도 이런 악연이 다 있을까.

이해할 수 없는 그와의 기나긴 악연을 떠올리다 보니 저절로 표정이 굳어 갔다.

내 표정 변화는 전혀 신경 쓰지 않는 듯, 그는 마치 홀린 것처럼 말을 계속했다.

—난 내 것을 빼앗기는 것을 눈뜨고 지켜볼 만큼 너그럽지 못하거든.

서슴없이 나를 본인의 소유로 단정 지어 말하는 첩자를 보자니 역시나다.

그는 말이 통할 상대가 아니다.

"나는 당신을 정말로 혐오해."

—상관없다, 네 감정 따위.

네, 왜 안 그렇겠습니까.

애초에 내 감정까지 신경 쓰는 사람이었다면 이런 일련의 일들이 일어났을 리 없겠지.

놀랍지도 않은 첩자의 말에 그를 지그시 바라보던 나는 그보다 먼저 입을 열었다.

"나도 당신 따위 어떻게 되든 상관없다는 입장이었는데, 생각이 바뀌었어."

내 말에 첩자가 무슨 뜻이냐는 표정으로 나를 바라보았다.

나는 그런 그를 무감각하게 바라보다 삽시간에 검에 손을 올리고 그의 앞으로 튀어나갔다.

—큭!

"잊은 건 아니겠지. 난 기사로 유명한 폰디체리 공작가의 공녀야. 가훈 중에 이런 말이 있지. 복수는 확실하게 하라고 말이야!"

갑작스럽게 겨눠진 내 검을 자신의 검으로 막아 낸 첩자가 힘겨운 신음을 내뱉었다.

-뮤사. 넌 뮤사다!

첩자의 광기 어린 목소리가 빗소리를 뚫고 귓가에 내리꽂혔다.

그의 광기에 반응이라도 하는 듯, 뒤로 불이 번쩍이며 천둥 번개가 쳤다.

뮤사 같은 소리 한다.

안 그래도 어쩜 그렇게 마음에 안 드는 이름을 지어 왔나 내내 불만이었는데 그 이름으로 나를 부르는 첩자를 보자니 분노가 치밀어 올랐다.

"난 그 광대 같은 이름 쓴다고 한 적 없는데? 늦었지만 이름 짓는 감각이 정말 최악이라는 말은 꼭 해 주고 싶더군."

빈정거리며 몸을 틀어 다시 그에게로 검을 내리찍자 그가 능숙하게 검으로 방어해 냈다.

하지만 검을 타고 느껴지는 미미한 떨림은 그가 체력적 한계에 닿았음을 느낄 수 있게 해 줬다.

아무리 체력적 한계를 느끼고 있는 중이라고 해도 그 특유의 집념은 여전했다.

내 빈정거림 따위는 신경 쓰지 않는다는 듯, 나를 다시 뮤사로 부르기 시작한 것이다.

-뮤사. 내 뮤사. 난 모든 것을 가질 것이다.

"난 단 한순간도 당신 곁에 있을 생각이 없는데, 어쩌지?"

그에게 매서운 공격을 퍼부으며 그간 속에 맺혀 있던 말들도 같이 퍼부었다.

그간 대체 어떻게 참았던 건지 모르겠다.

그에게 정신없이 퍼붓자니 감정적으로 더욱 흥분이 되며 뭔가 시원한 마음이 들었다.

역시 사람은 참기만 하면 병 걸린다니까.

정신없이 그를 향해 공격을 퍼붓던 순간, 쏟아지는 빗줄기에 발이 미끄러졌다.

그리고 그 잠깐의 미끄러짐을 놓치지 않은 첩자가 강한 힘으로 내 검을 올려쳤다.

챙그랑.

빗물 때문에 손아귀에서 순식간에 벗어난 검이 뒤로 튕겨지는 것이 느껴졌다.

너무 흥분했다. 감정에 휘둘린 대가는 처참했다.

품에 비상용으로 챙겨 두었던 단도를 뽑아 들고 거리를 벌려 그를 경계하면서 입술을 꽉 깨물었다.

—곧 지원군이 올 것이다. 나는 그들이 오기까지 이 배가 더 멀어지지 않게 묶어 두기만 하면 되고. 곧 다시 궁으로 돌아가게 될 것인데 소감은 어떤가, 뮤사.

얼마 되지 않는 인원으로 공격을 감행하는 무모함에 의문을 가졌던 나는 그의 말에 이를 악물었다.

언제 지원군을 요청한 거지.

그의 말이 사실이라면 시간을 끌수록 불리한 것은 우리였다.

폭우와 파도가 거세져서 몸을 겨누기도 점점 더 힘들어지는 상황에 검까지 놓쳤다.

—나는 내 아버지와는 다르다.

“질리도록 들은 얘기로군. 하지만 내 눈엔 똑같아 보이는데. 힘으로 얻을 수 있는 것에는 한계가 있으니까 말이야.”

—궁으로 돌아가면 네 다리를 부러트려 놓는 것이 좋겠구나.

전혀 대화가 통하지 않는다.

광기로 번들거리는 첩자의 시선은 쏟아지는 빗줄기 사이로 선명하게 나를 쫓아오고 있었다.

여기저기서 무기가 부딪히는 소리가 들려오는 것으로 봐서는 전투가 다시 시작된 것 같았다.

비가 심한 덕분에 폭발로 인한 화재가 배에 큰 영향을 끼친 것 같지는 않았다.

매캐하게 코를 찌르던 연기는 이제 거의 느껴지지 않았으니 말이다.

단도를 움켜쥐고 그의 다음 공격을 방어하고자 자세를 잡던 중, 그가 품에 손을 집어넣는 것을 포착했다.

주술!

품에서 무엇인가 써져 있는 종이를 꺼내 주술을 사용하던 과거의 모습이 떠올라 나는 빠르게 뒤로 물러나며 그와의 거리를 벌렸다.

손에 종이를 움켜쥔 첩자가 나를 보고 마치 재롱을 부리는 어린아이를 본 것처럼 큰 소리로 웃음을 터트렸다.

—재미있구나. 이게 무엇인지 아나 보군.

"수작 부릴 생각하지 말고 물러나!"

—수작이라. 재미있는 말을 하는구나.

"방금 전의 폭발도 당신 짓이겠지. 여기서 배가 침몰하면 누구도 살아 돌아갈 수 없는 것은 어린아이도 알 만한 사실이다."

내 말에 잠시 고개를 갸웃거리던 첩자가 이내 내 말뜻을 이해한 듯 다시 큰 소리로 웃었다.

—이게 아까와 같은 폭발 주술이 걸린 종이인 줄 아는 모양이군. 재미있구나.

그게 아니라고?

그럼 무슨 주술이 걸린 종이란 말이지?

종잡을 수 없는 첩자의 말에 한층 더 신경을 곤두세우던 나는 이내 이어지는 그의 공격 패턴이 나를 다치게 하는 것보다 내 몸에 닿는 것을 목적으로 한다는 것을 깨달았다.

"이동 주술이 걸린 종이로군."

내 중얼거림을 들은 첩자가 진하게 웃으며 내 단도를 날려 버리기 위해 계속해서 강한 공격을 퍼부었다.

아카데미를 떠나던 그날처럼 삽시간에 낯선 곳으로 빨려 들어가 눈을 뜨는 기분은 상상하기도 싫었다.

한층 더 긴장한 자세로 첩자의 공격에 대비하던 중, 천둥 번개가 내리치더니 배가 크게 흔들렸다.

"빌어먹을! 토할 것 같구먼. 날씨는 또 왜 이렇게 비협조적이야!"

"난 거의 마무리된 것 같군. 자네는 여유가 되면 첩자 그놈이나 좀 찾아봐. 도통 보이질 않는군. 누구랑 교전 중인 거지?"

가까스로 균형을 잡은 내 귓가로 익숙한 부단장의 투덜거림과 단장의 목소리가 들려왔다.

우리가 이기고 있다.

희망적인 소식에 눈을 반짝이는데, 동일한 내용을 들은 첩자가 사납게 비명을 질러 댔다.

-말도 안 된다! 뮤사. 착하지. 이리로 와라. 지금 온다면 잘못을 묻지 않겠다.

미친 것이 아닐까.

갑작스럽게 어울리지 않는 상냥한 목소리로 나를 달래려 드는 첩자를 보고 몸을 부르르 떤 나는 단장과 부단장의 목소리가 들렸던 방향으로 몸을 조금씩 옮겼다.

-뮤사. 넌 네가 가지게 될 권력과 그 권력에서 오는 안락함이 얼마나 큰 것인지 모른다. 너는 모든 것을 다 가질 수 있다.

"미안하지만 서대륙에서도 남부럽지 않게 잘 살고 있었거든. 그런 것에는 큰 감흥이 없네."

제국의 공녀라는 신분은 그야말로 무소불위의 권력이 무엇인지 느낄 수 있게 해 주는 자리였다.

무서울 것 없이 없이 살아온 나에게 권력과 그 권력이 주는 안락함에 대해 논하며 회유하려 드는 것은 그야말로 바보짓이나 다름없었다.

머릿속 계산이라고 하면 남부럽지 않은 첩자이니 분명 모를 리 없다.

이런 터무니없는 말로 나를 회유하려 드는 것을 보건대, 거의 이성을 상실한 상태인 것이 분명했다.

-……만약 내가 끝까지 가질 수 없는 것이라면 아예 없애 버릴 것이다.

음침한 표정으로 눈을 번들거리던 첩자가 알 수 없는 말을 중얼거리더니 아까까지와는 다른 방식으로 검을 휘두르기 시작했다.

이전까지의 공격은 급소를 피한, 제압을 위한 공격이라는 느낌이 강했는데 지금은 치명상을 내기 위한 공격이라는 느낌이 강했다.

"윽!"

단도로 검을 막기는 했지만 검의 길이 차이 때문에 목에 자상을 입은 나는 나도 모르게 고통 섞인 비명을 터트렸다.

이젠 아예 죽이려 드는 거구나.

나는 그의 사나워진 검을 노려보며 다시 자세를 잡았다.

부목을 덧댄 다리가 시큰거리는 것이 영 불안했다.

나름대로 단단히 동여맨 천들이 비에 젖어 흐느적거리며 밑으로 흘러내리고 있었다.

"아펠리아! 어딥니까!"

자세를 정돈하던 중 뒤에서 에카이트의 목소리가 들리기 시작했다.

배 위로 올라온 사람들을 거의 처리한 구출단 사람들이 이제야 조타실이 비어 있다는 것을 확인한 것 같았다.

에카이트의 목소리에 첩자의 눈동자가 전과 비교할 수 없을 정도로 붉게 충혈되며 이제는 정말 미친 사람이라고 해도 과언이 아닐 정도로 보였다.

결코 좋은 징조로는 보이지 않았다.

쥐도 궁지에 몰리면 고양이를 문다고 했다.

–에카이트 베이야드. 네놈이 모든 것을 다 망쳤다. 쥐새끼 같은 모사꾼.

에카이트의 목소리가 들리는 방향으로 급작스럽게 몸을 돌려 돌진하는 첩자를 잠시 멍하게 바라보던 나는 화들짝 정신이 들어 단검을 고쳐 들고 그를 따라 달렸다.

하지만 흔들리는 배와 악천후 그리고 접질린 발목은 그와 나의 거리를 점점 멀어지게 하고 있었다.

몸으로 그를 따라가 막는다는 것은 실질적으로 불가능해진 상황.

결국 더 속도를 내기보다 목소리로 경고하는 편을 택할 수밖에 없었다.

"에카이트! 피해요. 그가 그쪽으로 가고 있어요!"

목청껏 소리를 지르며 위험을 경고했지만 거센 빗소리에 내 말이 제대로 전달되었는지 확신할 수 없었다.

결국 이를 악물고 아픈 발목의 통증을 무시한 채 다시 속도를 높여 첩자의 뒤를 따라 달렸다.

그의 뒤를 따라 달리다 보니 익숙한 목소리들이 들리기 시작했다.

“아펠리아 경! 젠장, 놈이 접전 중이던 상대가 아펠리아 경이었군요. 주변 정리된 사람들은 빨리 쫓아오십시오!”

내 목소리를 들은 것인지 조슈아가 사람들에게 큰 소리로 상황을 공유하는 것이 들렸다.

“제가 가겠습니다!”

“나도 가지!”

상황이 정리된 것일까, 넬슨과 단장의 목소리가 들린다.

다들 무사했구나.

혹시 다치거나 죽은 사람이 있을까 두려웠던 마음이 조금이나마 가벼워졌다.

하지만 그와는 별개로 첩자의 뒷모습이 점점 멀어지고 있었다.

좀처럼 좁혀지지 않는 거리에 시큰거리는 발목이 원망스러워지기 시작했다.

빗줄기 너머로 보이는 에카이트의 모습과 그를 향해 검을 겨누고 달려가는 첩자의 모습이 마치 느린 화면처럼 눈앞에 펼쳐지기 시작했다.

—죽어라!

기합처럼 내지르는 첩자의 목소리와 동시에 큰 궤도를 그리며 첩자가 검을 휘둘렀다.

“에카이트, 피해!”

내 고함을 들은 듯 에카이트가 몸을 뒤로 돌렸다.

첩자가 휘두르는 검을 정면으로 바라보는 모양이 된 에카이트를 애타는 마음으로 바라보며 두 눈을 질끈 감았다.

그리고 이내 갑판 위로 누군가의 신음이 터져 나오며 쓰러지는 소리가 이어졌다.

나는 그 소리에 황급히 감았던 눈을 뜨고 소리가 들린 곳으로 시선을 고정했다.

갑판을 뒹굴고 있는 것은 익숙한 에카이트가 아닌 첩자였다.

쓰러진 그의 앞에는 검을 든 에카이트가 조금 기우뚱한 자세로 서 있었다.

어떻게 된 거지?

알 수 없는 상황에 잠시 넋을 놓고 그를 바라보다가 그쪽으로 달려가는 구출단 사람들을 보고 정신이 들었다.

허겁지겁 다리를 절뚝거리며 에카이트에게로 다가가자 그 앞에 쓰러진 첩자의 모습이 더욱 선명하게 보였다.

그는 갑판에 쓰러져 빗물 속에서도 선명한 붉은 피를 왈칵 흘리고 있었다.

"에카이트. 괜찮아요? 도대체 어떻게 된 건지……. 안 다쳤어요?"

"나도 믿는 구석이 있으니 이 구출단에 낀 것 아니겠나."

그다지 안정적인 자세는 아니었지만 제법 호기롭게 답하는 에카이트를 걱정스럽게 바라보던 나는 바닥에 쓰러져 움찔움찔 몸을 떠는 첩자를 날 선 눈으로 경계했다.

"어떻게 된 거죠?"

"찔렀지."

누가 그걸 몰라서 물었겠냐.

당장 들고 있는 검에서 이렇게나 피가 뚝뚝 떨어지고 있는데.

황당한 표정으로 그를 바라보던 나는 인내를 가지고 다시 질문을 던졌다.

"어디를 어떻게요?"

"보아하니 복부 같군요. 출혈이 제법 됩니다. 혹시 모르니 포박할까요?"

첩자에게 검을 겨눈 채 발로 그를 툭툭 건드리며 조슈아가 에카이트를 대신해 대답했다.

아마 눈대중으로 그의 상태를 살피고 결론을 내린 눈치였다.

그의 말에 시선을 옮겨 첩자의 배 부분을 보자 복부에서 흘러나온 피가 빗물과 섞여 바닥을 흥건하게 적시고 있었다.

찡그린 채로 감은 그의 눈이 굵은 빗줄기에도 열리지 않은 채 굳게 닫혀 있었다.

죽었나?

잠시 미심쩍은 눈으로 쓰러진 첩자를 바라보던 나는 이내 고개를 저었다.

광기 어린 집착의 화신이라고 해도 부족함이 없는 그의 모습들을 떠올리자니 고작 에카이트의 일격에 쉽게 죽을 리 없다는 생각이 들었다.

"일단 포박하지. 아무리 부상이 심한 상태라고 해도 사지를 자유롭게 둘 이유는 없으니까 말이야."

"그럼 제가 하죠."

단장의 말에 부단장이 품에서 밧줄을 꺼내며 쓰러진 첩자에게로 걸음을 옮겼다.

그사이 파도의 움직임은 한층 더 격렬해졌으며 빗줄기도 더 요란스럽게 갑판을 두드리기 시작했다.

"일단 모두 조타실로 잠시 들어오시죠. 재정비가 필요할 것 같군요."

남자의 말에 일제히 고개를 끄덕인 사람들이 조타실로 걸음을 옮기기 시작했다.

어, 갑판 위에 쓰러져 있을 동대륙인들은 어떡하고?

뒤처리 문제로 머뭇거리던 나는 남아서 첩자를 포박하기 시작한 부단장의 말에 이내 가벼워진 마음으로 걸음을 옮길 수 있었다.

"다른 놈들은 다 처치해서 정리한 지 오래이니 걱정 말고 들어가지. 상태도 썩 좋아 보이지 않는데……."

"도와드릴까요?"

내 걱정스러운 물음에 그가 코웃음을 치며 손사래를 쳤다.

"들어가서 조심히 몸 사리고 있는 것이 돕는 것 아니겠나. 공작 전하가 호들갑을 떨면서 난리를 칠 생각을 하면……."

맞다, 아버지.

긴박한 시간들 사이에서 미처 제대로 그리워하지도 못했던 분이었다.

다시 만날 수나 있을까 너무도 아득하고 마음을 아프게 한 사람을 꼽으라면 주저 없이 가장 먼저 아버지를 말할 수 있다.

의식적으로 기억하지 않으려 했던 아버지의 존재를 상기시키며 가벼운 농담을 던지는 부단장을 잠시 멍하니 바라보았다.

이제 정말 곧 아버지를 만난다.

"아버지……. 다시 뵙게 되리라고는 생각하지 못했었는데."

"감성에 젖기엔 바깥 기후가 너무 심상치 않군. 포박이 끝났으니 일단 창고에 놈을 옮겨 놓고 조타실로 가지. 서둘러 움직이라고."

첩자를 들쳐 업고 자리에서 일어선 부단장의 말에 조타실로 걸음을 옮기려던 나는 배가 크게 휘청거리는 바람에 균형을 잃고 갑판 위로 넘어지고 말았다.

"안 다쳤나! 미치겠군. 난 확실히 배 체질은 아니야. 멀미부터 시작해서 균형은 왜 이렇게 또 안 잡혀?"

부단장이 짐짝처럼 들어 올렸던 첩자를 그야말로 짐짝처럼 내던지고 나를 부축했다.

갑판에 꼴사납게 처박혀 의식을 잃고 있는 첩자를 보자니 기분이 묘했다.

저렇게나 무력하고 보잘것없는 존재에게 전생을 포함한 긴 세월을 농락당하고 고통받았다니.

나를 부축해 주던 부단장이 갑자기 손에서 힘을 빼기에 그 또한 균형을 잃었나 싶었는데 등 뒤를 받치는 다른 손길이 있었다.

"빨리 빨리 움직이자고. 의외로 굼뜬 구석이 있군."

"에카이트. 다친 것 아닌가요? 비를 계속 맞으면……."

"그러니까 빨리 조타실로 돌아가게 협조 좀 부탁하지."

내 걱정 어린 말을 단호하게 자른 에카이트가 조타실로 나를 이끌기 시작했다.

흔들리는 배와 미끄러운 갑판, 요동치는 날씨.

서로가 서로에게 의지하며 겨우 걸음을 옮겨 조타실 앞에 도착한 우리는 누가 먼저랄 것 없이 문을 열었다.

문을 열자 바깥과는 다른 따뜻한 공기가 맴돌고 있었다.

"아펠리아 경. 에카이트 공. 두 분 다 무사하셨군요. 안 들어오고 있기에 걱정했습니다."

"걱정할 만한 날씨이기는 해요. 그대로 갑판 위에 서 있다간 금방에라도 바다에 빠질 것 같습니다."

넬슨의 걱정 섞인 말에 고개를 끄덕여 긍정한 나는 어색하게 에카이트와 조금 떨어져 조타실 내의 탁자로 걸음을 옮겼다.

최대한 티를 내지 않으려 했지만 완전히 감출 수는 없었다.

에카이트는 곧바로 성큼성큼 다가와 허리에 팔을 감고는 나를 부축하기 시작했다.

"……참 보기 좋은 한 쌍입니다."

조슈아의 빈정거림이 섞인 말에 민망해진 나는 에카이트를 떨쳐내려 했다. 하지만 오히려 힘을 줘 더 단단히 붙잡은 그가 피식 웃은 뒤 고개를 끄덕이며 입을 열었다.

"그렇게 봐 주면 고맙고."

"일단 상황부터 설명드리죠."

에카이트의 말에 입술을 달싹이며 받아칠 말을 내뱉으려는 조슈아를 막은 것은 조타실의 큰 탁자 위에 놓인 지도를 가리키며 입을 열기 시작한 남자였다.

남자의 말에 방 안의 모든 사람이 일제히 입을 닫았다.

배를 때리는 굵은 빗소리와 흔들리는 바닥에 쏠리는 정신을 애써 남자에게로 옮겼다.

"일단 방향을 완전히 잃었습니다. 가급적이면 제가 조타실을 비우지 않으려 했던 이유 중 하나가 그 방향을 잃지 않기 위해서였는데……. 결과적으로 비우게 된 바람에 골치 아프게 됐습니다."

갑작스럽게 일어난 폭발로 다른 선택지가 있었던 상황은 아니지만, 남자의 말처럼 상황이 복잡해졌기에 다들 낮은 한숨을 내쉬었다.

잠시 침묵이 흐르자 남자가 다시 입을 열었다.

"대략적인 방향은 가늠할 수 있지만 지금 태풍이 지나가는 중인지라……. 지금 상황에선 침몰하지 않는 것이 최선이라고 봅니다."

"어떻게 했으면 좋겠는가?"

남자의 말에 단도직입적으로 질문을 던지는 에카이트를 두고 모두 고개를 끄덕였다.

상황이 좋지 않다는 것은 설명을 더 듣지 않아도 충분히 짐작할 수 있었기 때문이었다.

"우선 방향만 잡아 놓고 태풍이 지나가기 전까진 지금처럼 돛을 접은 상태로 운항할 생각입니다."

남자의 말에 이번에는 단장이 입을 열었다.

"태풍이 완전히 지나가기까지 얼마나 걸릴 것 같은가?"

"……음. 보통 몇 시간만 버텨도 큰 고비는 지나갑니다. 하루에서 이틀이면 완전히 지나가는 것이 대부분이고요."

남자의 대답에 단장이 고개를 끄덕이고 모두를 바라보았다.

"별수 없군. 버텨 보지."

"뭘 버팁니까? 아, 진짜 멀미 때문에 죽겠습니다."

단장의 말이 끝나기 무섭게 문을 열고 들어온 부단장이 쫄딱 젖은 상태로 투덜거렸다.

그를 잠시 한심한 표정으로 바라보던 단장이 구출단 사람들을 돌아보며 하나하나 지시를 내리기 시작했다.

그나저나 에카이트, 아까 심하게 다친 것처럼 보였는데 괜찮나?

잊고 있던 에카이트의 부상이 머릿속에 떠올라 고개를 돌려 옆에 앉은 그를 바라보았다.

너무 초연하게 돌아다녀서 그가 다쳤다는 것도 잠시 잊고 있었다.

"에카이트, 다친 곳이 어딘가요. 괜찮아요?"

"그랬죠. 너무 잘 돌아다녀서 완전히 잊고 있었습니다. 환부부터 수습하죠."

내 말에 맞장구를 치며 자리에서 일어난 남자가 에카이트에게로 걸음을 옮겼다.

자세히 들여다본 그의 얼굴은 창백하기 그지없었다.

급하게 시선을 그의 배로 옮기니 검붉은 핏자국이 맹렬한 기세로 번져 나가고 있었다.

"에카이트!"

"……호들갑은. 괜찮으니 너무 앞장서서 걱정하지는 말지."

에카이트의 목소리가 옅어진다 싶더니 그의 눈이 스르륵 감긴다.

놀란 나는 거의 고함을 지르다시피 그의 이름을 외치며 자리에서 일어났다.

부산스럽게 자리에서 일어나 쓰러진 그를 눕히고 응급조치를 취하는 사람들을 한 걸음 떨어진 곳에서 멍하니 바라보았다.

"잘못된 건 아니겠죠?"

"여기서 그걸 명쾌하게 대답해 줄 수 있을 만한 전문가는 없을 것 같군요."

바쁜 와중에도 짧은 대답을 건네는 남자를 멍하게 바라보던 나는 이내 크게 흔들리는 선체에 균형을 잃고 바닥으로 쓰러지고야 말았다.

"아펠리아 경!"

"아펠리아!"

"대체 이게 다 무슨 난리입니까. 아펠리아 경, 괜찮습니까?"

일어나야 하는데.

일어날 수 있는데.

귓가를 웡웡 맴도는 사람들의 목소리와 에카이트의 모습이 점점 멀어지는 느낌이다. 나는 어지러움에 조용히 눈을 감았다.

삽시간에 쏟아진 피로와 스트레스 때문이 아닐까 싶다.

서대륙으로 돌아가던 중 죽더라도 좋다. 적어도 동대륙을 떠났으니까 말이다.

나는 더 생각하기를 멈추고 조용히 암흑 속에 스스로를 맡겼다.

깨어났다 잠들기를 반복한 끝에 나는 마침내 익숙한 침대에서 눈을 뜰 수 있었다.

익숙한 얼굴의 유모가 마침내 제대로 정신을 차린 내 침대 앞에 무릎을 꿇고 대성통곡을 하고 있었다.

그 뒤로 아버지가 문을 열고 황급히 뛰어 들어오는 모습도 보인다.

"아버지."

"이, 이 불효막심한 녀석아!"

"죄송해요. 다시는 아버지와 상의 없이 큰일을 벌이지……."

꿈인지 생신지 모를 정도로 얼떨떨한 상황이기는 했지만 나도 모르게 반성문을 읊던 어린 시절의 나처럼 행동했다.

주섬주섬 반성의 말을 내뱉는 나에게 성큼성큼 다가온 아버지가 나를 와락 안으며 말했다.

"네가 나에게 어떤 자식이고 딸인지 정녕 몰라서 그랬단 말이냐. 속이 까맣게 타다 못해 문드러져 버렸다."

"아버지……."

"너마저 그렇게 보내면 나는 어떻게 살라고 그렇게 무모한 짓을 벌여!"

아버지의 울음기 섞인 호통에 저절로 목이 멘 나는 아무 대꾸도 하지 못한 채 아버지를 마주 껴안는 것으로 그 반성을 대신했다.

성인이 된 후로 이렇게 스킨십을 해 본 적 없는 나를 잠시 어색하게 바라보던 아버지가 이내 울음을 터뜨렸다. 지금까지 본 적 없는 낯선 모습이었다.

결국 감정이 복받쳐 오른 나도 아버지를 껴안고 엉엉 울고야 말았다.

뜨겁게 흐르는 눈물을 느끼고서야 비로소 내가 완전히 돌아왔음을 실감할 수 있었다.

이제 모두 끝났다.

전생의 악연도, 고통도, 괴로움도 말이다.

나는 숨이 막히면서도 홀가분해지는 기분에 조용히 눈을 감았다.

에필로그

에필로그

제대로 정신이 들기 무섭게 아버지와 눈이 탱탱 부을 때까지 한바탕 눈물을 쏟은 나는 결국 어색한 표정으로 아버지와 떨어져 먼 산을 바라본 채 헛기침을 할 수밖에 없었다.

실상 그렇게 감수성 넘치는 부녀 관계는 아니었기 때문에 이런 눈물 어린 재회가 어색할 수밖에 없었다.

눈물의 재회가 끝난 후, 내가 정신을 차렸다는 소문이 퍼진 것일까, 봉뒤프베 부인이 제일 먼저 저택으로 찾아왔다.

그녀를 시작으로 조금이나마 친분이 있었던 영애들, 그리고 동료 기사들이 병문안을 명목으로 저택을 방문했다.

예상치 못했던 금의환향인지라 다소 얼떨떨했던 나는 생각보다 거의 마지막으로 찾아온 황태자를 통해 그 이유를 알 수 있었다.

"천방지축으로 부릴 수 있는 말썽은 아주 그냥 다 부리고 돌아왔군."

"……면목 없습니다."

"당연히 없겠지. 이 와중에 면목이 있다면 자넨 심각하게 뻔뻔한 거라고."

익숙한 황태자 특유의 대화법에 피식 웃으며 고개를 끄덕이자 그가 울컥한 표정으로 노려보았다.

"웃어? 아주 죽다 살아나니 간이 커졌군. 내가 중간에서 얼마나 고생을 했는지는 아나?"

"다는 모르지만 전하의 은혜 덕에 무사히 귀환할 수 있었습니다. 거듭 감사드립니다. 평생을 충성으로 모시겠습니다."

내 진실된 맹세에 그가 몸을 부르르 떨며 단호하게 거절 의사를 표명했다. 몸을 떨며 진절머리 치는 모양새를 보건대, 그냥 하는 소리는 아닌 것 같았다.

"그 충성 두 번 받았다간 단명하겠어. 구출도 구출이지만 그 뒷수습은 또 얼마나 성가셨는지 아는가?"

"뒷수습 말씀이십니까?"

내 말에 그가 기다렸다는 듯 자신의 업적을 자랑하듯 나열하기 시작했다.

"일단 경이 동대륙에 납치됐던 이유를 대중들에겐 조금 다르게 설명했어. 뭐, 사실과 크게 다르지는 않지만 말이야."

"어떻게 설명하신 겁니까, 대체?"

내 미심쩍은 표정에 황태자가 의기양양하게 입을 열었다.

"폰디체리 공작 부인이 이방인이라는 것은 알 만한 사람들은 모두 아는 사실이지. 그래서 이번 기회에 그녀의 출신을 조금 더 정확히 대중들에게 알렸을 뿐이다."

"어떻게 말입니까?"

"동대륙의 공주 출신이라고 알렸지. 그 공주가 외국으로 귀화한 탓에 정통 황실의 혈통이 끊어져서 그 혈통을 이은 유일한 후손인 그대를 납치했다고 했지.”

틀린 말은 아닌데……. 미묘하게 나에게 유리한 방향으로 해석해서 오해를 유도한 그의 말에 나는 어색한 미소를 지었다.

“이 이야기를 들은 모두가 동대륙에서 그대를 여왕 삼으려 데려갔다고들 이해해 주더라고. 다행이기도 하지.”

“그것참……. 다행이라고 해야 할지.”

뭐라고 답해야 하나 갈피를 잡지 못한 내가 어정쩡한 동의를 표하자 그가 콧김을 뿜으며 동의를 강요했다.

“당연히 다행이지. 그 덕분에 이전까지 암묵적으로 작용하던 혈통적 손해가 오히려 혈통적 우월함으로 그 가치가 바뀌었거든.”

아……. 왠지 지나치게 친절하고 공손하며 친해지고자 하는 의지를 숨기지 않던 영애들이 이해가 가는 순간이었다.

어색한 표정으로 그를 바라보자 그가 주절주절 말을 계속한다.

“요즘 아주 난리도 아니야. 동대륙의 공주와 서대륙의 공작의 사랑 이야기에, 그 결실로 태어난 딸까지. 아주 소설책들이 산더미처럼 출간되고 있다던데?”

낯부끄러운 표현에 시선을 피해 헛기침을 하던 나는 이어지는 그의 말에 황당한 표정을 지었다.

“혹시 돈이 아쉬우면 폰디체리 공작에게 자서전을 내라고 해 보는 건 어떤가. 후속편으로는 자네가 한 편 내고 말이야.”

“……돈이라면 워낙.”

내 단호한 대답에 황태자가 재미없다는 표정으로 혀를 찼다.

“자네랑은 무슨 말을 못하겠군. 내가 이 멍청이를 살려 보겠다고 그간 대체 무슨 고생을 한 건지. 그래도 에카이트 녀석도 이번에는 정신을 차린 건지, 좀 낫더군.”

"……네?"

이해할 수 없는 묘한 말을 하는 황태자에 나도 모르게 반문하고야 말았다.

내 어리둥절한 표정에 황태자가 잠시 움찔하다가 한숨을 내쉬었다.

"……에카이트 녀석 말이야. 너무 미워하지는 말라고. 잘못된 모든 것들을 되잡으려고 했는데 생각보다 오래 걸렸을 뿐이야. 모두 내 탓이야."

"무슨 말씀이신지 저는 잘……."

"알 필요 없네. 앞으로는 떨어지는 낙엽에도 몸조심하고, 무병장수에 힘쓰도록."

뜬금없는 황태자의 말에 뭐라고 대답할 말을 찾지 못해 어색한 웃음을 지었다.

그러자 답답해 죽겠다는 표정을 지은 황태자가 가슴을 두드리며 나를 흘겨보았다.

아니, 답답하면 처음부터 끝까지 찬찬히 다 말을 해 주든가.

말도 안 해 주고 자기만 아는 소리만 연달아 해 대면서 나보고 어쩌라고.

불만스러운 표정으로 그의 찡그린 얼굴을 마주 보자 그가 기가 막힌다는 표정을 지었다.

"이제 아주 가지가지 하는군. 요양이나 좀 다녀오지. 복직 타령할 것 같아서 먼저 이야기 꺼내는 것이니 딴말 말고 떠나."

"딱히 요양이 필요할 정도로 몸이 많이 망가지지는……."

"경이 요양하는 동안 나도 경 때문에 쇠약해진 신경줄을 좀 단단하게 보강해야 할 필요가 있으니 사양하지 말도록. 엄밀히 말해서는 내 요양이기도 하다고."

황태자의 단호한 말에 뭐라고 더 할 수 없어 나는 어색한 표정으로 고개를 끄덕일 수밖에 없었다.

내 어색한 동의에 황태자가 찡그린 표정을 조금이나마 폈다.

“좋아. 그럼 빠른 시일 내로 준비해서 내려가는 것으로 알지. 에카이트 녀석은 잘 회복 중이니 너무 걱정하지 말고.”

덧붙이는 에카이트에 대한 소식에 나는 어색한 웃음을 지으며 고개를 끄덕였다.

정신이 들기 무섭게 에카이트와 틈틈이 통신을 주고받고 있었기 때문에 서로의 안부에 대해서는 제법 잘 알고 있었다.

에카이트는 당시의 부상이 제법 심각한 수준이었는지 아직도 자택에서 요양 중이라고 했다.

바쁜 집무들이 있어 일을 완전히 쉬지는 못해, 병중에도 저택에서 업무를 보고는 있다지만 손님을 맞거나 외출을 하는 것은 아직 무리인 눈치였다.

나 또한 심리적 충격인지, 마나의 운용이 많이 엉켜 있어서 바깥 외출을 자제하고 휴식과 수련을 반복하는 중이라 딱히 만나지는 못하는 중이다.

그런 상황이니 대외적으로는 나와 그 사이에 별다른 교류가 없는 것으로 보이는 것이 정상이었다.

황태자의 선심 쓰는 말투를 대충 들어 넘기며 그를 배웅한 나는 저녁에 자택으로 귀가한 아버지와의 상담을 통해 적당한 요양지를 정할 수 있었다.

내가 요양할 곳은 수도에서 제법 떨어진 바닷가 근처에 위치한 자그마한 도시라고 했다.

아버지는 뭔가 아련한 표정으로 그 장소를 휴식과 회복에 있어 최고의 장소로 추천해 주셨다.

바다에서 워낙 고생한 기억 탓에 딱히 바다를 가까이서 보고 싶은 마음은 없었지만 아버지의 강한 권유와 좋은 기억으로 악몽을 덧칠해 보자는 나름의 각오로 유모의 도움을 받아 요양을 준비했다.

"……평화롭다."

작은 바닷가 도시라던 곳은 마을이라는 말이 더 어울릴 정도로 작고 아기자기했다.

이번에는 천천히 마차를 통해 유람하듯 이동한 덕분에 이동 자체도 요양의 일부라고 느껴질 정도였다.

그렇게 도착한 도시를 천천히 거닐면서 작고 소박한 가게들을 살펴보는 것이 일상의 낙이 되었다.

워낙 수도에서 떨어진 곳인 데다 차림새를 적당히 잘 꾸민 덕인지 따라붙는 호기심 어린 시선은 많지 않았다.

처음에는 내 위장술이 뛰어난 탓이라고 내심 자화자찬했었는데, 간간이 길거리에서 볼 수 있는 집시들이나 유랑 극단의 공연을 보고 그 이유를 납득할 수 있었다.

워낙 외부인들의 유입이 많은 도시인 데다, 특이한 생김새나 분위기를 가진 사람들이 그간 제법 있어 왔던 탓에 나 정도의 특이함은 쉽게 묻힐 수 있던 것이다.

원숭이라는 동물과 함께 흥겨운 춤을 추는 독특한 복식의 이방인 소녀를 흥미롭게 바라보던 나는 이내 공연이 끝나 가는 것을 보고 작은 동전 하나를 던져 공연비를 대신했다.

“여기서 영영 살아도 좋겠네. 어쩜 이렇게 평화로울 수 있을까.”

믿을 수 없을 정도로 평화로운 마을의 전경을 천천히 돌아보던 나는 며칠 전 눈여겨보았던 마을의 작은 빵집에서 갓 나온 빵을 몇 개 샀다.

“벌써 계절이 이렇게 됐나……. 춥네.”

따뜻한 빵을 맨손으로 찢어 먹으며 거리를 걷다 보니 제법 바람이 쌀쌀해 몸을 부르르 떨었다.

해가 지기 시작하면서 마을 곳곳에서 켜지기 시작하는 동그란 가로등을 따라 걷던 나는 이내 걸음을 멈췄다.

“제법 추운데……. 숙소로 돌아가기엔 너무 멀리 왔고. 갔다가 다시 나오면 너무 늦을 것 같은데.”

동대륙에서 강제적으로 마나를 제한당한 탓에 서대륙에 돌아와서도 마나를 정상적으로 사용하기 위해 제법 많은 노력이 들어가고 있었다.

아침 일찍부터 마나를 일깨우는 수련으로 하루 일과를 시작하며 다시 마나와 친숙해지는 노력을 기하는 중인지라 전처럼 마나를 이용해 몸을 따뜻하게 하는 것은 불가능했다.

조금 더 산책하고 싶은 마음과 추워지는 날씨 사이에서 갈등하던 나는 아직 눈이 내릴 정도로 추운 날씨도 아니니 조금 더 산책을 하기로 결정했다.

한참을 넋 놓고 걷던 나는 고즈넉한 가로등 불빛이 비치는 담벼락에 시선을 주었다.

뭔가 홀린 듯, 그곳으로 다가간 나는 벽에 등을 기대고 더러운 줄도 모르고 맨바닥에 털썩 엉덩이를 대고 앉았다.

"좋다……."

알 수 없는 평화로움에 빵 봉투를 품에 안고 조용히 눈을 감았다.

뭔가 익숙한 듯, 아련한 느낌을 주는 이 공간이 무척이나 마음에 드는 순간이었다.

조용한 밤을 느끼던 중, 자박자박 들려오는 사람 발자국 소리에 조용히 감았던 눈을 떴다.

흐릿하게 다가오는 그림자는 길쭉했다.

지나가는 사람인가 싶었는데 걸어오는 방향이 정확히 나를 향하고 있었다.

내 쪽으로 다가오는 사람을 경계 어린 시선으로 바라보던 나는 달콤한 냄새가 나는 컵을 든, 익숙한 사람을 알아보고 나도 모르게 벌떡 자리에서 일어났다.

"에카이트!"

"아펠리아. 멀리도 갔더군."

제법 긴 시간만의 재회였지만 당장 어제까지 같이 있었던 느껴졌다. 묘한 감정이었다.

대답 없이 자신을 바라보는 나를 느꼈는지 그가 낮게 웃는다.

"안색을 보아하니 많이 좋아진 모양이야. 나도 보다시피 이 먼 곳까지 당신을 따라올 수 있을 정도로 회복되었어."

"에카이트!"

"그래, 아펠리아."

다른 말은 생각나지 않아 그저 그의 이름만 부르며 그 자리에 멀거니 서 있는 나를 다정하게 부른 에카이트가 내 쪽으로 다가왔다.

"보고 싶었다, 아펠리아. 내내 말이야. 처음부터 그랬던 것처럼."

"에카이트……."

"추운데 옷을 너무 엉망으로 입었군."

여전히 자신의 이름만 부르는 나를 다정한 표정으로 바라보던 에카이트가 내 손에 따뜻한 초콜릿 음료가 담긴 잔을 쥐여 주고 망토를 둘러 주었다.

엉겁결에 손에 쥔 초콜릿 음료에서 올라오는 따뜻한 온기에 서서히 정신이 들 무렵, 에카이트가 내 옆의 담벼락에 기대어 섰다.

잠시의 침묵이 흐르고 먼저 입을 연 것은 이번에도 에카이트였다.

"보고 싶었다. 정말로 많이."

"저는……."

"그대도 보고 싶었나, 내가?"

에카이트의 질문에 잠시 머뭇거리던 나는 두 눈을 꽉 감고 고개를 작게 끄덕거렸다.

"보고 싶었나?"

마치 이해하지 못한 사람처럼 짓궂게 다시 물어보는 에카이트를 원망스럽게 흘겨보던 나는 계속 대답을 기다리는 그를 향해 더 크게 고개를 끄덕였다.

옆에서 나지막한 웃음소리가 흘러나왔다.

"그렇군. 아펠리아."

"……네?"

"평생 말이야."

평생이라는 말을 꺼내고 한참 뜸을 들이는 에카이트를 묵묵히 기다리자 그가 이내 다시 입을 열어 말했다.

"평생, 정말 평생 잘해 줄게."

그의 말뜻을 바로 이해하지 못해 잠시 침묵을 지키던 나는 다시 이어지는 그의 말에 벌겋게 얼굴을 붉히며 고개를 떨궜다.

"영원히 함께하고 싶어. 그대랑 말이야. 그래 줄 수 있을까?"

내 길어지는 침묵에도 에카이트는 인내심을 가지고 기다려 주었다.

침묵 끝에서 나는 고개를 끄덕였다.

우리는 그렇게 작은 바닷가 마을의 가로등 불빛 아래에서 온전히 서로의 마음만을 담보로 미래를 약속했다.

참 멀리도 돌아온 길이었다.

외전

외전

1.

내가 바닷가로 요양차 가 있던 사이 제법 많은 일들이 있었던 것이 분명했다.

에카이트와 서로의 마음을 확인하고 같이 시간을 보낸 것도 며칠, 바쁜 업무 탓에 수도로의 복귀를 더 미루지 못한 그는 아쉬움을 뒤로하고 먼저 떠났다.

그토록 한적하고 아름다웠던 이 도시는 그가 떠나자 놀랄 만큼 지루하고 갑갑한 장소로 돌변했다.

스스로의 간사함에 혀를 내두르던 나도 결국 일정을 앞당겨 수도로 돌아가기로 했다.

"조금 더 계시면 좋을 텐데요……. 아직 안색도 온전치 않으신데."

그간 머무르던 별장에서 살림을 도맡던 유모가 아쉬운 소리를 냈다. 유모의 말에 거울로 시선을 돌렸다.

여전히 보기 좋은 외모였지만 유모의 말대로 창백한 구석이 눈에 띄기는 했다.

“아니야. 너무 격리된 곳에서 시간 가는 줄 모르고 있는 것도 좋지만은 않을 것 같아. 하루라도 빨리 일상으로 돌아가야 그 입에 담기도 싫은 동대륙 일들을 잊을 것 같기도 하고.”

“변명은 잘해. 에카이트 때문이 아니고?”

내 말이 끝나기 무섭게 받아치는 특유의 목소리에 소리가 들린 방향으로 고개를 홱 돌렸다.

문가에 삐딱하게 선 황태자가 알 수 없는 표정을 지은 채 나를 바라보고 있었다.

유모가 눈치를 살피며 방을 빠져나간다.

“전하. 이 먼 곳까지 어떻게……. 호위 인력은 어떻게 하고 오신 겁니까?”

“내가 무슨 암살자도 아니고 사람들을 다 따돌리고 나올 능력이라도 되는 것처럼 말하는군.”

“물론 그럴 능력은 없으시지만 한번 억지를 부린다 치면…….”

너무 도전적으로 말했나 싶어서 눈치를 보며 말꼬리를 흐리자 황태자가 어이가 없다는 표정으로 헛웃음을 지었다.

말꼬리를 흐리기만 했지, 실상 하려던 말은 다 한 것이나 다름없긴 하다.

어색한 미소를 짓자 황태자가 피식 웃으며 입을 열었다.

“제법 성격이 부드러워졌군. 농담이라고는 할 줄도, 받을 줄도 모르는 멍청이였는데 말이야. 다 컸네, 다 컸어.”

“엄밀히 말하면 생일은 제 쪽이 좀 더…….”

“그랬던가? 뭐, 중요한 건 이게 아니지. 어떻게 지내고 있나 한번은 내려와 보려고 했는데 자네가 벌려 놓은 일이 오죽 많아야지. 급한 불부터 끄고 내려오려고 보니 에카이트가 선수를 쳤더군?”

황태자의 말에 부끄러운 표정을 지으며 시선을 돌리자 그가 기가 차다는 표정을 짓는다.

아니, 부끄러운 걸 어떡하라고.

“역시 사람은 오래 살아야 해. 별걸 다 보게 되는군. 에카이트의 표정도 가관이었는데 말이야. 내려오던 중에 자네가 보낸 서한을 받았지.”

“……아. 조금 더 일찍 보낼 것을, 괜히 헛걸음하시게 했군요. 죄송합니다.”

수도로 올라간다고 서한을 올렸는데도 황태자가 여기까지 내려온 이유가 내심 궁금했는데, 이제야 궁금증이 풀렸다.

성격상 며칠만 더 기다리면 볼 사람을 먼저 보려고 귀찮음을 감수할 사람이 아니니까 말이다.

아마 거의 다 와 갈 무렵에 서한을 전달받고 오만 짜증을 다 내면서 왔겠지.

내 짐작이 맞았던지 형식적인 사과에도 황태자의 뚱한 표정은 풀리지 않았다.

“혈색을 보아하니 썩 좋지는 않다만 그래도 환자 꼴은 면했군. 그래도 건강이 완전히 회복되어 올라온다는 건 과장이 너무 과한 것 같은데?”

듣고 싶은 답이 있다는 것이 너무나도 노골적으로 보이는 황태자의 말에 잠시 말문이 막혔던 나는 차라리 뻔뻔해지기로 결심했고 이내 그런 결정을 실행으로 옮겼다.

“맞습니다. 보고 싶은 사람이 있어서요. 여기서는 볼 수 없으니 회복에 별 도움이 안 될 것 같습니다.”

"허. 정말 많이 컸군. 아예 대놓고 좋아 죽는데? 하기야 약혼한 사이이니 이상할 것은 없네."

"무슨 말씀을 하시는지 모르겠네요. 저는 아버지를 보고 싶다는 뜻이었는데 말이죠."

내 얄미운 발뺌에 한 방 맞은 표정을 짓던 황태자가 이내 크게 웃음을 터트렸다.

"좋아. 아주 좋아. 이제야 좀 사람 같군."

"언제는 아니었다는 것처럼 말씀하시는군요. 기왕 내려오신 김에 구경이라도 나가 보시겠습니까?"

"아니. 난 끈적끈적한 바닷바람은 질색이라. 식사나 한 끼 하고 올라가지."

황태자의 말에 고개를 끄덕인 나는 유모를 불러 식사를 준비하라고 일렀다.

마침 식사 시간이 가까워졌던 찰나라 준비는 제법 신속하게 이루어졌다. 식사를 마치고 나니 떠날 준비는 끝나 있었다.

승마를 즐기지 않는 황태자 덕분에 준비된 마차에 함께 오른 나는 앞에서 눈을 지그시 감고 자는지 조는지 알 수 없는 황태자를 바라보았다.

"자는 거 아니니 그만 살피지."

"……죄송합니다."

"근데 자네 그거 아나?"

"무엇을 말입니까?"

황태자의 갑작스러운 질문에 답했지만 그는 그 잠깐 사이에 잠들기라도 했는지 입을 열지 않고 시간을 끌었다.

기다리다 지친 내가 입을 열려던 찰나, 황태자가 먼저 말했다.

"에카이트가 말 안 하던가?"

"말은 하죠."

내 단답에 황태자가 신경질적인 한숨을 내쉬었다.

"……그렇겠지. 나이가 몇인데 말은 하겠지. 뭐, 어차피 수도로 돌아가면 차차 알게 되겠군."

황태자의 의미심장한 말에 고개를 갸웃거리던 나는 흔들리는 마차의 리듬에 몸을 맡긴 채 얕은 잠에 빠져들었다.

간간이 마을을 경유해 가며 빠른 속도로 수도에 가까워진 나는 폰 디체리 공작가로 돌아온 지 불과 하루도 되지 않아 그가 차차 알게 될 것이라는 것이 무엇인지를 알게 되었다.

"그 호랑말코 같은 녀석이 글쎄 온 수도에 너와 곧 결혼한다고 들쑤시고 다녔단다. 대체 어떻게 된 일이란 말이냐? 정말 결혼할게냐?"

금시초문이다. 어쩐지 사용인들이나 마주치는 사람들마다 나를 보고 의미심장한 표정을 짓기에 그 동대륙에서의 일이나 출신 성분과 관련된 소문들 때문이라고 생각했는데 그게 아니었다.

"봉뒤프베 부인인지 봉봉베베 부인인지도 네 결혼 예복 디자인을 상의해야 하는데 언제 수도로 오냐고 서한을 보내질 않나, 아무튼 온 사방에 네가 결혼하는 것이 기정사실인 것처럼 떠들어 댄단 말이다. 이게 어떻게 된 일이더냐? 너도 알고 있는 일이냐."

"……이제부터 차차 알아봐야겠네요. 좋게 봐주려야 봐줄 수가 없네."

대충 상황을 파악한 내가 이를 부드득 갈면서 살벌하게 입을 열자 화가 나서 방방 뛰며 언성을 높이던 아버지가 갑자기 입을 다무신다.

"크흠. 그래, 뭐 네 일이니 어련히 잘하려고. 뭐 결정되는 것이 있거들랑 꼭 알려 다오."

"당연하죠. 그 누구보다 먼저 아시게 될 건데요."

내 다정한 대답에 만족한 아버지가 방을 빠져나가자 방에는 나 혼자만 남게 되었다.

자리에 앉지도 않고 이리저리 움직이며 생각을 정리했다.

"그러니까, 서로의 마음을 확인했으니 그걸로 됐다고 생각하고 그대로 냅다 결혼식을 준비한다, 이건가?"

아니, 좋다고 했지 결혼하자 했나? 물론 약혼한 사이에 좋아한다는 말이 결혼해도 좋다는 말과 일맥상통할 수도 있겠지만 사람 마음은 또 그게 아니지 않은가.

번지르르한 프러포즈를 기대한 것은 아니었지만 최소한 '결혼'이라는 단어를 넣고 서로 충분히 대화를 한 다음에 일을 진행하는 것이 맞지 않나.

"아니, 내가 뭘 너무 많이 바라는 거야? 내 결혼인데 나만 모르고 다 안다고?"

허, 참! 기가 막혀서.

그래, 사람은 쉽게 안 바뀐다고 그 이기적이고 개인적인 성향이 어디 가겠냐.

그 뻔뻔한 낯짝을 떠올리니 괜히 분하다.

"저, 아가씨. 에카이트 님께서 내일 볼 수 있을지 물어보는 전령을 보내셨는데요."

때마침 방에 들어온 유모가 전한 소식에 입꼬리가 실쭉 올라갔다.

그간 저쪽에서 먼저 아쉬워서 급하게 청한 적이 있었던가?

쉽게 풀어질 생각이 없었던 나는 새침하게 유모에게 질문을 던졌다.

"약속을 청하는 다른 사람들은 없었고?"

"어휴, 있다뿐인가요. 넘쳐 나는걸요."

“그래? 그럼 그 초대장들부터 좀 봤으면 하는데.”

내 말에 잠시 멈칫하던 유모가 초대장들을 가지고 오기 위해 방을 나섰다.

“세상에, 그럴 줄 알았다니까요. 폰디체리 공작 부인께서 살아 계실 적에 한번 우연히 뵌 적이 있었는데, 그 기품 어린 자태란…….”

“맞아요. 늘 이상하다 싶었는데 역시나 귀한 출신이셨다니.”

아, 잘못 골랐나 보다.

에카이트를 보란 듯이 바람 맞추기 위해 일부러, 누가 봐도 그다지 중요하지 않고 내가 즐길 것 같지 않은 모임의 초대에 응했는데 정작 피해는 내가 입은 기분이다.

황태자의 말대로 동대륙에 납치되었던 일이 오히려 전화위복이 되어 석연찮았던 어머니의 신분이 좋게 풀렸다.

그야말로 기피할 이유라곤 단 하나도 없는, 알짜배기 인맥이 되어줄 사람이 나타났으니 난리가 나도 이상할 것이 없다.

심지어 곧 유부녀가 된다고 하니 결혼 시장에서 경쟁자가 될 일도 없고 말이다.

벌써 기가 빨려 지친 기색이 완연한 내가 어색한 웃음을 짓자 눈치 빠른 참석자들이 화제를 돌린다.

일상적인 주제로 대화가 이어지자 한숨 돌리기 무섭게 노크 소리가 들렸다.

“실례합니다. 잠시 들어가도 되겠습니까.”

이 자리에서 들릴 리 없는 익숙한 목소리에 놀라 눈을 돌리니 문가에 낯익은 얼굴이 서 있다.

에카이트였다.

반가움과 부끄러움, 당황스러움이 한데 뒤섞여 감정을 정할 수 없어 휙 고개를 돌려 못 본 척을 해 봤지만 실패한 것 같다.

사람들의 시선이 나와 에카이트를 번갈아 오가는 것을 보고 한숨을 쉬었다.

차라리 자연스럽게 아는 척을 하는 편이 낫겠다 싶어서 어쩔 수 없이 입을 열자 에카이트가 다 안다는 표정으로 씩 웃는다.

"웬일이에요?"

"그대가 바쁘다고 해서 말이야. 그렇다고 얼굴도 못 보기엔 내가 너무 보고 싶어서 찾아왔는데 혹시나 부담 가지지는 말지."

어머. 세상에나.

온갖 간드러지는 감탄사들과 반짝이는 시선들을 온몸으로 받아내며 부끄러움을 느낀 것도 잠시.

왜 창피함은 내 몫이지?

순간 고개를 든 삐딱한 마음에 다소 도전적으로 에카이트를 바라보며 입을 열었다.

"그렇다면 이제 목적도 달성하셨을 테니 이만 돌아가셔야죠. 듣자하니 결혼 때문에 바쁘시던데요."

"지금 이 순간만큼 바쁜 일은 없지. 그리고 그 결혼 준비 때문에 꼭 해야 할 일도 있고 말이야."

에카이트의 의미심장한 말에 관중처럼 눈을 반짝이던 사람들이 낮은 탄성을 뱉기 시작했다.

뭐야. 뭐 어쩌려고?

괜히 분위기에 휩쓸려 얼굴을 붉힌 채 갈 곳 없는 시선을 이리저리 돌리던 중, 나를 뚫어져라 바라보는 에카이트와 눈이 마주쳤다.

"아펠리아."

"……."

"아펠리아."

"왜, 왜요."

대답을 하지 못하고 우물쭈물거리자 조용히 다시 내 이름을 부르는 에카이트.

그의 부름에 기어들어 가는 목소리로 겨우, 심지어 말까지 더듬어 가며 궁색하게 대답했다.

작게나마 웃을 법도 한데, 에카이트는 웃음 한 조각 없이 진지하다.

그의 진지함이 전염된 것일까, 모여 있는 사람이 여럿인데 마치 아무도 없는 것처럼 사방이 조용해졌다.

에카이트가 잠시 모인 사람들을 향해 시선을 돌리자 하나둘씩 눈치껏 자리를 비킨다.

사람들이 모두 나가고 남겨진 침묵 속에서 유일하게 입을 연 것은 에카이트였다.

"아펠리아. 우리 결혼하자."

우와. 심장을 토할 것만 같은 두근거림과 긴장으로 손끝에 식은땀이 흐르는 것 같다.

뭔가 다음 말이 이어질 것 같아 그를 빤히 바라보았지만 그는 조개처럼 입을 다물고 나를 바라볼 뿐이었다.

"……그리고요?"

"없는데?"

독촉하는 내 말에 태연자약하게 없다고 답하는 에카이트.

기가 막혀 콧방귀가 절로 나온다.

아니, 내가 뭐 거창한 청혼을 기대한 것도 아니고 달리 로망으로 여기던 것이 있던 것도 아니지만 이건 너무한 거 아냐?

괜히 무시당한 느낌에 분한 감정이 솟구쳐 씩씩거리며 한마디 하려던 찰나.

에카이트의 온기가 삽시간에 가까워졌다.

“지금 뭐…!”

갑작스럽게 입술부터 맞닿는 기묘한 상황에 생각도 행동도 모두 멈췄다.

가볍게 맞닿았다 떨어진 온기였지만 정신을 멍하게 하기엔 충분했다.

“한 번만 더 믿어 줬으면 좋겠군. 그대가 후회하지 않게 최선을 다하지.”

“무슨 선거 나왔어요?”

선거 유세에 더 가까운 그의 고백에 황당한 표정으로 그를 바라보자 그가 어울리지 않게 스스로의 머리를 마구 헤집었다.

“하. 이거 어렵네. 청혼은 처음 해 보는군. 말을 많이 할수록 진심을 더 제대로 표현하지 못하는 것 같아서 말이야.”

“내가 좋아요?”

그의 말을 자르고 물어보는 나에게 진지한 표정으로 돌아온 에카이트가 고개를 끄덕였다.

“그 이상이지. 겪을수록 느꼈다. 그대는 내게 소중한 사람이야.”

“내가 필요해요?”

“그래.”

에카이트의 낮은 목소리로 이어지는 진중한 대답에 고민하기도 잠시.

이 모든 말들에 무슨 의미가 있을까 하는 생각이 들었다.

결국은 내 마음에 달린 것 아닐까. 나는 그와 함께하고 싶은 걸까?

나는 그를 사랑하고 있는 걸까?

그 수많은 시간과 감정을 지나, 결국 내 마음이 내린 결론은 무엇일까.

그간 쭉 에카이트의 탓만 해 왔었다. 실제로 전생부터 거슬러 올라가 보면 그의 잘못이 적다고 할 수는 없다.

하지만 다시 돌아와 모든 것을 다시 돌려보니 내 일방적인 오해와 일방적인 단절이 그런 극단의 결과를 낳았다는 것을 부정할 수는 없었다.

침묵을 지키는 나를 묵묵히 바라보는 에카이트.

말하지 않아도 초조함이 느껴졌다.

생각을 정리한 내가 그를 향해 웃음 지었다.

"좋아요. 해요, 결혼."

내 대답에도 잠시 얼떨떨한 표정을 짓던 에카이트가 다시 본 적 없는 표정으로 환하게 미소를 지었다.

장담할 수 없는 미래이지만, 설사 후회하게 되더라도 함께 가 보고 싶은 길이었다.

에카이트에게 물었다.

"언제부터 내가 좋았어요?"

"그대와 추던 타란텔라에서 발등에 구멍 난 이후부터?"

"뭐예요?"

"정말이야. 정신이 번쩍 들던데?"

에카이트의 장난기 어린 시선 속엔 애정이 깃들어 있었다.

나는 그를 흘겨보며 불시에 그의 발등을 콱 하고 밟아 주었다.

"윽!"

"당해도 싸요. 갈게요."

“잠, 잠깐만. 으윽.”

상쾌하게 돌아서서 멀어지려는데 정말로 아팠던 모양인지 에카이트가 앓는 소리를 내며 주저앉는다.

혹시 장난치는 것이 아닐까 머뭇거리던 내가 이내 몸을 돌려 그에게로 다가가 걱정스럽게 물으려던 찰나.

“모질지 못하다니까. 혼자 두면 온 곳에 속고만 살 것 같으니 어쩔 수 없지.”

내 팔을 당겨 품에 껴안은 에카이트가 낮게 웃으며 말했다.

그의 품에 힘을 풀고 기대며 나는 알 수 없는 막연한 미래를 상상하다 생각을 멈췄다.

우리는 현재에 살고 있다.

알 수 없는 미래와 지나간 과거만큼 덧없는 것이 또 있을까.

크게 웃기 시작하는 나를 놀란 표정으로 바라보는 에카이트.

웃음을 멈춘 그의 뺨에 가볍게 입을 맞춘 내가 일어나 성큼성큼 방을 빠져나갔다.

물론, 아까 전까지 방 안에 있던 사람들이 옹기종기 방문 앞에 붙어 서서 귀를 쫑긋거리고 있는 장면을 목도한 직후부턴 허겁지겁 도망가는 모양새가 되었지만 말이다.

내 눈을 어색하게 피하며 실실거리던 사람들은 그 누구보다도 빨리 우리의 이야기를 대중에 전하기 시작했다.

그리고 그렇게 대중들의 관심 속에 우리는 곧 부부가 되었다.

행복하냐고 물어보는 사람이 있다면 이렇게 답하고 싶다.

나 그리고 그.

우리 모두 매 순간 행복하기 위해 최선을 다하고 있노라고.

2.

대체 언제부터였는지는 모르겠다.

어린 아라는 감정이라곤 찾아볼 수 없는 표정으로 무감각하게 정면을 응시했다.

그의 시야에 들어온 것은 눈을 벌겋게 하고선 분노에 미쳐 한 여자를 마구잡이로 폭행하는 한 남자였다.

넓고 호사로운 공간에 비해 지나다니는 사람 하나 없는 그곳에서 여자는 그렇게 남자에게 처참히 맞고 있었다.

그 사나운 남자는 자신의 아버지이자 이 나라의 왕이었고 그 가여운 여자는 자신의 어머니이자 왕비였다.

먼발치라고는 해도 워낙 인기척이 없는 공간인지라 어린 아라의 시선이 좀 더 잘 느껴진 것일까.

성난 남자가 잠시간 숨을 돌리다 고개를 돌려 주변을 살핀다.

무표정한 아라를 발견한 왕은 종전의 분노는 아무것도 아니었던 것처럼 더 강렬한 분노를 뿜어내며 아라를 향해 돌진하듯 걸음을 옮기기 시작했다.

때리는 손길이 멈추자 잠시 숨을 돌리던 여자는 이내 그 분노와 손길이 향할 곳을 알아채고 애처롭게 비명을 질렀다.

"안, 안돼요! 아라, 어서 네 방으로 돌아가거라. 어서! 왕이시어, 부디 자비를 베푸소서."

"네 이놈! 이 천하고 더러운 녀석. 나는 너 같이 천한 놈을 낳은 적이 없다! 꼴도 보기 싫다고 몇 번이고 말했건만 들은 척도 않고 잘도 돌아다니는구나."

삽시간에 어린 아라 앞에 짙은 그늘을 드리우며 다가선 왕이 사납게 외치며 어린 아라의 여린 뺨을 후려쳤다.

어린아이답게 성인의 매서운 후려침을 버티지 못하고 구석으로 내동댕이쳐진 아라는 거센 폭력에 노출된 아이답지 않게 태연한 표정이었다.

벌겋게 부어오르다 못해 검은 빛이 도는 뺨과 흐트러진 머리카락 그리고 옷자락.

이러한 외관만 아니었어도 방금 얻어맞은 아이라고 보기 어려울 정도의 태도가 아닌가.

그러한 무심함이 왕을 더욱 자극했다.

한참을 잔인한 폭력에 노출된 아라를 멀리서 바라보며 울부짖는 왕비는 아마 다리를 다친 모양인지 일어서지도 못했다.

그런 어머니를 무심하게 바라보는 어린 아라.

왕도 사람인지라 온 힘을 쏟아부은 폭력에 지쳤다.

잠시 숨을 돌리느라 멈춰진 폭력 앞에서 어린 아라가 무심히 입을 열었다.

"당신 또한 천한 핏줄이 아닌가. 나는 천한 핏줄을 타고 날 몸이 아니었다. 당신의 무계획함과 아둔함이 나를 망친 셈인데, 왜 나를 탓하는지 모르겠군."

"뭐, 뭐라? 이 건방진 어린놈이 뭐라고 했는가?"

아라의 믿을 수 없는 발언에 오히려 왕은 할 말을 잃고 그를 바라보았다.

"대체 왜! 타협이라는 것을 한 거지? 어차피 세상은 이거나 아니거나. 둘 중 하나인 것을 이토록 잘 알고 분노할 줄도 알면서. 차라리 욕심이나 없어서 만족이나 하든가. 왜 타협해 놓고 그 책임은 피하는 거지?"

뼈를 때리는 아라의 말에 할 말을 잃은 왕이 무안함에 얼굴이 벌겋게 변했다.

왕의 무안함은 곧 분노로 바뀌었다.

"그래, 저 천한 여자를 선택한 것은 내 과오였다. 그리고 너는 그 과오를 증명하는 낙인과도 같고 말이다. 차라리 죽어 없어져라!"

마구잡이 폭력이 이어졌다.

반항 없이 맞던 아라는 이내 지친 왕을 무심한 시선으로 바라본다.

표정만으로 보자면 가해자와 피해자가 뒤바뀐 것 같았다.

"므네모쉬."

어린 아라가 꺼낸 이름은 분노한 왕과 멀리 떨어져 신음을 흘리며 울고 있는 왕비를 침묵하게 만들었다.

"그에 비하면 당신 또한 천한 핏줄이 아닐까. 그 유일한 적통을 제외하면 아무리 날고 긴다고 하는 혈통이어도 무슨 의미가 있으려고. 당신이 왕이라면, 다른 자도 왕이 될 수 있는 것이지. 정통성의 부재라고 하던가?"

배운 내용을 복습하는 것처럼 평범한 어조로 내뱉는 아라의 말에 무거운 침묵이 흘렀다.

"아버지. 나는 당신과 달라. 내 것이어야만 하는 것이 있다면, 나는 절대 타협하지도 포기하지도 않을 거니까 말이야. 그리고 먼 훗날. 아니, 어쩌면 그보다 더 가까운 날에 나는 내게 이런 천한 핏줄을 물려줄 수밖에 없었던 당신을 반드시 응징할 거니 기대하길."

어린 아라의 서늘함과 독기에 질린 왕이 기가 막히단 표정으로 그를 바라보았다.

어린 아라는 폭행으로 더러워진 외관을 대충 정리하곤 왕을 서늘하게 바라보았다.

"난 원하는 것은 무엇이든 가질 거다. 제국을 왕국으로 격하시켜 물려줄 당신이지만 상관없어. 난 제국을 원하니 언젠가 이 나라는 다시 제국이 될 거니까."

아라의 반말과 건방진 태도에 왕이 헛웃음을 지었다.

원래가 저런 놈이었다. 불편하고 거만하고, 그래서 더 꼴도 보기 싫지만 내심으론 그 자신감에 기대하게 되는.

혈통에서의 정당성을 잃은 왕실과 거기서 나온 후계자는 세간의 오묘한 시선과 따돌림, 업신여김을 겪을 법도 했지만 아라는 그렇지 않았다.

아라는 아주 어릴 때부터 놀랄 정도로 이성적이고 또 거만했으며 잔인했다.

아라가 왕을 지나쳐 걷다가 주저앉아 신음을 뱉는 왕비에게 가까워졌다.

왕비는 당연히 아라의 부축을 기대하며 그를 바라보았지만.

"더러운 계집. 이렇게 될 줄 몰랐던가. 욕심을 내서는 안 될 것을 욕심낸 대가치고는 너무 싸구나. 감히 나를 낳아? 므네모쉬가 없어지면 네가 그 혈통으로 바뀔 줄 알았나 보지?"

아라의 날선 말에 왕비가 입을 다문 채 주룩 눈물을 흘렸다.

남편의 모진 폭력보다도 기대와 함께 배 속에 열 달을 품어 낳은 소중한 아들의 폭언이 더 아팠던 모양이다.

하지만 아라는 아랑곳하지 않았다. 타인의 아픔엔 애초부터 공감하지 못하는 성향이니 더욱 그러했다.

그 침묵의 복도를 초연히 지나간 어린 아라는 그렇게 십여 년이 지난 후, 왕이 되었다.

그렇게 무섭게 분노하던 왕과 슬퍼하던 왕비는 알 수 없는 지병으로 죽었지만 그 아무도 의심을 드러낼 수는 없었다.

"아라 님, 문안 인사드립니다."

이름이 뭐라더라.

이제 왕이 되어 문안 인사를 받는 것이 일과의 시작이 된 아라가 무신경하게 눈앞에 몸을 숙이고 고개를 조아리는 여자를 바라보았다.

호라라고 했던가?

자신의 어머니를 떠올릴 수밖에 없게 만드는 여자였다.

욕심 많고 독한 구석이 있는가 하면 동시에 겁도 많고 어리석게도 애정을 바라는 것을 보면 말이다.

아라가 이해할 수 없는 종류의 사람이자 감정이었다.

아라의 무심한 시선에 아직은 어린 태를 다 벗지 못한 호라가 엉거주춤 눈치를 살핀다.

"앞으론 굳이 얼굴 비추지 마라."

"……예."

아라의 서늘한 말에 시무룩하게 답하는 목소리가 가여울 법도 한데, 아라는 여전히 무감각한 표정이다.

아라는 호라가 싫었다.

그의 아버지가 벌인 미련한 선택과 같은 맥락의 선택을 한 것만 같아 찝찝한 구석이 있기 때문이다.

물론 그는 아버지와 다르기는 했다.

그는 그가 국내외 세력들에 인정받고 이 모든 어수선함을 잠재우기 위해선 단순히 무력과 잔혹함을 넘어선 근본적인 해결이 필요하다는 것을 알고 있었다.

그는 므네모쉬가 필요했다.

달아난 그 공주가 과연 살아 있을지도 의문이었지만 반드시 찾아내고야 말 것이다.

하지만 이는 시간이 필요한 일이었다. 그사이 그의 입지를 효과적으로 관리하기 위해선 외척이 필요했다.

그래서 귀족들 중 그나마 제일 혈통이 좋고 권세 높은 집안에서 독하고 야망 넘치는 여자로 고르다 보니 그게 호라였다.

그의 필요에 의해 빈의 자리에 오른 호라였지만 그에겐 일말의 책임감도, 가책도 없었다.

멀어지는 호라를 무신경하게 바라보던 아라는 급히 들어온 측근이 건넨 소식에 태어나서 처음으로 활짝 웃었다.

므네모쉬가 딸을 낳았더란다.

그 이름은 아펠리아 폰디체리.

서대륙의 칼라한 제국에서 성장하고 있다고 한다지.

반드시 찾아내 내 옆자리에 앉히고 모든 것을 제자리로 돌리리라.

그의 이 결심에서 모든 것이 비롯되었다.

3.

에카이트는 깊은 한숨을 내뱉었다. 이른 아침부터 온 집안이 시끌벅적하다. 이러한 시끌벅적함이 집안에 깃든 것은 제법 오래된 일이지만 적응하긴 쉽지 않은 것 같다.

"어머니! 아파요!"

"그러게 누가 막지 말라던?"

"그래도 너무 아파요."

"그럼, 봐줄까?"

"……아니요."

"대련은 아직 백년도 더 일러. 기본 동작만 만 번 더 하도록 해라."

"네!"

소란을 따라 옮긴 걸음은 연무장을 앞에 두고 멈췄다.

생김새는 그야말로 자신을 빼다 박은 사내아이가 목검을 들고 땀을 줄줄 흘리고 있었다.

그 어린아이 앞에 늠름하게 버티고 서서 진두지휘를 하고 있는 백금발의 여자.

자신의 아내이자 아이들의 어머니인 아펠리아였다.

세월은 그녀에게서 소녀스러움을 조금 지워 냈지만 그 빈자리에 원숙함과 여유를 심어 주었다.

에카이트를 먼저 발견한 것은 그를 닮은 어린아이였다.

"아버지! 구경 오신 거예요?"

사내아이, 정확히는 그의 아들이 어머니보다 먼저 자신의 아버지를 발견하고 확 밝아진 표정으로 웃는다.

무뚝뚝하던 에카이트의 표정이 흐물흐물 무너지며 씩 웃는 얼굴이 된다.

"그래. 아침부터 어디 보통 소란스러워야지. 아마 이 정도 소란이면 무덤에서라도 들릴 거다."

"당신 농담이 늘었네요."

아펠리아가 웃는 낯으로 그의 넉살에 답한다.

아버지를 보고 들떴던 어린 아들은 금세 페이스를 되찾고 연습에 몰두하기 시작했다.

그런 아들을 방해하지 않기 위해 에카이트가 조용히 아펠리아의 손을 잡아끈다.

아들을 잠시 돌아보던 아펠리아가 못 이긴 척 그의 손길에 걸음을 옮긴다.

제법 오래된 습관과도 같은 아침 산책은 부부의 암묵적 약속과도 같은 시간이었다.

"……해서, 결국 그 정도로 마무리할 수밖에 없었지."

"저런. 당신이라면 좀 더 야박하게 몰아붙일 줄 알았는데."

"나라고 다른 방법이 없었던 것은 아니지만 거기서 더 몰아붙여 봐야 딱히 나올 것도 없겠더군."

"하긴 너무 궁지로 몰아 봐야 좋을 것 없지요. 손해 보지 않는 선에서 선심 쓰듯 마무리해 주는 것이 뒷일을 생각하면 좋은 방법인 것 같네요."

에카이트가 먼저 일 이야기를 꺼내며 익숙하게 말을 잇자 아펠리아가 이미 들어 알고 있는 눈치로 말을 받는다.

그렇게 도란도란 서로의 일상을 공유하며 조언을 주고 받다 보니 벌써 아침 시간이다.

천천히 식당으로 걸음을 옮기니 멀리서 소녀라고 부르기에도 더 어려 보이는 여자아이가 가까워진다.

에카이트와 아펠리아의 표정이 환하게 바뀐다.

"이지! 잘 잤니?"

"……어머니, 아버지도 계시네요. 저는 별일 없이 잘 잤습니다. 오늘도 안녕하신지요."

"그래. 들어가자."

종전에 연무장에서 땀을 흘리던 아들보다 어려 보이는 것으로 봐서 동생이 분명했는데 태도는 누나라고 해도 믿을 정도로 절제가 넘친다.

아직 외모로 평가하기엔 이른 감이 있지만 잘 만들어진 인형처럼 정교하고 섬세한 외관은 미래를 기대하게 했다.

아펠리아의 얼굴에 에카이트의 분위기를 가진 느낌이라 다소 냉랭한 미소녀로 보인다.

다소 저혈압이 있는지 창백한 안색이지만 그래도 제법 의젓하게 식탁에서 한 자리를 차지하고 앉자 이내 우당탕탕 큰 소리가 나며 식당의 문이 벌컥 열린다.

"허억. 헉. 헉. 죄송해요. 몇 번만 더 한다는 게, 늦어져서요."

잰 대체 누굴 닮아서…….

자신과 똑같이 생긴 아들의 기행을 황당한 표정으로 바라보던 에카이트가 이내 애피타이저가 마음에 들었는지 눈을 반짝이는 아펠리아를 바라보고 납득했다.

알 만하군.

자신의 딸 쪽으로 시선을 돌리니 아예 상대도 하기 싫다는 표정으로 새침한 표정을 짓고 접시를 바라보고 있다.

누가 봐도 제 어머니를 닮은 아이가 하는 짓은 전혀 아니니 몇 번을 봐도 적응이 되지 않는다.

막 식사를 시작하려던 중 식당의 중문에 가벼운 노크 소리가 들린다.

"황제 폐하께서 오셨습니다."

"우와! 전하!"

"……오셨습니까."

아이들의 반응을 봐서는 이러한 깜짝 방문이 그다지 놀랄 만한 일이 아닐 정도로 자주 있었던 일 같다.

키마 황태자, 이제는 황제가 된 그가 장난스러운 표정으로 공간에 난입한다.

"반겨 주는 건 우리 릭밖에 없군."

"오늘도 궁의 아침 식사가 허접하던가요."

에카이트의 시니컬한 농담에 키마가 크게 웃는다. 그리고 고개를 끄덕이며 최상석으로 걸음을 옮긴다.

사용인들이 익숙하게 식기를 차려 내는 모습을 보아하니 몇 번이고 있었던 일이 분명했다.

키마가 공간에 나타나자 자리에서 일어나 격식을 갖추던 아펠리아를 에카이트가 불만 어린 표정으로 바라본다.

이지 또한 아버지의 불만 어린 시선에 동참했으나 릭은 콧김을 뿜어 가며 키마를 선망 어린 표정으로 바라본다.

"릭은 아침 수련이 힘들었나 보군. 땀범벅이야."

"네! 저도 금방 황실을 수호하는 검이 되고야 말 거니까요!"

"멍청아. 예의도 없이 그 꼴로 식당에 왔냐는 말이야."

키마의 관심에 해맑게 웃으며 좋아하는 릭에게 새침한 표정으로 독설을 날리는 이지.

릭은 쉽게 격침되었다.

"이지. 윗사람이 있는 자리에선 언행을 삼갈 줄도 알아야지."

"네, 어머니. 죄송해요. 앞으론 주의하겠어요."

아펠리아의 어른스러운 타이름에 고개를 끄덕이며 답하는 이지.

이상적인 인자한 어머니와 유순한 딸의 모양이었지만 키마에겐 아직도 적응할 수 없는 해괴한 광경이었다.

"……자네는 아펠리아 경이 저러는 게 적응되나?"

"뭐, 인간은 적응의 동물이라고 하지 않습니까."

"당신, 말이 좀 이상한데요?"

에카이트의 오묘한 대답에 아펠리아가 식기를 들다가 그를 노려본다.

"많이 컸군. 눈치가 늘었네. 에카이트 자네가 고생이 많았어."

"알아주시니 감사할 따름입니다."

"전하!"

아펠리아가 파르르 떨며 키마와 에카이트를 번갈아 노려본다.

그녀의 옆에 앉아 있던 릭이 어색한 미소로 그녀의 시선을 돌린다.

"어머니, 손에……."

"아, 그래."

마침 들려 있던 식기가 나이프였을 뿐이다.

하지만 그 하나로 살기등등한 분위기가 연출되는 것은 아펠리아가 이미 기사로서 상당한 경지에 오른 탓이다.

아펠리아가 얌전히 나이프를 내려놓자 본격적인 식사가 시작되었다.

정적이 흐르며 우아한 분위기가 이어졌다.

하지만 그 우아함도 오래가지 못했다.

애피타이저를 맛본 아펠리아의 표정이 이상하게 일그러지며 식사 속도가 현저히 느려지기 시작한 탓이었다.

어느 정도 상호간의 식사 속도를 맞추는 것이 예의여서 한 사람 때문에 서빙이 늦어지는 경우는 대단히 드문 경우였다.

특히 서로의 식사 습관에 익숙해져있는 가족들이라면 더더욱 그러했다.

하지만 오늘은 다들 접시를 비우고 난 뒤에도 아펠리아는 접시의 반의반도 비우지 못했다.

에카이트가 걱정스럽게 아내를 바라보며 먼저 입을 열었다.

"아펠리아. 어디가 안 좋은가? 좋아하는 애피타이저인데 영 못 먹고 있군."

"아……뇨. 그냥 속이 좀 불편하네요."

아펠리아가 창백한 안색으로 느릿느릿 답을 한다.

혹시 음식이 상했나 싶어서 조금 남은 애피타이저를 조금 덜어 먹어 본 릭이 고개를 갸웃거린다.

"괜찮은데……."

"이번 아이가 아들이면 그 아이가 폰디체리 가문으로 가는 건가?"

농담이랍시고 내뱉고 껄껄 웃는 키마.

아펠리아나 에카이트 둘 다 외동인지라 다른 대안이 없어 폰디체리 가문에는 후계자가 없는 상황이었다.

베이야드 공작이나 폰디체리 공작 둘 다 아직 현직에서 일하고 있기 때문에 당장은 그 명맥 유지에 큰 어려움이 없지만 몇 년 내로 뚜렷한 해결책이 나오지 않으면 폰디체리 공작가는 그대로 역사 속에 사라질 수도 있는 일.

폰디체리 공작이 아닌 척해도 내심 서운해한다는 것은 모르는 사람이 없는 사실이었다.

그래서 해결책으로 나왔던 말이 아들을 둘 낳아 차남은 폰디체리 성을 잇게 해 준다는 것이었는데.

뜬금없는 그의 말이 끝나기 무섭게 식당이 침묵에 잠겼다.

에카이트, 그리고 두 아이들의 시선이 아펠리아에게 모였다.

"아펠리아? 어디가 어떻게 안 좋은 건지……."

"속이, 많이 안 좋……. 윽. 전하, 죄송하지만 먼저 일어나겠습니다."

"어머니! 제가 부축할까요? 어머니!"

"오빠 좀 가만히 못 있어? 아버지 계시잖아. 아버지가 하시게 좀 두라고.”

에카이트를 닮은 딸이 아펠리아를 닮은 오빠를 구박하자 키마가 어색한 표정으로 그 둘을 살핀다.

그것 참 평생 봐도 적응이 안 될 광경이다.

싸늘한 아펠리아와 강아지 같은 에카이트라니.

키마의 감상과는 별개로 자리를 벗어나는 아펠리아를 부축하던 에카이트는 이내 큰 소리로 의원을 찾기 시작했다.

아펠리아가 갑자기 의식을 잃고 쓰러졌기 때문이다.

그제야 사태를 심각하게 받아들인 키마도 표정을 굳혔다.

그리고 그날 저녁.

“그러니까 그럴 줄 알았지. 어떻게 이렇게 사람이 한결같나?”

아펠리아와 에카이트의 부부 침실에 놓인 침대에 창백한 안색으로 누워 있는 아펠리아.

그리고 그 앞에서 어이없다는 표정의 키마가 서 있다.

에카이트와 릭 그리고 이지는 마치 곧 죽을 사람을 대하듯 아펠리아 곁에 달라붙어 있었다.

“전하. 놀리시면 곤란합니다.”

“릭 그리고 이지. 이 둘을 가졌을 때도 똑같이 저 식당에서 식사하다 애피타이저 먹고 속이 안 좋다고 먼저 일어나고선 쓰러지지 않았나.”

그러고 보니 그러네.

에카이트가 속으로 과거 기억을 더듬다 고개를 끄덕여 동의했다.

아펠리아는 앞서 릭과 이지를 낳은 두 번의 임신에서 제법 지독한 입덧과 저혈압으로 시작을 알렸다.

이번에도 어김없는 방식에 새삼 웃음이 나왔다.

“아버지! 지금 웃음이 나오세요? 어머니, 괜찮으신 것 맞아요?”

"아들인가, 딸인가?"

걱정하며 아버지를 질책하는 릭.

그리고 주책맞게 에카이트도 묻지 않는 아이의 성별을 캐묻는 키마.

그런 소란 속에 이지의 표정만 창백하게 굳어 있다.

그런 이지의 표정을 가장 먼저 발견한 것은 아펠리아였다.

"이지. 난 괜찮단다. 널 가졌을 때도 그랬는걸. 금방 괜찮아질 거야."

아펠리아의 말에도 표정이 굳은 이지가 창백한 안색으로 고개를 저었다.

"그게 아니에요, 어머니."

"그럼 뭔데?"

"남동생이 태어나면 어떡하죠?"

뜬금없는 이지의 동생 성별에 대한 발언에 키마가 크게 웃었다.

역시 애는 애구나 싶었다.

"하하. 어른스러운 척해도 결국은 아이로구나. 왜. 인형 놀이에는 여동생이 제격이더냐?"

키마의 말에 한심하다는 표정을 온 얼굴에 숨김없이 드러낸 이지가 한숨을 푹 쉰다.

에카이트 또한 그렇게 사람 볼 줄 몰라서 어떻게 하냐는 표정으로 키마를 바라보았다.

"제가 폰디체리 가문을 이을 때 피곤해질 것 같으니까 그렇죠. 혈육과 싸우고 싶진 않았는데."

"……뭐?"

맙소사.

내가 방금 무슨 말을 들은 거지.

상상하지 못했던 상황에 키마의 입이 떡하니 벌어졌다.

아펠리아를 빼다 박은 얼굴로 저런 야심을 말하다니, 반칙이다.

저건 에카이트보다도 더한 독종이나 할 만한 발언인데.

키마의 충격과는 별개로 두 남매는 서로에게 충격을 받은 듯 언성을 높이기 시작했다.

"뭐? 내가 폰디체리 가문을 이으려고 했는데?"

"오빤 빠져. 오빤 베이야드 공작가도 과해."

"자고로 기사는 폰디체리야! 넌 기사도 하지 않을 거면서 왜 그걸 탐내!"

"그런 고정관념 따위로 무슨 공작가를 잇겠어. 걱정이 크네."

두 아이가 투덕거리는 모습을 황당하게 바라보는 세 어른.

에카이트는 새삼 입맛이 썼다.

베이야드 공작가도 명문인데.

어쩐지 애들이 폰디체리 공작을 지나치게 좋아한다 했더니 다 환심을 사려고 그랬던 건가.

서로 누가 더 폰디체리 공작가에 어울리는지 경쟁하는 두 아이를 바라보던 세 사람이 서로 시선을 교환하며 웃음 지었다.

어찌 됐던 꿈꿔 왔던 평화로운 날이었다.

그토록 먼 길을 돌아왔지만 결국 도착했구나.

키마가 깊은 한숨을 내뱉고 큰 소리로 웃음을 터트리기 시작했다.

그에 아이들의 언쟁은 잠시 멈추었으나 이내 자신의 어머니와 배속 동생을 놀라게 했다며 더 큰 소리로 항의하기 시작했다.

에카이트가 조용히 아펠리아의 손을 꽉 잡는다.

아펠리아가 그의 손을 자신의 뺨에 가져다 대며 행복하게 웃는다.

키마는 그 장면을 다소 눈꼴시게 바라보면서도 이내 고개를 끄덕였다.

그래.

저거면 됐다.

만족한다.

같은 시각, 황실 깊은 곳에 보관되어 있던 키마의 둘로 쪼개졌던 반지가 희미한 잔상을 남기며 완전히 사라졌다.

-끝-

BLACK LABEL CLUB 035
타란텔라 2

초판 인쇄 2019년 4월 5일
초판 발행 2019년 4월 22일

지은이 바람속정열
펴낸이 신현호
편집부장 예숙영
편집 박상희 이세련
편집디자인 한방울
영업 · 관리 김민원 조인희
물류 이순우 최준혁 박찬수

펴낸곳 ㈜디앤씨미디어
출판등록 2002년 5월 1일 제117-90-51792호
주소 서울시 구로구 디지털로 26길 111 JnK디지털타워 503호
대표전화 (02)333-2513 팩스 (02)333-2514
전자우편 dncbooks@dncmedia.co.kr
디앤씨북스 블로그 http://blog.naver.com/dncbooks

ISBN 979-11-264-4684-1 (04810)
ISBN 979-11-264-4682-7 (SET)